Ce guide a été établi et rédigé
par **Louis-Martin Tard.**

Il le dédie à Guillaume, Mathieu, Véronique, Daredjane,
Abeille, Karine, Julien, Cyril, Anthony et autres Québécoises et Québécois.

Direction
**Adélaïde Barbey**

Responsable éditoriale
Yvonne Vassart

Lecteur correcteur
Yankel Mandel

# au
## Québec

## *Pour tirer le meilleur profit de votre guide*

● Même si vous ne le suivez pas, consultez le plan de ce guide (p. 5) ainsi que les renseignements pratiques des chapitres « De l'usage du Québec » (p. 73) et ceux de « Québec » (p. 114) et de « Montréal » (p. 126).

● Trois chocs vous attendent : l'immensité du pays (près de trois fois et demie la France et seulement 6 millions d'habitants), l'hiver (Montréal, latitude de Venise, climat de Moscou) et le fait français, surtout sensible ailleurs qu'à Montréal. Tenez en compte.

● Cette introduction à la visite du Québec a été rédigée en pleine période d'inflation. Les prix indiqués ont pu changer, vers le mieux ; nous le souhaitons.

● Les offices de tourisme, surtout celui du ministère de l'Industrie, du Commerce et du Tourisme du Québec, éditent de nombreux documents bien faits et gratuits qui donnent les listes complètes des facilités touristiques et les prix courants. Demandez-les.

● Avant d'entreprendre vos excursions consultez les cartes et plans de cet ouvrage (voir liste p. 6).

● Un index (p. 203) vous permet de vous reporter facilement à la description d'une ville ou d'un site.

# Plan de votre guide

## Bibliographie

Pour vous-même, pensez aux livres sur le Québec que vous auriez dû lire bien avant votre départ. Aurez-vous le temps de les parcourir dans l'avion?

Voici quelques titres d'ouvrages généraux :

Hollier (R.) : *Canada* (Petite Planète, Seuil, 1975).

Mallet (P.) : *Le Québec pour quoi faire?* (Grasset, 1980).

Meyer (P.) : *Québec* (Petite Planète, Seuil, 1981).

Robert (J.-C.) : *Du Canada français au Québec libre* (Flammarion).

Rioux (M.) : *Les Québécois* (Seuil).

*Québec*, n° 60 du périodique « Autrement ».

Littérature :

Mailhot (L.) : *Littérature québécoise* (« Que sais-je ? », P.U.F., 1975).

Tougas (G.) : *Histoire de la littérature canadienne française* (« Que sais-je ? », P.U.F., 1974).

Histoire :

Douville (R.) et Casanova (J.-D) : *La vie quotidienne en Nouvelle-France* (Hachette, 1964) et *La vie quotidienne des Indiens au Canada* (Hachette, 1967).

Linteau - Durocher - Robert : *Histoire du Québec contemporain* (Éd. du Boréal-Express).

Guides :

Boulanger (R.) : *Canada* (Guides bleus Hachette, 1981).

Grenier (C.) et Wolfe (J.) : *Guide de Montréal* (Éd. Libre Expression), *Le guide du Québec*, par une équipe de chroniqueurs touristiques (Éd. La Presse à Montréal).

## Cartographie

En couverture : Québec, canoé en hiver (photo C. Rémy).

## Table des illustrations

Sauf mention spéciale, les photos illustrant cet ouvrage nous ont été aimablement communiquées par le Ministère du Tourisme, chasse et pêche du Québec.

# Approche du Québec

## Vert, blanc, rouge

*Vous ne verrez jamais le Québec autrement que vert, blanc ou rouge. Vert en été, rouge à l'automne et blanc en hiver. La quatrième saison, on n'en parle guère. Cette année au Québec, le printemps a été très beau. C'était un mardi après-midi.*

*Vert, blanc, rouge, ce sont les vraies couleurs de ce pays canadien français, celles aussi du drapeau arboré dès 1837 par les Patriotes en lutte pour la souveraineté. Le savaient-ils, ces premiers Québécois, que ce drapeau de leur histoire était aussi celui de leur géographie?*

*Vous voici donc en partance pour cette contrée mystérieuse qui n'est plus la France, ni l'ancienne, ni la nouvelle, mais où l'on parle français, qui conserve des liens quelque peu fictifs avec l'Angleterre par le biais de la Couronne royale, qui est liée aux États-Unis par le dollar et qui voudrait être elle-même.*

*Peut-être, à moins que vous ne soyez du pays, lisez-vous ces lignes en route vers cette «Province» qui, en fait, est un État. Au sud de la pointe du Groenland, l'avion a changé de cap; encore une portion d'océan et voici la côte canadienne. Vous êtes encore à trois heures de vol de Montréal, au-dessus d'une Amérique froide et rocheuse. Contemplez l'espace infini, le paysage lunaire, sol minéral criblé de milliers de lacs, veiné de rivières, taché de fondrières, et, même en été parfois, ourlé de glace scintillante. C'est selon la tradition «La terre que Dieu donna à Caïn». C'est le Labrador, mot voulant dire, selon une étymologie possible : «pays de peine».*

*Enfin! vus du hublot, des signes d'humanité dans cette vaste étendue : de longue laizes, taillées à travers les forêts de conifères pour le passage des lignes à haute tension, villages isolés, champs en lames de parquet, les fameux «rangs», longues autoroutes qui relient les villes plus nombreuses. Voici, très américaine vue du ciel, l'agglomération montréalaise.*

*Ne cherchez pas au Québec certaines joies et valeurs de l'Europe. Ici, pas de cathédrales millénaires, de châteaux Louis XIII. Le passé est relatif. Pas de vieux et respectables monuments mais, à la place, des rochers, des lacs, des forêts vieux et vieilles comme le monde. Découvrez-les, découvrez les Québécois qui, de toute façon, vous surprendront. Ce livre n'a pas voulu décrire tout ce qu'il y a à voir. Il veut seulement, comme disent les Québécois soucieux de forger leur avenir, vous donner «le goût du Québec». D'ailleurs vous y voici. A vous de faire le meilleur usage de ce pays toujours vert ou blanc ou rouge.*

# Aller au Québec

## *Moyens d'accès*

### Le voyage par bateau

Les grands paquebots, au-dessus desquels flottait la flamme de la French Line, de la Cunard, de la Greek Line et autres compagnies de navigation qui, du printemps à l'automne, desservaient Montréal, rouillent à présent dans des ports lointains. Les seuls liens nautiques réguliers avec l'Europe se font via Londres et New York. Tant pis pour les amoureux de la mer qui aimaient prendre doucement possession du Canada par la longue remontée du Saint-Laurent, et débarquer à Montréal en plein cœur de la ville. Ces fervents du large, pas trop pressés, peuvent encore tenter «le coup du cargo» qui accepte des passagers. Mais ces bâtiments sont de plus en plus rares car ils sont remplacés par des porte-conteneurs rapides qui ne prennent personne à bord.

La hausse des tarifs aériens fait espérer aux fervents des traversées transatlantiques que de petits paquebots, actuellement affectés aux croisières en eaux tièdes, redeviendront rentables sur l'Atlantique.

### Le voyage par avion

L'avion reste la seule solution. **Montréal** est à cet égard très bien desservi. Deux compagnies assurent la ligne directe entre Paris et Montréal : *Air France* et *Air Canada*. Les avions partent de l'aéroport Charles-de-Gaulle en période de pointe pour atterrir, à cause du décalage horaire, au début de l'après-midi à l'aéroport québécois de Mirabel.

Il existe aussi, si vous savez les trouver, des *charters* (en français du Canada, des «vols nolisés»).

Le mieux est d'aller voir un agent de voyages sérieux. Il vous expliquera, pour les deux transporteurs, le mystère des tarifications au départ de Paris : du plein tarif haute saison aller et retour classe économique (environ 10 000 F) à la formule «Meilleure Aubaine» d'*Air Canada* (3 650 F aller et retour) ou en passant par les formules APEX, ou «Economie-excursion», relativement bon marché, mais grevés de conditions draconiennes (dates des voyages, durée du séjour, paiement préalable, etc.).

Les compagnies aériennes suivantes desservent régulièrement l'aéroport de Montréal-Mirabel :

*Air Canada :* Paris - Londres - Zurich - Munich - Genève - Düsseldorf - Bombay - Singapour - États-Unis - Antilles - lignes intérieures canadiennes.

*Air France :* Paris.

*CP Air :* Amsterdam - Athènes - Buenos-Aires - Lima - Lisbonne - Mexico - Rome - Santiago - lignes intérieures canadiennes.

*Aeroflot :* Moscou.

*Aerolinas Argentinas :* Buenos-Aires - Rio de Janeiro - New York.

*Air India :* Bombay-Londres.

*Alitalia :* Milan - Rome.

*British Airways :* Glasgow - Londres - Manchester.

*C.S.A. :* Prague.

*Cubana :* La Havane.

*El Al :* Tel Aviv.

*Finnair :* Helsinki.

*Iberia :* Madrid - Mexico.

*K.L.M. :* Amsterdam.

*Lot :* Varsovie.

*Lufthansa :* Francfort.

*Royal Air Maroc :* Tanger - Casablanca.

*Sabena :* Bruxelles.

*Swissair :* Zurich.

*T.A.P. :* Lisbonne - les Açores.

*First Air :* Ottawa.

*Québecair :* Québec.

De Montréal-Dorval :

une quinzaine de compagnies desservent les villes du Québec, du reste du Canada et de l'Amérique du Nord. Renseignements et réservations à Montréal.

D'autres compagnies par *avions-taxi, hélicoptères, appareils «de brousse», hydravions,* offrent une gamme très large de services. Il est bon de se renseigner sur place. *New York* et *Toronto,* importantes voisines de la métropole canadienne française, bien reliées elles aussi aux réseaux aériens internationaux, délimitent un triangle, unique au monde, de possibilités aéronautiques.

## Renseignements et réservations à Paris

*Air France :* 119, av. des Champs-Élysées, 75008 (tél. 299.23.64) et les agences Scribe, Invalides, Poissonnière, Maillot, Quartier Latin, Hilton. Réservations : tél. 535-61-61 et 535.66.00.

*Air Canada :* 24, bd des Capucines 75009 (tél. 742-21-21).

## Quand faire le voyage

L'itinéraire est choisi. Quand partir ? Idéalement, au temps de l'automne. De la fin du mois d'août au début de novembre. Temps frais, ensoleillé. Quelques jours maussades parfois, qui donnent une idée de l'hiver austère, mais toujours suivis de l'été des Indiens, version canadienne de celui de la Saint-Martin. Ce qu'il y a de plus remarquable, les couleurs : sur fond de sapins vert sombre, les feuillages caducs adoptent les uns après les autres les teintes grenat, rouille, carmin, corail, rubis, magenta, vermeil, cramoisi. Une symphonie de tous les rouges que la blonde lumière d'arrière-saison vient encore magnifier.

A la lisière de novembre, un dernier azur, un dernier soleil, repentirs de l'été.

S'abat alors la première «bordée» de neige. Le vent violent arrache les dernières feuilles couleur de miel. La tempête glacée frappe sans transition, désorientant chacun, comme si un tel météore était impensable en cette terre de gel et de froidure. «Ce n'est pas un pays, c'est l'hiver», chante le poète *Gilles Vigneault.*

Frimas, blizzards, verglas, petits matins atrocement froids, congères. Surtout, de très longs jours de grisaille. Parfois aussi, neiges étincelantes et terres glacées qu'un blanc soleil, dans le ciel pur, n'arrive pas à réchauffer. D'inattendus redoux peuplent aussi ce bel hiver sans fin, qui peut traîner jusqu'au début du mois de mai et fait la joie des amateurs de sports de neige. Soudain, le printemps : l'herbe est déjà vert tendre sous les plaques de neige grise. Elles fondent vite en ruisseaux. Les bourgeons éclatent. La Gaspésie, le Bas-du-Fleuve, la Côte Nord, où l'indice de pollenisation est quasi nul, sont appréciés par les visiteurs sujets à la fièvre des foins.

Un été humide s'installe dans le déchaînement de la nature. C'est le temps des lilas, des beaux soirs, des somptueux couchers de soleil. Contre une humidité étouffante qui rappelle Douala ou Saïgon, on fait fonctionner la climatisation. En août, engendrés par les ouragans tropicaux, des orages violents, de brusques changements de temps avec refroidissements subits. Cela fait dire qu'au Québec, on peut avoir les quatre saisons dans la même semaine. C'est la fin de l'été. Et tout recommence.

Pas partout de la même façon dans une province si diverse et si grande. En octobre, les moyennes qui s'établissent à Montréal entre 6° et 13°, ne s'élèvent qu'à 8° dans le nord des Laurentides et entre $-2°$ et $-6°$ sur la côte nord du Saint-Laurent, passé Baie-Comeau. La période d'enneigement total de la plaine de Montréal, 12 à 13 semaines, s'allonge au nord et dans les zones d'altitude. Québec et sa région sont toujours plus froides et neigeuses que l'agglomération montréalaise, où, d'ailleurs, de brusques ruptures de moyennes peuvent, en janvier février, faire choir le mercure à 30° sous zéro.

En avril, les températures minimales commencent à franchir

la barre du zéro et tendent vers des maxima qui vont de 2°
pour la Côte Nord, à 4° pour les Laurentides septentrionales,
8° pour le Saguenay et Québec, 9° pour l'Estrie et 11°
pour Montréal.

Les moyennes de juillet : Côte Nord 8 à 16°. Nord Laurentides
11 à 22°, Saguenay et Québec 13 à 24°. Cantons de l'Est 14
à 25°. Montréal 17 à 26°, peuvent, elles aussi rester fraîches
pour la saison ou bien se transformer en canicule, doublée le
plus souvent d'un fort taux d'humidité.

## Vous préparez vos valises

Tenez compte de ce qui précède : printemps humides et
frais. Étés volontiers torrides. Automnes pluvieux, parfois très
chauds. Hivers imprévisibles, interminables.

On sait au Canada braver cette mauvaise saison : maisons, chambres d'hôtel, magasins, moyens de transport bien
chauffés (surchauffés, disent les Européens). A l'extérieur, il
y a d'autres moyens d'abolir le froid : vêtements bien conçus,
tuniques, mitaines, parkas, pelisses, fourrures, passe-monta-
gnes, sous-vêtements élégants et efficaces. En ville, les hommes se munissent de «claques» et «pardessus» (couvre-
chaussures isolants). Les dames circulent en bottes et botil-
lons fourrés, mais lorsqu'il le faut, transportent avec elles,
dans un sac, de fins escarpins qu'elles savent chausser discrètement. Tout cela, le touriste saura le trouver sur place,
amusants et originaux souvenirs à rapporter (dans ce genre,
je conseille les couvre-oreilles en fourrure reliés par une
lame métallique).

Pour le printemps, il faut penser à l'imperméable assez étoffé.
Pour l'été, au style tropical ; à cause de la surclimatisation,
des lainages légers sont indispensables pour surmonter les
artificielles fraîcheurs estivales. En tout temps, le «bleu jean»
est commode, le maillot de bain utile (les bons hôtels,
les appartements des amis sont souvent munis de piscines).
L'Européen un peu conservateur doit savoir que le Canadien
français s'habille de façon très décontractée, même, et surtout, dans les grandes occasions. La chemise blanche, la
cravate stricte, le complet bleu marine, les chaussures noires font très vieux jeu. Chez les dames, les tenues les plus
excentriques n'étonnent personne et sont signe de recherche.

## Avant de boucler vos bagages

Il n'y a rien que désormais l'on ne trouve au Québec. Vous
avec des amis à gâter? Même si tous les parfums, liqueurs,
livres, disques, gadgets sont disponibles au Canada, tout n'y
arrive pas instantanément ; apportez les dernières nouveau-
tés, vous ferez toujours plaisir.

## Dans votre portefeuille

Bien sûr, votre billet d'avion, votre **passeport** valide pour une période de six mois après la date de retour prévue suite à votre séjour et, bien entendu, votre **visa,** si nécessaire.

Si vous en avez, les **cartes de crédit** acceptées au Canada *(American Express - Diners Club - Mastercard, En Route-Air Canada - Visa).* Vos chèques de voyage en $ canadiens ou U.S. (American Express, Visa Cook, BNP). Votre **permis de conduire** normal (l'usage en est toléré) ou un permis de conduire international. Des **devises** européennes ; on peut les changer dans les banques et aux comptoirs de change. De l'argent canadien acquis en Europe, des dollars U.S. facilement négociables. Au besoin, des **chèques de voyage,** en dollars canadiens. Selon les prix donnés dans cet ouvrage, calculez bien votre budget. Souvenez-vous que dans cette partie du monde, la vie est chère. Détail à ne pas négliger : toute dépense est affectée d'une **taxe** de 9 à 10 % (sauf pour les produits d'alimentation, les vêtements et chaussures, et les repas de moins de $ 3,25) ; les tarifs et prix sont toujours bruts. Tout achat de $ 49,99 signifie concrètement que vous aurez à payer près de 54 $. Le caissier fait rarement de cadeaux.

Calculez votre budget sans trop d'optimisme.

A vous d'estimer, selon une contingence variable, s'il vaut mieux faire vos opérations de change avant le départ ou sur place. En fait, la différence sera, sauf dévaluation subite des monnaies, assez minime.

Le petit livre jaune des certificats internationaux de **vaccinations** n'a plus cours pour l'entrée dans le pays. On n'y craint même plus la variole.

## Adresses utiles

### A Paris

**Délégation générale du Québec,** 66, rue Pergolèse, 75116 (tél. 502.14.10).

**Ambassade du Canada,** 35, av. Montaigne, 75008 (tél. 723.01.01) ; service des visas, même adresse (tél. 723.52.50).

**Air Canada,** 24, bd des Capucines, 75009 (tél. 742.21.21).

**Air France,** 119, av. des Champs-Élysées, 75384 Paris Cedex 08 (tél. 299.23.64).

**Canadien national,** 1, rue Scribe, 75009 (tél. 742.76.50).

**Centre culturel canadien,** 5, rue de Constantine, 75007 (tél. 551.35.73).

**Office national du Tourisme Canadien,** 37, av. Montaigne, 75008 (tél. 723.01.01).

**Services culturels de la Délégation du Québec,** 117, rue du Bac, 75007 (tél. 222.50.60).

**Centre québécois des coopérations industrielles,** 11 *bis,* rue de Presbourg, 75116 (tél. 501.28.50).

**Tourisme québécois,** 11 *bis,* rue de Presbourg, 75116 (tél. 500.95.55).

**Agence de voyages :** *Visages du Monde,* 5, rue Jean-du-Bellay, 75004 (tél. 329.63.10).

## A Bruxelles

**Direction générale du Québec,** édifice Taylor Woodrow, 56, rue de la Loi, 1040 (tél. 511.06.80).

## *Salut à Mirabel*

Venant d'Europe par avion, vous atterrissez à l'*aéroport international* de *Montréal-Mirabel.* Saluez! C'est pour l'instant le plus moderne des aéroports de l'ère supersonique. Vous n'en verrez de votre hublot que les installations de la Phase I, conçue pour recevoir entre 6 et 10 millions de voyageurs par an et 600 000 tonnes de fret.

Mirabel occupe la plus vaste superficie jamais réservée à un aéroport (36 000 hectares) pour permettre de réaliser une expansion planifiée, dans une large zone dépourvue d'agglomérations et d'effectuer des décollages et des atterrissages en pleine nuit.

L'avion se pose sur une des deux pistes. Elles ont chacune 3 657 m de long sur 60 m de large. Les véhicules transbordeurs s'approchent de votre appareil qui s'est arrêté à son poste de stationnement. Leurs cabines s'élèvent jusqu'aux portes de l'avion. Vous prenez place dans cet engin à la fois autobus et ascenseur; il vous mène au quai de débarquement de l'aéroport. Circulant en ligne droite vers la sortie, à moins de 100 m de là, vous passez par les services d'inspection et de douanes. Vous devez trouver votre valise dans le carrousel à bagages. Puis, en principe, vous vous retrouvez sur le débarcadère extérieur environ 30 mn après l'instant où votre avion a arrêté ses moteurs. Cela, d'après les calculs des experts qui ont conçu ce système et cet édifice.

Si des amis sont venus vous chercher, regardez vers le haut derrière les vitres de la mezzanine.

Un passage couvert mène à l'hôtel du *Canadien Pacifique :* «le Château de l'aéroport», chambres insonorisées, restaurant, bar, piscine, saunas.

A Mirabel, vous vous trouvez à *56 km* au nord-ouest du centre de **Montréal** sur un plateau relativement plat, bordé au nord par les contreforts des Laurentides.

Des *autocars* très modernes (Compagnie *Miracar,* tél. 379.99.99), effectuant la plus grande partie de leur trajet (60 minutes environ) sur l'autoroute des Laurentides (souvent encombrée), vous mènent pour $ 8 au centre ville, à la gare centrale de Montréal (coin Dorchester et la Gauchetière). Un autre service conduit de **Mirabel** à **Dorval.** Cet aéroport, depuis 1950, assurait la totalité du trafic aérien pour la région montréalaise. Il est désormais réservé aux vols intérieurs et aux liaisons entre le Canada et les États-Unis. Si votre voyage comporte une correspondance et un changement d'aéroport, un service de renseignements vous aidera à vous rendre à Dorval, à environ 47 km en direction sud-est. Un autobus de la compagnie *Voyageur* (tél. [514] 842.22.81) conduit à Ottawa ($ 9,15).

Il y a aussi pour aller de Mirabel à Montréal ou à Dorval des *taxis;* le prix de la course au compteur est d'environ 45 $, pourboire non compris.

## *Un mot sur les douanes*

La douane au Canada relève du ministère fédéral du Revenu. Au Québec, ses représentants sont de parfaits bilingues, le plus souvent Canadiens français. Leur administration leur a inculqué un sérieux, un fairplay très britannique, heureusement corrigés par une faconde toute latine. Ils sont fort bienveillants pour le touriste qui arrive. Ils appliquent de façon pragmatique les instructions reçues, vagues et changeantes variantes de l'implacable «Loi sur les douanes».

Pour le douanier, si vous êtes «une personne qui établit sa demeure et se tient ordinairement en un lieu hors du Canada», vous êtes un «non-résident». Vous avez donc le droit d'importer au Canada vos bagages personnels, en franchise pour la durée de votre visite. N'oubliez pas cependant que n'ont pas le droit d'entrer au Canada certaines marchandises à titre de bagages personnels. Attention à ce que vous mettez dans vos valises.

L'entrée, par exemple, des **vins et spiritueux** est interdite. On permet toutefois une franchise de 40 onces ou 110 centilitres par personne (au Québec, il faut avoir plus de 18 ans pour avoir droit à ce privilège). Sachez qu'en fait, 40 onces signifient, par tolérance, deux bouteilles moyennes par personne adulte, qu'elles contiennent de la fine champagne ou un quelconque «picrate». Pour la bière, vous pouvez multiplier les 40 onces par sept.

Vous pouvez, pour votre consommation personnelle (et en quantité raisonnable), avoir de la nourriture dans vos bagages; par règlement impératif du ministère de l'Agriculture, toute importation de **viande** (sauf les conserves stériles cuites par une firme industrielle reconnue), est proscrite. Le Canada, grand pays d'élevage, craint comme la peste l'introduction du virus de la fièvre aphteuse. Il faut avoir assisté, dans les aéroports internationaux du Canada, aux crises de larmes d'Italiens, qui débarquent apportant en cadeau à leurs amis le salami du pays, et qui voient les douaniers à gants blancs se saisir des odorants saucissons pour les placer, avec réprobation, dans les poubelles destinées à cet usage. Le Français qui veut régaler ses hôtes canadiens de rillettes en pot, boudin, rosette ou andouille de Vire, est promis aux mêmes fureurs. Si vous tentez d'introduire au Canada le meilleur foie gras truffé dans sa boîte de conserve d'origine, venant de la meilleure maison de Ruffec ou de Strasbourg, vous risquez la confiscation. Vous pouvez alors faire appel devant le fonctionnaire du ministère de l'Agriculture en service à l'aéroport. Si le produit ne figure pas sur les listes des fabricants agréés, avec douceur, mais non sans fermeté, on vous fera comprendre que tout entêtement est vain. On a vu des voyageurs furieux manger sur le champ deux livres de foie gras truffé, plutôt que d'accepter qu'il soit incinéré.

De mystérieuses maladies épidémiques sont transmises aux plantes par la terre ; aussi le Canada interdit-il l'importation de toute **plante** à laquelle adhère du terreau. Sous aucun prétexte n'essayez de franchir la frontière avec une azalée en pot ou un petit chêne gaulois muni de ses racines. Avec ou sans terre, sont prohibés les chrysanthèmes, les plants d'aubergine et de tomates, les pommes de terre de semence. L'importation de toutes sortes de graines et semences est également prohibée.

Dans la même veine, toute herbe du type haschich, chanvre, kif et autres cannabinacées, ainsi que les champignons hallucinogènes et, en général, **drogues** du même genre, sont frappés d'interdit absolu. C'est la gendarmerie fédérale, autrement dit la police montée, en uniforme discret qui surveille les tentatives d'importation. Les jeunes gens à cheveux trop longs et les jeunes personnes du type hippie peuvent être soumis à une fouille sévère. En cas d'infraction, c'est la paille climatisée des cachots canadiens.

Dans le domaine des **munitions,** vous pouvez importer 200 cartouches. A moins que vous ne soyiez un « tireur d'élite non résident » : dans ce cas, vous devez prouver que vous venez au Canada participer à des concours de tir organisés par des sociétés reconnues. Vous avez alors droit à 1 000 cartouches.

Côté **tabac,** vous pouvez, si vous avez plus de 16 ans, transporter 200 cigarettes, 50 cigares ou deux livres de tabac. Il vous est permis d'avoir dans vos bagages des **pellicules photographiques** et « lampes-éclair » « en quantité raisonnable ». Si vous apportez des cadeaux à vos amis, à condition que ce ne soit pas des spiritueux ou du tabac, vous n'aurez pas de droits à payer, si le prix de chacun de vos présents ne dépasse pas 25 $. Et que vous n'abusiez pas des facilités prévues par les règlements.

Ce qui pourrait gâcher le début de votre séjour en terre canadienne serait votre entêtement à introduire un **chien** de quelque race que ce soit. L'inquiétude traditionnelle britannique envers ce genre d'opération a contaminé le Canada. A l'arrivée, si vous venez d'un pays où sévit la rage, votre compagnon, même accompagné des plus rassurants certificats des meilleurs vétérinaires européens, sera conduit à vos frais dans une lointaine fourrière, où il devra, après avoir subi des séries de piqûres, être gardé pendant trente jours avant de vous être rendu.

L'entrée au Canada d'abeilles et d'escargots vivants ainsi que d'espèces en voie d'extinction est totalement prohibée. La liste est impressionnante qui va de la tortue à la baleine, même s'il s'agit de peaux, carapaces, trophées empaillés ou même bijoux d'ivoire.

Notez aussi que les **automobiles** privées peuvent entrer et circuler au Québec et au Canada sans paiement de droit de douane. A condition que le dessous des véhicules en provenance de l'Europe soit, avant le départ, soumis à un nettoyage à la vapeur, afin de ne pas transporter au Canada un peu de la terre des vieux pays.

N'oubliez pas que vous entrez dans un pays où existe encore la notion de voyageur «bona fide», que les lois y sont rédigées dans un style peu cartésien, que leurs deux versions (anglaise et française) ouvrent à des interprétations, appuyées souvent sur la tradition orale et diverses jurisprudences. Les douaniers, s'ils ferment les yeux sur bien des petits accrocs à un règlement souple, sont implacables face à quiconque tente vraiment de frauder.

## Mais êtes-vous en règle ?

Les citoyens des pays de l'Europe occidentale, comme ceux de bien des pays du monde, peuvent entrer au Canada sans visa ; il suffit de présenter à l'arrivée un passeport en cours de validité. Ces voyageurs ont alors le statut de visiteur pour trois mois, renouvelable à condition de ne pas exercer d'emploi au pays sans un visa spécial (excepté pour les diplomates, militaires, hommes d'affaires ou journalistes de passage, membres du clergé, et athlètes professionnels).

Ceux qui veulent obtenir ce visa spécial doivent le demander, **avant leur départ,** au bureau d'immigration d'une ambassade canadienne. Il en est de même pour les personnes qui ont vocation d'immigrant. Le statut de «résident permanent» leur est alors octroyé selon les besoins économiques du Canada, de préférence à ceux qui peuvent prouver qu'ils sont effectivement appelés par un employeur canadien ou que leur activité est en forte demande dans la région où ils souhaitent s'établir. Peuvent également être acceptés comme immigrants, les membres de familles d'immigrants «reçus». Au bout de trois ans, tout immigrant peut demander la citoyenneté canadienne et, s'il est agréé, obtenir un passeport du Canada.

Seul le gouvernement fédéral a juridiction sur le contrôle des entrées en sol canadien. La province de Québec qui s'est dotée de son propre ministère de l'Immigration, a signé une entente avec le gouvernement d'Ottawa portant sur la collaboration en matière d'immigration et sur la sélection de ressortissants étrangers qui souhaitent s'établir au Québec à titre permanent ou temporaire. Cette entente permet à la province d'assurer une sélection cohérente et harmonieuse des immigrants et des travailleurs temporaires en fonction des capacités d'accueil ; il est également tenu compte des facteurs économiques, démographiques et socio-culturels des régions de destination.

Des conseillers en immigration du Québec sont en poste notamment à Paris, Bruxelles, Rome, Londres, Lisbonne.

## *Votre santé*

Si vous êtes touriste étranger en voyage au Québec : ne tombez pas malade. Si vous êtes Québécois ou que vous participez à un régime d'assurance-santé nord-américain reconnu, vous n'avez pas de problème : vous êtes porteur de la petite carte de plastique de l'assurance maladie gratuite que tout praticien conventionné ou tout hôpital reconnaîtra. Grâce à quoi, vous n'aurez pas un sou à verser.

Le touriste étranger qui a des problèmes de santé devra : soit s'adresser au médecin de son hôtel, soit aller en consultation chez un praticien de son choix ou, à la rigueur, se rendre à la salle d'urgence d'un hôpital. La note ne comprendra pas la consultation du médecin : 12 à 30 $ réglés séparément.

Si vous devez être hospitalisé, on vous demandera, dès l'admission, un chèque couvrant une semaine de séjour au coût de 600 à 1 200 $ par jour et il faudra, de plus, rétribuer médecin, anesthésiste et chirurgien. Les services de Sécurité sociale des pays européens ne prennent généralement pas en charge les ressortissants soignés à l'étranger ou paient une très faible partie de leurs dépenses (à condition que l'on prouve par des certificats qu'il n'y avait pas d'autres recours qu'une hospitalisation sur place). Un bon conseil afin de ne pas inquiéter les vôtres et d'éviter les problèmes à votre consulat : contractez avant le départ ou à l'arrivée au Québec une assurance-santé pour voyageur qui vous évitera tous ennuis. Votre agent de voyages saura vous renseigner à cet égard.

# Ce pays que vous visitez

## Sa géographie

Le Québec est la plus étendue des **dix** provinces du Canada. Du détroit de Belle-Isle à l'est, au rivage oriental de la baie James à l'ouest : 1 600 km de large. Dans l'autre sens, de la frontière des États-Unis à la côte arctique de l'Ungava : 1 900 km. En tout, environ un million et demi de kilomètres carrés. Encore faudrait-il y ajouter une partie du Labrador, qui fut autrefois rattachée par Londres de façon arbitraire à la province de Terre-Neuve, alors colonie britannique. Cette situation contentieuse prive le Québec d'importantes ressources naturelles et d'un potentiel hydro électrique qu'il revendique. Le Québec, immense territoire qui a le profil d'une tulipe épanouie, pourrait aisément contenir la France, l'Espagne, le Portugal, la Belgique, la Suisse et les deux Allemagnes. Le Québec, c'est le seizième du territoire du Canada (qui, par sa taille, est le deuxième État du monde après l'U.R.S.S.). Le Québec est immense mais, ne nous trompons pas : seule une petite portion est actuellement vivable et habitée : approximativement deux bandes de terre au long du Saint-Laurent : là, demeurent plus de 6 millions de Québécois.

La géographie de leur pays est simple. Trois grandes régions naturelles : le «bouclier canadien», la plaine du Saint-Laurent, les Appalaches.

Le *bouclier,* ou plus exactement sa partie québécoise, occupe les quatre cinquièmes du territoire. C'est un des «coffres-forts» du monde. Là réside la richesse (sous forme de ressources naturelles très peu exploitées). Là sévit la solitude. L'histoire du «bouclier» est longue. Au départ, dans la nuit des temps, la montée d'immenses alpes primaires, très plissées, formées de granites, de grès, de schistes. Les millénaires, les intenses chaleurs du globe en formation, les prodigieuses pressions, cristallisent les roches précambriennes ; elles en font d'immenses feuilletés. Une très longue érosion va raboter les montagnes jusqu'à la racine. Elles deviennent une longue série de plateaux ondulés, de vallées creuses, de dépressions allant parfois au-dessous du niveau de la mer. Les glaciations successives vont encore fignoler le tout, y creuser des centaines de milliers de lacs de toutes tailles, polir les collines, surcreuser les vallées. Quelques Blancs vivent là, dans de rares villes minières. Le reste est le domaine de tribus d'Indiens, nomades et chasseurs; sur les côtes septentrionales, des communautés d'Esquimaux. La bordure sud du bouclier, un peu plus habitée, couverte d'épaisses forêts de conifères — une autre richesse du pays — constitue le massif des *Laurentides.* On y pratique de moins en moins l'agriculture; c'est devenu une région de loisirs.

Au sud du Québec s'étend la région des *Appalaches.* C'est la fin d'une longue chaîne montagneuse érodée qui débute près d'Atlanta, un peu au nord du golfe du Mexique, et se termine dans les parages de l'île de Terre-Neuve où elle disparaît dans l'Atlantique. Les Appalaches du Québec, faites de calcaire, de grès et de schistes, mêlés de roches ignées, se présentent sous forme de terrasses discontinues ornées de quelques sommets; ces terres élevées, les pentes qui y mènent, sont relativement prospères, grâce à la forêt, à l'agriculture, à de petites industries et, de plus en plus, au tourisme.

Entre ces deux zones accidentées, celle du «bouclier» et celle des Appalaches, un long triangle dont la base s'étend vers l'Atlantique : la *plaine du Saint-Laurent,* basse et fertile, nappée de dépôts d'argile et de sable. Dans sa rainure, alimenté par ses puissants affluents, le fleuve géant. Débit du Saint-Laurent à Montréal, à 1 600 km de la mer : 8 500 mètres cubes à la seconde. Après Québec, il s'élargit. Par le travers

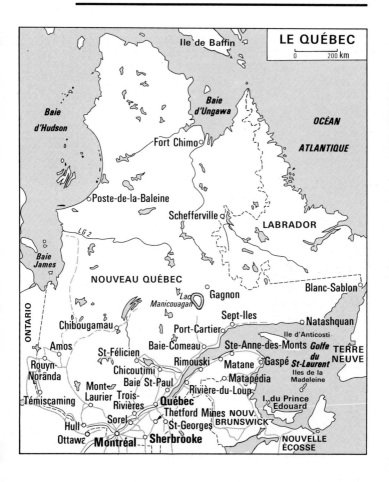

de l'île d'Anticosti, ses rivages sont éloignés de 125 km. Les eaux sont déjà salées et soumises aux marées. Puis, c'est l'énorme golfe. La plupart des Québécois habitent cette longue plaine. Là se trouvent des grandes villes, les terres franchement arables, les industries, les voies de communication qui mènent au cœur très riche du continent nord-américain. Là sont Montréal, Québec et les autres villes du pays québécois.

## Des animaux et des plantes

Il n'existe au Québec aucun animal sauvage dangereux pour le touriste, sauf dans un cas extrême, l'ourse, rendue furieuse par la présence d'un intrus entre elle et ses petits. On ne peut craindre aucun reptile venimeux. Il vaut mieux être attentif à la mouffette rayée, dont le nom scientifique «Mephitis» dit assez bien son moyen de défense : un jet brûlant sorti d'une glande, chargé d'une odeur répulsive et tenace. Qui en reçoit

23

L'orignal, robuste élan du Canada

quelques gouttes sur lui n'a, selon le conseil des vieux trappeurs, qu'un recours : brûler sans attendre tous ses vêtements, se plonger dans une baignoire remploie de jus de tomates.

Autre adversaire minuscule et redoutable : le moustique ; au cours de l'été il pullule dans les zones un tant soit peu marécageuses, dans la savane, les bois et même les villes. Il en existe de nombreuses sortes très voraces. Les moustiquaires à toutes les fenêtres, les lumières éteintes la nuit, le D.D.T., les produits chimiques à vaporiser, les crèmes et vitamines, ne protègent pas toujours des piqûres diurnes et nocturnes.

Pour le reste, la faune est amicale : l'écureuil gris vous suit dans les rues pour quémander une graine d'arachide ; vous voyez à Montréal, dans les sous-bois du mont Royal, se promener les faisans ; dans les parcs provinciaux circuler tranquillement le lynx, le coyote, le grand duc, l'aigle, le tamia, le porc-épic et le raton-laveur.

C'est le paradis des amateurs de safaris photographiques. A ceux qui n'ont pas le temps de prendre l'affût pour cadrer dans leur téléobjectif un caribou qui brâme, il est conseillé les jardins zoologiques de la Province, particulièrement celui de Saint-Félicien, au lac Saint-Jean. De très près, on peut photographier dans leur milieu naturel de beaux échantillons d'animaux du Québec.

Au hasard des excursions, le touriste fait connaissance aussi avec une flore typique, et ses champions locaux dans les catégories de la feuille caduque colorée ou de la résine. On trouvera, dans le pays et à travers ces pages, d'autres végétaux rares, surtout ceux du Nord moyen ; dans les sphaignes des tourbières se cachent des *plantes carnivores* comme la sarracénie pourpre ou le rossolis. Ces végétaux ne guettent que les très petits insectes. L'homme doit plutôt se méfier d'une plante assez répandue au Québec : « l'herbe à puces ». Un simple contact avec ses feuilles développe des irritations, parfois des éruptions boutonneuses, voire une sorte de fièvre. Techniquement, ce végétal au nom savant de « Rhus radicans » (les Américains l'appellent « poison ivy ») est un sumac, de l'ordre des térébinthales, qui groupe aussi l'érable et sa variété très canadienne, l'*Acer saccharum,* fournisseur de sève sucrée ; sa feuille pourpre apparaît comme motif principal sur le drapeau national.

# Le Québec dans l'histoire

Il est un mot historique qui a beaucoup peiné les Canadiens français. Il a aussi galvanisé leur nationalisme toujours à fleur de peau. Ce mot a été prononcé en 1840 par l'homme d'État anglais *Lord Durham* : «Ce peuple est sans histoire», a-t-il dit. Phrase profondément injuste, mais aussi paradoxale.

Le Québec a son histoire; il en a même plusieurs : d'abord celle enseignée par des professeurs canadiens français qui, très longtemps, furent des prêtres ou de pieux laïcs. Par zèle catholique, ils en ont fait une fresque apologétique. Les Anglo-Saxons ont, eux aussi, donné leur version des faits. Déjà des Québécois, certains d'origine amérindienne, rédigent à leur tour des ouvrages conformes à leur vision du monde. Où est la vérité et quand commence la chronique du Québec?

A la prise de Québec par les Anglais, le 18 septembre 1759? Cela ferait débuter le destin du pays par une défaite. Autre version, longuement transmise par les manuels scolaires aux petits écoliers du Québec : «Le 24 juillet 1534, le Malouin *Jacques Cartier* plantait une croix sur la côte de Gaspé. Le Canada venait de naître.»

Mais avant? On parle de Normands «venus d'Islande», de Bretons, de Basques, de Celtes; après l'an mille, des Vikings, commandés par un nommé *Leif, fils d'Erik le Rouge,* à bord de leurs drakkars, auraient vogué dans les eaux nord-américaines. Ils se seraient installés dans ce qui est aujourd'hui l'Est maritime du Québec. Des archéologues fournissent mille preuves. Ils ne prouvent guère. Mieux encore, ce seraient des Phéniciens qui auraient, avant J.-C. (Jacques Cartier), découvert le Québec. Voici l'histoire : il existe au musée de Sherbrooke trois pierres portant des inscriptions, découvertes au début de ce siècle dans le sud du Québec. Au printemps de 1975 un archéologue de l'Université Laval, le professeur *Thomas Lee,* après de longues recherches appuyées sur les travaux et conseils d'un de ses collègues le professeur Berry Fell, de l'Université d'Harvard, spécialiste des langages antiques de la Méditerranée orientale, a réussi à déchiffrer les textes gravés; ils disent : «Expédition qui traversa (la mer), au service du roi Hiram, conquérant du territoire. Gravé par Hata qui atteignit ici les limites avec son embarcation et grava cette pierre. Hannon, fils de Tamu, qui atteignit cette montagne.» Si l'on sait qu'un roi de Tyr, *Hiram,* a vécu de 969 à 935 av. J.-C. et que Hannon est un Carthaginois célèbre pour ses explorations nautiques dans le même temps, voilà qui retire un peu de gloire à Jacques Cartier, planteur de croix et découvreur officiel du Canada, envoyé par le roi François I$^{er}$ et parti en avril 1534, de Saint-Malo, joli port de mer.

## L'introuvable Eldorado

Déjà avant lui, et dès le début du XV$^e$ s., des navigateurs, tous à la recherche du passage qui, par l'ouest, mènerait vers Cipango et les richesses asiatiques, avaient longé les rives de ce qui devait être le Canada. Florentins et Dieppois, Portugais et Vénitiens étaient sur la bonne piste. *Cartier,* lui aussi, cherche le bon passage vers la Chine et l'or dont le trésor royal a besoin. Après 20 jours de traversée, record homologué remarquable pour l'époque, il atterrit à **Gaspé** et y plante sa croix. Le roi, qui espérait des monceaux d'or du Nouveau-Monde, renvoie l'explorateur en Amérique. Le voilà qui s'engage le 10 août 1535, en la fête de Saint-Laurent, dans le grand fleuve.

Escale au village indien de **Stadacona,** site de l'actuelle ville de Québec. Arrêt à **Hochelaga,** autre bourgade « sauvage », lieu du futur Montréal. On plante des croix, on hiverne. On fait la douloureuse expérience du froid et du scorbut. Retour en France, troisième départ. Cette fois, Jacques Cartier découvre des monceaux d'or et de diamants. On s'apercevra, au retour à Paris, que les minerais d'or ne sont que sulfures métalliques et les brillants d'humbles cristaux de quartz. La Nouvelle-France, chemin vers la Chine ou Eldorado, tombe dans l'oubli. Des huguenots tentent des essais de colonisation, mais la voie a été tracée par Cartier, l'évangélisateur : le royaume d'outre-mer doit être celui du Dieu romain et apostolique.

Un autre missionnaire laïc, le sieur *Samuel de Champlain,* natif de Brouage, en Saintonge, reprend l'aventure. Son but : créer un poste solide sur les rivages lointains. Il fonde ainsi **Québec** (1608) autour de l'« habitation », un gros fort de bois. Son idée : appuyer sa mission d'évangélisation et de peuplement sur un commerce rémunérateur, celui de la pelleterie, troquée aux Hurons et Algonquins. Ainsi les capitalistes français qui ont financé l'entreprise contribuent à l'établissement d'une colonie chrétienne. A sa mort toutefois, Champlain aura compris que les marchands de France, uniquement soucieux de recueillir des gains considérables, ont modérément commandité le coûteux départ de colons. Ils voient en eux des concurrents installés à leurs frais en terre canadienne. Malgré tout, l'**Acadie** (aujourd'hui la Nouvelle-Écosse) se peuple ; à l'ouest, est fondé le poste des **Trois-Rivières ;** bientôt Montréal va naître ; Samuel de Champlain aura jeté les bases d'une présence française en Amérique du Nord.

## *La croix et le castor*

Parmi les rares colons que Champlain a réussi à mener en Nouvelle-France, *Louis Hébert* est célèbre. C'est une sorte d'apothicaire. originaire de Paris, marié à *Marie Rollet,* ils ont débarqué en 1617 à Tadoussac avec leurs trois enfants, *Anne, Guillemette* et *Guillaume.* Hébert, parce qu'il fallait vivre dans sa patrie d'adoption, est devenu cultivateur et a fait fructifier les arpents donnés en prime par la Société des Marchands. Il y a gagné le titre de premier laboureur du Québec. Et sa fille Guillemette est réputée pour être la première Française à avoir donné le jour à un enfant en terre canadienne, le premier d'une série de dix. On lui a élevé à Québec un monument ainsi qu'à son mari, le premier père de famille de la Neuve-France. Il s'appelait *Guillaume Couillard.*

La **région du Saint-Laurent** n'est pas la seule à se peupler de colons inspirés, désireux de faire souche en Amérique. Le mariage de Guillemette et de Guillaume date de 1621. Quelques mois plus tôt partait de Plymouth un groupe de «pèlerins» puritains. Ils voguaient sur le célèbre *Mayflower* pour aller fonder outre-Atlantique la Nouvelle Angleterre. Dès ce moment, tout ce qui se passe dans la colonie anglaise du Sud va commander le destin de la Nouvelle-France. On y poursuit de plus belle l'épopée conçue par Champlain : l'action mystique consolidée par le négoce des peaux de castor. Un dévot percepteur de La Flèche, du fond de son Maine natal, imagine de créer de toutes pièces une ville en terre canadienne. Elle sera dédiée à la Vierge, s'appellera **Ville-Marie** et rayonnera autour d'une communauté d'hospitalières. Ainsi, *Jérôme Le Royer de la Dauversière* récolte autour de lui des fonds pour dépêcher vers les terres lointaines un petit groupe d'apôtres, commandés par une sorte de moine laïc et militaire, *Paul Chomedey de Maisonneuve,* et une pieuse infirmière, *Jeanne Mance.* Ville-Marie, qu'ils créent effectivement, deviendra bientôt (1642) la ville de Montréal, bâtie au pied de sa colline, le mont Royal. Le Canada compte alors moins de 200 habitants blancs : missionnaires, auxiliaires du clergé, colons, aventuriers qui parcourent le pays pour offrir aux Indiens, en échange des précieuses sauvagines, de la pacotille, de l'eau-de-feu et parfois des arquebuses. Les bons «sauvages» acceptent de commercer et parfois de recevoir le baptême, administré par les «robes noires». Ce sont les Hurons. Ils ont pour ennemis les Iroquois, alliés aux Anglais. A cause d'eux, la vie devient intenable dans la jeune colonie. Bientôt, le pouvoir royal décide d'annexer la Nouvelle-France au domaine royal, de la doter d'un gouverneur, d'un intendant et d'un Conseil, d'y créer un régime seigneurial, d'y envoyer un vicaire apostolique qui portera bientôt le titre d'évêque. le premier est *François de Montmorency Laval.*

## Coureurs des bois et Filles du Roy

Pour pacifier l'Iroquois, on décide le quadrillage du territoire. Le régiment de Carignan-Salières dépêche ses Fanfan la Tulipe au Canada. Les mousquets font merveille. Le «méchant sauvage» sollicite la paix. Un célèbre intendant, le sieur *Jean Talon* planifie l'économie du domaine colonial mais n'y reste pas assez longtemps pour le faire «démarrer» vraiment, comme l'ont réussi au sud les Anglo-Saxons. Un des problèmes est celui des «coureurs des bois», jeunes gens aventureux, chaussés de raquettes ou maniers de pagaies, qui vivent loin des villes, dispensent l'alcool de traite aux Indiens et offrent leur cœur aux Indiennes. Afin de procurer des épouses à ces «dragueurs», le pouvoir monarchique, au départ de La Rochelle, organise des convois de jeunes personnes. Elles partent nanties d'une dot royale : un peu de linge, quelques écus, et leur charme. Ce sont les «Filles du Roy». Furent-elles toutes pures ? au-dessus de tout soupçon ? Des historiens ont tenté de prouver qu'il n'existait aucune «fille de joie» parmi elles. Que si une ou deux Manon Lescaut, tirées de force des hôpitaux parisiens, ont pu se glisser parmi les vraies demoiselles de bonne famille, toutes d'ailleurs filles d'officiers, dignes, nobles et pauvres, elles ont été immédiatement envoyées vers la Guadeloupe ou la Louisiane, purgatoire à ces catins repenties. Grâce à ces jeunes femmes, en fait de solides fiancées venant des campagnes vendéennes ou circonvoisines, la colonie progresse. En 1763, le Canada compte 65 000 habitants. L'Acadie, Québec, Trois-Rivières, Ville-Marie, ne leur suffisent plus. Ils parcourent le nouveau continent. C'est le temps du grand dynamisme. Toutes les bonnes terres sont cultivées ; au commerce toujours essentiel de la fourrure s'ajoutent les pêcheries, l'extraction du minerai de fer, l'ouverture de forges. On plante du chanvre, de l'orge ; on exploite le bois ; la Nouvelle-France cesse d'être uniquement un comptoir de fourrures ; le vaste pays est exploré. Par goût de l'aventure, par lucre, par désir d'évangélisation, des hommes partent «beau temps mauvais temps» vers les lointains, font du troc, plantent des croix, construisent des fortins ; ils agrandissent sans cesse le domaine du Roi de France. Ainsi *Pierre Radisson* qui, vers 1670, pousse des pointes vers le Nord-Ouest avec son compagnon *Pierre Desgroseilliers*. Ils n'ont aucun mandat, sont prêts à se faire désavouer par l'autorité en place ; les voici à la baie d'Hudson. *Étienne Brulé* a ouvert des territoires du côté du lac Huron.

Vers le sud, *Saint-Lusson,* puis *Louis Jolliet* et le jésuite *Jacques Marquette,* suivis de *Cavelier de la Salle* explorent toute la vallée du Mississippi jusqu'à la mer. A la suite, *Charles Lemoyne d'Iberville* et ses frères, corsaires, soudards, buveurs de rhum et coureurs de jupons, donnent au roi Louis la Louisiane. Vers l'ouest, *Daniel Duluth* va au-delà des grands lacs. Une ville du centre des États-Unis porte aujourd'hui son nom. *Pierre de la Vérendrye* et ses fils lancent ensuite des expéditions et s'arrêtent aux Rocheuses.

## L'Angleterre joue et gagne

Tant de raids d'exploration n'ont guère d'écho à Paris. A Londres, ils inquiètent le pouvoir royal, soucieux d'expansion coloniale dans «sa» terre d'Amérique. Les marchands d'Angleterre exigent le monopole absolu sur le commerce des fourrures attribué à la puissante compagnie de la *Hudson Bay* et sur celui de la morue dans les eaux poissonneuses de Terre-Neuve. Ils veulent que l'Angleterre obtienne la maîtrise stratégique des eaux et ports de l'Amérique du Nord et mettre aussi fin à une dangereuse fermentation qui s'amorce dans les colonies britanniques, celle des colons désireux de s'affranchir du pouvoir centralisateur londonien.

Pour leur part, ceux-là qui déjà se disent «Americans» luttent contre leurs rivaux francophones, par surcroît affreux papistes. Il faut se débarrasser de ces Français qui surtout empêchent l'expansion vers l'ouest des colons de la Nouvelle-Angleterre. Ces affrontements ne font que refléter la situation politique européenne : guerre de la Succession d'Espagne, *traité d'Utrecht* (l'Angleterre y obtient définitivement Terre-Neuve, l'Acadie et la baie d'Hudson), guerre de la Succession d'Autriche, paix d'Aix-la-Chapelle, guerre de Sept Ans.

Au Canada, se multiplient les escarmouches, les expéditions navales, les campagnes militaires et les exactions. L'Acadie, colonisée par la France depuis 1604, est conquise par l'Angleterre. En 1755, ses soldats en expulsent brutalement les habitants français. C'est l'épisode «du Grand Dérangement». La perte du fort de Louisbourg, pris, rendu, repris, détruit, marque «le commencement de la fin». La défaite était inscrite d'ailleurs dans les réalités. Disproportion des forces : un million et demi d'Anglo-Saxons fermement installés dans l'Est américain s'opposent à 80 000 Français, postés à travers le continent du Saint-Laurent au golfe du Mexique dont 5 900 hommes de troupes et des miliciens remplis de bravoure mais inexpérimentés. Les Anglais alignent 75 000 miliciens, plus les contingents militaires venus de Grande-Bretagne. Avec eux aussi «the Fleet» : 345 vaisseaux de guerre. La France n'en a que 45. Au printemps de 1759, la disette des vivres affecte durement le Canada français assiégé par eau et par terre mais qui résiste. A Québec, cependant, on s'amuse, on danse, on joue gros autour du général en chef envoyé par Paris, le *marquis de Montcalm*, et le gouverneur, premier Canadien de naissance nommé à ce poste, le *marquis de Vaudreuil-Cavagnal*. Québec capitule le 18 septembre, *James Wolfe,* général de 32 ans, meurt sur le champ de bataille des plaines d'Abraham. Son adversaire français, *Montcalm,* perd la vie au même instant. Mais lui est le vaincu.

## Montée de Washington

Capitulation de Montréal. Hébétude des Canadiens français. Quatre mille d'entre eux, dont la moitié de militaires, demandent à retourner dans leur patrie. Les autres, avant la lettre Pieds-Noirs désespérés, s'accrochent au sol qu'ils ont fécondé. Demeurent avec eux, ils sont 65 000, quelques noblaillons, des petits fonctionnaires, des curés, des bonnes sœurs. Les colonels, les intendants, les monseigneurs sont repartis pour la France. L'Anglais semble étonné de sa victoire. Ainsi, ce peuple français, fier, imbattable en Europe, a faibli au Nouveau-Monde, Londres qui déjà a treize colonies en obtient une quatorzième, «the province of Québec». Le *traité de Paris* (1763) consacre la victoire. A l'occupation militaire, relativement douce, succède le régime civil.

Avec les fonctionnaires dépêchés par Londres arrivent les «marchands», carpet-baggers aux dents longues, bien décidés à prendre en main le destin économique du territoire conquis, à angliciser les *Frenchmen,* les anglicaniser, les coloniser totalement. On leur imposera de nouveaux systèmes fiscaux, juridiques, politiques, de nouveaux modes administratifs, le tout dans une langue étrangère. Des courants commerciaux différents sont établis. En dehors de cela, la vie continue, rurale et citadine, pour ces Canadiens devenus brusquement sujets du roi d'Angleterre. Dans le même temps, ce qui devait arriver au sud arrive. Les remuants colons anglais, débarrassés de leurs concurrents de souche française, réclament à présent l'indépendance et se mettent en mesure de l'obtenir. Les dirigeants de Londres veulent qu'échappent à cette insurrection coloniale leurs possessions du Canada. Ils ont là des sujets encore fidèles. Il leur faut donc donner quelques gages à la population française vaincue. Histoire en plusieurs actes. Le premier est «Le *Quebec Act*». Par décision du roi d'Angleterre, on se prépare à favoriser les Canadiens français, à atténuer les mesures anglicisantes, à ne pas abolir le régime de la coutume de Paris, à leur permettre de vivre en Français. Bien sûr, on laissera mains libres aux «marchands» qui se sont emparés du domaine de l'argent, du commerce de la fourrure et du bois. On sera tolérant en matière de religion. D'autant plus que le clergé catholique, nourri de subsides, prône, par sentiment monarchique, le respect de l'autorité, même si celle-ci vient du roi protestant londonien.

Les colons anglais du Canada, craignant qu'on accorde trop de privilèges aux vaincus d'hier, souhaitent que lois et coutumes britanniques soient obligatoires, notamment l'institution d'assemblées élues parmi les contribuables et l'usage absolu de la langue anglaise. Vue de l'Angleterre, la situation est délicate. Qui favoriser? les Canadiens français à ménager provisoirement ou bien la minorité «White Anglo Saxon Protestant» qui, frustrée, pourrait se ranger du côté des «insurgents»? Au printemps de 1775, *George Washington* devient

Montréal, au temps du régime français

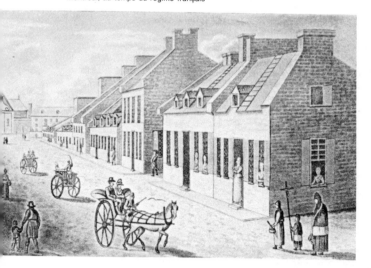

commandant de l'armée des «rebelles». Il la lance vers le nord afin d'offrir aux Canadiens les bienfaits de la liberté. A la fin de l'été, deux colonnes sont formées, l'une commandée par le *général Montgomery* marche sur Montréal; l'autre que mène le *général Benedict Arnold* fonce vers Québec. Le premier s'empare de son objectif. L'autre manque son coup.

## *Le deuxième acte*

Les Canadiens français restent neutres, pourtant exhortés par le clergé qui rappelle leur serment d'allégeance à la royauté anglaise et les incite à résister par les armes à ces sujets infidèles, révoltés contre un légitime souverain. En décembre, assaut conjugué contre la ville de Québec. Arnold est blessé. Montgomery tué sur le champ de bataille. Finalement, menacées par un corps expéditionnaire britannique fraîchement débarqué, les troupes américaines doivent se retirer. C'était le 18 juin 1776.

Ainsi Montréal fut, pendant quelques mois, occupée par les troupes américaines. *Benjamin Franklin* envoyé par le Congrès était du voyage. Son rôle : rallier les Canadiens de langue française à la cause de la nouvelle République. Soucieux de répandre par écrit son «credo», il avait commandité l'installation, dans la cité montréalaise, de l'imprimeur *Fleury Mesplet,* natif de la Drôme et fixé à Philadelphie. Mesplet, arrivé trop tard et incarcéré, n'a pu faire fonctionner ses presses — les premières au Canada français — qu'après le départ des forces d'occupation. De son imprimerie est sorti alors le journal «la Gazette», périodique bilingue. Un jour, il deviendra un puissant journal anglophone portant le titre de «The Gazette». Il paraît encore à Montréal. Quant aux «Canayens», pour eux la vie reprend comme auparavant. A peine entendent-ils le mot rageur et injuste du *général Lafayette :* «Vous vous êtes battus pour demeurer colons au lieu de devenir indépendants. Restez donc esclaves!»

Le «Quebec Act» date de 1774. Les Anglais de Londres ont gagné leur pari. Leurs nouveaux sujets canadiens n'ont pas fait cause commune avec les rebelles américains. Ces derniers continuent à leur donner du fil à retordre au sud du lac Champlain; ils s'allient à l'ennemi héréditaire du Royaume-Uni. Arrivent à leurs côtés les troupes françaises commandées par *Rochambeau.*

1789. Date historique en France. Elle l'est aussi à Washington où vient de naître un nouveau pays, les États-Unis. Première conséquence de cette indépendance pour le Canada : une partie des colons qui habitaient les territoires américains en révolte décident d'aller s'installer là où flotte encore l'Union Jack. Ils sont 35 000 qui montent vers le nord. L'administration coloniale britannique les accueille bien, leur offre des terres en **Nouvelle-Écosse** et au **Nouveau-Brunswick.** Dans le domaine québécois de la Couronne, près de cinq mille sujets vont être installés au long de la nouvelle frontière, dans les Eastern Townships. Ce sont aujourd'hui les **Cantons de l'Est,** qui, autour de Sherbrooke, constituent une région bien canadienne française dont toutes les villes ont conservé, par tradition, des noms très anglais. Cette présence des «loyalistes» renforce la position anglaise au Québec. On va pouvoir passer au deuxième acte, le *Constitutional Act de 1791.* Il crée deux Canadas.

## Les deux Canadas

Le premier, centré autour de la presqu'île d'Ontario, peuplé en majorité d'anglophones, totalement soumis aux institutions britanniques. L'autre, concentré dans la vallée laurentienne, où les lois civiles françaises vont en partie demeurer insérées dans des institutions anglaises. Les Canadiens anglais acceptent mal un régime composite qui les brime. Les Canadiens français à qui on permet d'être représentés dans un Parlement sont déçus certes, mais ont désormais un moyen d'exprimer leurs tendances vers l'autonomie. De toute façon, «les marchands» anglais ont conservé le contrôle de l'économie. Il est vain de se croire libre. Le principal commerce n'est plus celui de la fourrure mais celui du bois. Le Canadien français devient bûcheron, draveur, débardeur. Il hisse sur les navires britanniques tout le bois dont l'Angleterre a besoin pour sa marine. Le fret de retour consiste en immigrants anglophones.

1812. C'est encore la guerre entre l'Angleterre et les États-Unis. Une autre fois, les troupes américaines se lancent contre le Canada. Un vieux rêve de l'Oncle Sam qui n'en finit pas : ajouter des étoiles à son drapeau. En Europe, Napoléon tenaille les Anglais, même s'il piétine en Russie. Sur le continent américain, le sort des armes est longtemps douteux. Une partie des Canadiens français, commandée par *Salaberry*, aide cette fois les Anglais. Ils finissent par s'emparer de Washington et mettre le feu à la Maison-Blanche. La paix de Gand annule défaites et victoires. Canadiens anglais et Canadiens français, unis provisoirement par leur résistance aux Yankees, souhaitent une meilleure entente. En fait, ce sont des querelles frontalières entre les U.S.A. et le Canada qui sont réglées pour longtemps.

La crise économique qui sévit au Royaume-Uni, conséquence de la fin des guerres napoléoniennes accroît l'immigration britannique du Canada. Contre cet afflux, les Canadiens français n'ont pour eux que «la revanche des berceaux». Les naissances sont nombreuses, la mortalité infantile n'empêche pas un fort grossissement de la population québécoise. Il manque de bonnes terres à donner aux enfants : on tentera d'en accroître le nombre par l'ouverture de nouvelles régions agricoles ; il faudra aussi se résigner à voir partir pour les États américains de l'Est, nouvellement industrialisés, un grand nombre de jeunes gens du Québec. Au mini-Parlement du Bas-Canada, une petite bourgeoisie francophone, qui a remplacé les anciens «seigneurs», se montre volontiers libérale et nationaliste. Il en sortira le parti canadien. Il lutte contre l'exécutif, soutenu par une coalition de fonctionnaires et de riches bourgeois. Le parti canadien devient le parti des Patriotes qui demande pour les Canadiens français la souveraineté politique. Ce parti, qui en 1837 et 1838 lancera à deux reprises une rébellion, aura son pendant dans le Haut-Canada. L'armée anglaise écrase le soulèvement armé. A Montréal, douze patriotes sont pendus. Les principaux chefs parviennent à fuir aux États-Unis.

## Une province, un dominion

Le gouvernement anglais, pragmatique, essaie une autre formule. Par l'*Acte de l'Union,* on va unir les deux Canadas en une seule province. Le noyau d'Anglo-Saxons installés à l'ouest du Québec est désormais assez puissant pour imposer sa loi. Il n'y aura qu'un Parlement où la minorité anglophone sera représentée à égalité avec la majorité francophone. La lourde dette des premiers sera payée par tous. Pour surmonter cette situation, les Canadiens doivent reprendre sans cesse la bataille pour les libertés constitutionnelles. Sa petite élite va s'en charger. Elle engendre un nationalisme défensif, cette fois appuyé par l'Église locale qui avait fortement critiqué l'«aventure» de 1837-38. La parole est aux politiciens modérés. Ils vont tenter de demeurer présents dans la lutte, de démontrer que la majorité francophone du Québec demeure une force, qu'il est de l'intérêt des deux collectivités de cohabiter le moins mal possible. C'est le «compromis historique»; il doit son succès au fait que les repré-

Le port de Montréal au temps des bateaux à aubes

sentants de la collectivité canadienne française admettent que les chefs de l'autre groupe conservent la plus grande partie du pouvoir économique.

En 1867, nouvelle réforme : le *British North America Act.* Les deux provinces dites du Canada deviennent l'**Ontario** et le **Québec.** Elles vont contracter avec la **Nouvelle-Écosse** et le **Nouveau-Brunswick** une union fédérale, former un «dominion» assujetti à la Couronne du Royaume-Uni. D'autres provinces entreront ensuite dans cette confédération. Dans ce système, les Québécois obtiennent la garantie de leurs droits de représentation à l'Assemblée législative, la pleine maîtrise de leur administration scolaire, un parlement local bilingue. L'acte définit les juridictions respectives du gouvernement fédéral et des gouvernements provinciaux.

Deux guerres mondiales apportent une prospérité et un développement industriel sans précédent sur les rives du Saint-Laurent. Pourtant, chaque fois, naît une «crise de la conscription». Le Canadien français, qui a pourtant une juste réputation de courage et d'héroïsme, rechigne à «aller se battre sous l'uniforme anglais», quand on veut l'y envoyer contre son gré.

Après le vote, en 1917, de la loi qui enrôle tous les Canadiens, des émeutes éclatent à Québec qui font morts et blessés. En avril 1942, lors d'un plébiscite, 71,2 % des Québécois disent non à la conscription. La mesure n'en est pas moins adoptée à Ottawa. Ces épisodes parmi d'autres ont fait beaucoup pour raviver le sentiment nationaliste du Canadien français. On a fini par s'apercevoir que le Canada n'était pas composé de dix provinces comme on le croyait. Il était divisé en deux «nations». Deux solitudes, a dit un écrivain canadien anglais de Montréal.

## De Duplessis à Bourassa

Depuis la «Constitution» de 1867, toute l'histoire politique québécoise a été faite de luttes engendrées par l'interprétation de la Charte. Constamment, le Québec a tenté d'empêcher le gouvernement d'Ottawa de se saisir des pouvoirs de taxation reconnus aux provinces; il a cherché à obtenir dans le concret une équitable répartition des compétences respectives, à conquérir, avec des bonheurs divers, un maximum d'autodétermination. Tâche malaisée, compliquée par le fait que le gouvernement «canadian» est parfois dirigé par des hommes politiques du Québec : *Wilfrid Laurier, Louis Saint-Laurent, Pierre Éliot Trudeau.* A Québec, les premiers ministres, chacun à leur façon, ont tenté de tirer le meilleur parti possible du fédéralisme. Leurs slogans ont été : «L'autonomie provinciale» (Duplessis), «Maîtres chez nous» (Jean Lesage), «Égalité ou indépendance» (Daniel Johnson), «Souveraineté culturelle» (Robert Bourassa).

*Maurice Duplessis* a été à la tête du Québec de 1936 à 1959 (avec un retrait de 1939 à 1944). Attaché aux valeurs traditionnelles, partisan inconditionnel de la libre entreprise, admirateur du capitalisme (surtout made in U.S.A.), soutien des masses rurales, sa devise aurait pu être «Travail, Famille, Patrie». Sa montée politique coïncide avec un événement sans précédent, signe pour lui du destin : le 28 mai 1934, la femme d'un fermier canadien français met au monde des quintuplées, les sœurs Dionne. Cette naissance multipliée va attirer l'attention du monde entier sur ce vieux peuple canadien français, rural, catholique et prolifique. Duplessis, dictateur paternaliste, aujourd'hui très décrié, a osé doter le Québec d'un drapeau bien à lui, à l'époque où le drapeau du Canada rappelait encore furieusement celui de la Grande-Bretagne.

En 1960, le parti libéral, écarté du pouvoir depuis 1936, supplante enfin le parti de l'Union nationale. Le nouveau premier ministre *Jean Lesage* qui avait affirmé. «C'est le temps que ça change» amorce la «Révolution tranquille». Des réformes politiques et sociales attendues sont adoptées : assurance-hospitalisation gratuite, nationalisation des compagnies d'électricité, refonte du système scolaire, création d'un ministère de l'Éducation, institution de liens entre l'État du Québec et des gouvernements étrangers. Dans ce dernier domaine, il s'agit de s'affranchir de la tutelle du gouvernement fédéral, gardien traditionnel des Affaires Etrangères. Le Québec entend prolonger à l'extérieur ses compétences constitutionnelles et internes. Il entame des relations directes avec les gouvernements étrangers afin d'être présent dans le monde et, singulièrement, dans les pays de la francophonie. En 1966, le chef du parti de l'Union nationale, *Daniel Johnson,* devient

Premier ministre. Il poursuit en fait la politique de son pré-
décesseur, notamment en matière de coopération avec les
autres pays.

## *« Vive le Québec libre ! »*

Reçu à Paris comme un chef d'État, le «président» Johnson
reçoit à son tour le général de Gaulle dans la province canadienne française. C'est, en juillet 1967, la fameuse scène
du balcon de l'hôtel de ville de Montréal, le «Vive le Québec
libre!» qui a tant ému le Canada anglais.

L'idée d'indépendance avait fait alors beaucoup de chemin
depuis 1957, date de la fondation du mouvement de l'Alliance
laurentienne. En 1963, une autre formation souverainiste, le
Rassemblement pour l'indépendance nationale, se constituait
en parti politique.

A son tour, en 1968, après le Mouvement Souveraineté-
Association, le journaliste *René Lévesque,* député et ministre,
après avoir rompu avec le parti libéral, fonde le parti québécois. Sa formation remporte en avril 1970 24 % des suffra-
ges, pas assez cependant pour avoir un rôle déterminant au
Parlement du Québec.

C'est *Robert Bourassa,* un libéral, qui devient Premier ministre. Il choisit une formule de «fédéralisme souple et rentable»,
tente, en discutant avec Ottawa, d'obtenir les attributs de la
«souveraineté culturelle». Dans le même temps, face aux partis politiques qui cherchent, par la voie électorale, la montée
vers l'indépendance, des groupes peu nombreux mais actifs
estiment que seule l'action révolutionnaire donnera «le Québec aux Québécois». Parmi eux, quelques-uns ont opté pour
le terrorisme. En 1963, le Front de Libération du Québec fait
exploser à Montréal les premières bombes. En octobre 1970,
quelques guerilleros exaltés improvisent le rapt d'un diplo-
mate britannique, M. *James Cross,* et d'un ministre du cabinet Bourassa, *Pierre Laporte.* Le premier est libéré ; le second
retrouvé étranglé. Tandis que toutes les polices recherchent
les ravisseurs et leurs otages, les gouvernements de Québec
et d'Ottawa optent pour la ligne dure. Ils affirment que la province canadienne française est sous le coup d'une «insurrection appréhendée». Ils obtiennent que soit votée d'urgence
une «loi des mesures de guerre». Les libertés fondamenta-
les sont suspendues. L'armée d'Ottawa occupe Montréal. Les
polices organisent des rafles, perquisitionnent, emprisonnent,
brutalisent, sans découvrir la moindre trace du prétendu com-
plot.

Cette «crise d'Octobre» n'a fait que renforcer l'idée, chez
beaucoup d'indépendantistes, que le mal dont souffre le Québec réside dans les structures mêmes du pays. Au-delà de la
souveraineté, ils veulent une remise en question, un changement radical de l'ordre économique, social et politique actuel.

Au Québec, société réputée prospère, on compte trop de chômeurs, de travailleurs mal payés, d'assistés sociaux.

Le 15 novembre 1976, le parti québécois de René Lévesque prend le pouvoir. Deux lignes de force : un gouvernement social-démocrate et un projet national pour la province, la souveraineté assortie d'une association avec le reste du Canada.

Réussite pour la première : un ministère jeune fait voter des lois sociales, assure une amélioration de la situation économique, assainit la vie politique.

L'autre n'aboutit pas : le 20 mai 1980, René Lévesque, élu avec 40 % des voix en 1976, perd le référendum portant sur la souveraineté-association avec 41 % des voix, les autres allant au non. Malgré tout, le gouvernement péquiste continue à affirmer les droits traditionnels du Québec, entité francophone au sein du Canada. Pour les manifester, il a fait voter la loi 101 qui exige que la langue française, là où elle ne peut avoir l'exclusivité, ait la priorité. Il revendique l'accès à l'autodétermination.

## A propos d'histoire

Il est bon de savoir, afin de discuter avec des Québécois : Que le Québec est une des dix «provinces» du Canada, *fédération* s'appuyant sur une démocratie parlementaire dans laquelle subsistent certaines institutions héritées de la monarchie constitutionnelle de Grande-Bretagne.

Que le Québec compte plus de *six millions d'habitants, dont 80 % sont de langue française.* En outre, les neuf autres États de la fédération comptent chacun un groupe minoritaire francophone plus ou moins important formant une *population totale* de quelque *1,3 million d'habitants.* L'État du Québec est conscient de sa vocation naturelle de point d'appui des Canadiens de langue française. Il demeure le foyer principal de la culture française dans un pays officiellement bilingue et biculturel.

Que la ville de *Québec* est sa *capitale.* On y trouve le Parlement provincial. A cause du régime dans lequel ils vivent, les Québécois élisent aussi des députés qui les représentent à Ottawa, capitale de la Confédération.

Officiellement, le Québec est une *province.* Mais tout Québécois épris d'identité nationale vous explique que le mot «province», choisi autrefois par le gouvernement anglais, signifiait alors «colonie» (c'est le sens latin du mot. Rome nommait ainsi les territoires conquis qu'elle plaçait sous l'autorité d'un gouverneur). Certains préfèrent ici le mot État, comme on dit, aux États-Unis, l'État du Texas. A la rigueur, on préférera dire tout court : le Québec.

Les mots Canada et Québec posent aussi des problèmes.

*Kanada,* dans la langue des Indiens, voulait dire quelque chose comme : «rassemblement de cabanes» et Kébec «endroit où un fleuve devient étroit».

Dans son ouvrage «Les Québécois», le sociologue montréalais *Marcel Rioux* souligne qu'à la fin du régime français, le terme *Canadien* désignait uniquement les Français qui avaient choisi de demeurer en Nouvelle-France par opposition à ceux venus, à titre temporaire, de la métropole. Lorsqu'après la conquête, les anglophones devinrent nombreux au Canada, ils se donnèrent le nom de *Canadians,* appliquant à leurs compatriotes francophones le terme de *French Canadians,* très mal traduit par *Canadiens français.* Ceux-ci préfèrent alors se qualifier de *Canayens.*

Quant au mot *Québécois,* d'abord nom des habitants de la ville de Québec et de la province éponyme, il a été, depuis une dizaine d'années, dit Rioux, «revalorisé au point de devenir une espèce de symbole de l'affirmation de soi, d'autodétermination et de libération nationale... ; assez paradoxalement, le terme de Québécois exclut des minorités francophones du Canada, mais inclut la minorité anglophone du Québec».

Certains continuent à utiliser pour désigner les Nord-Américains francophones du Canada, l'expression «Canadiens français» (ces «Français du Canada», disait de Gaulle sur un ton nostalgique). Beaucoup d'entre eux, puisqu'ils sont concentrés au Québec, préfèrent se dire Québécois.

# Le Québec d'aujourd'hui

## *Visages de l'économie*

La majorité des salariés québécois est employée dans le secteur tertiaire (1,8 million). 27,3 % des travailleurs sont affectés aux industries manufacturière et du bâtiment, contre 4,7 % au secteur primaire.

Dans cette dernière catégorie se situent les agriculteurs. Ils ont peu de choses en commun avec le « farmer » de l'Ouest canadien qui cultive le blé sur des milliers d'acres de la Prairie ou y élève des grands troupeaux. Le rural du Québec est surtout un petit fermier.

Marquée par le dépeuplement rural, la concentration des entreprises, l'agriculture est principalement centrée sur l'élevage des bovins laitiers ou destinés à la boucherie. Vient ensuite l'élevage de porcs et de volailles « fabriqués » industriellement pour leur chair et leurs œufs. Pour nourrir ce cheptel, on « fait » surtout du maïs fourrager conservé dans de hauts silos, du foin, de l'avoine, de la pomme de terre. Pour le reste des besoins, on plante aussi, en moindres quantités, du blé, de l'orge (pour la bière, boisson nationale), du tabac, du lin à graines, un peu de betterave sucrière (mais le sucre arrive surtout d'outre-mer). La culture maraîchère, concentrée autour des villes de la plaine laurentienne, est concurrencée par les produits agricoles qui viennent des États-Unis ou de régions du Canada où le climat est moins rigoureux. L'horticulteur québécois réussit pourtant bien carottes, oignons, concombres, pois, haricots, tomates ; les vergers fournissent pommes, fraises, framboises et les « talles », des myrtilles succulentes, appelées ici bleuets. Enfin, une originalité de l'agriculture québécoise : l'acériculture, soit la production de sucre d'érable tiré de la sève de cet arbre national. Le fermier québécois, s'il veut aujourd'hui se maintenir sur son sol, parfois convoité par les promoteurs immobiliers, doit devenir un technocrate industriel de la terre ou se consacrer à des productions rares : fromage de chèvre, agneau de boucherie, élevage d'animaux à fourrures. Sinon, il doit disparaître.

## Les hommes des bois

Autrefois, le cultivateur avait la ressource de travailler pendant les mois d'été « sur » sa ferme et, à l'automne, de monter vers les « chantiers », emportant sa scie mécanique sur l'épaule : il coupait le bois destiné aux fabriques de papier. Aujourd'hui, la mécanisation de plus en plus poussée éloigne le bûcheron à temps partiel des forêts ; elle le prive du revenu qui lui permettait, avec sa famille, de maintenir sans trop de soucis son exploitation agricole.

Seuls, les trois cinquièmes des arbres de la forêt québécoise ont une valeur commerciale (ceux de la taïga, par exemple, trop petits ou trop loin, ne sont pas exploitables). Ce qui reste constitue tout de même un domaine boisé aussi vaste que la France et la Grande-Bretagne réunies. On y abat chaque année environ 40 millions de mètres cubes de bois. La plupart de ces arbres servent à faire de la pâte à papier ; le reste est destiné au bois de sciage ou sert à faire du contre-plaqué.

## De l'énergie à revendre

Le Québec est aussi grand producteur et exportateur d'énergie électrique. De moins de 9 milliards de kWh en 1930, il passe, de dix ans en dix ans, à 16 milliards, 28 milliards, 50 milliards, 70 milliards. Pour l'instant, la puissance installée est de 19 000 mégawatts. En 1982, les centrales produisirent 78,8 milliards de kWh commercialisés aux prix les plus bas d'Amérique du Nord.

*Hydro-Québec* (société dont les biens appartiennent à la province), et utilisant comme langue le français, produit, transporte et distribue le courant. Elle a notamment construit sur la rivière *Manicouagan,* dans le nord-est du Québec, le complexe *Manic-Outardes.* Son barrage le plus célèbre — il porte le nom de l'ancien ministre Daniel Johnson — est le plus grand du genre au monde (voûtes multiples et contreforts). Autre réussite de l'Hydro-Québec : des lignes de transport d'énergie sous tension de 735 000 volts, reliant, sur une distance de près de 600 km, les installations Manicouagan-Outardes à la région Québec-Montréal. Actuellement, le Québec termine près du rivage de la baie James, à 1 400 km au nord-ouest de Montréal, un autre complexe hydro électrique dans un bassin hydrographique de 205 000 km² (la moitié de la France).

Dans ces solitudes subboréales, le long de la rivière La Grande, des milliers de bâtisseurs ont détourné de turbulentes rivières, édifié 143 digues et barrages, creusé de vastes galeries dans le vieux roc cambrien, bâti des centrales, dont celle de *LG-2,* la plus puissante centrale souterraine du monde située à − 137 m sous terre. Retenues par un barrage de 160 m de haut, long de près de 3 km, les eaux tombent de 141 m sur des turbines actionnant 16 groupes de produc-

tion. Cinq lignes à haute tension conduisent l'électricité vers le sud du Québec.

La centrale de *Gentilly 2,* près de Trois-Rivières, grâce à ses réacteurs CANDU produit de l'électricité nucléaire. Puissance installée : 685 000 kW.

Ainsi, le Québec riche en énergie peut en vendre aux États voisins (Ontario, Nouveau-Brunswick et New York). Dans cette dernière région la demande de pointe, à cause de la climatisation, survient en été alors qu'au Québec la demande principale, à cause des besoins de chauffage, se fait en hiver.

## Un sous-sol riche

Sous la terre du Québec, gisent d'immenses réserves de minerais. Pour l'instant, sont surtout exploitées les mines d'or, de cuivre, de titane, d'amiante (30 % de la production mondiale). Le minerai de fer, hier très demandé, attend des jours meilleurs.

Totalement dépourvu de bauxite, le Québec, grâce à son potentiel hydro électrique, est un important producteur d'aluminium. L'aluminerie de *Péchiney* qui se construit à Bécancour, sur la rive sud du Saint-Laurent, celle de l'*Alcan,* dans la région du Saguenay, celle de *Reynold* sur la Côte Nord, porteront à 1,4 million de tonnes par an la production d'aluminium.

Il faut ajouter à ce brillant tableau de larges taches sombres : l'économie québécoise est sous le contrôle de l'étranger, principalement des compagnies des États-Unis et du Canada anglais ; elles ont la haute main sur 40 % du secteur minier et 60 % du domaine manufacturier. Il n'y a pas si longtemps, à cause de cette dépendance, on parlait beaucoup anglais dans les firmes du Québec. Le gouvernement a dû passer une loi qui fait du français la langue de travail.

# Les Québécois, qui sont-ils ?

## D'où viennent-ils ?

Un Québécois c'est, le plus généralement, un *Nord-Américain de langue française* dont les ancêtres ont quitté, entre 1608 et 1760, les provinces françaises de l'Ouest pour s'installer au Canada.

Les 5 000 premiers colons venus en Nouvelle-France au XVIᵉ s. étaient tous catholiques, ainsi que les 5 000 autres arrivés au siècle suivant. Dans la première série, 18,5 % venaient de Normandie contre 10,9 % dans la seconde. Les chiffres donnent ensuite : Ile-de-France (14,7-12,2), Poitou (10,9-6), Aunis, îles de Ré et Oléron (10,6-5,6), Saintonge (5,8-5,5), Perche (3,9), Bretagne (3,5-8,2), Anjou (3-2,6), Champagne (2,8-3,4), Maine (2,7), Guyenne (2,6-5,8), Limousin et Périgord (2,4), Picardie (2,2-2,2), Angoumois (2), Touraine (1,9). Au XVIIIᵉ s. sont encore venus des colons partis de Beauce (1,9), Languedoc (5,2), Gascogne (4,6), Lorraine (2,1), Franche-Comté (2,1), Bourgogne (2,1). Lorsqu'en 1763, la Nouvelle-France devient «The Province of Quebec», sa population, descendant des quelque 10 000 Français qui y avaient émigré au cours d'une période de 150 ans, est d'environ 60 000 habitants. En 1911, elle est de deux millions. Aujourd'hui, de six millions (81 % de francophones). La forte natalité explique cette montée. De 1760 à 1860, la population du monde s'est multipliée par 4. La population européenne par 5 ou 6. Les Canadiens d'origine française par 80. Et ce, malgré des départs importants de Québécois vers les États-Unis où ils allaient tenter leur chance et souvent s'implanter. Encore aujourd'hui, et en partie à cause d'eux, près d'un million de citoyens des U.S.A. ont le français comme seconde langue. Après 1860 cette fécondité exceptionnelle s'est maintenue pour baisser brusquement cent ans après. Depuis 1961, le taux de natalité est inférieur à la moyenne canadienne. Le nombre d'immigrants baisse aussi et les arrivants plus rares s'intègrent principalement au groupe anglophone. Les gens qui quittent le Québec pour aller vivre ailleurs sont bien plus nombreux que ceux qui viennent s'y installer.

Au Québec, depuis le début de ce siècle, l'*immigration francophone* a été peu considérable et demeure faible. De 1964 à 1970, quelque 35 000 personnes sont venues de France, 4 000 de Belgique, 12 000 des Antilles. Celles, bien plus nombreuses arrivées de Grande-Bretagne, des États-Unis, d'Allemagne fédérale, de Grèce, d'Italie, du Portugal et autres pays ont principalement renforcé les positions anglophones.

La première vague d'immigrants britanniques s'est abattue sur le Canada français vers 1776 avec l'arrivée des loyalistes, « Pieds-Noirs » fidèles au roi d'Angleterre qui, refusant de devenir citoyens de la nouvelle République américaine, mais peu décidés à revenir dans la mère-patrie, ont émigré d'une colonie anglaise perdue à une autre qui leur semblait avoir un grand avenir.

Leur arrivée n'a guère contrebalancé un afflux francophone parallèle, celui de quelques milliers d'Acadiens ; c'étaient des *Canadiens de langue française* qui vivaient dans ce qui est aujourd'hui la Nouvelle-Écosse. Dispersés de force en 1755, beaucoup se sont installés au Québec. (Quelques-uns ont choisi la Louisiane et d'autres Belle-Ile-en-Mer.)

## *Comment s'appellent-ils ?*

L'homogénéité du peuplement français explique que les Québécois se partagent environ quatre cents patronymes. Si vous avez oublié le numéro de téléphone et l'adresse de votre ami Tremblay, vous aurez du mal à le retrouver dans les colonnes de l'annuaire de la « Bell Téléphone » de Montréal : il y en a 4 721 dont 199 Joseph ou J. Tremblay. Viennent ensuite les Roy qui sont légion ; puis, presque à égalité, les Gagnon, suivis des Gauthier, Les Bergeron, ensuite, ne sont plus que 1 760. A leur suite, presque aussi nombreux, les Charbonneau, les Lalonde, les Lapointe, les Labelle.

Du côté anglophone, les noms les plus répandus sont Smith et Brown. Ce sont pour la plupart des noms d'emprunt, indiqués par des abonnés soucieux d'anonymat ; peut-être encore d'autres Tremblay ou d'autres Roy !

Pourtant, les études de fréquence des noms, faites par les spécialistes de la démographie, indiquent, pour la période allant de 1621 à 1699, que les noms les plus répandus dans la Nouvelle-France étaient alors Boucher, Langlois, Martin, Cloutier (encore très nombreux au Québec). Les ancêtres des Tremblay, Roy et compagnie seraient venus ensuite et auraient inondé de leurs descendants la jeune colonie. On sait que pour la France, les noms les plus fréquents sont aujourd'hui Martin (170 000 homonymes), Bernard (100 000), Durand (80 000), Dubois (79 000), Petit (78 000), puis Thomas, Robert, Moreau, Richard, Michel, etc. Pour revenir au Québec, il faut savoir que des phénomènes sociologiques ont brouillé la ramification des arbres généalogiques. Ainsi, dans certains villages au long du Saint-Laurent, tout le monde finissait par porter le même nom. Il suffisait qu'un fermier prolifique ait, parmi ses quinze enfants, une douzaine de garçons

pour qu'à leur tour, ceux-là qui épousaient les filles des voisins imposent leur patronyme partout à la ronde. Pour distinguer tous ces gens qui s'appelaient Langlois ou Bouchard, on les affublait de sobriquets : souvent cocasses — dont certains sont devenus des noms de famille. A cause des homonymes trop nombreux, on désignait aussi ses concitoyens avec des phrases du genre : «Le Jacques-à-l'Angèle-à-Zéphyrin à l'Émile-à René». A moins qu'une famille, fatiguée de toutes ces complications, ne finisse par adopter un nom arbitraire ; ainsi, toute une série de Ménard devenait des Lafontaine ou des Gélinas devenaient des Bellemare pour la suite des temps.

Il y a encore les noms d'anciens militaires fixés dans la colonie, qui ont gardé de savoureux sobriquets de guerre : Latendresse, Tranchemontagne, Latulipe, et autres Sansregret, à peu près inconnus en France.

Si les noms de famille sont rares, les prénoms, en revanche, sont innombrables. On a donné, surtout aux moins jeunes, des noms de baptême qui paraissent désuets en France ou y sont totalement inconnus : Ovide, Rosaire, Roméo, Adélart, Jovette, Trefflé, Cordule, Jeanne-d'Arc, Délima (à cause de Rose), Vianney (à cause du curé d'Ars). Que de Bertha, de Rosalda, de prénoms féminins calqués sur celui de Victoria, célèbre reine d'Angleterre. Mais Ovila est un prénom masculin. Il arrive aussi qu'on donne à l'enfant comme prénom le nom de famille de sa mère : ainsi rencontre-t-on des Demontigny Marchand ou des Ledoux Beauparlant...

Il y a des noms typiquement canadiens français. Rien qu'à entendre le vôtre, si vous ne faites pas partie des quatre cents familles, on vous classera immédiatement dans la catégorie des «étranges». En revanche vous serez adopté, même avec une ascendance et un accent typiquement français, s'il arrive que vous vous appeliez Tremblay, Blouin, Faucher, Godin ou Talbot. Ne vous y trompez pas. Un Québécois «pur laine» peut aussi s'appeler White, Ryan, Biondi, Bruchési.

Les choses changent, l'immigration récente modifie peu à peu les listes de noms. Ainsi s'installent au Québec des francophones de l'Asie du Sud-Est, des Libanais, des Antillais surtout, et nombre de Haïtiens très vite assimilés.

## Les Amérindiens

Le touriste ne doit pas s'attendre à rencontrer un Indien emplumé au coin des rues Sainte-Catherine et Amherst. Vous en trouverez peut-être en chemin, habillés comme vous et moi. En fait, les quelque 20 000 Indiens du Québec (un dixième de la population indienne du Canada) vivent mêlés aux Blancs ou préfèrent les territoires qui leur sont réservés. Ainsi, les *Abénakis* se concentrent-ils dans les villages de **Bécancour** ou d'**Odanak,** les *Hurons* à la sortie de Québec

— ils sont près d'un millier et leur chef de bande est le sympathique *Magella Gros-Louis,* — *les Mohaks* à **Oka,** mais surtout à **Kahnawaka** (autrefois Caughnawaga), dans la banlieue sud de Montréal, les *Cris* du côté de la **Baie James,** les *Micmacs* en Gaspésie, les *Montagnais* sur la rive nord du Saint-Laurent, les *Algonkins* dans le nord-ouest du Québec, les *Naskapis* et les *Attikameks* au cœur de la province. Selon l'acte confédératif de 1867, totalement pris en charge par l'État fédéral, ils peuvent chasser en tout temps, circuler à travers l'Amérique du Nord sans passeport ; ils sont exemptés d'impôts, reçoivent des allocations spéciales, des soins médicaux gratuits ; leurs écoles sont à la charge de l'État ; ils peuvent élire leurs chefs locaux et voter comme les autres Canadiens à condition qu'ils habitent dans les réserves qui leurs sont assignées.

Lorsqu'on traverse en voiture leurs villages, rien ne les distingue des autres villages du Québec : même type de maisons, de jardinets, de magasins ; autant de voitures, d'antennes de télévision ; mêmes vêtements que leurs compatriotes. Le tout paraît peut-être un peu moins riche ; seuls les épidermes sont plus foncés, les cheveux plus noirs.

Pour les fêtes ancestrales, les Indiens revêtent des costumes de peaux, à bords frangés, bordés de perles et portent un bandeau dans les cheveux. Certains arborent cette tenue pour attirer les touristes vers les magasins de souvenirs où se côtoient les paniers tissés, les boîtes en écorce de bouleau, les sculptures authentiques, les peaux de renard et des objets fabriqués en série du côté de Hong Kong.

Seuls ceux qui habitent les réserves lointaines vivent principalement de la chasse et de la pêche et mènent une vie qui ressemble à celle de leurs ancêtres. Ils sont d'excellents guides pour les pêcheurs et les chasseurs blancs. D'autres travaillent dans les industries minières du Nord.

L'Indien qui décide de vivre définitivement en dehors de la réserve, parce qu'il est las d'être chômeur ou assisté social, perd les privilèges octroyés par le gouvernement fédéral. Il est alors considéré comme citoyen ordinaire. Quelques-uns réussissent à se faire un nom dans la société des Blancs. Ainsi, Jean-Paul Nolet, célèbre speaker (on dit ici annonceur) de la radio et de la télévision est parfait polyglotte.

On assiste depuis quelques années à une politisation des Indiens : leurs leaders veulent, par une action collective, revendiquer une place plus juste dans la société, être associés à toute décision concernant les communautés amérindiennes, avoir un plus grand pouvoir de gestion dans les «réserves» et recevoir une part des revenus des territoires que les Blancs leur ont confisqués.

Les *Esquimaux* du Québec, non dispersés comme les Indiens, habitent une douzaine de petits villages sur la côte la plus septentrionale du Nouveau-Québec et des rives de la baie d'Hudson. Maisons de bois ou de tôles soigneusement

calfeutrées ; on n'y voit plus d'igloo, l'Esquimau ou *Inuit* (ce qui veut dire « homme véritable » dans sa langue) sait encore le construire, mais par un traditionnel sens de l'économie des moyens, ne le fait que pour s'assurer un abri temporaire lorsqu'il chasse ou pêche loin de sa demeure principale. Grâce à la motoneige, l'Esquimau n'a presque plus besoin de chiens d'attelage ; il remorque avec son véhicule mécanique le traîneau classique qui lui est encore utile. De moins en moins il se revêt de vêtements de peaux de fourrures ; il peut acheter au magasin ou à la coopérative des habits de nylon à l'épreuve du froid, ainsi que des armes, des munitions et divers gadgets. Cela lui épargne de tailler l'os de baleine, d'utiliser les tendons de phoque ou les arêtes de poisson pour fabriquer, comme autrefois, des objets de première nécessité.

## Les « Anglais »

On dit ici qu'un Québécois qui n'est ni indien, ni inuit et qui ne parle pas français est un *Anglais.* Parfois, il l'est, descendant de Britanniques installés depuis longtemps dans la province canadienne française. Parfois, cet « Anglais » n'est autre qu'un immigré récent d'origine allemande, italienne ou portugaise. C'est un fait contre lequel les Québécois tentent de lutter : ce nouveau venu a une forte tendance à opter pour l'anglophonie. Excepté parfois les « Français de France », ou quelques francophones du Maghreb, de Belgique, d'Haïti ou de Suisse, ou encore quelques-uns qui estiment qu'au Québec on doit s'exprimer comme les Québécois le font.

L'Anglo-Saxon « pure laine », fixé en terre québécoise, appartient à une petite minorité habituée à être dominante dans une majorité dominée. Tous ne sont pas des « boss » ou des « sous-boss » ; il y a de nombreux gagne-petit, terriblement jaloux de leurs privilèges, attachés aux « droits acquis », qui refusent encore l'usage du français. Ils estiment toutefois que leurs enfants, pour demeurer dans la Belle Province, devraient être bilingues. Il y a aussi d'autres façons d'être bilingue au Québec. Ainsi, l'Esquimau peut parler sa langue en plus du français ou de l'anglais.

## Les Français du Canada

Les *Français immigrés* sont environ 35 000 au Québec. L'immatriculation dans les consulats n'étant plus obligatoire, leur nombre ne peut être connu exactement. Ils travaillent dans le commerce, surtout l'import-export, la restauration, les salons de coiffure, l'enseignement. Il fut un moment où beaucoup de gens de théâtre, de chanteurs de variétés étaient français (de France), comme le précisent les Québécois. Ils reprochent souvent, et à juste raison, à leurs cousins de commencer un peu trop souvent leurs phrases par «Nous, en France...». Même s'il a épousé une Québécoise, le Français immigré espère toujours mettre assez de dollars de côté pour finir ses jours là où il est né. Il profite généralement de la possibilité qu'il a, après trois ans de séjour, d'obtenir la citoyenneté canadienne. La possession d'un passeport aux armes du Canada ne lui retire ni son accent, ni ses réflexes «made in France».

Les Français du Québec n'oublient pas de fêter l'Armistice. La fête de Jeanne d'Arc est célébrée par une messe et des dépôts de fleurs : il existe deux statues de l'héroïne à Montréal et une à Québec. Le 14 juillet est jour de grandes réjouissances. Elles ont lieu à Montréal au siège de l'Union Nationale Française : au carré Viger, le consul général reçoit ses compatriotes, leur adresse la parole. On chante la Marseillaise, on boit le mousseux. Le soir, c'est le bal traditionnel : accordéon, banderoles tricolores, vin rouge. Beaucoup de Québécois aiment assister à cette fête. Souvent, l'équipage d'un navire de guerre français vient relâcher à Montréal pour la circonstance. Les cols bleus ajoutent encore à la couleur française.

## Des gens pas comme les autres

Un peu plus de douze générations ont fait des colons français enracinés en terre nord-américaine un groupe humain qui ne ressemble à nul autre : modelés par le milieu physique, vivant au confluent de plusieurs cultures, les Canadiens français ont aujourd'hui des traits qui surprennent toujours leurs «cousins» de France. Et aussi des institutions bien à eux.

La *Société des Alcools,* par exemple. Un ensemble de conditions a voulu que le commerce des vins et spiritueux soit devenu depuis les années 1920 un monopole de l'État. Un organisme est né qui avait, il n'y a pas si longtemps, le titre pompeux de «Commission des liqueurs», aujourd'hui la Société des Alcools, détenant l'exclusivité sur le marché des boissons alcoolisées. On ne peut s'en procurer que dans des magasins du gouvernement où des fonctionnaires, au gré d'heures d'ouverture fixées par la loi, débitent vins et alcools (on achète toutefois la bière, le vin de table et le cidre dans certaines épiceries). Dans tout le Canada existe cette législation curieuse. Mais seul le Québec propose un très large éventail de produits.

La S.A.Q. a réussi une étonnante opération d'achat public sur le vin qui devient ainsi la boisson la plus prisée du Québec. La digne Société — qui par le biais des impôts contribue largement au Trésor provincial — importe non seulement d'innombrables bouteilles, mais achète aussi à pleins pinardiers des cargaisons de vins qu'elle mélange, embouteille et commercialise. Parmi ces produits «arrangés», le «Vin des Patriotes» s'écoule fort bien. Mieux encore, ce monopole d'État suscite

En langue esquimaude aussi

la fabrication au Québec, à partir de moûts congelés importés d'Europe, d'une production locale. Offert moins cher que les autres, le vin «made in Québec» remporte un vif succès.

Pour les amateurs plus exigeants, la S.A.Q. a ouvert de luxueux points de vente, *les Maisons du Vin,* à Québec, Montréal, Trois-Rivières et Hull, où l'on trouve les meilleurs crus, les incomparables cognacs et les liqueurs.

Les magasins d'alimentation appelés *dépanneurs* ont le droit de vendre le dimanche du vin de table et certains apéritifs locaux.

## Les pharmacies du Canada

Parlons des *pharmacies*. Autrefois, Charles Trenet les a chantées : « on y trouve de tout », comme dans tout « drugstore » américain : des bibelots, des jouets d'enfants, un bureau de poste, du tabac, des journaux, des produits de beauté, de la confiserie, des vêtements. On y vend aussi des médicaments de toutes sortes. Il faut dire qu'au Québec, de plus en plus, l'officine proprement dite est séparée du bazar et du restaurant et que les pharmacies où l'on peut commander un repas au comptoir deviennent rares. Signe particulier à Montréal, il est quasi impossible après 7 ou 8 h du soir de trouver une pharmacie ouverte. Si vous êtes en voyage, munissez-vous le jour de remèdes et accessoires de première nécessité.

Les Québécois ont aussi hérité des Américains le triste et étrange *salon mortuaire*. Les parents, les amis chers, ne sont jamais veillés à leur domicile, mais dans des locaux somptueusement décorés et fleuris. Autour du cercueil, dont le couvercle est relevé afin d'apercevoir le défunt maquillé, bien coiffé, pourvu d'un éternel et calme sourire, les visiteurs, alertés par la chronique funéraire des journaux, sont nombreux. C'est le dernier salon où l'on cause, parfois sans retenue.

Au Québec, comme partout ailleurs à travers l'Amérique, on achète tabac et cigarettes dans toutes sortes d'endroits. La vraie *tabagie* est la seule à offrir un grand choix de produits à base d'herbe à Nicot ; spécialités américaines, anglaises, françaises, (la gitane bout filtre, fabriquée en Amérique du Nord, a de plus en plus d'adeptes, ainsi que la gauloise locale). On peut aussi trouver parfois des produits assez exotiques et des pipes, dont la célèbre pipe de maïs.

Le Canadien traditionnel ne fumait guère que cette bouffarde ou encore celle de plâtre, emplie d'un tabac local assez fort, qu'il faisait pousser ou achetait aux cultivateurs. La société de consommation l'a conduit vers la cigarette, de préférence blonde munie de lièges et de filtres.

## Consommez, consommez

On remarquera à ce sujet que ce pays est très sensible aux attraits de la publicité. Plus qu'ailleurs, elle guette constamment ses victimes, les incitant sans cesse par les journaux, les affiches, la radio, la télévision, le courrier ; ces incitations proposent des « ventes », des « aubaines ». On annonce des concours faciles et souvent fallacieux, des bons de réduction simulés. On promet la lune pour vendre n'importe quoi, après avoir atténué le sens critique du client. On s'en prend à ses sentiments les plus intimes (nationalisme ou sexualité) pour l'obliger à sucer plus de chewing-gum (en québécois «gomme à mâcher»), à conduire les voitures les plus coûteuses, acquérir les objets les plus inutiles, à boire encore plus de bière.

La **bière** demeure une des «religions» du vrai Québécois. Le «bon» intendant *Jean Talon* qui a régné de façon brève mais énergique sur l'économie de la petite colonie, créa, vers 1665, les premières brasseries. Il s'agissait de donner aux «Canayens», privés du muscadet ou de la gnole de France, une boisson un peu corsée, tirée, faute de vignes locales, de l'orge qui poussait bien dans la plaine du Saint-Laurent. Les traditions anglo-saxonnes ont consolidé cette première habitude. La bière, fabriquée dans d'immenses usines, distribuée méthodiquement, vantée selon les méthodes les plus raffinées du «marketing», fait partie de la vie. Les annonces le répètent mille fois : c'est ce qu'on aime, qu'on boit chez nous, que grand-père aimait et qui nous rend tous si heureux ! Tout le monde en a dans son réfrigérateur. Si l'on en boit rarement, le parent, l'ami, le voisin qui peut sonner à la porte aimera qu'on lui en propose un verre. On l'achète par caisses de douze bouteilles ou douze boîtes de métal, munies d'un système perfectionné de décapsulation. Un geste et coule le liquide blond, chargé de bulles et d'une mythologie soigneusement entretenue par les publicitaires qui luttent contre la concurrence du vin.

## La bière enterrée

On ne part pas pour la partie de chasse ou de pêche, pour le pique-nique, pour le golf, la réunion de copains, sans sa caisse de bière. Elle figure dans toutes les réunions sociales, les célébrations de toutes sortes. C'est la récompense du travailleur qui rentre à la maison, le signe de son confort. On ouvre la porte du réfrigérateur pour trouver la bouteille ou la canette que l'on boit en soupirant d'aise.

On la consommait surtout dans les tavernes, ces bistrots à bière où les femmes n'étaient pas admises, où les mâles buvaient en parlant de sports. Du jour au lendemain, les tavernes ont fait place aux brasseries, très pimpantes, où les dames sont les bienvenues.

Mais, rassurez-vous : on peut aussi y consommer quelques mets et boire du vin. La plupart des restaurants «du coin» où, longtemps, l'on n'avait servi que du café, du thé ou des boissons gazeuses non alcoolisées, ont tous obtenu le permis qui leur permet de répondre à tous les goûts de leur clientèle. Et dans ceux qui n'ont pas la fameuse «licence», on peut apporter sa bouteille, acquise chez l'épicier. On vous prêtera gentiment un tire-bouchon.

## Les clubs

Les Canadiens français qui, longtemps, s'abstinrent de fréquenter les clubs et institutions très britanniques, finirent par y entrer en nombre et à les dominer. A Montréal, cependant, ces sociétés formées de notables ont perdu de leur importance, alors que la tradition associative est prépondérante dans quelques villes de la province.

A Montréal se réunissent les membres des *Kiwanis* : tél. 845-0866, *Rotary-Montréal* : tél. 861-6385, *Rotary-Westmount* : tél. 935-3344, et *Richelieu* : tél. 642-3333.

Notons, parmi les club locaux les plus en vue, *le Saint-Denis* (rencontres sociales), tél. 288-2117, et *le Saint-James* (hommes d'affaires), tél. 866-7474 ; ces derniers, de plus en plus, choisissent, pour se rencontrer, les déjeuners-causeries de la *Chambre de Commerce de Montréal.*

Désormais les Québécois ont accès à tous les clubs, même les plus austères ; ils y ajoutent leur touche francophone, génératrice d'une ambiance bon enfant.

Le niveau de vie des Québécois, comme celui des autres Canadiens, est parmi les plus élevés du monde : 94,5 % des ménages ont le téléphone, 68,5 % une voiture, 91,5 % une baignoire, 86,5 % une machine automatique à laver le linge, 88 % un récepteur de télévision, 97 % un poste de radio, 99 % un réfrigérateur. Il n'en demeure pas moins que le taux de chômage est particulièrement élevé au Québec et que parmi ses habitants, trop nombreux sont ceux qui reçoivent des prestations des services d'aide sociale.

## Il était une foi

Il n'y a pas si longtemps, la province de Québec semblait être la véritable fille aînée de l'Église. Ses habitants francophones donnaient au reste du monde catholique l'exemple édifiant d'un taux de pratique très élevé. Chez les Canadiens français, chacun avait fait sa première communion, se mariait à l'église, y faisait baptiser les enfants, la fréquentait régulièrement, payait la dîme, entendait qu'au jour du trépas le prêtre soit présent.

On le faisait par conviction, par routine, sous le poids des traditions ou des pressions sociales ; mais on le faisait de bon cœur. On n'avait d'ailleurs pas le choix ; seuls les curés tenaient les registres de l'état civil, enregistraient, au nom du gouvernement, naissances avec baptêmes, mariages avec sacrements des époux et décès avec funérailles religieuses.

Le prêtre, le religieux, la religieuse étaient hautement considérés et naturellement autoritaires. Ils tenaient, comme ils le disaient, leur autorité de Dieu, mais aussi, comme ils ne le disaient pas toujours, de circonstances historiques. Après le départ des élites vers 1760, les curés de villages, les moines, seuls personnages instruits dans les paroisses, avaient, par suppléance, rempli bien des rôles au service de leurs ouailles, tandis que les «bonnes sœurs» prenaient en main l'instruction des enfants, perpétuant ainsi l'usage du français. Tous étaient parés d'un grand prestige. Depuis, chaque mère canadienne française priait pour que, parmi ses nombreux enfants — c'était péché «d'empêcher la famille» — il y eût de nombreuses vocations. Le clergé, considéré et bien nourri, ne paraissait pas pour autant appartenir à un ordre social supérieur et redoutable. Issu du peuple, le prêtre tutoyait toute la société. C'était d'ailleurs toujours un frère, un cousin, un oncle, un camarade d'école ou de collège, revêtu de la prestigieuse soutane, peut-être un peu blagué, mais respecté et craint.

Le confessionnalisme faisait partie de la vie. Les rites, les fêtes, les solennités rythmaient un immuable calendrier. Le sacré et le profane s'enchevêtraient. A la radio, l'évêque faisait réciter le chapelet à des milliers de familles. Toute association qui se créait sollicitait qu'on la dote d'un aumônier. Toute entreprise commerciale qui ouvrait un local organisait ostensiblement une cérémonie de bénédiction.

L'école primaire, l'enseignement secondaire, l'université étaient forcément entre les mains des clercs. Ils rédigeaient les manuels scolaires dans des perspectives apologétiques, trouvaient naturel de proposer aux écoliers des problèmes d'arithmétique de ce genre : «Marie-Louise et Pierre sont allés en pèlerinage à l'oratoire Saint-Joseph. Ils ont acheté deux médailles bénites à 25 cents pièce, fait brûler quatre cierges à un dollar, deux lampions à cinquante sous, glissé 80 sous dans le tronc des âmes du Purgatoire? Combien ont-ils dépensé?»

Le pouvoir politique appuyait, privilégiait une hiérarchie dont les membres prêchaient l'obéissance aux lois civiles, le respect des bonnes mœurs et la résignation et promettaient, en échange, des récompenses dans l'au-delà. Ce zèle attirait sur le clergé de nombreuses prérogatives. Les laïcs approuvaient cette harmonieuse économie. Sauf quelques-uns qui, dans leur for intérieur, trouvaient tout cela excessif. Les courageux qui dénonçaient l'autoritarisme étaient montrés du doigt ou frappés d'ostracisme. Bien d'autres trouvaient avantageux que la chose religieuse consolide ainsi leur vision de l'ordre social, fondée sur des fragments d'encycliques ou des enseignements magistraux d'un autre temps.

## Églises à vendre

Partis sur une telle lancée, les Québécois n'ont guère vu, à la fin des années 40, les indices annonçant que tout cela allait changer, que cela changeait déjà. Il n'y a eu aucune remise en question brutale. Dix ans après, d'abord dans certains groupes sociaux de Montréal, puis, progressivement dans d'autres zones urbanisées de la province, on remarquait des faits troublants : récession peu visible mais rapide de la pratique religieuse, sécularisation irréversible de la société, laïcisation spontanée de l'enseignement. A présent, les Québécois qui le veulent se marient, non plus devant leur curé, mais face à un juge de paix ; ils ne font pas baptiser leurs enfants, refusent de verser la dîme.

Dans bien des paroisses, les revenus ont tragiquement baissé. On ferme les églises, on les loue à d'autres fins, on les vend ou on les transforme certains soirs en casinos populaires en y organisant des «bingos». Dans d'autres églises qui demeurent ouvertes, et dans les organisations où, à sa façon, chacun témoigne désormais de sa foi, les catholiques sont moins nombreux qu'autrefois mais la qualité de leur présence y est manifeste. Leur rôle dans la cité moins voyant mais plus efficace. La société cléricale s'est décléricalisée d'elle-même, adoptant un nouveau style. Les vieilles personnes ne reconnaissent plus les offices religieux, devenus réunions communautaires. Les aumôniers scolaires se font appeler animateurs de pastorale. Ils s'habillent en civil, tout comme beaucoup de prêtres (certains ont abandonné leurs fonctions avec leur soutane et comme l'ont fait aussi des religieux et religieuses, réclamé leur «réduction» à l'état laïque). Mais beaucoup d'entre eux, même s'ils ont choisi la tenue de l'homme de la rue, n'en continuent pas moins leur ministère et leur action religieuse dans l'humilité, dans l'espoir que tout ce qui arrive au Québec soit signe et manifestation d'un véritable renouveau de la foi.

Peu de Canadiens français se disent *protestants*. Il existe pourtant des temples où les services se font en français. L'élément anglophone se partage entre Église chrétienne réformée (elle-même divisée en d'innombrables sectes), catholicisme romain et judaïsme.

Il existe aussi quelques églises nationales, surtout à Montréal. On assiste actuellement à une montée des groupes charismatiques, animés principalement par des prédicateurs venant des États-Unis. Les mystiques asiatiques séduisent également des Québécois à la recherche d'une métaphysique, d'une éthique ou d'une explication du monde.

## La parlure

Le sujet de conversation le plus explosif au Québec. S'abstenir d'en discuter. Oui, les Québécois ont leur façon de parler qui n'est pas du français homologué. Cela s'explique ainsi : les premiers colons ne pratiquaient pas le «Parisian French», mais s'exprimaient en divers patois des provinces de l'Ouest. Les maîtres, officiers, administrateurs, prélats, usaient généralement du français de la cour ; une langue moyenne s'est formée entre ces deux extrêmes, qui, aux dires des observateurs de l'époque, avait un charme provincial et une belle saveur.

La défaite, la coupure d'avec la France, l'isolement, fixent les archaïsmes, les provincialismes. Aucun Malherbe ne vint pour purifier, en le sclérosant, un parler vivant, transmis surtout par voie orale. Des canadianismes se créent. La domination, l'environnement anglo-saxon, surtout à l'époque de l'industrialisation, apportent des influences étrangères. Des prononciations locales s'établissent (un bon phonéticien est capable de distinguer les accents de Montréal, de la Beauce, du Bas-du-Fleuve, des îles de la Madeleine, de façon aussi tranchée que ceux qui distinguent un Brabançon d'un Valaisien, un Provençal d'un Lorrain).

Tout cela a donné la parlure canadienne française : longtemps, cette façon de s'exprimer a été ressentie comme «un fait de conquête qui a grevé le parler ancestral d'une pesante servitude». L'élite mettait son honneur à s'exprimer avec correction. Elle avait honte du Québécois moyen qui utilisait «une langue appauvrie, anglicisée, phonétiquement relâchée». Aujourd'hui, pour la nouvelle élite, cette langue, qui a reçu le nom de **«joual»** (façon vernaculaire de prononcer le mot «cheval»), est un des signes d'identification du Québécois.

## Le joual

Le jeune bourgeois montréalais en voyage en France, qui autrefois aurait fait des efforts désespérés pour «bien parler», s'évertue souvent à user, face aux Français, du patois le plus provocant, articulé de la façon la plus vulgaire possible. Certains paroliers, écrivains ou scénaristes de l'Intelligentsia montréalaise se croiraient déshonorés d'exprimer leur «message» dans un français correct qu'ils connaissent pour la plupart, d'ailleurs admirablement. Quant au «monde ordinaire» du Québec, il continue à s'exprimer comme il l'a toujours fait, sans se demander si sa parlure est du «joual» ou du «français québécois», si c'est un idiome dégénéré ou une affirmation péremptoire de soi.

La langue qu'utilise le vrai Québécois est complexe. Son accent est savoureux (mais tout autant que l'accent breton ou bordelais). Ainsi, les gens de Québec ou de Chicoutimi, dont l'accent est peu marqué, se moquent de ceux de Montréal qui prononcent «garouâge» pour garage. Et de ceux de Saint-Georges-de-Beauce qui disent «hument» pour jument.

Cela n'est que la forme. Pour ce qui est du fond, le «vrai» français est en perdition en Amérique du Nord. Même le plus nationaliste des Québécois qui rêve d'un pays unique à construire, ne peut échapper à l'emprise de la langue et de la culture des États-Unis si proches.

Il vous est recommandé, francophone européen en voyage chez les Canadiens français, de ne pas tenter d'imiter leur parler. Tout d'abord, vous n'y arriverez jamais. Beaucoup de gens du Québec, doués d'une excellente oreille, parlent très facilement, outre le québécois normal et sa variante populaire le « joual », l'américain comme un pur Yankee, un Texan ou un Californien ; l'anglais comme un Londonien très snob ; le français comme un Parisien de la rue de Passy ; l'argot de Belleville comme un vrai truand. On peut s'y tromper. Mais lui saura très vite, malgré tous vos efforts, que vous n'êtes pas du cru. En plus, il pensera qu'on veut se moquer de lui. Il ne vous trouvera pas drôle du tout. Et pour ce qui est des « sacres » dont nous allons parler, rien n'est plus risible au Québec que l'étranger qui s'efforce de placer dans sa conversation des blasphèmes à contre-temps et avec un net défaut de prononciation. Il s'entendra dire alors : « Hey, toi, tu l'as pas ! » Si vous voulez toutefois mieux comprendre les propos de vos interlocuteurs, voici une liste non exhaustive de termes fréquemment employés.

## Des mots que vous entendrez

**Achaler :** ennuyer
**Adon :** coïncidence
**Amour (être en) :** être amoureux
**Bain :** baignoire
**Balloune :** balle
**Balloune (être en) :** être enceinte
**Balloune (partir sur une) :** s'énivrer
**Baloné :** mortadelle
**Banc** (de neige) : congère
**Baptistère :** extrait de baptême
**Batture** (*) : rivage que la marée laisse à découvert
**Bazou :** vieille voiture
**Bébelle :** chose futile
**Bébite :** petite bête, insecte
**Bec :** petit baiser
**Bécosse :** latrines rurales
**Bicycle :** bicyclette
**Bicycle à gazoline :** moto
**Bine :** haricots rouges
**Bividi :** caleçon long
**Blonde :** bonne amie
**Bordée** (de neige) : tempête de neige soudaine
**Boucane :** fumée
**Bougrine :** grand manteau
**Boutte (être au) :** n'en pouvoir plus
**Branleux :** indécis
**Brassière :** soutien-gorge
**Broche :** fil de fer
**Brosse (prendre une) :** s'énivrer
**Brûlot** (*) : moustique dont la piqûre brûle la peau
**Brunante** (*) : crépuscule du soir
**Caucus :** réunion de députés et militants importants d'un parti politique
**Canceller :** annuler

**Canne :** boîte de conserve
**Cassé (être) :** sans le sou
**Canot** (*) : embarcation légère appelée canoë en France
**Capot :** manteau d'hiver
**Carrosse :** voiture d'enfant
**Carreauté :** à carreaux
**Catin :** poupée (vieilli)
**Cèdre** (*) : thuya
**Cégep :** collège d'enseignement général et professionnel
**Chaloupe :** petite barque
**Champlure :** robinet
**Char :** automobile
**Chauffer :** conduire (un char)
**Chaussons :** chaussettes
**Chayère :** seau
**Chesterfield :** divan
**Chouenneux :** raconteur intarissable
**Clairer :** laisser libre
**Claques :** socques de caoutchouc
**Comatique :** long traîneau
**Constable :** policier
**Coquerelle :** blatte
**Croche :** de travers
**Créature :** femme
**Danse :** bal
**Débarbouillette**(*) : carré de tissu éponge dont on se sert pour se laver
**Dépanneur :** épicier qui, pendant les heures de fermeture des magasins, vend des produits de première nécessité
**Dépareillé :** original
**Dîner :** déjeuner
**Djobe** (féminin) : travail
**Djobinne :** petit travail
**Dompe :** décharge publique
**Drafte :** bière à la pression
**Draveur :** ouvrier qui travaille au flottage du bois
**Enfirouâper (se faire) :** se faire rouler
**Épinette :** épicéa
**Escousse :** instant
**Fèves :** haricots en grains
**Fèves vertes :** haricots verts
**Fiouze :** fusible
**Fournaise :** calorifère
**Fone :** plaisir
**Frémilles :** fourmis
**Frette :** froid
**Gagne :** gang
**Galipote (courir la) :** faire la noce
**Garocher :** lancer
**Gaz :** essence
**Granola :** adepte de nourritures naturelles, écolo
**Gravelle :** pierre concassée
**Guarnotte :** pierre concassée

**Guidoune :** fille de joie
**Haïr :** se prononce «aguir» : (s'utilise surtout dans l'expression «j' taguis point», litote qui signifie «je t'aime»)
**Jaquette :** chemise de nuit
**Jaser :** bavarder
**Kioute :** charmant
**Licence :** permis de vendre des spiritueux : également plaque minéralogique pour véhicule et «carte grise»
**Liqueur :** boisson gazeuse sans alcool
**Machine :** automobile
**Maganer :** abîmer
**Malle :** courrier
**Maller :** confier un objet à la poste
**Maringouin :** gros moustique
**Méné :** fretin servant d'appât vif
**Mitaines :** moufles d'hiver
**Mitaine :** temple protestant
**Miteur :** compteur dans un taxi
**Minoucher :** caresser, flatter
**Ouaouaron** (*) : grosse grenouille
**Pacter :** enivrer
**Patente :** objet quelconque, truc astucieux
**Pamphlet :** brochure publicitaire
**Pantoute :** pas du tout
**Pâpire :** assez bien
**Pardessus :** couvre-chaussures
**Pétaque :** pomme de terre
**Piasse :** dollar
**Picote** (volante) : varicelle
**Pinote :** arachide
**Pis :** et puis !
**Pitoune :** brosse bûche
**Placoter :** faire des commérages
**Plate :** ennuyeux
**Plogue :** prise de courant
**Plotte :** fille très facile
**Pogner :** attraper, prendre
**Pogné (être) :** être aux abois
**Pouce (faire du) :** pratiquer l'auto-stop
**Poudrerie :** tempête de neige sèche
**Poutine :** sorte de pudding
**Prélart :** linoléum
**Quétaine :** de mauvais goût, kitsch
**Quêteux :** mendiant
**Rapailler :** rassembler, remettre en bon état
**Raquetteur** (*) : sportif qui utilise des raquettes à neige
**Ratoureux :** malin
**Ravage :** lieu boisé où se tiennent l'hiver les cervidés
**Robine :** alcool frelaté
**Robineux :** clochard porté sur la boisson
**Roche :** caillou
**Ruine-babines :** harmonica (on dit aussi «musique à bouche»)
**Senteux :** curieux

**Smatte :** charmant, chic, intelligent

**Souffleuse** (*) : fraise à neige qui la souffle au loin

**Soupane :** gruau d'avoine

**Souper :** dîner

**Suce :** tétine

**Taupin :** homme fort

**Tabagie :** boutique où l'on vend du tabac

**Tannant :** ennuyeux

**Tchîpe :** mesquin ; de mauvaise qualité

**Tchomme :** copain

**Topless :** poitrine nue féminine

**Touer :** remorquer une voiture

**Toune :** petit air de musique

**Toffe :** dur, résistant

**Tsé :** contraction du « tu sais », très fréquent dans la conversation

**Traversier** (*) : bac, « ferry-boat »

**Tuque** (*) : bonnet de laine

**Tuxedo :** « smoking »

**Valeur (c'est de) :** c'est dommage !

**Vidanges :** ordures ménagères

**Vivoir** (*) : pièce de séjour, doublet francisé de « living-room »

**Vlimeux :** détestable

**Voteur :** électeur

**Voyage (j'ai mon) :** j'en ai plein le dos

**Vues (aller aux) :** aller au cinéma

**Waiter :** garçon de café

**Waitress :** serveuse

Le signe (*) indique quelques mots classés « canadianisme de bon aloi » par l'Office de la langue française, organisme du ministère des Affaires Culturelles du Québec. Selon les auteurs d'une liste un peu farfelue, ils seraient dignes d'entrer dans les dictionnaires français.

## Les « sacres »

Ce qui caractérise aussi fortement la parlure locale, c'est la présence constante du « sacre » ou blasphème — sans aucune intention sacrilège — dans la conversation courante de nombre de Québécois.

Lorsqu'un Français moyen se donne, en bricolant, un coup de marteau sur le pouce, il pousse un solide juron dans le genre « Merde ! ». Quand le natif du XVIe arrondissement apprend une mauvaise nouvelle, il s'écrie volontiers : « putain ! ». Dans la même situation, leurs homologues du Québec profèrent quelque chose comme « Tabarnak ! » ou « Kriss ! ». Au pays de Charlebois, on manifeste sa désapprobation, sa colère, son étonnement, en invoquant le nom sacré du Seigneur ou en citant divers objets du culte avec l'accent du cru : le tabernacle, le ciboire, le calice, l'hostie, deviennent, sur un mode fortement exclamatif, « Tabarnak ! », « Cibouère ! », « Kâliss ! », et « Sti ! ». Ce genre de vocable devient aussi mot-outil, propre à scander les phrases. Les insonores virgules, points-virgules, points à la ligne, points d'exclamation et autres signes de ponctuation sont ainsi figurés dans le langage oral par des séries de «Sakraman!», «Calvaère!», «Bataîme!». Le mot qui revient le plus est peut-être «Maudit!» qui, très souvent à cause de la consonne «d» fortement affriquée, s'entend à peu près comme «maudzi!». Ces interjections dispersées dans le discours, qui servent à exprimer divers états de l'âme, dérivent parfois en verbes à tout dire.

Ainsi : «Kriss!» a donné naissance à «krisser», «Kâliss!» à «kâlisser» avec des variantes comme «contrekrisser» ou «contrekâlisser». D'autres verbes défectifs ont été tirés de «maudit» ou de «sacre», tous avec plus ou moins l'acception de ficher : «Sacre ton camp!» pour «fiche le camp».

Le sacre a été longtemps réservé aux hommes. A l'adolescence il symbolise, comme l'usage de la cigarette, l'appartenance au monde des adultes. Aujourd'hui, de jeunes femmes adoptent aussi ces expressions. A noter que les gens distingués travestissent ces mots d'appui. Les variantes supplétives sont par exemple : «Câline!», «Batèche!», «Tabarouette!», «Tabarnouche!», «Kristal!» et autres formes décentes.

Mais le vrai sacreur ne s'embarrasse pas de ces innocents paronymes. Il préfère, en des avalanches verbales, enchaîner les sacres en des litanies du genre : «Maudzisaintcibouèredekâlissdetabarnakd'osti!», qui font le charme de bien des conversations de taverne.

## Ceux qui écrivent

L'**œuvre littéraire** canadienne française la mieux connue a longtemps été le roman «Maria Chapdelaine». Son auteur, le Français *Louis Hémon* l'a écrite pendant un séjour de moins de quatre ans au Canada, où il est mort en juillet 1913, dans le nord de l'Ontario, heurté par une locomotive du Canadien Pacifique. Bien avant lui, d'autres Français ont écrit, voyageurs, missionnaires, colons, qui ont raconté la Nouvelle France, livres peu répandus puisqu'il faut se souvenir que la première imprimerie n'a fonctionné au Québec qu'après 1764.

Le premier roman vraiment canadien français a paru en 1837 : «L'influence d'un livre» de *P. A. de Gaspé,* curieux récit tissé d'aventures rocambolesques et de magie noire. Puis, vient le temps des historiens, tel *François-Xavier Garneau* (sa première et magistrale Histoire du Canada date de 1845) et des versificateurs, comme *Octave Crémazie* et *Louis Fréchette,* romantiques attardés.

Il est bon de rappeler que le premier navire français qui se soit amarré à Québec, après la défaite des plaines d'Abraham, n'est venu qu'en 1855. Selon la tradition, ses cales contenaient, entre autres, des caisses de livres édités à Paris.

Ainsi les Canadiens français en quête de lectures, qui en étaient restés à Corneille, Fénelon et Bossuet, qui n'avaient pu, parce qu'ils étaient à l'index, lire Fontenelle, Montesquieu, Voltaire, Rousseau et les encyclopédistes, coupés de Chateaubriand, Mme de Staël, Benjamin Constant, Lamartine, Hugo, Vigny, Musset, les découvraient brusquement alors que déjà Flaubert et Maupassant perçaient sous Balzac et Stendhal, tandis que le Parnasse appelait le symbolisme.

L'anecdote de la frégate française — elle s'appelait *la Capricieuse* — interdit à jamais de comparer littérature canadienne française et «française de France». Il faut ajouter à ce hiatus de l'histoire, les réalités géographiques et sociales. La prolifération des ouvrages historiques au XIX$^e$ s. est la marque d'un peuple à la recherche de ses racines ; la tardive apparition du roman s'explique parce que c'était un genre suspect aux yeux du clergé qui ne laissait éditer qu'une littérature agriculturaliste, messianique, patriote et pieuse. Il fallait être moralisateur ou ne rien publier.

Poètes et littérateurs francophones tournés vers les modèles français s'efforcent de devenir les Victor Hugo, Verlaine, Louis Veuillot ou Léon Bloy du Québec. Sinon, ils se cantonnent aux thèmes de la vie rurale, de la solitude, des petites collectivités urbaines, de la misère.

Après 1940, coupée de la France pendant quatre ans, la littérature du Canada français se diversifie, cherche et trouve son propre souffle. Toute une génération de créateurs s'impose. Les poètes sont les plus hardis qui, dans un langage neuf, expriment ce Québec qui leur fait mal.

1960 marque un tournant, voit les créateurs des lettres chercher avant tout à traduire des réalités québécoises.

Retentit alors la voix d'un nouveau type de poètes ; elle porte à travers le monde. On les appelle ici les **chansonniers,** ils expriment dans des complaintes, à la manière des bardes, les cris de la conscience collective, la chronique quotidienne du peuple, ses révoltes, ses espoirs. La télévision, la radio, le disque multiplient leur présence. Le Québec détient un record mondial pour la production de musique enregistrée, compte tenu de son nombre d'habitants. Ces chansonniers chantent eux-mêmes leurs œuvres, parfois les confient à des interprètes ; *Pauline Julien,* une *Louise Forestier* ou une *Fabienne Thibeault* qui chantent les vers de *Gilles Vigneault,* de *Raymond Levesque,* de *Charlebois,* de *Paul Piché,* de *Georges Dor,* de *Michel Rivard,* ou du plus ancien des chansonniers, *Félix Leclerc.* A cet art se rattachent deux autres genres très vivaces : les «groupes» formés de musiciens-chanteurs et les *raconteurs solistes,* auteurs de monologues simples et percutants. Ils s'appellent *Clémence Desrochers, Sol* ou *Yvon Deschamps.* Tous ont le même dessein : rendre sensible l'âme du Québec.

## Théâtre et peinture

Dans les autres arts, on retrouve la même évolution. Le **théâtre,** dès les premiers temps de la colonie, a été vite soumis aux contraintes des autorités religieuses. Depuis la fin de l'autre siècle, Paris impose ses modes, envoie ses troupes en tournée au Canada. *Sarah Bernhardt,* puis d'autres gloires françaises triomphent à Montréal. On reprend aussi tous les succès de la scène française, joués par les artistes du Québec, encadrés de comédiens français installés dans la province. Ce n'est que vers 1950 que s'imposent à Montréal des troupes composées d'acteurs professionnels canadiens français.

Au début, on choisit les classiques, surtout Molière ; et aussi des pièces de boulevard dont on doit couper certaines situations, scènes, répliques contraires à une morale augustinienne imposée par la hiérarchie catholique (toutes les salles de théâtre sont pratiquement aux mains du clergé). Ainsi «Huis-Clos» de Sartre, présenté à la salle du Gesù, sans que les autorités religieuses n'y prennent garde, est retiré de l'affiche dès la seconde représentation. Des écrivains canadiens commencent à écrire pour le théâtre. Un répertoire national se forme, très lentement, car les auteurs de pièces sont vite sollicités par la télévision. Leur succède, depuis une quinzaine d'années, une nouvelle vague inspirée par Brecht et Beckett, qui rompt avec toutes les traditions. Elle veut surtout, dans la langue d'un nouveau public qui n'est plus celui de la bourgeoisie, refléter de nouvelles façons de vivre, de lutter et souvent de désespérer. Avec *Michel Tremblay,* qui écrit ses pièces dans la langue de l'est de Montréal, s'est installée la vogue du théâtre de la dérision que l'on offre, comme un miroir, aux spectateurs.

La tradition nord-américaine du «barn-theater» est vivace au Québec où l'on assiste, tous les ans, à la floraison d'une cinquantaine de théâtres d'été, dans les campagnes autour des villes ou dans les stations touristiques. Les meilleurs artistes du pays y présentent des comédies légères.

Dans les **arts plastiques,** le tournant a été pris très tôt. Jusqu'à la fin de la dernière guerre, la plupart des artistes, fidèles aux modèles européens, peignent sagement des portraits, natures mortes, paysages et scènes de genre, empruntant parfois leur manière aux impressionnistes ou aux fauves. En 1942, *Paul-Émile Borduas,* déjà, a adopté une façon de peindre dictée par l'automatisme, comme l'a fait dans le même temps, sous le nom d'*action painting,* l'Américain Jackson Pollock. Borduas lance aussi en 1948 un manifeste collectif violent, autant politique qu'esthétique : *Refus global,* qui va influencer la vie culturelle du Québec et du Canada et conduire à un fructueux déblocage. Ainsi *Pellan,* sublime surréaliste qui retraduit le monde en mille couleurs. Ainsi les *plasticiens,* chef de file : *Molinari* à la recherche de constructions spatiales dynamiques. Ainsi *Riopelle,* élève de Borduas, jonglant techniquement avec la matière et la couleur. Depuis, cette explosion de liberté n'a pas cessé de remuer le monde de la peinture, de la sculpture, des arts muraux, de la décoration, où se poursuivent les expériences les plus variées. Les artistes mêlent leurs préoccupations socio-économiques à leur création esthétique, comme *Edmund Alleyn,* auteur d'une suite québécoise et représentant de la Nouvelle Figuration.

La **musique** au Québec a été revivifiée ces dernières années par les recherches que font de jeunes compositeurs, francs-tireurs de la musique contemporaine. Dans le domaine de l'interprétation, la province canadienne française continue à se distinguer par la qualité de ses grandes voix. Ces ténors, basses et sopranos, sont difficiles à écouter à Montréal; ils sont constamment demandés par les théâtres lyriques du monde entier.

Si l'opéra fait salle comble, la musique classique ne cesse de se répandre. L'Orchestre symphonique de Montréal, dirigé par *Charles Dutoit,* a acquis une renommée mondiale. Dans la métropole du Canada français, il se produit non seulement à la prestigieuse place des Arts mais aussi dans les églises, les parcs publics, les patinoires, où se pressent ceux que le rock omniprésent ne contente pas.

## *Un cinéma nouveau*

Le **cinéma** québécois, tout jeune, commence à conquérir le monde. Seuls quelques spécialistes connaissent sa première période «mélo» d'avant 1950. Quelques titres parlent d'eux-mêmes : «Aurore, l'enfant martyre», «le Rossignol et les cloches», «Un homme et son péché». 1960 marque encore un important tournant. A l'époque, de jeunes cinéastes, employés par l'Office national du film (organisme fédéral implanté à Montréal, vaste usine cinématographique où se créaient des documentaires) ou formés par la télévision, adoptent presque tous un style fondé sur l'emploi de matériel léger : le «cinéma-vérité». Un trio célèbre s'impose, fait des adeptes : le cinéaste canadien *Jutra,* l'ethnologue français *Jean Rouch,* et un troisième Canadien français, *Michel Brault,* grand spécialiste de «la caméra à la main», père du cinéma direct. La plupart des films visent alors à montrer la réalité québécoise, à enquêter sur le réel. On montre, on fait agir, on fait parler les pêcheurs, les mineurs, les bûcherons, les Indiens, les tisserands, l'homme de la rue, la femme au foyer. Les œuvres de fiction aussi reflètent des réalités sociologiques, le romanesque devant se plier au besoin qu'éprouvent les cinéastes à capter l'authentique. Les productions sont passées par plusieurs phases : dans la première, née de la rapide libéralisation, on montre ce qui avait toujours été caché : la nudité de la Québécoise et ses jeux érotiques. Ensuite, est explorée la veine comique. Elle fait vite place à des œuvres contestataires qui dénoncent implacablement les

Le cinéaste Gilles Carle

vices de la société post-industrielle, les méfaits du pouvoir bourgeois. Cinéma d'auteurs qui entendent ignorer les impératifs de la distribution et le goût du grand public pour des œuvres plus légères.

Pour ce qui est de cette nourriture facile, elle est amplement servie par les productions américaines, versions originales ou post-synchronisées que présentent surtout les cinémas, propriétés d'entreprises anglo-saxonnes.

Des anglophones du Québec se sont fait une réputation dans le cinéma : citons *Norman McLaren,* inventeur du cinéma sans caméra (une de ses géniales trouvailles : dessiner directement sur pellicule chaque image de ses dessins animés et tracer en marge, à l'encre de Chine, le profil de la bande sonore). Citons aussi *Francis Menkiewicz,* auteur des films « le Temps d'une chasse » et « les Bons Débarras ».

**Des créateurs à connaître** (d'autres noms)

*Littérature d'autrefois*
— *Angélique Montbrun,* Laure Conan

— *Les engagés du grand Portage*, L. P. Desrosiers
— *Les anciens Canadiens*, Ph. A. de Gaspé
— *Le Survenant*, Germaine Guèvremont
— *Les demi-civilisés*, J. Ch. Harvey
— *Trente Arpents*, Ringuet
— *Les Habits Rouges*, R. de Roquebrune
— *Bonheur d'occasion*, Gabrielle Roy (Fémina 1945)

*Littérature d'aujourd'hui*
— *Le Matou*, Yves Beauchemin (un «best-seller»)
— *Une saison dans la vie d'Emmanuelle*, M. C. Blais
— *Le Canard de bois, la Corne de brume*, Louis Caron
— *L'avallée des avallés*, R. Ducharme
— *Les têtes à Papineau*, Jacques Godbout
— *Poussière sur la ville*, J. Langevin
— *Au pied de la pente douce* et *les Plouffe*, Roger Lemelin
— *Le Cassé*, Jacques Renaud
— *Menaud, maître-draveur*, F. A. Savard
— *Agakuk*, Yves Thériault

*Lire aussi des essayistes, conteurs, sociologues :* Fernand Dumont, Jean Lemoyne, Fernand Ouellette, Jacques Ferron.

*Dans le domaine anglais, il faut connaître :*
MacLennan, Mordecaï Richtler et Stephen Leacock, l'étonnant Alphonse Allais de Montréal.

*Des poètes* (pour l'ensemble de leurs œuvres) :
Alain Grandbois, Saint-Denys Garneau, Émile Nelligan, Gaston Miron, Alfred Desrochers, J.-R. Major, Jacques Brault, Rina Lasnier, Nicole Brossard, Yves Préfontaine, Anne Hébert, Paul Chamberland.

*Des dramaturges :*
Marcel Dubé *(Zone)*, Michel Tremblay *(les Belles-sœurs)*, Antonine Maillet, écrivain francophone originaire d'Acadie *(la Sagouine)*.

*Des cinéastes :*
D. Arcand *(Réjane Podavani)*, Michel Brault *(les Ordres)*, Gilles Carle *(la Vraie nature de Bernadette, Maria Chapdelaine)*, Cl. Jutra *(Mon oncle Antoine)*, J.-P. Lefèvre *(les Dernières fiançailles)*.

## L'homme québécois

Qu'est-il finalement ce Québécois moyen ? Peut-on l'expliquer par l'histoire ? C'est un homme de souche française, généralement normande ou poitevine, à la limite de l'oc et de l'oïl, du droit coutumier et de la juridiction latine, qui a gardé, en tout cas, le sens du discours et de la plaidoirie. Ses aïeux, abandonnés par la France sur les bords du Saint-Laurent, soumis à l'occupant anglo-saxon, entraînés dans la mouvance nord-américaine, en ont tiré, comme lui, de nouvelles façons d'être : sens pratique, pragmatisme et une certaine réserve, que l'Européen prend pour de la timidité ou une sorte de complexe d'infériorité.

La géographie offre d'autres hypothèses : c'est l'homme d'un vaste pays. L'hiver, très long et très froid, lui a donné à la fois le besoin de se replier sur lui-même et aussi de se déplacer et de savoir attendre ; la brutale chaleur du court été, la soif d'être actif, de vivre pleinement.

On peut définir le Québécois par ses contradictions : hospitalité très ouverte et méfiance envers l'étranger (surtout celui qui arrive de France ; nous sommes, disait le premier Duplessis, des «Français améliorés»). Il est à la fois fier et résigné, retenu et familier. Il donne du monsieur à l'inconnu, mais vite le tutoie. Il est soumis, mais a le goût de l'indiscipline. Il est prodigue et prévoyant, laisse aux investisseurs d'ailleurs le soin de risquer des capitaux dans ses affaires, préférant acquérir des valeurs sûres à revenu limité ; mais il risquera soudain ses économies dans les loteries, les paris, les jeux d'argent, sans doute parce que sa foi ancienne le porte à croire au miracle. On lui a d'ailleurs répété : sa seule survivance en Amérique du Nord est, en soi, un phénomène miraculeux.

Lui-même a le sentiment d'être avant tout un colonisé, mais qui vit dorénavant dans une colonie qui cherche à se décoloniser, dans un capitalisme qui veut se décapitaliser. Il appelle «Révolution tranquille» la grande mutation de son histoire, faite par les classes moyennes et à leur profit. Il attend la seconde mutation ; il espère qu'il en profitera mieux.

Il y a aussi la Québécoise qui s'est aperçue récemment qu'elle était encore plus aliénée que ses contemporains. Celles qui ont aujourd'hui plus de cinquante ans ont été longuement gardées à la maison, peu à l'école. On insistait pour qu'elles fussent surtout «ménagères», mères de famille nombreuse, compagnes silencieuses. Au Québec, le taux global de participation des femmes à la main-d'œuvre est passé de 24,6 % en 1953 à 45,9 en 1981. Le chômage, cependant, atteint davantage les femmes (14 %). Leur revenu moyen d'emploi représentait en 1979 55 % de celui des hommes. Jusqu'en 1964, les femmes mariées étaient «mortes» du point de vue civil, ne pouvant acquérir des biens, en disposer, recevoir une donation, une succession, se lancer dans le commerce, posséder un compte en banque, se défendre en justice, intenter une action judiciaire. Les lois ont été améliorées, mais il demeure difficile, pour une citoyenne du Québec mariée, de mener à la fois une vie de travail tout en ayant un foyer : absence de garderies, allocations familiales infimes, salaires moindres. Résultat : la Canadienne française a beaucoup moins d'enfants qu'autrefois (le taux brut de natalité qui de 1926 à 1960 oscillait entre 25 et 32 naissances pour 1 000 personnes n'était plus que de 14 en 1982). L'ère de la pilule lui permet enfin une sexualité sans angoisse, sans remords. Qu'on ne lui parle plus jamais de Maria Chapdelaine. Seul l'avenir du Québec la préoccupe.

# De l'usage du Québec

## *Les hôtels, les hébergements*

Si vous n'êtes pas familier avec l'Amérique du Nord, il faut savoir que les mots hôtel et restaurant ne recouvrent pas les mêmes réalités qu'en France.

L'hôtel au Canada et au Québec, cela peut être l'établissement de grande classe, moderne et luxueux, relativement moins cher qu'à Paris, Bruxelles ou Genève (exemple, le *Château-Champlain* à Montréal). Nombreux étages (à cause de la superstition, rarement de treizième) ; chambres spacieuses avec T.V. en couleur, plus salle de bains, restaurants, bars, salles pour les réunions d'hommes d'affaires et les congrès. C'est aussi l'hôtel de très haute tenue, tel le *Ritz-Carlton* à Montréal. Hôtel veut dire aussi, dans des bourgs ruraux, un endroit où l'on peut loger sans trouver de grandes commodités, sauf un bar très bruyant en fin de semaine. En général, il n'existe pas d'hôtels moyens. Sont extrêmement rares ceux qui, hors des villégiatures, proposent la pension complète : chambre, petit déjeuner et deux repas. Le système le plus répandu, à cause de la pénurie de personnel hôtelier, c'est le *motel*. On entre dans le bureau à toute heure du jour et de la nuit : un seul employé. Il fait payer d'avance, vous donne une clef. C'est à vous de trouver votre chambre climatisée, de garer votre auto, de transporter vos bagages. Vous disposerez dans la chambre de tout ce qu'il vous faut, de la télévision en couleur aux savonnettes ; parfois, une petite cuisine avec café et lait en poudre, jus d'orange déshydraté, qui permet de préparer un petit déjeuner sommaire. Il suffit de vider les lieux avant l'heure indiquée du « check-out ».

Hors du genre hôtel de bonne tenue, du motel, il y a les maisons de touristes, de nombreux « gîtes du passant » et des demeures où, selon la méthode britannique du Bed & Breakfast, on vous fournit à bon marché le lit et le petit déjeuner. Autre formule pas chère, les auberges de jeunesse et les établissements du genre *Y.M.C.A.*

En toutes saisons, le ministère de l'Agriculture et l'Union des producteurs agricoles proposent aux vacanciers un *hébergement à la ferme*. Pour une chambre et 3 repas : 1er adulte 25 $ par jour. Les autres 22 $. 1er enfant de moins de 12 ans : 14 $. Les autres 12 $. Renseignements : *Agrico-tours* (tél. : 374-3546).

Dans le vieux Québec, la cuisine d'antan

## *Les restaurants*

Ne vous attendez pas à faire de sublimes découvertes culinaires. Le mot gastronomie n'a pas cours ici. Mais on mange bien.

Le mot restaurant a des significations variées.

Il y a par exemple le *restaurant* de style très *britannique,* par son décor, son argenterie et hélas ! sa cuisine. Le *restaurant à l'américaine :* disposition standard des tables, service stéréotypé, menu imprimé, mille fois répété partout. Le *restaurant de type français* marque son genre par des nappes à carreaux, bougies fichées dans des goulots de bouteilles dégoulinantes de stéarine figée ; menu manuscrit, copieux, abondance de plats flambés ; présence de la soupe à l'oignon gratinée, des escargots à l'ail et des cuisses de grenouilles.

Le restaurant peut aussi adopter le genre exotique : *italien* avec les spaghetti, la pizza (on la sert à toutes les sauces : champignons, saucisses, jambon, crevettes et « all dressed », c'est-à-dire avec tout) ; *israélite :* le « smoke-meat » et la quenelle type polonais ; *chinois :* les « egg-roll » (beignets de verdure et sauce sucrée), le «chop suey» (fricassée de soja germé), les «square-ribs» (portions de côtes de porc cuites dans l'ail et la mélasse), des soupes et des desserts; et aussi *grec, pakistanais, nord-africain*.

Pour le nouveau venu, de nombreuses expériences originales : la *brasserie,* qui propose d'excellents et classiques mets canadiens; le sompteux *buffet* à bon prix; le bon *steak-house* où l'on se régale de grillades à point; le *restaurant de fruits de mer,* connu par la qualité de ses homards, huîtres, poissons du Québec toujours frais et bien présentés; le *delicatessen* ouvert jusqu'à l'aube, spécialisé dans le sompteux «smoke-meat» (poitrine de bœuf confite au sel et servie en tranches fines sur pain de seigle moutardé) et la salade de fruits frais; la *maison du poulet* qui les présente soigneusement rôtis ou à la mode Kentucky. La formule estivale, c'est les *curb-service* où les clients sont servis dans leur voiture par de jeunes personnes habillées très court (les tableaux électroniques les remplacent parfois dans les terrains de stationnement). Le restaurant moyen éclectique vous proposera un menu sur lequel toutes ces spécialités se rencontrent. De grands classiques locaux s'ajoutent à ces plats : l'entrecôte cuite sur le grill; précisez si vous la voulez «rare» (bleu), «medium» (peu cuit), «well done» (très très cuit). Toujours sur ce genre de carte : le poulet «Bar-B-Q», servi avec frites, le «hamburger» et le «hot-dog» (les bouffodromes du genre McDonald pullulent), la côte de porc, le «sandwich club» (pain grillé, laitue, tranches de tomates et blanc de dinde ou de poulet), la tranche de jambon grillée surmontée d'une rondelle d'ananas. Pour les entrées, le plat chic est le «coquetel» de crevettes baignant dans un coulis de tomates épicées. Le met bon marché : le céleri en branches accompagné d'olives vertes.

La «nouvelle cuisine» a fait des adeptes, mais la grande nouveauté, dans les cafés et restaurants du Québec, c'est la mode de la terrasse, qui rompt avec une tradition héritée des Anglais. A l'abri de vitrages l'hiver, en plein vent pendant l'été torride, il est devenu de bon ton, comme dans l'Europe latine, de se faire servir dans la rue.

Il est très difficile de donner des noms et des adresses. Cela tient à une caractéristique très nord-américaine. Tel établissement aujourd'hui excellent, dont la réputation a été très soigneusement établie par une équipe : propriétaire, chef des cuisines, maître d'hôtel, barman, serveurs, peut, du jour au lendemain, être vendu avec son enseigne à un quelconque margoulin qui y met le prix et en utilise sans vergogne le prestige.

Seuls quelques établissements sont recommandables. Ils sont peu nombreux. Le meilleur moyen de bien les citer tous serait de n'en citer aucun. Il est bon d'avoir de véritables amis qui vous signalent les bonnes adresses. Des guides du type Michelin rouge n'ont pu être établis au Canada. Personne n'ose s'y risquer.

Un organisme gouvernemental chargé du Tourisme a attribué des trophées aux meilleurs restaurateurs. L'excellente **Hostellerie des Trois Tilleuls** à Saint-Marc-sur-le-Richelieu a remporté la palme.

Ce même organisme selon des critères normatifs publie une liste des hôtels et restaurants dans laquelle des fourchettes et des étoiles signalent les établissements par ordre de mérite. Il met également à la disposition des touristes de longues listes de stations de ski, parcs, terrains de golf, ports de plaisance, pistes de motoneige, de raquette ou de ski de fond, pourvoyeurs de chasse et de pêche, terrains de camping, sous tente ou en roulette «camper» (notez qu'il est très difficile de trouver à louer de tels véhicules), itinéraires de promenade, de canotage, de cyclotourisme. Dans chaque région, les associations touristiques, les Chambres de commerce distribuent généreusement de la documentation.

**Le Québec est divisé en 18 régions touristiques** comptant une centrale unique de renseignements téléphoniques, qui prend à sa charge les frais d'appels interurbains.

**De Montréal,** appelez le 873-2015.

Du reste **du Québec :** 1-800-361-5405.

**Pour les parcs et réserves
de Montréal :** tél. (790-0241) ;
**de Québec :** tél. (890-5349).

**Du reste du Québec :** tél. 1-800-462-5349.

## La cuisine canadienne

La vraie cuisine canadienne, rarement servie, sauf dans quelques établissements spécialisés, est une cuisine riche et fruste, créée autrefois pour des paysans sans grands moyens qui, travaillant en plein air, avaient besoin de nourritures très solides.

Vous goûterez ces plats dans leur version originale chez vos amis québécois. A vous la délicieuse crevette de Matane, le foie de morue, le canard du lac de Brôme, les «cretons» (version locale de la rillette française), la tourtière (pâté rond à base de viande de porc), la soupe aux gourganes (légumineuse surtout cultivée dans la région de Charlevoix et du lac Saint-Jean), le «cipaye» ou «six-pâtes» (pâté à base de viandes diverses), la «crosses de violon» (fougères naines), la gibelotte de Sorel (salmis de canard, de divers poissons blancs et de pommes de terre, mitonné dans de la crème), le ragoût de boulettes (bœuf et porc en sauce), le pâté chinois (hachis parmentier dans lequel la pomme de terre s'ajoute au maïs en grains), la tête fromagée (fromage de tête).

Ajoutez à cela de nombreux desserts : beignets (appelés beignes), pâtisseries à base de pain, de cassonade, d'épices, de lait. Les tartes (couvertes de pâte, comme le «pie» anglais) aux fruits frais, au sucre d'érable. Le roi des desserts, c'est, en septembre, une assiettée de «bleuets» (myrtilles) arrosés de crème fraîche. Essayez quand même ces plats dans les restaurants qui les proposent. Commandez aussi, en saison, le saumon frais et poché ou le saumon fumé, les poissons locaux, surtout le doré, servi aux amandes. Les huîtres viennent de la province maritime voisine. Elles sont grosses et grasses et plus appréciables lorsqu'elles sont cuites, à la friture, en sauce ou encore apportant leur fumet inédit à une soupe crémeuse.

Ne vous étonnez pas de ne jamais voir sur le menu la gigue de chevreuil, la noisette d'orignal, le pâté de castor, le salmis de bécasse, le gigot d'ours. On ne voit pas non plus de truites de ruisseau (sauf celles importées et congelées). La loi, pour éviter tout braconnage, interdit aux restaurateurs de servir gibier et poissons sauvages. Là encore, il faut avoir des amis pêcheurs et chasseurs pour pouvoir déguster ces produits très canadiens.

## Fromages et épices

Il existe quelques fromages locaux : le *cheddar,* version canadienne de son homonyme anglais, des imitations de roquefort, de camembert, de gruyère, tous très industriels ; l'introuvable fromage de l'île d'Orléans est plus franc. Autrefois, l'*Oka* (fabriqué par les Trappistes près de Montréal) avait un charme odorant ; celui que des manufacturiers fabriquent maintenant sous le même nom, à mi-chemin entre port-salut et bel paese, garde au moins un certain piquant. Demeurez cependant convaincus qu'au Québec, depuis longtemps, on a perdu le contact avec la tradition française. Elle a été adaptée aux circonstances et fortement contaminée par les influences anglo-saxonnes. C'est pourquoi on trouve sur les tables, outre le sel et le poivre très rassurants, des *condiments* qui peuvent surprendre le Français : des moutardes bizarres, du raifort, du «ketchup» (purée de tomates fort assaisonnée), qu'on verse généreusement sur l'omelette, la tourtière, les frites, la viande, les huîtres et d'autres mets ; on voit aussi des sauces anglaises pour les grillades, la gelée de menthe pour les côtelettes ou le gigot de mouton, la confiture d'atocas (airelles) pour les viandes blanches, les cornichons sucrés, la mayonnaise au sucre, le «cole-slaw» (salade de choux aromatisée et douce), la crème sûre. Vous verrez également, destinée à la salade, une épaisse vinaigrette au sirop, de couleur rose, appelée «frenchdressing», la «relish» (purée végétale verdâtre très épicée) qui accompagne, avec des rondelles d'oignons crus, le traditionnel «hot-dog», le vinaigre blanc pour les frites, le sirop de maïs pour les gaufres et les crêpes, l'extrait de piment pour les fruits de mer. Tout cela vient d'une Angleterre où les mets mal cuits ont si peu de goût qu'il faut les renforcer par des condiments doux-amers.

## Le petit déjeuner

Ce qu'il y a finalement de mieux dans la cuisine canadienne, c'est le petit déjeuner. Même le restaurant le moins recommandable sert d'admirables toasts (on les appelle au Canada français des rôties), des œufs sur le plat (au miroir), brouillés, à la coque, garnis de bacon croustillant, de petites saucisses, du jambon fumé. On sert aussi des crêpes au sirop d'érable et du « pain français » (sorte de pain perdu caramélisé et poêlé dans du jaune d'œufs). Le café est ce qu'il est mais, adouci de crème, il constitue au même titre que le thé la boisson reconstituante de ce premier repas.

Certains grands hôtels de Québec, Montréal et autres grandes villes servent, le dimanche matin, le *brunch,* ce « breakfast lunch » qui permet, s'étant levé tard, d'attendre le repas du soir. Et n'oubliez pas qu'ici, on dîne à midi et qu'on soupe le soir.

A toute heure aussi on peut se faire servir un « snack » dans un restaurant ou une pharmacie. Lorsqu'on commande cette sorte de repas, c'est dans un établissement qui ne possède pas de « licence » (permis de servir bière ou spiritueux). On vous apporte d'office le verre d'eau glacée en même temps que le couvert et la nappe de papier. En vous proposant un dessert (choisissez la crème glacée, toujours excellente), la serveuse vous demandera : « Quel breuvage ? » C'est une invitation à choisir entre l'orangeade, le coca-cola, la limonade sucrée, la tasse de thé ou de café.

## *Les boissons*

Ce qu'on boit d'autre au Québec ? Du **lait.** Il n'est pas rare de voir un dîneur terminer son repas par un verre de lait glacé. Longtemps, la province, grande productrice laitière, a fait de la propagande auprès des jeunes et moins jeunes afin de les inciter à d'excessifs régimes lactés.

Depuis une quinzaine d'années, le **vin,** d'abord servi en modestes carafons, puis en bouteilles, a fait son apparition sur les tables des restaurants. Le vin canadien produit dans le sud de l'Ontario est sucré et étonne par son goût de jus de raisin alcoolisé.

Au chapitre des **apéritifs,** le scotch et le gin, longtemps les rois incontestés du bar, font place à des boissons internationales. Le *rye,* whisky national, garde ses adeptes, ainsi que dans les établissements très anglo-saxons, le sherry et les cocktails classiques ou spécifiquement nord-américains : entre autres le *Bloody-Mary,* jus de tomates épicé relevé de gin ou de vodka, ou le rhum et coca-cola. Dans la gamme des **digestifs,** le cognac (longtemps considéré comme un médicament) occupe une très bonne place. Aux dames, on propose, c'est classique après les bons repas, la *crème de menthe* *frappée.* Il vient d'apparaître sur le marché une liqueur alcoolisée à base de sirop d'érable. Dans le style vraiment local, le «boire» longtemps préféré du «Canayen» a été le *petit whisky blanc,* alcool de grains assez sec. C'est la base d'un apéritif traditionnel, le *caribou.* La gnole est mélangée avec du vin de l'Ontario très fruité et le tout est bu glacé. Qui n'a pas l'habitude du «caribou», séduit par sa fraîcheur, son goût très neuf, l'alliance du doux et du fort, tenté d'en boire plusieurs petits verres, est vite guetté par l'hébétude.

Les anciens Canadiens français fabriquaient aussi chez eux des liquides fermentés à base de végétaux : vins de gadelle, de «bleuets» ou de pissenlits, bière d'épinette (faite à partir d'une infusion d'aiguilles d'épicéa). Quelques restaurants, tel l'*Auberge du Vieux Saint-Gabriel* à Montréal, servent encore ces liquides rares. Il existe de rares sources d'eau minérale au Québec, demandez la *Saint-Justin* ou alors tournez-vous vers les eaux importées.

Pour ne pas se tromper, on peut se rabattre sur ce qui se fait de mieux ici : la bière. Forte, peu amère, même un peu sucrée, épaisse, pas trop mousseuse, elle flatte le palais et réchauffe l'estomac. Parce que les Canadiens voyagent de plus en plus et rapportent de l'étranger de nouvelles habitudes, on fabrique pour eux des bières de types anglais, danois ou germanique. On importe aussi des marques étrangères.

A Montréal, la brasserie la plus extraordinaire est sans contredit *le Gobelet,* 8405, rue Saint-Laurent, au nord de la ville. L'établissement est vaste : autour de la grande salle, c'est plein de recoins, de terrasses, de petits salons. On peut s'y délasser l'été en plein air et, à la saison froide, autour des grands foyers de pierre dans lesquels brûlent des feux de bois. Faites plaisir au patron, *Bernard Janelle,* demandez-lui de vous faire voir sa collection de peintures et d'objets anciens du Canada. Cette brasserie est aussi un restaurant où l'on sert des mets canadiens. Les dames sont admises.

Ce qu'on trouve difficilement dans les brasseries et restaurants, c'est la boisson qui pourrait être la gloire du Québec : *le cidre.* Pays de pommiers où vivent des descendants de paysans de l'ouest de la France, la Belle Province produit peu de cidre. Des fermiers en ont fabriqué autrefois pour la consommation familiale, mais le puissant trust des brasseries a fait en sorte qu'on en interdise la commercialisation. On en trouvait, à condition de le transporter en contrebande, dans certains couvents et chez des pommiculteurs avisés. Une loi a récemment légalisé la fabrication et la vente du cidre. Des produits sont apparus sur le marché, de très bonne qualité, mais aucune campagne sérieuse de «marketing» n'a pu encore les imposer. La bière, d'une part, représentant ici une véritable institution et une «puissance industrielle», et le vin, maintenant présent, font qu'il est parfois difficile au restaurant ou au bar d'obtenir la rafraîchissante bolée.

# Recettes anciennes du Québec

*Notez que :* 1 lb = 1 livre = 455 g. Une cuillerée à thé pour le café, la farine = 3 g. Pour le sucre, beurre, eau, lait = 9 g. Une cuillerée à soupe pour le café, la farine = 9 g. Pour le sucre, beurre, eau, lait = 15 g. Dans la même proportion, une tasse équivaut à 8 onces = 232 g. Une pinte = 40 onces liquides = 2 chopines = 1,14 l. 1 demiard = une demi-chopine. 1 gallon = 4 pintes = 4,55 l.

**Pièce de tourtière ou «tourquière»** (région de Québec) 11 1/2 lb de lard maigre haché (épaule), 2 oignons hachés, 1 cuillerée à thé de sel et poivre au goût, 1 hachis blanc (2 tasses de pain émietté dans du lait chaud) ou une tasse de pommes de terre en purée, une demi-tasse d'eau.

Mélanger le tout et cuire pendant 20 à 25 mn. Laisser refroidir et mettre dans une abaisse de pâte brisée, en procédant comme pour les tartes. Cuire pendant 30 à 40 mn dans un four très chaud.

Une des plus anciennes recettes de la cuisine québécoise. Elle vient de France. On préparait des pièces de tourtière dès le début de la colonie. Contrairement à la croyance populaire, il n'était pas néces-saire d'utiliser des tourtes (pigeons sauvages) pour faire ce plat.

Le mot «tourtière» désigne l'ustensile employé pour faire des tourtes (tartes) à la viande.

### Cretons des Ursulines de Québec

3 lb de porc frais, 2 oignons, cannelle, clou de girofle, sel. Incorporer les oignons émincés au lard haché. Faire cuire le même poids d'eau que la viande ; ajouter une cuillerée à soupe de sel et laisser cuire pen-dant 1 h 30, jusqu'à ce que la graisse monte à la surface. Ajouter une cuillerée à thé de cannelle et un clou de girofle râpé. Retirer du feu et verser dans des bols. Ne servir que très froid.

### Soupe à l'ivrogne (soupe au pain)

3 à 4 tranches de pain rassis, 1/4 de saindoux, 5 oignons, 1 pinte d'eau, 1 cuillerée à soupe d'herbes salées (persil, cerfeuil, cibou-lette, etc.).

Couper en petits morceaux le pain et mettre dans un chaudron avec le saindoux et les oignons émincés fins. Laisser fondre le tout 10 mn. Ajouter les herbes salées, le poivre et une pinte d'eau. Laisser bouil-lir lentement durant 1 h.

### Tarte des nonettes (origine normande)

Cannelle, muscade, clou de girofle, pommes, mélasse, lard salé. Fon-cer un moule à tarte de pâte brisée. Tapisser le fond avec de fines tranches de lard salé et recouvrir de pommes pelées et tranchées. Ajouter sur le tout de la mélasse, un peu de cannelle, du clou de giro-fle et de la muscade.

Pour une pinte et demie de pommes, mettre une chopine de mélasse. Recouvrir de pâte et cuire pendant 1 h 30 dans un four chaud.

Cette recette normande a été apportée au Canada dès le début de la colonie par les Ursulines de Québec.

### Talmousse (Ursulines de Québec)

Pommes (une par personne), sucre d'érable moulu, pâte à tarte (pâte brisée).

Enlever la pelure et le cœur des pommes. Abaisser la pâte et la cou-per en rectangles assez grands pour replier les extrémités, saupou-drer de sucre d'érable, puis ramener les quatre coins au centre. Cuire sur une tôle au four chaud. La talmousse est le dessert traditionnel des jours de vêture chez les Ursulines de Québec. A l'Hôpital-Géné-ral, la même pâtisserie porte le nom de chausson.

### Crêpes au lard (sœurs de la Charité, Montréal)

Farine, œufs, lard «entrelardé», lait.

Délayer trois cuillerées à soupe de farine avec du lait et 3 œufs. Faire rôtir dans une grande poêle deux ou trois grillades de lard que l'on coupe ensuite par petits morceaux. Verser le mélange liquide sur les grillades et faire cuire dans un fourneau bien chaud.

### Bouillabaisse de l'Atlantique

Première préparation : 1/2 tasse d'huile d'olive, 2 gros oignons tranchés, 3 branches de céleri coupées grossièrement, 1 poireau haché, 2 gousses d'ail écrasées, 6 pommes de terre. Deuxième préparation : 2 lb de poissons, tels que morue, saumon, perche, etc. (vous n'avez qu'à utiliser les poissons que vous avez et que vous aimez), 2 homards moyens coupés avec la carapace, 1 boîte de tomates de 28 onces ou jus de tomate, 1 bouquet garni composé d'une pincée de thym, persil, laurier, sauge, safran, etc., 1 tasse de vin blanc si vous en avez, sinon 1 tasse d'eau, sel, poivre (plus un peu d'eau si vous trouvez qu'il n'y a pas assez de liquide). Chauffer l'huile, ajouter le reste de la première préparation, laisser attendrir un peu, ajouter la deuxième préparation. Laisser mijoter 35 à 40 mn. Recette pour 4 à 6 personnes. Elle est servie à l'Auberge Fort-Prével en Gaspésie.

### Soupe aux pois (île d'Orléans)

1 lb de pois jaunes, 1/2 lb de lard salé «entrelardé» ou un os de jambon, 5 oignons (moyens), 1 poireau, 2 brindilles de sariette en poudre (1/2 cuillerée à thé), 1 cuillerée à thé de ciboulette, poivre et sel.

Faire tremper les pois dans l'eau froide dès la veille ; le lendemain, laver et couvrir d'eau fraîche. Ajouter le lard salé et 2 oignons hachés fins. Faire bouillir lentement durant 2 h. Faire revenir dans le beurre (cuire à moitié) 3 oignons hachés et un poireau et ajouter à la soupe avec la ciboulette, la sariette, sel et poivre. Ajouter assez d'eau pour couvrir les pois et faire cuire 2 h (plus s'il le faut) ; le sel et le poireau peuvent être remplacés par des herbes salées.

Vieille recette de la région de Québec et de la Voie Maritime, c'est-à-dire tout le long du fleuve jusqu'en Gaspésie. On retrouve encore aujourd'hui cette même recette à l'île d'Orléans et sur la côte de Beaupré.

### Tarte au sucre du pays

2 tasses de sucre d'érable (blond et non bruni car il serait âcre), 1 tasse de crème à 35 % et 1/2 tasse de noix hachées. Faire bouillir, sur feu plutôt doux, le sucre haché et la crème, en remuant lentement la préparation afin qu'elle n'attache pas au récipient ; ceci environ 10 mn ou jusqu'à épaississement. La cuisson terminée, ajouter les noix hachées et laisser tiédir. Verser alors dans une abaisse faite d'une bonne pâte brisée.

### Brique de lard à l'ail

Prendre un morceau de lard salé «entrelardé» d'environ une livre, le piquer d'ail au goût et le faire bouillir avec deux clous de girofle. Lorsque cuit, le retirer du bouillon et bien l'égoutter.

Badigeonner de sucre du pays et de chapelure, le faire dorer au four et laisser refroidir, servir froid.

### Hachis de goélette

1/2 lb de lard salé «entrelardé», 3 oignons émincés, 5 pommes de terre moyennes coupées en cubes, 1 chopine d'eau. Couper le lard salé en petits dés et les faire revenir dans un peu d'huile à frire jusqu'à ce qu'ils soient bien dorés. Ajouter les oignons émincés, les pommes de terre coupées en cubes et l'eau. Couvrir et mettre sur un feu doux jusqu'à cuisson complète, soit environ 1 h 30.

### Galettes de patates

Purée de pommes de terre, sel, farine, beurre, lait. Ajouter assez de farine pour en faire une pâte qu'on abaisse à 1/2 pouce d'épaisseur. Sur une planche enfarinée, couper en carrés et faire cuire au four sur une tôle beurrée. Autrefois les galettes se cuisaient directement sur la plaque de fonte, du poêle à bois.

Cela ressemble un peu aux pommes de terre duchesse. Ancienne recette populaire dans les communautés et les chantiers.

### Pain de ménage à l'eau de patate

8 tasses d'eau de patates tiède, 7 livres de farine, 3 cuillerées à thé de sel, 2 cuillerées à thé de sucre, 1/2 tasse de matière grasse, 2 onces de levure.

Tremper la levure pendant 10 mn dans une tasse d'eau tiède prise sur les 8 tasses d'eau de patates et ajouter 1 cuillerée à thé de sucre. Faire une fontaine dans votre farine, ajouter levure, sucre, sel, graisse et le reste du liquide.

Mélanger jusqu'à ce que toute la farine soit pénétrée; laisser lever 30 mn, puis pétrir et recommencer la même opération deux autres fois. Mettre la pâte dans les moules et laisser relever à nouveau avant la cuisson.

Temps de cuisson : gros pain : 45 mn à 1 h dans un four à 350 °F ou 175 °C. Petit pain : 25 mn dans un four à 400 °F ou 200 °C.

### Poulet d'Orléans

2 poulets de 2 lb à 2 1/2 lb, 2 bardes de lard gras, 6 pommes, 1 demiard de crème à café, 1 1/2 once de cognac.

Farcir les poulets, les brider, les recouvrir sur l'estomac d'une large barde de lard gras. Mettre les poulets, que l'on aura fait colorer au beurre, dans un chaudron de fer garni au fond d'une couche de pommes pelées, émincées et sautées légèrement au beurre. Entourer les poulets avec des pommes préparées pareillement. Cuire au four à 350 °F ou 175 °C. Au dernier moment, arroser de crème fraîche et d'un filet de cognac.

### Farce pour le poulet Orléans

2 tasses de cubes de pain, 1/2 tasse de céleri émincé, 1/2 tasse de pommes émincées, 1 pincée de thym, 1 pincée de persil, 1/4 tasse de raisins secs.

Mélanger les cubes de pain grillé avec le céleri, les raisins et les pommes émincées. Aromatiser avec du thym et du persil. Assaisonner l'intérieur des poulets avec du sel et du paprika et remplir une moitié de la cavité avec la farce. Y verser une quantité de beurre fondu (2 cuillerées à soupe). Remplir l'autre moitié de la cavité, sans trop tasser, avec le reste de la farce, une cuillerée à soupe de cognac et à nouveau beurre fondu. Coudre l'ouverture.

### Potée de bœuf paysanne

1 lb de bœuf, 1 lb de lard salé «entrelardé», 1 gros chou, 2 carottes, 1 navet moyen, 2 oignons, 2 branches de céleri, ail au goût, 3 feuilles de laurier, 1 pincée de thym, 1 tasse de farine, 1/3 d'huile à frire, 1 pinte de consommé de bœuf, sel et poivre.

Dans une grande marmite, faire revenir le bœuf et le lard salé avec de l'huile à frire; lorsqu'elle est bien dorée retirer la viande. Couper en gros morceaux les légumes (carottes, navet, oignons, ail, céleri) et les faire revenir dans la même huile. Ajouter la farine et laisser colorer légèrement, ajouter le consommé, les feuilles de laurier, le thym, sel et poivre. Mettre la viande et le chou que l'on aura au préalable coupé en quartiers et blanchi. Couvrir et cuire au four pendant 2 h 30 en remuant toutes les 30 mn.

Une des réussites de l'artisanat québécois : le tissage

## Votre « *shopping* »

Une des joies du Québec, c'est le « shopping » (les Québécois disent *magasinage*). A titre de suggestions, voici quelques cadeaux pour amis européens :

**Dans le genre cossu :** Un manteau de fourrure en raton laveur (appelé ici capot de chat) ; pour dame, un manteau de vison ou plus simplement, en vous adressant à un fourreur, une peau de renard ou de castor.

**Dans le genre traditionnel :** Des objets d'artisanat : couvertures en « patchwork », tableau en tapisserie (tapis crochetés), nappes ou napperons «en catalogne» (tissage à partir de bandes de coton multicolores), composition en «macramé» (travail de passementerie décorative). Sculptures sur bois, émaux, poteries (voir les Centrales d'artisanat). Objets indiens et esquimaux, surtout sculptures en stéatite, elles sont lourdes et chères ; préférez-leur les lithographies tirées sur des pierres plates gravées par des Inuit[1], ou des sérigraphies, œuvres de créateurs amérindiens de la côte ouest (une étiquette garantit que l'objet d'art a été vraiment fabriqué dans son village par un Esquimau ou un Indien).

La **Guilde canadienne des métiers d'art,** 2025, rue Peel, Montréal.

**Pour les sportifs :** Une paire de raquettes à neige. Une «parka» ou «mackinac», vestes de chasse. Des tuques et «mitaines» pour le ski. Un équipement de motoneigiste.

**Pour les gourmands :** Un saumon fumé. Un bidon de sirop d'érable. Des moulages en sucre d'érable. De la soupe aux pois en boîte. Un fromage d'Oka. Du foie de morue en conserve. Une bouteille de rye, de liqueur à l'érable, de «caribou», de vin de bleuet (si vous en trouvez).

**Dans le genre rare :** Une boîte à lunch. Des disques de chanteurs et de groupes à la mode. Un chandail marqué : «Vive le Québec libre», un chandail de joueur de hockey «bleu-blanc-rouge». Une boîte à lettres rurale. Des canards de bois sculptés qui servent d'appelant artificiel aux chasseurs. Une ceinture fléchée. Des agates de Gaspésie. Des sérigraphies d'après les œuvres d'artistes du Québec ; on les trouve aux comptoirs des musées, dans les galeries d'art et à Montréal, à la *Guilde graphique,* 9 ouest, rue Saint-Paul. Un petit érable ou une épinette bleue avec racines pour être replanté. Et une paire de claques !

En général, les boutiques sont ouvertes tous les jours, de 9 h à 18 h ; les jeudi et vendredi soir, la plupart ne ferment leurs portes qu'à 21 h.

Elles restent ouvertes à l'heure du déjeuner. Le dimanche matin n'ouvrent que quelques magasins d'alimentation, des librairies, et certaines pharmacies. Se souvenir que de plus en plus elles n'assument pas de service de nuit ; elles livrent volontiers tous produits à domicile.

Les magasins de la Société des alcools n'ouvrent pas avant 10 h. Ils sont généralement fermés le lundi matin. Les coiffeurs pour hommes s'appellent barbiers. Pour les dames, ce sont des «salons» de coiffure ou de beauté.

Les librairies vendent des livres français avec un petit rayon de littérature anglophone. C'est le contraire pour les libraires de langue anglaise. Les boutiques où l'on trouve journaux et magazines, rarement fermées, tiennent toutes sortes d'articles utiles : lait frais, boissons gazeuses, lames de rasoir, petite parfumerie, jouets, confiserie, cigarettes et tabacs et mille autres choses.

Tous les prix sont marqués partout. *A ajouter, la taxe de 10 %.* On ne marchande nulle part, sauf parfois chez les antiquaires et dans les marchés aux puces, une des attractions de la fin de semaine.

**L'artisanat,** enfin sorti de son enfance rurale et stéréotypée, offre de nouveaux produits. Des artisans continuent à fabriquer des étoffes de «catalogne» aux couleurs vives, des «tapis crochetés», des statuettes de bois, des macramés, des ferronneries banales et des boutons de manchettes en émail. D'autres, des potiers, des céramistes, des tisserands, recherchant les façons de demain, oublient la tradition pour créer des formes neuves, utiles et déconcertantes.

1. «Inuit» est un pluriel esquimau désignant l'ethnie esquimaude.

## *Renseignements divers*

### Le dollar et vous

Le dollar canadien, comme celui des États-Unis est divisé en cent «cents» (au Québec, on prononce «cenne», et l'on appelle «cenne noire» ou encore «sou» la petite pièce de bronze de un cent).

Les autres pièces sont en nickel : la petite pièce de dix cents, celle plus grosse de cinq cents, la pièce de vingt-cinq cents (quelquefois appelée «trente sous»). Il existe, mais elles sont rares et recherchées par les collectionneurs, des pièces d'un demi-dollar et d'un dollar. Des magasins spécialisés ou des banques en vendent qui sont frappées à l'occasion de grands événements : centenaire du Canada, exposition internationale de 1967, jeux Olympiques, etc.

Toutes les pièces canadiennes ont le même format que celles des États-Unis. Les deux devises, canadienne et américaine, ont généralement la même valeur ; lorsque l'une prime, ne tentez pas de l'utiliser aux dépens de l'autre ; on ne connaît au Québec que la monnaie locale.

Alors que ceux des États-Unis ont tous le «dos vert», les billets canadiens, selon la valeur faciale, se distinguent par leur couleur et les détails de la figurine. Ils portent, d'un côté, les armoiries du Canada et le portrait de la très gracieuse souveraine de Grande-Bretagne (eh oui ! Élisabeth II est officiellement «reine du Canada») et, de l'autre, un petit paysage dans le meilleur style des calendriers des P. & T. Les billets de un dollar sont gris-vert, de deux dollars brun-rouge, de cinq, bleus (la reine est remplacée dans certaines séries par le visage austère de sir Wilfrid Laurier qui fut Premier ministre au début de ce siècle). Sur les billets de dix, qui sont violacés, on voit la reine ou encore le portrait de l'ancien Premier ministre John MacDonald. Les billets de vingt sont vert jaunâtre. Rares sont les billets de cinquante, cent, cinq cents et mille, que les commerçants n'acceptent pas facilement car circulent d'habiles contrefaçons. Le dollar au Québec s'appelle volontiers piastre (qui se prononce «piasse»).

La plupart des magasins et des hôtels changent les chèques de voyageurs, exigeant parfois une pièce d'identité (parfois le permis de conduire provincial qui ne comporte aucune photographie).

Pour les devises étrangères, il faut aller au comptoir de change des banques. Leurs nombreuses succursales sont ouvertes du lundi au vendredi de 10 h à 15 h. Certaines, pour satisfaire la clientèle ont coutume d'ouvrir aussi les jeudi et vendredi soir (heures variables selon les quartiers). Les cartes de crédit sont généralement acceptées, surtout celles de l'American Express, Diner's Club et Master Card.

## Quelle heure est-il ?

Le Canada occupe huit fuseaux horaires, plus le demi-fuseau de Terre-Neuve et du Labrador. L'ouest du Québec et l'Ontario sont situés dans la zone de « l'heure de l'Est », soit *cinq heures de retard sur G.M.T.* Depuis que la France a décidé de revenir au système de l'heure avancée en été, la différence horaire entre le Québec et la France sera constamment de six heures (excepté durant la période de transition, vers les mois d'avril et de septembre, lorsque les dates de changement de régime ne coïncideront pas exactement). Ainsi désormais lorsqu'il est midi à Paris, on s'éveille à Montréal puisqu'il est 6 h du matin. Les avions transatlantiques qui quittent la capitale française aux environs de midi arrivent après quelque sept heures de vol à Montréal où il est environ 13 h. Ceux qui quittent Montréal vers 20 h pour l'Europe occidentale y atterrissent aux environs de 8 h du matin (l'avion met en général moins de temps dans le sens ouest-est), mais les montres des passagers qui n'y ont pas touché marquent 2 h du matin. Au Québec l'heure dite avancée est légale à partir du dernier samedi de novembre jusqu'au dernier dimanche d'avril.

Il devient d'usage au Québec d'utiliser le système des 24 heures ; minuit se disant zéro heure, une heure de l'après-midi, treize heures, etc.

Beaucoup de gens encore disent « huit heures du soir » pour 20 h et l'écrivent 8:00 P.M. (post meridiem) alors que 8 h du matin s'écrit et se dit 8 h A.M. (ante meridiem).

Les horaires des compagnies aériennes et des chemins de fer, qui indiquent généralement ainsi les heures : « 0800 », les donnent en heure locale, heure d'été ou heure d'hiver (en anglais : « standard » ou « daylight time »).

## Le système métrique et l'autre

Le Québec entre, pas à pas avec le continent nord-américain, dans l'ère du système métrique.

Pour habituer les Canadiens, la température, les hauteurs de pluie et de neige, déjà sont données par la radio, la télévision et les journaux en degrés C (Celsius) et en centimètres. On trouve encore beaucoup de gens et de thermomètres qui s'expriment en Farenheit. Voici une tablé d'équivalence :

| F | C | F | C |
|---|---|---|---|
| 212 | 100 | 60 | 15 |
| 100 | 37 | 50 | 10 |
| 90 | 32 | 40 | 4 |
| 80 | 27 | 32 | 0 |
| 70 | 21 | 25 | − 4 |

Les distances, sur les panneaux routiers, sont indiquées en kilomètres et l'essence se vend au litre, mais les habitudes sont fortement ancrées (tout comme en France où l'on utilise encore les francs «anciens»). Il est bon de savoir ce qu'au Québec signifie un mille ou une pinte :
*(1 ml = 1 609,3 m); (1 pouce = 2,54 cm - 1 pied = 3,048 dm - 1 yard, ou verge au Québec = 0,914 4 m); (un acre = 0,404 ha), (1 once = 28,35 g), (1 livre = 0,45 kg), (1 chopine = 0,567 l), (1 pinte = 1,135 l), (1 gallon = 4,534 l).* Les bouteilles de spiritueux se vendent généralement dans les formats de 12, 24 ou 40 onces. Le vin en gros dans des contenants d'un gallon.

## Attention à la taille

Les vêtements pour dames fabriqués au Canada et aux États-Unis sont classés en «âges» qui correspondent approximativement aux tailles européennes :
*Canada : 10   12   14   16   18   20*
*Europe : 40   42   44   46   48   50*
Il existe aussi des *demi-tailles* 14 1/2, 16 1/2 et des *tailles intermédiaires* (chiffres impairs). Pour les hommes, la tendance va vers l'usage universel de trois dénominations : *petit (small), moyen (medium)* ou *grand (large).*

Pour les chaussures, les pointures s'expriment différemment : ainsi le *38 devient du 5, le 39 du 6, le 40 du 7, le 41 du 8.* Les vendeurs utilisent un appareil qui mesure longueur et largeur de votre pied, de façon que votre chaussure vous aille comme un gant.

## Journaux, radio, T.V.

Les journaux sont vendus non seulement dans des kiosques des rues du centre ville, mais aussi chez les épiciers, petits bazard et pharmacies.

A Montréal, vous trouverez 3 quotidiens de langue française : *la Presse* (de nombreuses pages — chaque exemplaire peut peser jusqu'à plus d'un kilo), *le Devoir* (le petit *Monde* des intellectuels de Montréal), *le Journal de Montréal* (du sang à la une et des sports), *The Gazette* est le dernier quotidien anglophone de Montréal.

A Québec, *le Soleil* et *le Journal de Québec*. Aux Trois-Rivières, *le Nouvelliste*, à Chicoutimi, *le Quotidien* et *la Voix de l'Est*, à Sherbrooke, *la Tribune* et *The Record*.

Les *hebdomadaires* dits de « fin de semaine » sont nombreux : 70 titres. Ils sont dans l'ensemble destinés plus à distraire qu'à informer sérieusement. En dehors des grandes villes, on trouve des *hebdomadaires* dits *régionaux* (145 titres). Édités dans les petites villes, ils donnent des nouvelles locales. Leur rôle est très important dans la formation de l'opinion publique. A ajouter, une presse ethnique en langues diverses.

Dans le domaine des revues, il faut signaler les magazines *Châtelaine, L'Actualité* et l'édition canadienne française du *Reader's Digest*. Tout le reste vient de l'extérieur de la province, notamment d'innombrables périodiques nord-américains. Où les touristes sont nombreux, on trouve des journaux et revues venant d'Europe. Ils arrivent cependant en petite quantité, et il faut donc connaître les points de vente.

Le citoyen québécois est surtout informé par la télévision et la radio, omniprésentes dans les foyers. Il a le choix entre de multiples stations radio et de télévision, celles de l'État, celles de l'industrie privée et les radios communautaires.

Le Montréalais moyen, devant son écran, grâce à la câblovision (beaucoup sont abonnés dont les bons hôtels à raison d'un poste par chambre), peut recevoir une trentaine d'émissions différentes : chaînes anglophones et francophones de Radio-Canada, des stations privées du pays ou des États-Unis tout proches, des émetteurs communautaires, ainsi que les postes de service qui donnent, sous forme de dessins animés électroniquement, la météo, l'état des routes ou les petites annonces. Il y a aussi la T.V. à péage en anglais et en français pour ceux qui ont un décodeur.

De plus, les téléspectateurs abonnés au câble reçoivent de 9 h du matin à minuit T.V.F.Q. (à Montréal, sur la position 99) un cocktail d'émissions des chaînes françaises, comprenant entre autres les bulletins d'information, retransmis une semaine après leur diffusion en France.

## Allô ! Allo !

Les Québécois sont tous ensemble titulaires d'un record mondial : ce sont les gens qui, tout de suite après les Japonais, téléphonent le plus. Pratiquement, tous les foyers sont pourvus d'au moins un appareil. Dès qu'on vit dans plus de quatre pièces, il existe au moins deux postes, dont un dans la cuisine. Ces appareils sont rarement en dérangement. La compagnie qui les vend ou loue les offre en plusieurs couleurs, de formes différentes, munis de divers gadgets. Le Canadien français qui doit changer de logis entend le jour même être pourvu de son indispensable appareil et l'obtient sur-le-champ.

Grâce à l'interconnexion des réseaux nord-américains et à l'automatisation, il est facile d'appeler sans délai un correspondant à des milliers de kilomètres (en général sur le continent américain). En fin de semaine et tous les jours, après 18 h et entre minuit et 8 h, des tarifs réduits sont appliqués. Exemples : une conversation de cinq minutes par l'interurbain automatique après minuit entre Montréal et Calgary (3 000 km) coûte $ 1,20 ; entre Montréal et Québec, 90 cents.

On trouve un peu partout des cabines téléphoniques publiques. Suivant l'endroit où elles se trouvent, lieu public ou semi-privé, la communication ordinaire pour la même ville coûte, sans limitation de durée, vingt cents. On peut de ces postes, si l'on a assez de monnaie, obtenir un appel interurbain. Le système des jetons est inconnu. Où n'existe pas de cabine publique, on peut entrer chez un commerçant, chez un particulier et demander à téléphoner. C'est un service qui ne se refuse pas. D'autant plus qu'au Canada chacun paie mensuellement un abonnement qui donne droit à autant de communications que l'on veut, de durée illimitée, à l'intérieur de circonscriptions téléphoniques assez larges.

Dans les campagnes, là où les maisons sont très isolées, il arrive que plusieurs abonnés (jamais plus de quatre) partagent la même ligne. Celui à qui est destiné l'appel le reconnaît par le rythme de la sonnerie. Il arrive que, par oisiveté ou curiosité, d'autres clients décrochent alors l'appareil pour entendre la conversation du voisin.

Les cadrans des appareils ressemblent à ceux utilisés en France. Il n'existe plus d'indicatifs d'appel utilisant les lettres. On n'emploie que des chiffres qui s'énoncent séparément ; ainsi, on dira pour 324-0935 : trois-deux-quatre-zéro-neuf-trois-cinq. Notez aussi qu'au Québec toutes les demoiselles du téléphone, qu'on appelle opératrices, sont bilingues, charmantes et très serviables, ainsi que les téléphonistes masculins. Les messages télégraphiques sont expédiés par des compagnies privées distinctes de celles qui se chargent des liaisons téléphoniques. On peut de chez soi appeler pour leur dicter un télégramme. Il partira sur-le-champ, la facture étant ensuite adressée par la poste à l'usager. Il est bon d'indiquer avec l'adresse du destinataire, quand on le connaît, son numéro de téléphone, les télégrammes étant, chaque fois qu'il est possible, téléphonés, avant d'être livrés. L'usage du telex est très répandu dans les entreprises commerciales.

Les bureaux de poste (ouverts de 8 h du matin sans interruption jusqu'à 17 h 45, fermés le samedi après-midi et le dimanche), semblent peu nombreux dans tout le Canada où ils sont signalés par un drapeau fédéral. En fait, il existe quantité de petites agences postales situées dans le coin d'une pharmacie ou d'une épicerie. On y trouve les mêmes services que dans un bureau normal.

## C'est la fête

Les fêtes chômées au Québec sont : le *premier de l'An,* le *vendredi saint,* le *lundi de Pâques,* la *fête de la Reine* (premier lundi suivant le 15 mai), la *Saint-Jean-Baptiste* (24 juin), jour de liesse dans toute la province, la *fête de la Confédération* (1er juillet), fête du Québec (dans le reste du Canada, fête de la Confédération), la *fête du Travail* (premier lundi de septembre), fin officieuse de l'été, rentrée des classes, le *jour d'Action de grâce* (premier lundi d'octobre). Le jour de *Noël.* Ainsi que les dimanches, ces jours-là les administrations publiques, les banques, les établissements commerciaux ferment leurs portes (à l'exception des marchands de journaux, tabac, petites épiceries, librairies et de certaines pharmacies).

Le dernier jour d'octobre est un jour ouvrable mais, ce soir-là, les trépassés sont supposés venir demander des comptes aux vivants. Cela s'exprime par des ribambelles d'enfants costumés qui passent le soir, de maison en maison, à la lueur de bougies encloses dans des citrouilles. On offre aux petits visiteurs friandises et menue monnaie.

Il existe d'autres jours de fêtes et célébrations au cours desquels les magasins ne ferment pas, car ils sont prétexte à dépenses : la fête des Mères (deuxième dimanche de mai), celle des Pères (deuxième dimanche de juin), la Saint-Valentin (14 février), fête des amoureux, qui s'attendent à recevoir cartes de tendres souhaits, fleurs et friandises, etc.

Les vraies réjouissances sont celles organisées par un quartier ou une petite ville où cependant les amis, parents et les «étrangers» sont les bienvenus. Lorsque les habitants de l'avenue Duluth, à Montréal, mettent sur pied, tous les ans, leurs *Dulutheries,* ils ferment la rue aux autos pour la transformer en salle de concert, bal, cirque, lieu de parade où chacun se grime et se costume, se restaure à des tables ouvertes, trinque avec autrui, en une vaste kermesse bon enfant.

Dans les villages du Québec, la fête se déroule sur un thème saisonnier : *festival du miel* à Normandin, au lac Saint-Jean, *bal des Foins* à Fugère, au Témiscamingue, *huitaine du Bleuet* à Mistassini, etc. La liste en est longue. Il s'est créé une *Société des festivals populaires du Québec* (tél. 374-4524 à Montréal), qui, tous les ans, édite un livret consacré à ces événements. Pour fêter le sirop d'érable nouveau et danser à la cabane à sucre, téléphonez au *ministère de l'Agriculture, Pêcheries et Alimentation* qui vous fera parvenir le répertoire de quelque 170 propriétaires d'érablières (à Montréal, tél. 873-4162).

## La route

### Avant de prendre le volant

Le Québec possède un bon réseau routier, si l'on tient

compte des périodes de gel et de dégel qui brisent les meilleures voies. Au cœur de l'hiver, sauf pendant les chutes de neige particulièrement fortes, les routes demeurent «ouvertes». Des concentrations de chasse-neige munis de souffleuses, des camions épandeurs de calcium (terrible pour les carrosseries) raclent la neige et dissipent le verglas au fur et à mesure.

Il faut cependant, dès que commence le véritable et terrible hiver, adopter une autre technique de conduite. Et en cas de neige sur le sol, manier avec circonspection le volant, l'accélérateur et surtout le frein. Les autoroutes provinciales sont à péage, les grandes voies protégées qui relèvent du fédéral, gratuites. Elles se raccordent à des routes généralement bien tracées à deux ou à trois voies, se ramifient en chemins secondaires pas tous asphaltés, seulement recouverts de gravier concassé et écrasé. Limitation de vitesse : autoroutes maximum 100 km/h, minimum 60 km/h (sauf à certains endroits bien identifiés). Sur les autres routes : pas plus de 90 km/h et dans les villages et villes 50 km/h maximum (attention aux radars sournois). Compte tenu de ces limites un bon conducteur ne peut espérer (en dehors des autoroutes) rouler à une moyenne générale de plus de 72 km à l'heure. La ceinture de sécurité doit être portée (mais bien des Québécois ne se plient pas à cette mesure obligatoire). L'usage de l'avertisseur sonore est permis ; l'automobiliste canadien d'ailleurs l'utilise peu. Un grand nombre de passages à niveau ne sont pas muni de barrières ; un signal sonore et lumineux avertit du passage imminent d'un convoi ferroviaire. Parfois, un simple panneau signale le croisement avec une voie de chemin de fer. Il faut donc s'arrêter, tâcher d'entendre la sirène du train, ne passer les rails qu'avec prudence. On lit trop souvent dans les journaux que des automobilistes audacieux ou inconscients ont été broyés dans leur voiture par des locomotives. Ils sont toujours dans leur tort, ayant pénétré sur la propriété d'une entreprise ferrovière.


## Attention aux autres

L'automobiliste québécois a deux façons bien différentes de conduire : en général, dans les rues des villes, il se hâte lentement. Même là où trois voitures pourraient rouler de front, il préfère suivre, bien au milieu de la chaussée, le véhicule qui le précède. Il «vole» rarement un feu orange, ne repart que lorsque le vert est bien mis. Il prend ses tournants à vitesse réduite et tolère mal dans ce mouvement qu'un autre le fasse de façon parallèle à lui. Sur la grand route, le flâneur du volant se transforme volontiers en coureur de rallye. Fonçant dans les lignes droites, il ralentit peu aux courbes, change de ligne, oubliant parfois d'en avertir à l'aide de ses feux de direction, double à droite, se rabat sur la gauche et n'utilise son rétroviseur que pour s'assurer qu'il n'est pas suivi par une voiture de police. Sur une autoroute à vitesse limitée à

100 km à l'heure, où tout le monde roule à peu près entre 90 et 110, si une voiture dépasse à 130 et plus, c'est sûrement un Canadien français. L'Anglais, à cause de son sens civique, l'Américain, chez qui la limite de vitesse est très basse, sont peu coutumiers de ces excès. Ils coûtent très chers en vies humaines et en assurances (à cause du taux élevé d'accidents au Québec, les primes y sont plus coûteuses que partout ailleurs).

Pour réfréner les délinquants, la police multiplie les patrouilles en voiture et à moto, institue des surveillances en avion ou hélicoptère, utilise des radars, des caméras et autres gadgets sophistiqués. Et le Québécois, amateur de voitures puissantes, continue à rouler trop vite sur ses routes. On compte aussi un grand nombre de conducteurs qui prennent le volant alors que leurs facultés sont «affaiblies» par l'alcool. Pour limiter les hécatombes, on impose aux chauffeurs suspects le test de l'ivressomètre ou la prise de sang. Qui est pris en faute perd des «points de démérite» et peut voir suspendu ou confisqué son permis de conduire.

Les policiers de la route sont impitoyables et fermement courtois envers ceux qui sont pris en flagrant délit de «conduite dangereuse». Ni sourires, ni discours ne peuvent les amadouer. Ils sont en revanche bienveillants pour les peccadilles. L'automobiliste en panne peut compter sur leur aide efficace.

On trouve tout au long des parcours routiers des stations-service. de plus en plus, elles sont sans pompistes; c'est le client qui se sert et paie à la caisse. Certaines sont ouvertes jour et nuit. Quelques-unes sont fermées au moins le dimanche matin. Outre l'essence, l'huile et certains accessoires d'urgence, on y trouve des distributeurs de boissons fraîches ou chaudes et surtout des «toilettes» impeccables. Ce qui est rare dans ces oasis pour voitures et conducteurs, c'est un mécanicien capable de détecter un problème mécanique peu courant et de connaître la fine recette pour y remédier; si vous conduisez une voiture de fabrication non américaine, n'égarez pas la liste des garages qui en assurent l'entretien.

Le Québec est traversé par de bonnes autoroutes, qui mènent vers l'Ontario, les États-Unis, le Nouveau-Brunswick. Celles qui relèvent du gouvernement provincial : l'*A-15* (de Montréal aux moyennes Laurentides), l'*A-13* (de Montréal à Boisbriand sur la rive nord de la rivière des Mille-Îles ou autoroute Chomedey), l'*A-10* (de Montréal à Sherbrooke, ou autoroute des Cantons de l'Est), l'*A-40* (de Montréal à Québec, dite autoroute de la Rive-Nord) sont des voies à péage, que le gouvernement promet de rendre gratuites.

A la sortie de Montréal, le *pont Champlain* vers la rive sud est muni d'un kiosque de perception : 25 cts.

Les signaux routiers ne sont pas tous de type international.

## Le fruit le moins défendu

On voit rarement, à Montréal ou dans les autres villes du Québec, comme sur le boulevard de la Madeleine, à Paris, des jeunes femmes aguichantes qui proposent leurs charmes aux messieurs. On ne voit pas, comme à Hambourg ou à Amsterdam, des vitrines derrière lesquelles une professionnelle de l'amour tarifé attend le visiteur. La maison close ou le «clandé» sont interdits et introuvables.

La prostitution pourtant existe. Qui voudrait s'en assurer n'a qu'à très simplement demander un «bon» conseil au portier de quelques hôtels (même d'allure très respectables) ou poser la question à un chauffeur de taxi (de préférence la nuit). On lui donnera le numéro de téléphone d'une organisation de «call-girls».

La police est sourcilleuse en ce qui concerne «l'usage des drogues non médicales». Autrement dit, la possession, la vente, l'usage de haschich, L. S. D., héroïne et autres clefs de paradis artificiels, peut conduire en prison. On tolérera peut-être, sauf s'il s'agit de jeunes personnes, des odeurs de fumée suspectes dans certains bistrots de tradition «punk», mais c'est pour mieux y découvrir les «pushers», ceux qui distribuent au prix fort l'herbe magique.

Une autre activité illicite mobilise les policiers : les jeux d'argent interdits. Les tripots (appelés ici barbottes) sont de moins en moins courus. Il existe une forte concurrence : les paris légaux sur les courses de chevaux, les bingos dans les églises et la Loto-Québec, et autres loteries nationales récemment créées qui drainent les dollars dans les caisses de l'État. Il est toujours question d'ouvrir au Québec des casinos de type Monte-Carlo ou Las Vegas.

## Un paysage original

Pour l'étranger qui le contemple pour la première fois, le paysage rural québécois surprend toujours. La campagne, lorsqu'on tente de la déchiffrer, semble cacher un mystère. Il réside, on finit par s'en rendre compte, dans la façon dont les fermes sont disposées autour des villages, posées de loin en loin, à des distances régulières, entourées de beaucoup d'espace, à la fois proches mais isolées, différentes mais alignées. Cette disposition qui pourrait marquer des traits de caractère propres aux Québécois s'explique facilement lorsque d'un avion on regarde une région agricole : les terres sont, la plupart du temps, disposées en bandes verticales uniformes perpendiculairement à un cours d'eau ou à une route. C'est le *rand,* ou la *côte,* type très particulier de peuplement qui n'existe guère que dans la province canadienne française. On voit très bien comment il a été adopté : les premiers colons, qui, faute de routes, voyageaient en canot sur les rivières, devaient avoir sur la berge une zone d'échouage, un abord commode mais pas trop large, afin de permettre aux voisins d'utiliser une portion de rivage. La maison est bâtie un peu en retrait ; derrière s'étend, étroite, 100 à 200 m et très longue, la propriété, en partie défrichée, le fond étant gardé en « bois debout » pour les besoins de la ferme, notamment ceux du chauffage. Cet arrangement était autrefois utile en cas d'attaque, les cultivateurs pouvant facilement se regrouper pour la défense de leurs demeures. Lorsque la paroisse grandissait trop, on ouvrait, parallèlement au premier, un second rang en bordure duquel se trouvaient les fermes, la partie boisée au fond de la pièce touchant celle du voisin du premier rang. Et ainsi de suite. Pour passer d'un rang à l'autre, des routes étaient tracées à angle droit, qui ont gardé le nom de « montée ». Lorsque les voies de terre ont remplacé les rivières, on a continué à aligner les propriétés en rangs. Très souvent, on les désigne par un adjectif numéral : le *deuxième rang,* le *cinquième rang* ou par un nom qui rappelle le caractère des premiers occupants, par exemple *rang des Irlandais.* La région de Charlevoix a gardé de vieilles appellations : on y parle du *rang Misère,* du *rang Poussepioche,* du *rang Cache-toi-bien,* du *rang Main-sale* qui excitent la curiosité des toponymistes.

## La maison québécoise

La ferme québécoise classique est également particulière : elle est construite en bois, y compris le toit couvert de bardeaux. Souvent les granges n'ont jamais été peintes et ont pris avec le temps une teinte gris-beige. La maison d'habitation est proche de la route qui la dessert ; il faut éviter d'avoir trop à pelleter en cas de forte chute de neige. A l'arrière, formant un carré où l'on installe de préférence le jardin potager, les granges, très hautes pour conserver pendant la mauvaise saison le maximum de foin. Lorsque le fermier le peut, il ménage un tertre à l'arrière de sa grange. Ainsi, en faisant reculer sa charrette sur la levée de terre, il peut en faire basculer directement dans le grenier la charge de fourrage. Des « chutes » permettent, à l'intérieur, de faire arriver le foin directement dans les mangeoires des animaux. Beaucoup de fermes sont dotées d'un grand silo circulaire destiné à entreposer le maïs fourrager.

Devant chaque maison, la traditionnelle *boîte aux lettres,* rectangulaire, au toit arrondi, qui ressemble justement à une petite grange. Marquée le plus souvent au nom de l'habitant, elle est posée sur un poteau de bois et orientable. Si elle est perpendiculaire au chemin, le facteur sait qu'on y a déposé des objets postaux qu'il doit ramasser. S'il y place du courrier il ne change pas son orientation. Sinon, placée parallèlement à la route, elle indique aux gens de la maison qu'il est inutile qu'ils se dérangent. Il n'y a rien pour eux.

Les bourgs ruraux ont beaucoup de traits communs. Les maisons sont également alignées sur le bord de la route. Au centre, sur une place, l'église qu'on a voulu la plus belle possible, de préférence en pierre, ornée de deux gandes tours fléchées, recouvertes, comme le toit, de feuilles de métal badigeonnées de peinture argentée. Le presbytère attenant est de belle taille. Après l'église, le bâtiment le plus considérable est le magasin du «marchand général» qui vend à peu près tout ce dont les gens de la paroisse ont besoin : alimentation, quincaillerie, étoffes, mercerie. L'hôtel se remarque aussi. il y a peu de chambres à louer ; c'est surtout un lieu de réunion où l'on vient boire et retrouver les amis le samedi soir. Quelques boutiques, des maisons privées complètent l'ensemble. Ces maisons sont surtout habitées par de vieilles gens, cultivateurs à la retraite qui préfèrent vivre là, près de l'église, ayant laissé la maison du rang où un des fils a pris la relève. Eux ont «terminé leur règne».

On retrouve au cœur des petites villes ou des vieux quartiers des grandes, cette disposition. A l'entour, les maisons de pierre des champs, à double toit, au faîte parallèle au chemin. Elles sont entourées d'une galerie-perron en bois couverte, mais ouverte sur la rue. On s'y balançait dans les chaises «berçantes» en regardant le mouvement de la rue. Ces demeures de bois sont petit à petit remplacées par des constructions cubiques, sans cheminées, faites de briques brunes, de béton, avec des fenêtres standard à cadre d'aluminium. Les vieilles demeures sont complétées par une pièce attenante où est pratiquée une deuxième entrée. On s'en servait l'hiver pour se débarrasser de ses vêtements et chaussures enneigés avant de pénétrer dans le logis. Aux beaux jours, elle servait de cuisine d'été. Ce qui est étrange et laid, mais personne ne le remarque plus, c'est le nombre de poteaux de bois au long des trottoirs, chargés des fils du téléphone, de l'électricité, de l'éclairage public, des feux de circulation, des câbles de télévision ; le tout s'entrecroise au-dessus des têtes comme des toiles d'araignée. De toutes façons, n'oubliez pas votre appareil photographique ou votre caméra.

## Les sports

### On veut de l'action

Où et quand pratiquer votre sport favori au Québec ? La *Confédération des Sports et Loisirs* possède sa centrale téléphonique (tél. 374-4700) à Montréal.

Rien n'est plus beau qu'une partie de *hockey :* la vitesse, la couleur, la puissance, les reflets de la glace polie vivement éclairée, les réactions de la foule, les cris, le bruit des cloches, trompettes et autres instruments sonores apportés par les fanatiques ; cela forme une ambiance unique au monde, un merveilleux spectacle à ne pas manquer.

Le *football américain ou canadien* paraîtra très brutal à l'habitué du football à l'européenne. Il devra se faire expliquer

Ile d'Orléans

pourquoi ces grands hommes tout en muscles, casqués, corsetés, transportent le ballon sur le terrain zébré de bandes blanches, le porteur devant s'immobiliser dès qu'il est arrêté, parfois très brutalement, par ses adversaires, qui se jettent dessus à cinq ou six en formant un très joli tas.

Le *base-ball* peut paraître long et ennuyeux à ceux qui n'en sont pas amateurs. Il offre de rares instants palpitants entrecoupés de séquences remarquablement ternes. Mais, aux dires des connaisseurs, c'est quand il ne se passe pas grand-chose que c'est le plus intéressant. La faute du joueur qui n'a pu envoyer ou recevoir la balle après plusieurs essais, modifie une grille complexe de statistiques dont il faut connaître les arcanes pour savourer pleinement cet instant du jeu.

Comme le Canadien n'aime rien tant que les sports dits « de contact », on a ressuscité un vieux jeu inventé par les Indiens : *la crosse*. Il tient à la fois du hockey et du football. Joué sur un plancher de bois, par de solides et très rapides gaillards, ses règles permettent de bloquer l'adversaire par des méthodes qui relèvent de l'escrime au bâton. Les coups brutaux, suivis sur le champ de règlements de comptes individuels entre joueurs, ne sont pas rares. Ils se livrent à des bagarres à plusieurs, toujours goûtées du public.

Pour cette raison, *la lutte* (type catch) remplit parfois les grandes salles. Chacun sait que les pugilistes jouent la comédie bien réglée de la sauvagerie, de la douleur, de la sournoiserie, du repentir ; un large public aime cependant ces simagrées et réclame du vrai sang. Ce sont sans doute les mêmes spectateurs qui, l'été, vont voir des *courses de stock-cars* où de vieilles voitures au moteur surgonflé s'entrechoquent dans un nuage de poussière et d'huile brûlée.

*Le golf,* qui fut le plus aristocratique des sports, le plus solitaire, est devenu un spectacle pour les grandes foules. On va

Trois sports inventés au Canada : la raquette   le kayak   la motoneige

sur les «verts» ou on regarde à la télévision la super vedette frapper les balles blanches. On s'identifie à ce héros qui aura gagné dans sa journée plusieurs dizaines de milliers de dollars s'il a su «abaisser sa moyenne».

## Spécialité d'ici : la motoneige

La boxe a longtemps eu ses adeptes au Canada ; elle a pratiquement disparu des arènes. Le football (soccer), en dépit des efforts d'immigrants européens, ne réussit pas à détrôner les «grands sports» (il n'y a pas assez d'action et de jeu de puissance, affirment volontiers les Canadiens).

On appelle aussi sports toute pratique d'équipe ou individuelle n'entraînant pas de hautes compétitions physiques, organisée sans spectacle monstre, sans professionnels grassement payés.

En hiver, chacun pratique facilement le *ski alpin :* les vraies bonnes pentes sont cependant rares ; le *ski de promenade* (appelé ski de fond) qui gagne de plus en plus d'adeptes convient très bien au pays. On se promène aussi dans les sous-bois, chaussé de raquettes. La *motoneige* (inventée au Québec) a fait des progrès foudroyants et conquis un large public. Rançon de sa popularité, on rend plus difficile ce sport grisant qui permet de foncer à travers la nature enneigée. Sans règles de sécurité très strictes, il est dangereux ; il pollue les champs de neige, surtout par le bruit qu'il fait, dérange les habitudes du gibier dont la survie est précaire en hiver. On organise donc pour les motoneiges des circuits balisés qu'ils sont invités de préférence à parcourir.

Tout Québécois naît, dit-on, des *patins* aux pieds. On voit dans les parcs de très jeunes enfants patiner avec grâce ; au cours du long hiver, les cours de récréation sont transformées en patinoire. Tout le monde fait, a fait ou fera du hockey.

Les Écossais ont importé au pays un de leurs jeux d'hiver : *le curling,* surtout pratiqué en milieu anglo-saxon.

Seuls les enfants s'adonnent aux joies du *traîneau* (appelé traîne «sauvage»). Autrefois, pour les adultes, on construisait de longues pentes de bois permettant de sportives et amusantes descentes en «tobogances». Il y a encore de ces pistes sur la terrasse de Québec.

En été, vous irez avec les Québécois faire du *camping.* Mais au pays du confort, on préfère toutefois la roulotte ou le camion «camper» à la tente de toile, même si c'est une demeure transformable faite pour le bien-être.

Les nombreux lacs, les grands plans d'eau favorisent les *sports nautiques :* voiliers, petits yachts, hors-bords, embarcations de toutes sortes s'y retrouvent et perpétuent la vieille tradition nautique du Québécois qui, dans le fond de son cœur, ne pense qu'à s'amariner, de préférence sur un bon

Québec : raquette et motoneige

bateau, pourvu d'un moteur puissant et de cabines confortables.

La planche à voile, comme partout, est le sport à la mode,
même au début et à la fin de l'été. Pour braver la froidure,
les velliplanchistes se vêtent de curieuses tenues de plastique coloré.

L'*équitation,* sport relativement bon marché, dépourvu de
snobisme, se pratique facilement. On porte rarement la
bombe, la tunique de velours, la culotte de cheval et la botte
Saumur. Une paire de jeans, un vieux chandail, des bottes de
caoutchouc très rurales suffisent. D'ailleurs peu de cavaliers
montent à l'anglaise, préférant le style western.

Le *cyclisme,* longtemps réservé à quelques originaux, fait de
foudroyants progrès, encore que les routes, surtout faites
pour les autos, rendent ce sport dangereux. Les associations
nouvellement créées de pédaleurs (avec une nette intention
antipollution) réclament des pouvoirs publics l'établissement
de pistes cyclables et de règlements en leur faveur.

La *marche à pied* est ouverte à tous. Mieux vaut la pratiquer
dans les campagnes et non sur la route. Beaucoup d'automobilistes qui comprennent mal qu'on se promène ainsi, offrent
aux marcheurs de leur donner un «lift».

## *Joies de la pêche et plaisirs de la chasse*

Les deux grands sports du pays demeurent la chasse et la
pêche, deux aventures exaltantes, à condition de se munir de
l'essentiel, le règlement provincial.

Le *ministère du Loisir, Chasse et Pêche* fournit gracieusement une brochure grand format de 40 pages donnant des
extraits de la réglementation en vigueur rendant la Province
l'endroit au monde le mieux armé juridiquement afin que les
chevaliers de la gaule et du fusil puissent pratiquer leur sport
favori, de façon démocratique, tout en assurant au mieux et le
respect de la propriété privée, la sauvegarde de l'environnement et la perennité de la faune, à la fois considérée comme
gibier de choix et patrimoine indestructible.

La grille, très complexe de dispositions réglementaires déter-
mine pour chaque espèce les dates, les lieux, les engins
autorisés, le nombre de prises possibles et mille détails minu-
tieux.

Les gardes qui font respecter cette législation pointilleuse ont
nom d'*agent de mise en valeur de la faune.* Ils sont intransi-
geants pour le citoyen oublieux ou négligent.

Il doit tout savoir des 25 zones de pêche et de chasse, des
66 «zecs» (zones d'exploitation contrôlée qui remplacent les
clubs privés d'autrefois), des parcs, des réserves de faune et
autres territoires où, selon un calendrier très précis, on peut

ou on ne peut pas traquer la ouananiche, le chevreuil — seulement le mâle — ou le tétras des savanes.

Un matériel varié est indispensable. En été, dans les régions du Nord, il faut apporter, surtout en début et fin de saison quand les nuits et les matins sont frisquets, des vêtements très chauds. Même dans les autres régions, le temps peut changer et se rafraîchir et un bain forcé est toujours à craindre.

Voici quelques indications de température :

| °C | Nord (au-dessus du 50e parallèle) | | Centre (entre le 48e et le 50e) | | Sud (au-dessous du 48e) | |
|---|---|---|---|---|---|---|
| | Min. | Max. | Min. | Max. | Min. | Max. |
| Mai | 0 | 8 | 3 | 12 | 9 | 13 |
| Juin | 4 | 14 | 8 | 18 | 14 | 23 |
| Juillet | 7 | 16 | 13 | 23 | 16 | 26 |
| Août | 7 | 16 | 11 | 21 | 16 | 25 |
| Sept. | 3 | 11 | 7 | 17 | 11 | 21 |
| Octobre | 2 | 11 | 1 | 11 | 6 | 13 |

Pour circuler en forêt, le bon pêcheur se munit de bottes de marche. Il emporte pour la pêche des bottes de caoutchouc parfaitement étanches à semelles antidérapantes. Pour la truite et le saumon, en rivière, des cuissardes ou autres combinaisons étanches. Il n'oublie pas non plus de mettre dans le coffre de l'auto, outre sa grande boîte de pêche remplie de centaines d'accessoires, une ceinture de sécurité, une lampe de poche à l'épreuve de l'eau, un couteau de chasse, une hachette, des pinces, une boussole, un couvre-tout en caoutchouc ou matière plastique. Et surtout une trousse de premiers secours et un bon insecticide.

Il faut aussi se munir d'un permis délivré par l'autorité provinciale que l'on acquiert dans les magasins d'articles de chasse ou de pêche. Le permis de pêche, renouvelable chaque année, coûte 5,75 $ aux résidents et 25 $ aux autres (ceux qui ne sont pas domiciliés au Québec ou n'y ont pas demeuré pendant la période de 12 mois précédant la demande de permis).

Pour la chasse, c'est plus compliqué. Il existe, selon le gibier, différents types de permis, les tarifs les plus élevés se montant à 115 $ pour les non-résidents. Les résidents, par contre, doivent, pour obtenir leur permis, suivre un cours de maniement d'armes et de connaissance de la survie de la faune.

## Vos prises

Les poissons les plus recherchés des pêcheurs sont l'**omble de fontaine** (truite mouchetée, truite saumonée et truite de mer). L'**omble-chevalier** (encore appelé omble arctique ou truite rouge), la **truite arc-en-ciel** et la **truite brune**, le **saumon atlantique** et sa variété des lacs d'eau douce, le **oua-**

naniche, le **grand brochet** et son sosie local le **maskinongé**, l'**achigan**, le **doré**, la **marigane**, le **crapet-soleil**, la **barbotte**, l'**éperlan**, la **perchaude**, la **lotte** et le **poulamon, morue** naine encore appelée «petit poisson des chenaux».

Si vous vous trouvez au bon moment entre Baie Saint-Paul et Québec, essayez la pêche nocturne à l'éperlan. Si vous n'êtes pas frileux, la pêche d'hiver, par un trou fait dans la glace, est un sport vivifiant. Sauf à **Sainte-Anne-de-la-Pérade** et à **Batiscan** où vous pouvez louer, pour la capture des «petits poissons des chenaux», des cabanes chauffées, parfois pourvues d'un récepteur de télévision en couleurs.

On ne chasse l'orignal, gibier terrestre typiquement québécois, pas tant pour sa viande, qui est bonne, que pour ses bois — son «panache» immense à forte palmure et très décoratif. Les grands mâles peuvent atteindre plus de deux mètres au garrot. La bête est d'un naturel paisible, semble un peu myope. On la trouve surtout sur les bords des lacs où elle vient se nourrir de plantes aquatiques. C'est là où généralement les guides conduisent leurs clients, toujours contre le vent, car l'immense cervidé a l'odorat fin et au moindre danger déguerpit rapidement. Pour attirer le mâle, le guide fabrique, à l'aide d'un morceau d'écorce de bouleau, un porte-voix rustique dans lequel il imite le cri de la femelle en chaleur. Si le «call» a été bien fait, l'orignal va s'approcher suffisamment pour recevoir les coups de fusil.

## Votre ami, le pourvoyeur

La brochure gratuite «Pourvoirie Québec», éditée par le *ministère du L.C. et P.* donne les tarifs en vigueur dans les Zecs : par personne et par jour, droit de pêche et chasse au petit gibier : 10 $. Chasse au gros gibier : 25 $. Droit de pêche dans les rivières à saumons (périodes limitées), à accès non contingentés : 35 $, à accès contingenté : 75 $.

Cet imprimé comprend la liste de tous les pourvoyeurs, leurs spécialités, les services rendus, mais non leurs tarifs donnés par téléphone.

Exemples : pour les sorties en famille : la *Pourvoirie Mastigouche,* à **Saint-Charles-de-Mandeville**, à *145 km* au N.-O. de Montréal, tél. (514) 835-2533, propose 20 chalets en «bois rond» avec foyer, eau courante, douche, éclairage électrique, dispose de 30 lacs et d'une portion de la rivière Mastigouche (truite mouchetée et grise) ; pour les chasseurs d'un territoire exclusif (ours, orignal, lièvre, perdrix). En hiver, trappage, ski de randonnée, raquette.

Pension complète 47 $ par personne/jour, comprenant droit de pêche, embarcation, chalet (rabais de 50 % pour les enfants de moins de 12 ans).

Sans pension 30 $ par jour. Pêche à la journée 15 $.

Dans un genre plus sportif : *Jacques Marchand,* tél. (819) 465-2346, à **Messines,** à *270 km* au N.-O. de Montréal, propose l'accueil aux pêcheurs (omble, truite, brochet, doré, achigan) et aux chasseurs (chevreuil, ours, lièvre, perdrix, orignal). Tarifs pour la pêche : 15 $ par jour. Il faut apporter son ravitaillement ou prendre la pension complète : 45 $ par jour. Pour l'orignal, dans sa zone deux périodes par an : 175 $ par semaine, 225 $ avec le gîte.

Le touriste européen qui vient passer quelques semaines à Montréal, et qui serait tenté par ce genre d'expédition, doit savoir que plus on va loin vers le nord, plus c'est cher et moins le confort est possible. Si le poisson et le gibier abondent, le pourvoyeur ne peut garantir que son client ramènera son quota de truites, sa peau d'ours noir ou son orignal. Il faut compter avec les caprices de la météorologie ; le brouillard peut empêcher le départ des hydravions qui atterrissent à vue sur les lacs. Enfin, la marche en forêt, la remontée des torrents, exigent une forme physique parfaite.

Certains pêcheurs préfèrent se livrer à leur passion dans les parcs provinciaux.

## Essayez les parcs et réserves du Québec

*Madeleine Renaud,* de passage à Québec pour les extérieurs du film « Maria Chapdelaine » de *Julien Duvivier,* demanda où se trouvait Chicoutimi, un des lieux de tournage. « A la sortie du parc », lui répondit-on. « A la sortie du parc ? Viens, dit-elle à un de ses camarades, nous irons à pied ». Elle ignorait, qu'en Amérique du Nord, un parc, comme celui des Laurentides, dont il est question ici, peut avoir une superficie d'un million d'hectares.

Parc ou réserve naturelle, ce sont d'immenses espaces où paysages, faune et flore sont conservés en l'état naturel où l'on favorise, sous conditions, des activités de plein air : ski, camping, canotage, pêche, observation de la nature, etc. Qu'ils relèvent du gouvernement provincial ou fédéral, l'entrée dans ces conservatoires de l'écologie est gratuite. Des tarifs modérés sont fixés pour la location de chalets ou d'embarcation (en haute saison, il est bon de réserver par téléphone), pour l'occupation d'emplacements de camping, l'accès à certains équipements (sentiers de motoneige).

*Renseignements sur les parcs et réservations* de Montréal, tél. 790-0241, de Québec, tél. 890-5349, ou de tout autre endroit de la province, tél. 1-800-462-5349.

### Autour de Montréal et dans les Laurentides

**Parc des îles de Boucherville,** à *10 km* du centre ville. Accès par la R 132. Pique-niques. Canot et pêche dans le *Saint-Laurent* (l'hiver sous la glace).

**Mont Saint-Bruno.** A *25 km* de Montréal, sur la rive sud (R 116). Été : pêche dans les lacs, sentiers de promenade. Hiver : ski de promenade et raquette. Toute l'année, interprétation de la nature avec guides.

**Côte Sainte-Catherine :** à *37 km* au S. de Montréal. Terrain de camping, natation, pêche (sans droit) dans les *rapides de Lachine.*

**Paul-Sauvé** à **Oka,** à *50 km* ouest de Montréal. Été-automne : natation dans le *lac des Deux-Montagne.* Centre d'éducation à l'environnement naturel. Camping, bateaux à louer.

**Mastigouche.** Réserve à *100 km* au N.-O. de Trois-Rivières. 175 500 ha de hautes collines boisées. Lacs, torrents et forêts pour canot, camping, pêche, chasse au petit gibier et à l'orignal. Hiver : raquette et ski de randonnée : 55 km de pistes. Châlets à louer.

**Réserve Saint-Maurice,** au N.-E. de celle de Mastigouche, bordée par la *rivière Saint-Maurice,* territoire tourmenté recouvert de forêts (bouleaux, érables, épicéas et cyprès), sur la route de la Tuque, même superficie, encore plus sauvage. Mêmes activités.

## Autour de Québec

**Parc Jacques-Cartier,** sur la rivière du même nom, à *40 km* au N. de Québec. Camping ou logement en chalet. Canot, pêche, interprétation de la nature, escalade d'été et d'hiver.

**Réserve des Laurentides.** A *48 km* sur la route de Chicoutimi. Près d'un million d'hectares de nature sauvage. Circuit de 68 km sur la *riv. Métabetchouane* pour le canot-camping, 32 km sur la *riv. aux Écorces.* Lacs pour la voile. Pêche, chasse petit gibier et orignal (sous condition). Ski et raquettes. Chalets à louer.

**Réserve Joliette.** 37 400 ha, près de la route de Joliette à Saint-Michel-des-Saints, sur la plate-forme des Laurentides. Terrain très accidenté. Chalets avec cuisine. Pêche avec ou sans hébergement. Chasse au petit gibier, baignade, canotage, visite. En hiver : motoneige.

**Mont Sainte-Anne.** L'hiver, une importante station de ski alpin. 46 km de pistes avec remontées mécaniques.

**Carillon,** à *88 km* à l'O. de Montréal. R. 344. Camping, canots (à louer) sur la rivière Outaouais.

**Plaisance,** à *153 km* O. de Montréal. Réserve naturelle sur les bords des rivières *Outaouais* et *Petite-Nation.* Canotage, pêche, en saison chasse au gibier d'eau et pêche sous la glace. Camping, sentiers cyclables.

**Mont-Tremblant.** *140 km* au N. de Montréal, 257 000 ha de collines boisées, sommets de 850 m. Lacs pour la pêche et canotage. Camping en terrain ou sauvage. 54 km de sentiers de randonnée servant l'hiver au ski, motoneige et raquettes.

**Rouge-Matawin.** Au N. du parc du Mont-Tremblant. Mêmes activités, plus la chasse à l'orignal et la descente de torrents en canots pneumatiques.

**Papineau-Labelle.** Réserve naturelle à *184 km* au N.-O. de Montréal. 173 000 ha. Nombreux lacs et rivières pour canot, pêche. Automne, chasse au petit gibier. Hiver : ski et moto-neige.

## Autour de Trois-Rivières

**Parc des Voltigeurs,** à *64 km* au S.-O. de la ville. Pique-niques, camping, natation. Hiver ski de promenade et raquettes (à louer) fonctionnant l'été. L'ensemble multisports comporte un golf de 18 trous.

**Réserve de Portneuf,** à *106 km* au N.-O. de Québec ; vallées profondes et sommets. Canot, camping et pêche sur les lacs et rivières. Chasse au petit gibier et sous condition à l'orignal. Camping et chalets, escalade, sentiers pour ski et moto-neige.

**Parc des Grands-Jardins,** au N.-O. de Baie-Saint-Paul, à *90 km* de Québec, dans la région montagneuse de *Charlevoix*, rivières et lacs calmes pour canots, rapides pour kayak. terrains de camping et chalets, escalade d'été, ski de randonnée et raquette l'hiver.

## Autour de Sherbrooke

**Parc du Mont-Orford,** à *23 km* à l'O. de Sherbrooke, sur un gigantesque rocher d'origine volcanique. L'hiver, station de ski alpin, ses remontées mécaniques fonctionnent l'été. Lac pour la baignade, sentiers de montagne balisés (29 km). *Centre culturel* (Jeunesses musicales du Canada), golf 18 trous.

**Parc Fontenac,** à *70 km* à l'E. de Sherbrooke. Sur les bords du *lac Saint-François*. Plage et voile (location de voiliers). Pêche, camping sauvage et chalets.

## Du côté de la Gaspésie

**Réserve naturelle de Rimouski,** *à 48 km* au S. de cette ville dans le massif des Appalaches ; collines ondulées et montagnes plus élevées peuplées d'épicéas, d'érables et de sapins. Rivières et lacs pour la pêche, la planche à voile. Automne : chasse au petit gibier, orignal et chevreuil. Campings et chalets.

**Réserve Duchénier,** à *30 km* au S.-O. de Rimouski. Pêche et chasse (chevreuil et faisans). L'hiver, ski de randonnée et raquette. Chalets à louer.

Québec : protection de la nature

**Jardin de Métis.** Petit domaine de 34 ha situé en retrait de la route de Rimouski à Matane près de Mont-Joly, connu autrefois sous le nom de « Jardins Redford », nom de l'ancienne propriétaire. Autour de sa grande villa, elle avait planté plus de 1 500 espèces d'arbustes, plantes vivaces, fleurs annuelles, plantes exotiques, aquatiques, indigènes. On visite ce parc merveilleux (droit d'entrée, tables de pique-nique).

**Réserves de Matane, Dunière, Baldwin, Cap-Chat et parc de**

la **Gaspésie,** forment, au centre montagneux de la presqu'île gaspésienne, une aire boisée de quelque 70 km de long sur 15 de large, située de part et d'autre de la haute crête des *monts Chic-Chocs,* chaîne accidentée aux vallées encaissées. Les parties hautes des sommets y dépassent 1 000 m, ne portent plus d'arbres mais une végétation de type arctique. Aux différents étages, flores alpines et subalpines et zones qui furent épargnées par la dernière glaciation où croissent des espèces végétales appartenant à la période interglaciaire précédente. Ce paradis du botaniste est aussi celui du géologue et du naturaliste. Vivent dans la montagne troupeaux d'orignaux, caribous, chevreuils, ainsi que les ours noirs. Rivières à truites et à saumons. Toute chasse est interdite dans le parc de la Gaspésie (130 000 ha). On y trouve une cinquantaine de kilomètres de sentiers balisés dont un mène au *gîte du Mont-Albert* (chambres et chalets), ouvert du 15 juin à la fin d'août. Dans la réserve de Matane, terrains de camping d'été et d'hiver.

**Réserve naturelle de Port-Daniel,** à *80 km* au S.-O. de Percé. Chalets et terrains de camping pour pêcheurs (surtout le saumon) et excursionnistes.

**Ile Bonaventure.** Au large de *Percé.* Refuge des oiseaux de mer, dont 50 000 fous de Bassan. On atteint l'île du quai de Percé. Pique-niques, randonnées pédestres.

## Sur la Côte Nord

**Réserve Sept-Iles-Port-Cartier.** Immense territoire rocheux. Lacs à castors et rivières à saumons. Certains lacs ne sont accessibles qu'en hydravion. Chalets à louer, canotage, pique-nique, randonnées.

**Ile d'Anticosti.** Dans le golfe du Saint-Laurent, cette île montagneuse de 216 km de long, 480 km de circonférence est une réserve faunique. La pêche (truite, saumon) et certaines chasses (orignal, chevreuil, cerf) y sont autorisées. Sentiers d'exploration pédestre. Auberge, chalets et terrains de camping.

## Au Saguenay, lac Saint-Jean

**Parc Saguenay,** à *65 km* à l'E. de Chicoutimi, par la R. 170, au long de la riv. Éternité jusqu'au sommet de la falaise donnant à pic sur le fjord. *Centre d'interprétation de la nature,* pique-niques, excursions à pied. Ouvert du 15 juin à début septembre.

**Pointe-Taillon.** Grande presqu'île sablonneuse et boisée dans le *lac Saint-Jean,* à *82 km* au N.-O. de Chicoutimi. Baignades et camping sauvage.

**Réserve de Chibougamau,** à *136 km* au N.-O. de Chicoutimi, immense territoire de chasse et de pêche (plus d'un million d'hectares) à la végétation de type subboréale ; sapinières, bouleaux blancs, épicéas et tourbières, prolongée par les réserves **Mistassini** et **Assinica.** Nombreux lacs et torrents. Rivières difficiles. Les amateurs de canot-camping doivent être accompagnés par des guides autorisés. Pêche partout. Chasse à l'orignal seulement dans la réserve de Chibougamau, sous conditions.

## Dans le nord-ouest

**La Vérendrye.** 1 360 000 ha au N.-O. de Montréal. Auberge, chalets, camping en sites et sauvage. Canot-camping, explorations sous-marines, voile. A travers chapelets de lacs et rivières, 1 700 km de circuits dont la moitié balisés. Pêche et chasse (orignal). L'hiver, ski de randonnée.

**Aiguebelle.** Parc à *43 km* au N.-E. de Rouyn-Noranda. Paysages montagneux. Tête de bassins hydrographiques dont les eaux vont vers l'Atlantique, via le Saint-Laurent, où vers l'océan Arctique. Canot, pêche, excursions pédestres en montagne. Embarcations à louer.

*Parcs Canada,* organisme fédéral, gère deux grands parcs nationaux situés au Québec :

**Parc de la Mauricie,** à *60 km* au N. de Trois-Rivières. Lacs pour canotage et camping été et hiver, pistes cyclables dans la nature.

**Parc Forillon.** A la pointe de la Gaspésie, environné par la mer. Falaises et plages de galets. Observation des animaux et oiseaux de mer. Chalets et campings.

*Parcs Canada* [tél. à Québec (418) 694-4177] gère également des parcs historiques établis autour de bâtiments appartenant au patrimoine national :

**Fort Témiscamingue,** près de Ville-Marie, O. du Québec.

**Fort et canal de Côteau-Lac,** à *58 km* S.-O. de Montréal. Ouv. mai à octobre.

**Fort Chambly,** à *32 km* S.-E. de Montréal, musée historique de la vallée du Richelieu.

**Fort Lennox,** à *48 km* S.-E. de Montréal, sur *l'île aux Noix.* Souvenir des guerres canado-américaines de 1776 et 1812.

**Forges du Saint-Maurice,** près de Trois-Rivières. Restauration du site de la première industrie sidérurgique du Canada (1730).

**Parc Cartier-Brébeuf,** à Québec, autour de la reconstitution d'un des navires de Jacques Cartier (1534).

**Fort de Lauzon,** une des protections, sur la rive sud, érigées par les Anglais pour défendre Québec.

**Parc de la bataille de Chateauguay,** à *40 km* au S.-O. de Montréal, gagnée contre l'envahisseur américain par les voltigeurs du lieutenant-colonel *de Salaberry* (1813).

**Maison natale de Louis Saint-Laurent** 1882, Premier ministre du Canada, à **Compton**, à *25 km* au sud de Sherbrooke.

**Musée et canal de Lachine,** banlieue de Montréal, où se tenait au début de la colonie un important poste de traite avec les Indiens.

# A Québec

## *Le choc de Québec*

*Pour avoir le vrai choc du Canada français, partez immédiatement pour la ville de Québec. L'avion, le train, l'autocar vous y mènent. De Montréal, c'est à trois heures par une autoroute tracée au cordeau dans un paysage monotone et plat, fait de boisés, de landes et de quelques pâtures. Vous arrivez au grand pont suspendu qui vous ramène sur la rive nord du Saint-Laurent. Avant de le franchir, un rapide coup d'œil à droite sur les chutes bouillonnantes de la rivière Chaudière. Vous voici bientôt sur le boulevard Laurier, prolongé par la Grande-Allée : centres d'achats immenses, hôtels, motels annoncent déjà le caractère touristique de la ville ; le grand campus de l'Université Laval, sa longue vocation universitaire. Les bâtiments où sont somptueusement logées compagnies d'assurances et grandes entreprises, disent son importance économique. De riches et nombreuses églises et couvents témoignent d'un passé très catholique. Le domaine du lieutenant-gouverneur général marque son privilège de capitale. Voici d'ailleurs le Palais législatif qui abrite le Parlement (immeuble construit en 1883, il est bien de son époque.) Il apparaît entouré de modernes tours de béton où sont installés les bureaux des ministères québécois. Côté du fleuve, les bâtiments militaires, les fortifications et les «Plaines» d'Abraham nommées d'après le prénom d'un vieux fermier de l'endroit où, en 1759, le sort des armes fut contraire à la France.*

*On passe sous une porte de pierre, ouverte dans le rempart. On se trouve dans le vieux Québec. Une ville qui n'a pas son pareil sur tout le continent nord-américain. Rues sinueuses, souvent étroites, ne se coupant pas forcément à angle droit, portant des noms tels qu'avenue d'Auteuil, rue des Remparts, côte de la Fabrique, bordées de maisons de pierre à hautes façades, volets de bois, toits à fortes pentes chargés de lucarnes. Des petits restaurants à terrasses, des bistrots, des boutiques d'artisanat ; conduites par de jeunes cochers, la plupart étudiants ou étudiantes, des calèches mènent par les rues pavées des touristes américains, ébahis de voir dans leur partie du monde une ville si peu américaine. Toutes les inscriptions sont françaises, à part quelques-unes qui, dans*

*leur langue, souhaitent discrètement la bienvenue aux vacan-
ciers anglophones. Charme d'une vieille ville dans une province française d'autrefois. Vie calme, ponctuée par les cloches de couvents qui sonnent les heures. On aboutit à la statue de Champlain qui tient son chapeau de bronze vert à la
main, à cause, dit-on ici, du grand vent qu'il fait sur le bord
de la falaise, à l'ombre d'un immense hôtel-château.*

*C'est à cet endroit que commence la longue et large terrasse
de bois qui domine le fleuve. Accoudé à la lisse, on aperçoit
en contrebas les maisons de la Basse-Ville (un funiculaire y
conduit), le port. Sur le Saint-Laurent passent les grands navires qui vont ou viennent de l'Océan à la pointe des Grands
Lacs, située à Duluth (Minnesota), à quelque 3 500 kilomètres de l'entrée du golfe du Saint-Laurent. Les « traverses »,
chargées de passagers et de voitures, font leur va-et-vient
continuel vers la ville de Lévis, située sur la rive sud. La vue
s'étend, admirable, de la côte de Beaupré et l'île d'Orléans
jusqu'aux hauteurs qui ourlent dans le lointain le rivage
opposé. Vols de goélands, mugissements de sirènes, rem-
plissent l'air. Vu du fleuve, Québec a une autre allure. On est
saisi par la masse du haut promontoire, le cap Diamant sur
lequel est bâti la ville. Se détachant sur un ciel toujours haut,
le clocher du vieux séminaire, la flèche de la basilique Notre-
Dame, les nouveaux gratte-ciel, la haute masse du Château-
Frontenac et la forteresse construite à plus de cent mètres
au-dessus des eaux. Sur la citadelle qui appartient toujours
à l'armée, flotte en permanence, blanc et rouge, timbré de la
feuille d'érable fédérale, le drapeau du Canada.*

*Ici, c'est le berceau de la civilisation française en Amérique.
Ici également est né le Canada.*

*La capitale du Québec, prolongée par ses quartiers résiden-
tiels et ses banlieues, veut cesser d'être le Dysneyland touristique des Américains ou Canadiens anglais, à la recherche d'un « French taste » sur le continent, pour devenir aussi
importante que sa rivale traditionnelle : Montréal.*

## De l'usage de Québec

### Hôtels et restaurants

Capitale touristique de la province, Québec compte un grand
nombre d'hôtels, motels et pensions. Parmi les grands, le
somptueux **Château-Frontenac**, 1, rue des Carrières, 526 ch.
clim., T.V., tél. (418) 692-3861 (à condition d'obtenir une
chambre qui donne sur le fleuve), le **Concorde** (son restaurant
est célèbre surtout parce qu'il pivote au sommet de la structure de béton sur laquelle il est posé), 1225, place Montcalm, 413 ch. clim., T.V., piscine, tél. (418) 647-2222 ; le **Hilton,**
3, place Québec, 563 ch. clim., T.V., piscine, tél. (418) 647-
2411 ; les deux **Holiday Inn**, 395, rue de la Couronne, 233 ch.
clim., T.V., piscine, tél. (418) 647-2611 ; les deux auberges des
**Gouverneurs** (la plus ancienne, à l'entrée de la ville est un

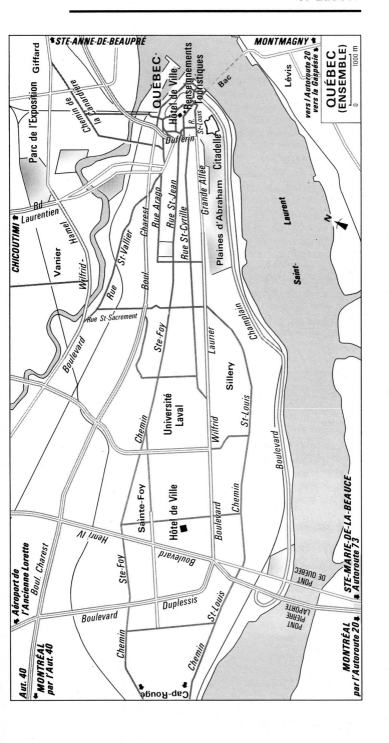

super-motel), 690, bd St-Cyrille Est, 379 ch. clim., T.V., piscine, tél. (418) 647-1717. Pour le calme : le **Château Bonne Entente,** 3400, chemin Ste-Foy, 102 ch. clim., T.V., piscine, tél. (418) 653-5221, l'auberge **Ramada,** 1200, rue de la Vigerie, 100 ch. clim., T.V., piscine, tél. (418) 651-2440 ; le **Quality Inn,** 3115, bd Laurier, 204 ch. clim., T.V., piscine, tél. (418) 658-5120, mais rien ne vaut, si vous savez y trouver de la place, le charmant **Manoir d'Auteuil,** 49, rue d'Auteuil, 17 ch. clim., T.V., tél. (418) 694-1173. Et aussi les «maisons de chambres» du vieux Québec.

Dans la ville, une quarantaine de bons restaurants. Parmi ceux qui se tiennent dans le peloton de tête *(cuisine canadienne française, très beau décor) :* **les Anciens Canadiens,** 34, rue Saint-Louis (tél. 692-1627). **Le Continental,** 26, rue Saint-Louis (tél. 694-9995). **La Table de Serge Bruyère,** 1200, rue Saint-Jean (tél. 694-0618). **Le Café de la Paix,** 44, rue Desjardins (tél. 692-1430). **Le Rabelais,** 2, rue du Petit-Champlain (tél. 692-3861). **Le Charlesville,** 615 Ouest 80ᵉ Rue (Charlesbourg). **Le Paris-Brest,** 590, Grande-Allée (tél. 529-2243). **Le Champlain** (Château-Frontenac), 1, rue des Carrières (tél. 692-3861). **L'Imaginaire** (installé dans une galerie de peinture), 1654 CH. St-Louis (Sillery ; tél. 688-1654). **La Ripaille,** 9 rue Buade, **le Chalet Suisse,** 26, rue Sainte-Anne, l'**Éperlan,** 36, rue Saint-Pierre, **le Parlementaire,** dans l'édifice de l'Assemblée Nationale, est le restaurant des ministres, députés et journalistes politiques. Le public y est admis, mais les places sont rares.

### Théâtre

Il y a peu de salles de théâtre à Québec, hormis le très beau **Grand Théâtre** (musique symphonique, opéra, ballets ; tél. 643-8131). L'été, le **Théâtre du Bois-de-Coulonge,** 11535 Ch. St-Louis (Sillery ; tél. 681-4679).

## *Vos promenades à Québec*

Bien sûr, visiter la ville. A pied ou en calèche.

**Itinéraire :** celui décrit plus haut, de la Grande-Allée à la terrasse Dufferin.

Au passage, une halte à l'angle de la rue du Fort et de la rue Sainte-Anne, à l'édifice qui abrite **la Maison du Tourisme.** On y renseigne fort aimablement les touristes et on les munit de dépliants, prospectus et plans de la ville et de la région.

Vos pas vous mèneront vers **la Terrasse** qui est la promenade attitrée des gens de Québec. En la longeant vers l'ouest, outre le panorama grandiose, vous y verrez l'*hôtel Château-Frontenac* construit dans le mode Renaissance tourangeau, mais écrasé par un colossal beffroi quadrangulaire coiffé de cuivre vert. Il est construit à l'endroit où *Louis de Frontenac,* gouverneur de la Nouvelle-France, avait bâti son castel.

De charmantes et vieilles maisons bordent la terrasse, dotée d'une triple piste pour toboggans et prolongée par la promenade des Gouverneurs, dont les escaliers de bois mènent à la citadelle. Si vous préférez aller vers le bas, par le funiculaire, les escaliers ou la côte de la Montagne, vous gagnez la Ville-Basse.

Des visites guidées et culturelles sont organisées, à pied, sous les hospices de la *L.L.M. Tours,* 2216, chemin du Foulon, Sillery, Quebec [tél. (418) 658.4799]. *Réservations* dans le hall du Château-Frontenac ou au numéro 694-0658. Départs : semaine à 9 h 30, 14 h et 17 h. $8 par personne.

## Tant de choses à voir

La charmante et vieillotte **église Notre-Dame-des-Victoires** (1688, mais brûlée, reconstruite, restaurée) et pourtant témoin irrécusable de la France de Louis XIV ; d'ailleurs le buste de ce roi orne cette place Royale, bordée d'antiques demeures qu'on rénove avec soin. L'église a été bâtie à peu près à l'endroit où Champlain avait construit «l'Abitation», première demeure française en terre d'Amérique. On se doit d'entrer dans la **maison Chevallier,** transformée en musée ; la **maison Fornel,** la **maison Dumont** où la S.A.Q. propose ses meilleurs vins et alcools ; la **maison Le Picard,** les **maisons Leber-Amiot, Charest et St-Arnaud** (restaurant de fruits de mer).

La petite **rue Sous-le-Cap,** l'artère la plus étroite de toute l'Amérique ; les artisans de la *Ville-Basse.*

En remontant vers les parties les plus hautes de Québec, **la citadelle,** connue en son temps sous le nom de Gibraltar du Nouveau-Monde. C'est une place forte telle que les Anglais la concevaient au XIX$^e$ s. On y visite un musée militaire. Attraction quotidienne durant l'été, matin et soir : la relève de la garde. C'est, avec accompagnement de roulements de tambours, dans le strict cérémonial de l'armée britannique, l'impeccable parade de militaires en tuniques rouges, pantalons noirs et bonnets à poil. Les commandements sont donnés en français, car il s'agit des soldats du célèbre 22$^e$ régiment, les «Vandoos», créé en octobre 1914, afin que les Canadiens français se sentent un tout petit peu chez eux dans l'armée anglaise et puissent apporter, au cours de plusieurs guerres, un témoignage de leur légendaire courage. Les fortifications de la ville sont aménagées en **parc national :** au centre d'accueil et d'interprétation (parc de l'Artillerie), voir le plan-relief au 1/300 de la vieille cité (fermé le lundi, entrée gratuite).

Le **parc des champs de bataille** ou «**Plaines**» **d'Abraham,** verdoyant domaine qui surplombe le Saint-Laurent. Souvenez-vous alors de la bataille de septembre 1759, le Waterloo du général Montcalm, tué ici en même temps que Wolfe qui commandait les troupes anglaises, arrivées au sommet de cette falaise, grâce, dit-on, aux renseignements d'un traître.

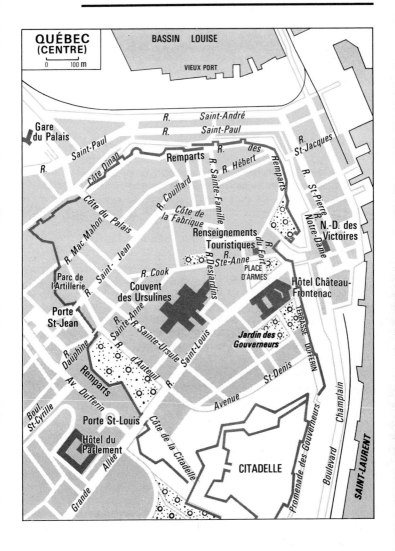

Là, se trouve le **musée du Québec** (collection de peintures, de sculptures, arts et traditions populaires, faune et flore). Sur «la colline parlementaire», comme disent les Québécois, l'**Hôtel du Gouvernement** où l'**Assemblée Nationale** tient ses assises (des visites guidées sont organisées en dehors des sessions du lundi au vendr., de 9 h à 21 h réserv. tél. 643-7329), vaut au moins qu'on en fasse le tour. De là, on peut, via le *parc de l'Artillerie* (kiosque d'information et édifices anciens), visiter l'**Hôtel-Dieu** (le plus vieil hôpital du continent nord-américain) et son musée...

Parmi les autres musées de la ville : celui du **Fort** (près de la statue de Champlain) présente une sorte de spectacle son et lumière qui évoque toutes les batailles que la ville a connues.

Celui du *couvent des Ursulines* (l'immeuble date de 1641). Un musée très vivant, la très courte *rue du Trésor,* au cœur du vieux Québec ; de jeunes artistes québécois y vendent en plein air leurs œuvres : peintures, aquarelles, lithographies, artisanat.

Une écluse a transformé le *bassin Louise* en port de plaisance ; des maisons restaurées du quartier *Petit-Champlain* sont devenues boutiques, cafés-terrasses, restaurants, galerie d'art. C'est le Vieux-Port qui est doté d'un grand amphithéâtre à ciel ouvert, l'*Agora.*

Divers moyens de visiter la ville vous sont proposés : à bord des autocars de tourisme (compagnie *Grayline*), les promenades en calèche, les excursions Sonoretour (un système d'enregistrements portatifs offrant explications et musique folklorique), les virées à bicyclette si l'on a de bons mollets pour grimper les côtes (vélos à louer chez *Rent-a-bike* au coin de la Grande-Allée et de la rue George-V, tél. 527-4404) ou à *Sport Bazar,* au coin des rues Saint-André et Dalhousie (tél. 649-9119), les balades en bateau (Excursions Maritimes, tél. 692-1159), et enfin Québec vu de haut (la compagnie Tapis Rouge propose des vols de 15 mn au départ de l'aéroport de Sainte-Foy). Les bureaux touristiques, provincial ou municipal, vous offriront toute la documentation sur ces possibilités ainsi que la liste des hôtels et des restaurants avec leurs prix.

A voir aussi : l'**Université Laval ;** l'ancienne et la nouvelle. La première, née du vieux séminaire de Québec fondé en 1663 par le premier évêque de la ville, Mgr de Montmorency-Laval, a prospéré dans la vieille ville puis a émigré vers l'ouest, dans la banlieue, à *Sainte-Foy,* où ses bâtiments modernes construits dans un grand parc accueillent chaque année quelque 25 000 étudiants à plein temps, sans compter ceux qui, l'été, viennent suivre des cours (visites organisées sous la conduite de guides-étudiants).

*A ne pas manquer :* pour les amateurs de photo, une promenade sur le fleuve par la *« traverse »* (ainsi appelle-t-on le bac qui relie Québec à Lévis).

## Québec en hiver

Si vous venez à Québec en hiver, vous serez sous le charme d'une ville très blanche (située plus au nord que Montréal et assez bien placée dans la « snowbelt », l'hiver canadien la marque durement). Les Québécois ont su transformer cette disgrâce en valeur. Ils ont inventé un *carnaval,* réplique nordique de celui de La Nouvelle-Orléans, se produisant pendant la première quinzaine de février. *Rens. :* tél. 692-2471. Pendant dix jours, de joyeux viveurs envahissent toute la ville. Certains portent des cannes creuses dans lesquelles, afin de braver le froid, ils transportent leur ration de whisky blanc. Le symbole vivant de ces réjouissances fort rabelaisiennes est

Québec : Carnaval d'hiver

le bonhomme Carnaval, un immense et jovial bonhomme de neige, doué de la parole, portant tuque et ceinture fléchée. Entouré d'une cour de jolies filles, choisies parmi les plus belles de la ville, il parcourt son domaine, participant à toutes les festivités : bals, tournois de patinage, matches de hockey, inauguration de palais en blocs de glace, de sculptures de neige durcie, défilés, concerts populaires, courses de canots dans l'isthme à demi gelé, repas monstres et activités spontanées d'une foule costumée, toujours prête à rire, danser, applaudir et boire. Si vous voulez participer à ce carnaval, retenez à l'avance votre chambre d'hôtel, sinon il sera difficile de vous loger.

Au Colisée, en plein centre ville, on assiste aux parties de hockey sur glace ; l'équipe locale, *les Nordiques,* est la grande rivale des *Bleu-blanc-rouge* de Montréal.

Pour le reste de l'année, Québec a instauré d'autres types de manifestations : un festival d'été et diverses manifestations francophones internationales dont la Foire du Livre et le Salon des Artisans.

### Autour de Québec

Si vous disposez de peu de temps pour visiter la ville, prenez place à bord des autocars qui offrent des tours de ville commentés par des guides bilingues et menant aussi aux environs de la ville.

Vous pouvez également, du 1er juin au 10 septembre réaliser une mini-croisière dans les eaux du Saint-Laurent. *N/M Louis-Jolliet*, pourvu d'un pont couvert et d'un bar, propose quotidiennement plusieurs excursions des ponts de Québec à Sainte-Anne-de-Beaupré. Le quai d'embarquement se trouve face à la place Royale au quai Chouinard.

Par la route qui suit la côte en direction nord-ouest, vous verrez la *chute de la rivière Montmorency* qui tombe de la falaise dans le fleuve d'une hauteur de 83 m (on se plaît à dire à Québec que c'est une fois et demie plus haut que les chutes Niagara, sans préciser que la chute québécoise est infiniment moins large). Au pied de la cataracte sont aménagés des parcs dotés de tables de pique-nique. Pour dominer les chutes il faut se rendre à **Boischâtel.** On y visite le vieux *manoir Montmorency* et l'on a, de plus, une vue panoramique sur Québec et l'île d'Orléans. En continuant vers l'est sur l'avenue Royale, on traverse de très anciens villages : **L'Ange-Gardien, Château-Richer.** C'est la Côte-de-Beaupré, où se sont établis les premiers colons français — on atteint **Sainte-Anne,** célèbre lieu de pèlerinage (à *37 km* de Québec). Déjà en 1650, des marins bretons venaient y célébrer la «bonne Sainte-Anne». On visite aujourd'hui l'énorme basilique moderne, des musées consacrés à la sainte, les inévitables boutiques d'objets de piété et un diorama qui évoque de façon réaliste la ville de Jérusalem le jour du Crucifiement. Cette illusion est donnée par un colossal tableau circulaire (hauteur : 14 cm, circonférence : 110 m), où sont représentés des milliers de personnages, chef-d'œuvre dans le genre «kitsch» pour amateurs de chromos géants.

Après le village de **Saint-Joachim** (premiers colons en 1626), commence la *réserve du Cap Tourmente.* Deux fois par an cent mille oies sauvages y font escale. Si vous n'êtes pas là pour les migrations automnale ou printanière, au moins verrez-vous dans un paysage exceptionnel des oiseaux parmi les 250 espèces qui y nichent en permanence, sous l'œil des rats musqués, renards, coyotes, ours, castors, tous protégés.

*Le parc du Mont-Sainte-Anne,* autour d'un des sommets (800 m) des Laurentides, offre de belles vues sur les deux rives du Saint-Laurent et l'île d'Orléans. On utilise l'été, pour se rendre au faîte, les télécabines. En hiver, les pentes sont recherchées par les bons skieurs en raison de la qualité de la neige et des installations. Là se déroulent des compétitions internationales. D'autres centres de villégiature toutes saisons se trouvent au nord de Québec, sur les pentes des Laurentides autour du lac Delage et du lac Beauport. A ne pas manquer à ce dernier endroit un repas à *l'hôtel Manoir Saint-Castin.*

## L'île d'Orléans

Un «must» comme disent les Anglais. Située (à *5 mil* ou *8 km*) en aval de Québec à l'endroit où le fleuve s'élargit, l'île est une grande terre plate, agricole et maraîchère. Sur son sol fertile, les premiers Français, des Normands et leurs descendants, ont bâti des maisons de pierre ressemblant à celles qu'ils avaient quittées de l'autre côté de l'Atlantique, construit des petites églises toutes simples remplies de boiseries délicatement sculptées et d'ex-voto nautiques. Ils ont planté des pommiers et autres arbres fruitiers. La fraise vient bien dans ce petit terroir.

Une route longue de 67 km permet d'en faire le tour, de visiter les tranquilles villages installés le long du Saint-Laurent.

On trouve dans l'île des parcs de camping, un centre d'art (théâtre et expositions), un théâtre d'été, des ateliers d'artisans. Une vieille ferme, du village de Sainte-Famille, reçoit dans son cadre ancien les amateurs de cuisine locale. C'est le *restaurant «l'Atre»*, 4403, chemin du Roy (tél. 829-2724). On laisse sa voiture sur le terrain de stationnement pour se rendre au restaurant au trot d'un cabriolet à deux roues, conduit par le valet de ferme. D'autres serviteurs en costume paysan présentent les mets, le cidre et le pain qui sort tout chaud et parfumé du four à bois, dans la grande tradition québécoise.

## Aux abords de Québec, si vous voulez voir :

● *Des Indiens :* allez dans la proche banlieue à l'**Ancienne-Lorette** dans le *quartier huron (à 7 km* au nord de Québec par la *R. 369).* Vous pourrez visiter leur vieille chapelle et leurs magasins d'artisanat (c'est le moment d'acheter une paires de raquettes). Là, le chef Max «Oné-Onti» Gros-Louis vous dira dans sa langue : «Kwe», ce qui veut dire bienvenue. Il parle surtout un excellent français et est l'auteur, entre autres, du livre «le Premier des Hurons». Il y raconte le destin des membres de sa tribu, expose leurs aspirations et leurs ressentiments : «Hommes blancs, quand vous êtes arrivés ici, vous aviez vos missels et nous avions nos terres, aujourd'hui, nous avons vos missels, et vous possédez nos terres.»

● *De vieilles pierres :* l'ancienne maison des jésuites à *Sillery,* sur le chemin du Foulon (près du bord du fleuve), dans la partie ouest de la ville (fondations de la première église en pierre bâtie au Canada en 1644).

● *Des animaux sauvages :* Québec possède un aquarium renommé, un jardin zoologique à *Orsainville (à 11 km* au N. par la *R. 73).*

● *Un navire d'autrefois :* au confluent des rivières Saint-Charles et Lairet, dans le *parc Cartier-Brébeuf* (rue de l'Espinay, dans l'E. de la ville), est ancrée la réplique exacte du vaisseau amiral de Jacques Cartier : *la Grande Hermine.* Ce bâtiment, une des attractions de l'exposition de 1967, peut être visité, il donne une juste idée de ce qu'était un transatlantique au XVIe s.

● *La ville de très haut :* au 31e étage de l'édifice gouvernemental, 1037, rue de la Chevrotière, panorama gratuit et exposition permanente d'artisans.

# A Montréal

*Le voyageur qui ne connaît rien de la ville doit se rendre à la Maison du Tourisme, 2, place Ville-Marie. Ou au bureau de la ville de Montréal, près de l'hôtel de ville, 174 est, rue Notre-Dame. On lui fournira force documentation. Et notamment des plans.*

*On voit sur la carte que l'île de Montréal a la forme d'un grand poisson qui nage en plein fleuve, entouré d'autres poissons plus petits, c'est-à-dire d'autres îles.*

*Vu d'avion, tout est encore plus flagrant : au centre d'une longue plaine, Montréal apparaît dans un vaste élargissement du Saint-Laurent, là où son principal affluent, la rivière Outaouais, le rejoint, formant un des plus grands deltas intérieurs du monde.*

*Vers l'amont, ces eaux qui entourent la ville comportent de forts courants et des hauts fonds qui ont toujours empêché embarcations et navires d'aller plus à l'ouest. Il fallait nécessairement mettre pied à terre. C'est ce qu'a fait Jacques Cartier, le premier touriste dont l'histoire garde le nom, lorsqu'en 1535 il a exploré cette partie du Canada. Il a rencontré là, dans un village appelé Hochelaga, des Hurons, établis en ce lieu stratégique où les canots devaient être échoués et portés au-delà des rapides. Déjà Montréal avait son rôle de centre de transbordement, aujourd'hui marqué par son grand port de commerce et l'entrée de la voie maritime du Saint-Laurent.*

*Au cœur de la ville, on remarque aussi le mont Royal, masse rocheuse de 229 m d'altitude qui s'étend sur une superficie de 10 km² : soulevés à l'ère primaire par des jets de lave, ces rocs ont été ballonnés par le temps.*

*On a raconté comment, au pied de ces formes massives et boisées, Champlain a compris que c'était le lieu idéal pour bâtir une cité, Ville-Marie qui allait devenir Montréal. Ce fut longtemps une petite ville coloniale qui a vécu du commerce, grâce à sa situation au bord de tant d'eau.*

*La navigation à vapeur, le premier chemin de fer en 1837, l'industrialisation rapide, ont donné l'essor à la ville qui s'est entourée de canaux, de voies ferrées, de routes menant dans toutes les directions, vers tous les points du continent nord-américain.*

La ville, grande mangeuse d'espace, s'est étendue sans cesse à travers l'île et sur les rives du fleuve, se soudant aux banlieues vertes et industrielles, suscitant à ses frontières de nouvelles zones à urbaniser, allongeant son front de mer à l'infini, bordé d'entrepôts, d'usines et de raffineries. La grande agglomération est parcourue jusqu'au centre par des réseaux d'autoroutes raccordés au grand réseau transaméricain. Ce système de voies rapides permet, au départ du carrefour le plus achalandé de Montréal, d'être à deux feux rouges de Times Square à New York, d'aller si l'on veut d'une traite vers Los Angeles, Vancouver, Miami ou le Mexique.

Au centre de la ville, on érige sans arrêt de nouveaux gratteciel destinés au commerce ou à l'habitation. Pour permettre aux foules de circuler plus vite, on a construit le métro, qui petit à petit va desservir tous les secteurs de la ville. Les trains, montés sur pneumatiques, sont rapides. Les constructeurs ont confié à des équipes d'architectes et d'artistes le soin de dessiner chacune des stations, de choisir librement volumes, formes, matériaux et couleurs.

## De l'usage de Montréal

### Des transports pour tous

Montréal et les municipalités de l'île possèdent un système intégré, *métro* et *autobus,* de transports en commun. Récent, le métro de Montréal comporte 54 stations. Il en aura 70 en 1985. La ligne 1 se dirige d'ouest en est dans la partie sud de la ville. Elle croise en deux points la ligne 2 qui forme un U dont une des branches dessert toute l'île du nord au sud dans l'axe de la rue Saint-Denis. La ligne 4 (pour l'instant, il n'y a pas de ligne 3), de l'importante station *Berri-De Montigny,* passe sous le fleuve, mène à l'île Sainte-Hélène, et va jusqu'à Longueuil, banlieue de la rive sud.

La future ligne 5, passant au nord du mont Royal qui sera terminée en 1985, reliera des quartiers de l'ouest — station *Snowdon* — à ceux du nord-est — station *Anjou.*

Des arrêts d'autobus desservent toutes les bouches de métro. Pour passer d'un système à l'autre, il faut se munir d'une fiche de correspondance.

Le réseau de surface comprend plus de 150 lignes d'autobus (voitures confortables, bien éclairées et bien chauffées en hiver). Le tarif actuel est de 90 cents (prix réduit : 35 cents). Carnet de tickets : 15 pour 11 $. Carte mensuelle autobus-métro (ou CAM) 26 $. (prix réduit 10 $). Dans les autobus, il faut jeter dans la boîte de verre, près du conducteur, cette somme en pièces de 25, 10, 5 cents. Attention, le conducteur ne fait pas la monnaie et ne vend pas de billets. Vous pouvez aussi mettre dans sa boîte un ticket acheté en carnet.

Dans le métro, le préposé au guichet vend des carnets. On

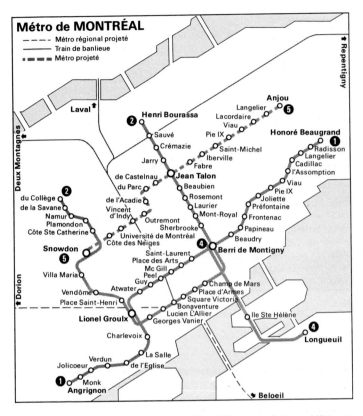

**Métro de MONTRÉAL**
- – – – Métro régional projeté
- ——— Train de banlieue
- ▪■ ■■ ■■ Métro projeté

peut payer aussi en monnaie. Si l'on possède un billet, on passe directement par le tourniquet automatique. Des réductions sont prévues pour les écoliers et collégiens et personnes âgées. Les enfants de moins de cinq ans, accompagnés, ne paient pas.

Pour tous renseignements sur le transport en commun à Montréal, il suffit de composer sur le cadran du téléphone les lettres *AUTOBUS*.

Montréal compte plus de 5 200 taxis. En principe, ils devraient attendre les clients ou les appels radiotéléphoniques aux points d'arrêts signalés par une pancarte aux carrefours les plus achalandés. En fait, le chauffeur de taxi, le Montréalais le plus indépendant qui soit, préfère, afin de gagner sa vie, marauder au long des trottoirs. Il est quelquefois québécois « pure laine » et raconteur d'histoires savoureuses. C'est, la plupart du temps, un Néo-Canadien parfois fraîchement arrivé, qui s'efforce de bien connaître les mystères de la grande ville et de se familiariser avec sa langue principale. C'est peut-être aussi un étudiant qui gagne ainsi ses frais d'inscription.

Le taximètre tourne vite à Montréal et la prise en charge est élevée. Le pourboire est facultatif mais il est bon d'ajouter au moins 10 % au prix de la course. Si l'on est seul et qu'on veuille faire la conversation, on peut s'asseoir à côté du chauffeur. Les taxis rendent de grands services. Jour et nuit, on peut les appeler par téléphone, leur confier des commissions. Les chauffeurs mettent leur honneur à transporter leurs clients même au cœur des pires tempêtes de neige (si toutefois on arrive à en trouver un). Entre Dorval et la ville, le client doit payer un supplément. Entre Mirabel et la ville, la course est de 45 $ environ.

Autres moyens de se promener en ville : les *calèches* hippomobiles que l'on trouve, principalement l'été, au *carré Dominion,* sur la *Montagne* ou dans le *vieux Montréal.* Tarif : 20 $ de l'heure.

Pour le voyageur disposant de peu de temps, il existe des excursions en *autocar,* ceux de la «Gray Lines» et de la «Murray Hill». Ils partent du *carré Dominion* et des *principaux hôtels du centre de la ville.* Les chauffeurs de ces autobus habitués aux touristes canadiens anglais ou américains, donnent, dans la langue de Hemingway, des explications destinées à plaire à leurs auditeurs ou à les amuser.

## Les hôtels

Montréal ne manque pas d'hôtels en temps normal. Mais les périodes de pointe touristique arrivent vite à remplir les quelque 22 000 chambres disponibles en ville.

Dans un hôtel du genre «simple», **YMCA,** 1450, rue Stanley (1 pers., 22 à 39 $ ; 2 pers. 32 à 42 $); 352 ch. tél. (514) 849-8393. Dans la catégorie «bon confort», un établissement comme **l'Auberge des Glycines,** 819 Est bd, de Maisonneuve, 25 ch. clim. avec T.V., tél. (514) 488-9551, le **Royal Roussillon,** bien situé, proche du terminus des autobus voyageurs, 1610, rue St-Hubert, 104 ch., T.V., tél. (514) 842-8581, ou encore le **Windsor,** 1170, rue Peel, un deux étoiles très British, chambres dans les 30 à 50 $.

Un cran plus haut, entre 70 et 100 $, les hôtels **Holiday Inn,** 420, rue Sherbrooke Ouest, 489 ch. clim., T.V., piscine, tél. (1-800) 465-4329, et les **auberges Ramada Inn,** 1005, rue Guy, 205 ch. clim., T.V., piscine, tél. (514) 866-4611.

Les hôtels **Reine Elizabeth,** 900, bd Dorchester Ouest, 1 093 ch., tél. (514) 861-3511, **Sheraton Montréal,** 1201, bd Dorchester Ouest, 824 ch., piscine, tél (514) 878-2000, **Régence Hyatt,** 777, rue Université, 763 ch., piscine couverte, tél. (514) 879-1370, **Château-Champlain,** 1050, rue la Gauchetière Ouest, 616 ch., tél. (514) 879-1370, **Méridien,** 4, complexe Desjardins, en plein centre ville, 600 ch., 3 rest., 3 bars, salle de spectacles, congrès, piscine, tél. (514) 285-1450, **Quatre Saisons** (le plus coûteux), 1050, rue Sherbrooke, 319 ch., tél. (514) 284-1110, se situent dans les hauts de gamme : 100 à 175 $ la chambre pour une personne. Le meilleur et le plus prestigieux, le **Ritz-Carlton,** 1228, rue Sherbrooke Ouest, tél. (514) 842-4212, demande 130 $ pour une personne, 150 pour une chambre à deux lits. Ce prix modeste pour la qualité, s'explique ainsi : il est dépourvu de piscine intérieure ou extérieure.

Dans tous les grands hôtels, selon les jours ou les saisons, des rabais sont consentis.

Tous ces prix s'entendent par jour et ne comprennent ni le petit déjeuner, ni les repas. Taxe et services en sus.

Si vous devez loger en dehors de Montréal, sachez qu'à confort égal, vous paierez évidemment moins cher ; l'inconvénient d'avoir un long trajet à faire pour vous rendre en ville peut être compensé, si vous habitez dans une station touristique, par l'agrément de pouvoir disposer de terrain de golf, courts de tennis, centre d'équitation, piscine chauffée, dans un agréable environnement.

En dehors des hôtels proprement dits et des motels de la périphérie, dotés du confort nord-américain, existent les *Tourist homes* ou maisons de touristes, qui proposent à des prix très raisonnables de très bonnes chambres. Les services qu'on y offre sont bons et leur simplicité est rachetée par la chaleur de l'hospitalité. Les prix pour une personne varient de 15 à 50 $ pour deux personnes de 20 à 60 $, selon le confort, la grandeur des chambres et la situation de l'établissement par rapport au centre de la ville. Formule qui se répand : des particuliers proposent chambre et petit déjeuner copieux (1 pers. 30 $, 2 pers. 40 $). On peut aussi louer un appartement complet pour 40 à 90 $ par jour.

Pour ceux qui veulent dépenser moins, 10 000 lits sont disponibles l'été, dans des *institutions d'enseignement.* On y trouve des dortoirs, des chambres à coucher dans lesquelles peuvent loger une à trois personnes. Pour une personne, 10 à 15 $ ; pour deux, 10 à 20 $.

Les conditions de logement sont à peu près les mêmes dans les *auberges de jeunesse* de Montréal et de ses environs. Les prix varient de 6 à 11 $ selon la grandeur des dortoirs et les commodités mises à la disposition des hôtes.

Dans un genre un peu plus sportif, il y a la solution du *terrain de camping,* pour qui possède l'équipement nécessaire. Les prix varient entre 6 et 20 $.

En dehors de la pleine saison touristique, les prix peuvent être réduits du tiers durant les mois d'octobre à avril, encore que les grands établissements ne varient que de peu leurs tarifs.

## Les restaurants

Ce qui, en général, est vrai pour l'ensemble de la restauration au Québec (voir page 74), l'est encore plus pour Montréal.

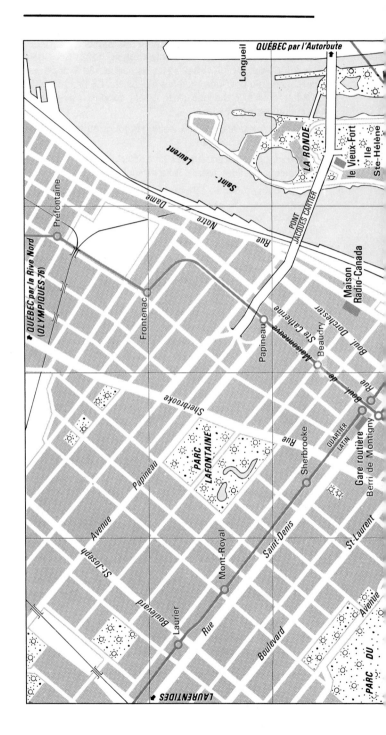

QUEBEC par l'Autoroute

Longueil

LA RONDE

le Vieux-Fort

Île
Ste-Hélène

Saint - Laurent

Préfontaine

Notre
Dame

Rue

PONT
JACQUES CARTIER

QUEBEC par la Rive Nord
(OLYMPIQUES 76)

Frontenac

Papineau

Maisonneuve

Ste Catherine

Beaudry

Boul. Dorchester

Maison
Radio-Canada

Rue de

Boul.

Sherbrooke

Papineau

Rue

Sherbrooke

PARC
LAFONTAINE

QUARTIER
LATIN

Gare routière

Berri de Montigny

Avenue

St-Joseph

Mont-Royal

Saint-Denis

St-Laurent

Rue

Laurier

Boulevard

Boulevard

Avenue

PARC DU

LAURENTIDES

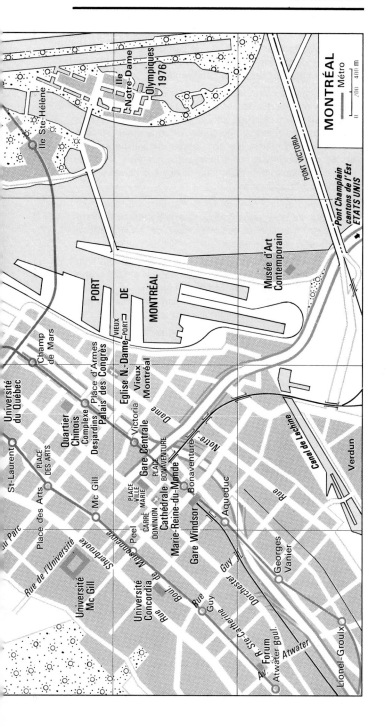

L'éventail des possibilités est largement ouvert. En dehors des multiples établissements où l'on sert des «repas légers» (snack) ou du «casse-croûte» élémentaire, existent dans le grand Montréal environ 5 000 restaurants.

L'addition que vous aurez à payer pourra vous étonner, compte tenu de la qualité des mets, du décor et du style, du service, par sa modicité ou son exagération. Rappelez-vous qu'entre midi et quatorze heures est offert le menu «d'affaires» à prix raisonnable. Le soir, après dix-huit heures, les plats du midi sont plus chers (plus copieux aussi). N'oubliez pas la distinction entre «table d'hôte» et «à la carte». Tenez compte des «suppléments».

N'oubliez pas qu'une taxe de 10 % s'applique à toute addition supérieure ou égale à 3,25 $. Que le pourboire est rarement intégré à la note et que le serveur, qui en vit, s'attend au moins à 15 % du montant.

Certains restaurants (surtout ceux qui sont installés au sommet des gratte-ciel), certaines salles à manger d'hôtel proposent des «buffets». On y trouve pour un prix fixe de 15 à 25 $ des plats très variés et abondants (notamment saumon frais et homards). Le vin, non obligatoire, est en sus.

Les restaurants se trouvent surtout dans le district central et dans le vieux Montréal. Une brochure distribuée gratuitement contient la liste des restaurants classés en quatre catégories : repas de moins de 8 $ par personne, de moins de 14 $, de moins de 20 $ et de plus de 20.

La mode reste aux cuisines étrangères. Ainsi aux restaurants canadiens, français, italiens et chinois qui existaient traditionnellement, se sont ajoutés des établissements qui servent de la cuisine allemande, pakistanaise, argentine, irlandaise, espagnole, japonaise, etc. Aucun restaurant dans la classification ne se réclame de la cuisine britannique.

Nous l'avons déjà dit, la situation très changeante dans la restauration ne permet guère de donner sans crainte des adresses. Il existe tout de même de bons endroits sûrs.

Dans le genre très cher et excellent (le soir, le plat principal à la carte coûte dans les 25 $, ce qui veut dire pour deux tout compris, avec le vin, une addition dépassant 100 $) :
**Les Halles,** 1450, rue Crescent (tél. 844-2328).
**La Chamade,** 1352 Est, rue Bélanger (tél. 727-7040).
**Les Chenêts,** 2075, rue Bishop (tél. 844-1842).
**René Varraud,** 705 Ouest, rue Sainte-Catherine (tél. 843-8592 et 843-6963).
**Le Fadeau,** 423, rue Saint-Claude (tél. 878.3959).
Dans le genre excellent et moins cher :
**La Mère Michel,** 1209, rue Guy (tél. 934-0473).
**Le Saint-Amable,** 188, rue St-Amable (tél. 861-4645).
**Les Serres du Vieux-Montréal,** 417, rue Saint-Pierre (tél. 288-9788).
**Le Bistrot de Julien,** 1191, rue Union (tél. 861-5565).
**Chez Pierre,** 1263, rue Labelle (tél. 843-5227).

Il a plutôt l'habitude de les atteindre par l'autoroute qui monte jusqu'à **Sainte-Agathe-des-Monts** à 96 km de Montréal. **Saint-Jérôme** est la porte de ce domaine. La statue de l'ecclésiastique corpulent que l'on aperçoit devant la cathédrale est celle du curé Labelle. A la fin du siècle dernier, les conditions économiques sont particulièrement dures pour les Québécois qui doivent allez chercher du travail dans les usines nord-américaines. Pour arrêter cette saignée dans une jeune population, pour éviter aussi qu'elle perde sa langue et, au contact du monde ouvrier, sa foi dans l'idéal d'un Québec traditionnellement rural, le curé Labelle lance, aidé par les autorités, une grande campagne de colonisation intérieure. L'endroit choisi : ces plateaux rudes, disséqués par de nombreux cours d'eau aucunement navigables, creusés de lacs, au sol froid d'une médiocre fertilité. Finalement, «le roi du Nord» fonde vingt paroisses agricoles au milieu des forêts que seuls fréquentaient les bûcherons. Une ligne de chemin de fer relie Montréal à **Mont-Laurier.** On annonce la naissance d'une ère de prospérité pour cette région. Le brave abbé Labelle avait raison. Ce n'est pourtant pas l'agriculture qui a sauvé les Laurentides. C'est le tourisme, un demi-siècle après. Jusqu'en 1950, des familles y avaient là des «camps» — ainsi appelle-t-on, même quand ce sont de modernes villas, les maisons de plaisance dans les régions boisées. Les sportifs connaissaient les lacs à brochets, les ruisseaux à truites et les zones de chevreuils. Quelques rares skieurs montaient pour des fins de semaine de ski, par le petit train du Nord. Ils habitaient dans de rares et confortables auberges.

## Les belles Laurentides

De Montréal : à Saint-Jérôme, 48 km ; à Sainte-Adèle, 77 km ; à Val-David, 88 km ; à Sainte-Agathe, 96 km ; à Mont-Laurier, 238 km par l'autoroute *15* à péage ou la route *117*.

Les cultivateurs «des pays d'en haut» continuaient à faire produire leurs ingrates parcelles et, la moitié de l'année, travaillaient dans les coupes de bois. Aujourd'hui, tout est changé : une vingtaine de villages, entre Saint-Jérôme et Sainte-Agathe, de chaque côté de l'autoroute sont devenus autant de stations touristiques. En allant de l'une à l'autre, c'est une suite ininterrompue de chalets, d'hôtels, de motels, de restaurants, de terrains de camping, d'écoles d'équitation, de golfs, de granges tranformées en magasins, dans un décor quasi tyrolien. Des bourgs sont devenus de petites villes de détente, aux lotissements multiples, qui contournent les lacs, bordent les ruisseaux, se glissent dans les forêts. La faune locale a émigré. On ne pêche plus beaucoup dans les lacs, on ne s'y baigne guère, mais les piscines privées sont nombreuses dans les jardins et chaque grand hôtel a la sienne, couverte et chauffée. Ce gisement touristique à une heure de Montréal dispose pour ceux qui veulent aller prendre un repos «en montagne» d'un choix de restaurants : *la Clé des Champs* à Sainte-Marguerite, l'*Eau à la bouche* à Sainte-

Adèle, *le Loup Garou* à Val-David, *le Mignolet* à Mont-Tremblant, *la Table Enchantée* au lac Duhamel, *la Légende* à Saint-Adolphe-d'Howard sont de bonnes adresses.

Après les grandes ruées d'été, les premières neiges annoncent les impétueux mouvements de foule d'hiver. Le toit chargé de skis, les voitures mettent le cap sur le nord, dès le vendredi soir, pour profiter des pentes enneigées à un peu plus d'une heure de Montréal. Dans l'ensemble, les remontées mécaniques sont nombreuses ; en fin de semaine, il faut cependant attendre son tour, d'autant plus que les dénivellations sont relativement courtes. C'est aussi le terrain idéal pour le ski de promenade et la moto-neige sur les sentiers prévus pour ce sport. Voici quelques-unes de ces villégiatures :

**Sainte-Adèle** : cité touristique de vieille tradition. Son *hôtel Chanteclerc* est renommé. Pas loin, le *Centre de villégiature l'Estérel,* ateliers d'artisans, reconstitution d'un village rural vers 1900, celui de Séraphin, héros d'un roman popularisé par la radio et la télévision, «les Belles Histoires des pays d'en haut», saga des paysans du Nord, œuvre de l'écrivain régionaliste Claude-Henri Grignon.

**Sainte-Agathe** : véritable petite ville, créée en 1850 dans un site admirable. Une partie de ses remontées mécaniques fonctionne l'été. Au lac Carré, la base de plein air très populaire du «P'tit Bonheur». «Le Patriote», succursale de la boîte à chansons de Montréal, présente là des spectacles très courus.

**Val-David** : également des ateliers d'artistes et «la Butte à Mathieu», célèbre café-chantant où viennent se produire les poètes-chanteurs du pays. Au bord du lac, l'hôtel *la Sapinière,* premier établissement d'Amérique du Nord à figurer sur la liste des Relais et Châteaux. Sa table, sa cave, son confort demeurent, dans sa catégorie, inégalés. Tél. : (514) 866-8262.

**Saint-Faustin** : station piscicole provinciale, pour ceux que passionne la vie des truites.

**Mont Tremblant** : le plus haut sommet des Laurentides a donné son nom à un village multisports fréquenté douze mois sur douze ; station de réputation internationale : en hiver, compétitions de ski.

**Mont-Laurier** : base de départ pour les excursions de pêche et de chasse grace à ses nombreuses pourvoiries.

*Sur la bordure est :*

**Sainte-Marguerite** : au bord du grand lac Masson. Sur la *rivière Rouge,* affluent de l'Outaouais, on pratique le «rafting» — descente en canots pneumatiques, sous la conduite de moniteurs — de violents rapides, une aventure que l'on n'oublie pas. Plusieurs organisations proposent cette grisante activité, telles *Nouveau Monde,* tél. : (541) 733-716, ou *Aventures en eau vive,* tél. : (819) 242-6084.

*Sur la bordure ouest :*

**Morin Heights, Saint-Adolphe-d'Howard.**

## Plus haut vers le nord

De Mont-Laurier à Val-d'Or, 281 km.

Si vous avez, à partir de Mont-Laurier, la curiosité de continuer et de rouler sur 300 km dans la nature sauvage, vous traverserez le grand *parc de la Vérendrye* et vous aboutirez à **Val-d'Or.** On n'y voyait en 1911 que quelques demeures de rondins habitées par de joyeux prospecteurs. Ils venaient de découvrir la première mine d'or de *l'Abitibi.* Val-d'Or-Bourlamaque compte aujourd'hui 22 000 habitants. Aux mines d'or se sont ajoutées celles de plomb, de cuivre et de zinc. Vous pouvez visiter le hameau conservé des pionniers et descendre dans la mine. Val-d'Or possède aussi un aéroport civil, doublé d'un terrain militaire pour avions supersoniques, la piste la plus longue de tout le Canada. A Val-d'Or, vous n'êtes cependant qu'à la porte de l'Abitibi; dans ce sol très ancien les gisements miniers nombreux ont donné naissance à autant de villes. Les efforts de colonisation ont réussi à fixer quelques villages. L'industrie du bois pour le sciage et le papier fait vivre des agglomérations dispersées. dans ces vastes étendues, trouées de milliers de lacs, les Indiens trappeurs continuent à pourchasser les animaux à fourrure. Et, bien sûr, les Blancs qui ne craignent pas les longues distances chassent et pêchent.

Par le nord-ouest, on peut rejoindre **Chibougamau** sur la rivière *Ashuapmuschan,* vieux nom indien qui signifie «là où l'on guette l'orignal». C'est toujours vrai, la petite ville nordique est cernée de réserves fauniques.

## Le pays des Outaouais

De Montréal : à Oka, 45 km ; à Montebello, 125 km ; à Masson, 182 km ; à Hull, 219 km ; à Pembrooke, 397 km.

Les Indiens de la tribu Ouatouak installés, il y a plusieurs siècles, le long d'une rivière large et puissante ne pouvaient évidemment pas se douter que le nom de leur tribu serait donné précisément à cette voie d'eau et qu'il deviendrait même celui de la capitale du pays sans bornes où ils vivaient.

Ainsi aujourd'hui, la *rivière* s'appelle *Outaouais* et en la suivant de Montréal par une rive et par l'autre, on arrive à la capitale du Canada : **Ottawa** (200 km). Les gens pressés préfèrent l'autoroute de la Reine. Ils se privent de la vue de tous les petits villages au bord de l'eau. La rive gauche longe un élargissement de la rivière, le *lac des Deux-Montagnes* et passe par **Oka**, *réserve* d'Iroquois et *monastère cister-*

*cien ;* les moines cultivateurs y ont créé un fromage local très apprécié, fabriqué aujourd'hui de façon industrielle. A **Montebello** se trouve l'ancien et magnifique *manoir,* construit sur un domaine qui appartenait à l'homme politique Louis-Joseph Papineau. La solennelle demeure, ses dépendances, son immense parc ont été longtemps un club privé pour personnages très riches. C'est maintenant un hôtel de luxe, curieusement construit de granite et de pin, très confortablement meublé ; sa gastronomie n'est pas ce qu'elle devrait être. Toutes les vallées nord-sud couvertes de forêts cachent des centres touristiques, celle de la *Petite-Nation* (à Ripon, un théâtre de plein air, «grec», l'*Épi d'or,* 4 000 places assises), celle de *la Lièvre,* celle de *la Gatineau* qui conduit à **Maniwaki** où sont concentrés des pourvoyeurs de chasse et de pêche. La route qui la longe sur 200 km rejoint **Mont-Laurier,** atteint **Sainte-Anne-du-Lac,** autre point de départ vers les territoires de pêche et de chasse du Moyen Nord. A **Pointe-Gatineau,** une autre route permet de remonter aussi sur près de 200 km la *rivière Gatineau,* bordée par un parc et de nombreuses villégiatures. A **Hull,** commence, en face, la province d'Ontario avec la ville d'Ottawa. Posé au plus haut de la rive, le Parlement fédéral et son beffroi font masse au-dessus de l'horizon. Hull, à ne pas manquer, ville industrielle, abrite de nombreux fonctionnaires fédéraux, qui travaillent là dans des annexes des ministères ou organismes fédéraux. Certains autres qui travaillent en territoire ontarien choisissent de vivre dans la cité frontière et traversent tous les jours le pont pour se rendre au bureau.

A voir à Hull : les *chutes de la rivière Rideau.* L'Ontario n'est guère réputé pour sa gastronomie. Des restrictions, héritées du puritanisme, ne facilitent pas non plus la consommation des vins et spiritueux. Ainsi Hull est-elle devenue, à deux pas de la capitale, une zone gastronomique appréciée autant de l'homme politique, de l'ambassadeur, du Québécois exilé que du touriste ; entre autres bons restaurants de la ville et de ses environs : *la Ferme Columbia,* le *Café Henry Burger,* le *Café des Trois Canards,* l'*hôtel Symmes* et le restaurant *A l'Échelle de Jacob,* dans la charmante localité de **Aylmer.** Après Hull, la route continue le long de l'Outaouais jusqu'à l'*île aux Allumettes* à 310 km de Carillon, y franchit la rivière et entre dans l'Ontario à **Pembrooke.**

De Hull, on est proche du magnifique *parc forestier de la Gatineau ;* au *belvédère Champlain,* une merveilleuse vue s'offre sur toute la vallée de l'Outaouais. Un petit train tiré par une locomotive à vapeur conduit, à travers bois, les visiteurs, de Hull à Wakefield.

Au **Lac-Sainte-Marie,** au pied au sommet du Cheval-Blanc, jolie station de sports — l'hiver ski et moto-neige, l'été golf et tennis —; l'hôtel l'*Abri de Mont-Sainte-Marie* figure parmi les meilleurs de la province.

De Montréal à Ottawa par la rive sud, on passe par **Vaudreuil** (20 km) où se trouve une *église ancienne* et un *intéres-*

sant *musée historique.* Sur cette berge, l'Ontario commence à l'extrémité du village de **Pointe-Fortune,** où le barrage de Carillon barre l'Outaouais. Un bac traverse la rivière à l'endroit où le héros de l'histoire du Québec, Dollard des Ormeaux et ses compagnons ont, dit-on, trouvé la mort en défendant un fortin attaqué par «les sauvages». Une statue et un musée rappellent cet épisode.

## Le Sud-Ouest du Québec

De Montréal : à Sainte-Catherine, 29 km ; à Hemmingford, 141 km.

L'autre extrémité du Québec, vers l'ouest, c'est **Dundee** (à 65 km de Montréal) face à Fort-Covington, dans l'État de New York. On s'y rend en traversant la *réserve des bandes iroquoises de Caughnawaga.*

On traverse, à **Sainte-Catherine,** la voie maritime du Saint-Laurent. Il est bon de s'arrêter pour voir la manœuvre des écluses au passage des transatlantiques. Pour les amateurs de chemin de fer, il y a, à **Saint-Constant,** un *musée ferroviaire* ouvert seulement à la belle saison. On peut y voir 35 locomotives canadiennes, des wagons anciens, de vieux tramways, la reconstitution d'une gare rurale des belles années et dans un bâtiment des objets et documents rappelant les temps révolus de la locomotion à vapeur. Certains de ces véhicules roulent sur un mini-réseau. **Salaberry-de-Valleyfield,** construite sur une île, est célèbre pour ses régates.

Dans l'île Perrot, le *parc de la Pointe-du-Moulin* illustre bien la façon dont les Québécois savent mettre en valeur leur patrimoine. Autour de thèmes comme la laine, le lin, la veillée, les céréales, des animations sont organisées pendant l'été ; visite du seul moulin à vent du Québec encore en état de fonctionner.

Dans la même région, à **Hemmingford,** au sud-est, près de la frontière des États-Unis, est ouvert, de mai à octobre, le *parc Safari africain* que l'on parcourt dans sa voiture particulière ou en autobus. Cet établissement permet d'affirmer que l'on a vu en liberté au Canada des tigres, lions, éléphants, girafes, rhinocéros, singes et autres mammifères peu communs au nord du 45$^e$ parallèle.

## Iles dans le grand vent

Si vous recherchez un Québec insolite, prenez l'avion de *Québécair* de Montréal ou de Québec jusqu'aux **îles de la Madeleine,** à la sortie du golfe Saint-Laurent, c'est la seule partie de la province qui, échappant aux froids millénaires, n'a pas été recouverte d'une calotte de glace haute de milliers de mètres et sculptée profondément par son mouvement. Le relief des îles est fait de formes rondes et douces seulement travaillées par des alternances de gel et de dégel et le grand vent de l'Atlantique. Sur une ossature de basalte, le paysage terrestre est fait de masse de grès qui redevient lentement sable. Il élève sans cesse autour des îles des cordons de dunes qui les relient presques toutes.

Des douze îles, sept sont habitées, principalement par des descendants d'Acadiens. Les Madelinots vivent principalement de la pêche au homard, coquille Saint-Jacques, morue et, au printemps, de la chasse aux phoques. Ils ont un accent bien à eux, très chantant ; leur langage est orné de termes nautiques de la Vieille France. Affables, accueillants, ils aiment bien recevoir des visiteurs et leur font fête. L'été, on se baigne sur les longues et désertes plages de sable. On observe les oiseaux, on va en mer avec les pêcheurs, on visite les fumoirs de harengs, on va voir tourner l'éolienne géante d'Hydro-Québec, on se promène à vélo (location dans les îles). On vit la vie tranquille des îles, où chacun est cousin, se reçoit et aime jaser. On trouve dans les îles douze hôtels ou motels dont le *Bellevue* et *l'hôtel de la Jetée,* et des restaurants de fruits de mer. *A la Table des Rois,* à *la Saline,* à *la Couline,* essayez le pot-en-pot, la bouillabaisse madelinienne, le pannequet de l'archipel ou le phoque bourguignon ainsi que le homard. Quatre terrains de camping et des chambres en maisons privées.

A la mauvaise saison, on reste chez soi. La neige tombe en abondance, mais les rafales l'emportent au fur et à mesure. On attend le printemps tardif sur ces basses terres de Hurlevent.

Il est possible de se rendre aux îles par bateau de Montréal (*C. T. M. A.,* tél. : 514 527-8361) et en automobile en traversant la province du nouveau Brunswick et à Cap Tourmentine on embarque au traversier de *CN MARINE* pour Borden, île du Prince-Édouard (Rens. tél. : 1-800 565-9411). De là à Souris *(I. P. E.)* pour embarquer au traversier *Lucy Maud Montgomery* de la *C. T. M. A.* pour Cap-aux-Meules, îles de la Madelaine ; la traversée dure 5 heures. (*C.T. M. A.* Montréal).

## *Le Texas du Québec*

Le long de la frontière de l'Ontario, l'*Abitibi* et son jumeau géographique, le *Témiscamingue,* deux régions synonymes de grands espaces vierges. De la ville d'**Amos,** chef-lieu de l'Abitibi, une bonne route mène encore plus loin vers le nord à travers les forêts d'épinettes noires, de plus en plus rares et chétives. Bientôt, le sol n'est plus fait que de mousses à caribous, de rochers violets, de sables stériles. On atteint **Matagami** et la rive de la *baie James,* au sud de la baie d'Hudson. On est exactement à 1 415 km de Montréal par la route. Ici ne fait que commencer le vaste domaine de la baie James ; solitudes et richesses, image d'un nouveau Texas québécois.

Jour et nuit, on y remodèle la nature, on y détourne de puissants cours d'eau qui coulent dans trois bassins hydrographiques très nouvellement cartographiés. «Le projet du siècle» qui se réalise ainsi ne se limite pas à la production de kilowatts-heures. Les deux entreprises d'État chargées de l'exploitation hydroélectrique de cette région ne se préoccupent pas seulement des 70 milliards de kilowatts-heures qu'elle apportera dans 10 ans. Elles s'intéressent aussi au développement minier et au tourisme.

Les nouveaux plans d'eau, les rivières aménagées, les routes ont fait de la zone subarctique un passionnant domaine touristique, à une heure de jet de Montréal.

Les compagnies aériennes *Nordair* (tél. : 1-800 361-6735) et *Québécair* (tél. : 1-800 361-0200) desservent ce «Nouveau-Québec». Pour visiter les barrages, les centrales *LG-3, LG-4, La Grande 2,* adressez-vous à *Nortour Inc.* Montréal, tél. : (514) 875-7400 ; des forfaits de deux jours sont proposés.

Mais ce n'est pas encore le vrai Nord. On ne l'atteint que par l'avion qui vous dépose à **Fort-Chimo,** dans la vaste échancrure de la *baie d'Ungava.*

Les voyageurs qui se risquent aux abords du 60e parallèle sont des fonctionnaires des deux gouvernements, des missionnaires, des trappeurs professionnels, des prospecteurs, des chasseurs, des pêcheurs.

Peu de touristes visitent les stations nordiques sauf ceux qui veulent photographier des bœufs musqués, des esquimaux sculpteurs, ceux qui veulent voir chasser le phoque ou pêcher l'omble de l'Arctique.

Avant d'entreprendre un voyage au nord, il est recommandé de s'adresser aux organisateurs de tourisme d'aventure ou aux agences de voyages spécialisées dans le marché touristique de ces vastes régions éloignées et peu peuplées. Pour chasser l'outarde, l'oie, le canard, pour pêcher la truite grise ou mouchetée et le brochet, adressez-vous au *Service des pourvoiries et du tourisme Cri* à Val-d'Or, tél. : (819) 825-3402. Pour pratiquer un tourisme actif, randonnée en ski de fond, des descentes de rivière en canot, en radeau pneumatique, adressez-vous à *CEPAL,* Jonquière, tél. : (418) 547-4882, ou bien à *Nortour,* Montréal, tél. : (541) 875-7400.

# Du Québec vers l'Amérique

Le Québec est un bon tremplin à partir duquel on peut faire des sauts vers l'est ou l'ouest du Canada, vers les États-Unis et autres pays de la zone Nord américaine ainsi que le Mexique.

## Les moyens de transport

### A travers le Canada

Pour traverser le Canada, rien de plus facile : l'**avion.** Les deux compagnies nationales *Air-Canada* et les lignes aériennes du *Canadien Pacifique* offrent, quotidiennement, des liaisons aériennes rapides et relativement bon marché entre toutes les grandes villes du pays, complétés par les réseaux régionaux des compagnies indépendantes.

Visiter tout le Canada en **voiture** demande du temps. La *route transcanadienne* qui, d'une côte à l'autre, passe par les capitales et les grandes villes, représente un ruban de près de 5 000 km. On peut, pour les grandes distances, utiliser la formule *rail-route,* qui vous transporte ainsi que votre voiture, lors des longs trajets nocturnes.

S'ils sont plus pressés, les voyageurs prennent le **train.** La société *VIA Rail* (tél. à Montréal : 871-1331), assure parmi ses trajets la traversée quotidienne du Canada.

On a le choix entre la formule coach (voitures climatisées à couloir central, dont les fauteuils sont inclinables), superconfort, fauteuils du type avion en 1$^{re}$ classe, compartiments-couchettes isolés par des rideaux, chambre individuelle ou chambre à deux. Les trains transcontinentaux de l'Ouest comportent aussi des voitures panoramiques avec salon, bar et service de restauration.

Ainsi, tous les jours, partent de Montréal des trains directs pour Halifax et Vancouver.

Vers l'ouest, au départ à 16 h de la gare centrale on parvient à Toronto à 22 h 25 pour en repartir à minuit et rejoindre à 8 h le lendemain matin Sudbury. Une journée pour se rendre d'une station à l'autre dans cette région forestière et minière, puis on longe la côte nord du lac Supérieur pour parvenir à minuit à Thunder Bay et le lendemain matin à Winnipeg. Le train y fait une halte de 3 heures, ce qui permet une visite de cette cité située à la porte des prairies (à retenir *musée du Manitoba* et *Galerie des Arts*). Durant l'après-midi et la nuit, traversée de la province de Saskatchewan. Au matin du 4e jour, arrêt prolongé à Calgary où l'on peut admirer un gratte-ciel surmonté d'un restaurant rotatif. Le train s'engage alors dans les Rocheuses — vue magnifique, surtout de la voiture-observatoire accrochée à la fin du convoi. Au cours de la dernière nuit, descente de la vallée sauvage du fleuve Fraser, et à l'aube du 5e jour, on atteint le Pacifique. Prix du billet aller Montréal-Vancouver 221 $ (tarif automne 1984). Supplément pour siège superconfort 42 $, pour chambre «single» 186 $, pour chambre à deux 200 $ par personne. *Via Rail* propose à différentes catégories de voyageurs des passes forfaitaires pour des distances illimitées pour des durées de 8, 15, 22 ou 30 jours. Exemple, tarif d'été 1985, pour les 12-22 ans : un mois 325 $ pour tout le réseau. Une semaine pour le Corridor Québec à Windsor 85 $.

## A travers l'Amérique

Le touriste qui veut voir aussi les États-Unis choisira sans doute les chemins qui mènent à New York, Chicago, Washington, en Floride ou en Californie. Il faut se souvenir aussi que le Mexique n'est pas si loin et qu'une visite aux Antilles peut compléter un voyage en Amérique du Nord.

A travers l'Amérique pour les trajets moyens du touriste sans voiture ou qui ne veut pas en louer une, les gros autocars rapides sont ce qu'il y a de mieux. On peut acheter en Europe une «passe» qui permet de longs voyages en autocars.

De Montréal à New York, 5 départs par jour. Un peu plus de 8 heures de trajet par les autoroutes. Aller et retour : 110 $. Tél. : 842-2281. Par le train, par la *Sté Amtrack,* tél. : 866-9373. Départ 19 h 10 de la gare centrale, arrivée à celle de Pennsylvania à New York, via St-Albans et Hartford, à 7 h. Le train poursuit sa route vers Washington où il arrive à 11 h 12. Le train de jour, également quotidien, part à 10 h 25 de la gare Windsor et atteint Grand Central à New York par Plattsburgh et Albany. Prix du trajet 79 $ US. De Montréal, tous les jours de nombreux départs d'avions directs pour New York, Chicago, Washington, Boston, Pittsburgh, San Francisco, Miami et autres grandes villes, permettent d'atteindre très vite toutes les villes importantes des U.S.A. Montréal dessert aussi sans escale le Mexique et les principales îles des Antilles, dont la Martinique et la Guadeloupe.

## Visiter le Canada

Vers l'est, le touriste a le choix entre les quatre provinces dites maritimes.

**Le Nouveau-Brunswick :** c'est, après le Québec, la province qui compte le plus de Canadiens francophones. Sa capitale est **Frédéricton,** mais sa ville la plus importante est **Saint-Jean,** un des grands ports de la côte canadienne. Terres agricoles où pousse bien la pomme de terre. Forêts nombreuses et pêcheries. Son homard est célèbre. Le plus gros pêché dans ses eaux pesait 19 kg et mesurait près d'un mètre. Ces énormes crustacés se font rares, mais les pêcheurs font tous les étés d'amples moissons de homards moyens. *La baie de Fundy* a la particularité d'être l'endroit du monde où les marées ont la plus grande amplitude ; le flux formant un puissant mascaret envahit brusquement le golfe. A Saint-Jean, il remonte la *rivière Petitcodiac* dont le courant change ainsi de sens deux fois par 24 heures, spectacles fort goûtés par les touristes. A visiter Moncton, capitale des Acadiens, le long de la côte, le pays d'Antonine Maillet, et à Caraquet, le village acadien.

**La Nouvelle-Écosse :** l'ancienne Acadie, où se trouvaient les premiers postes français en Amérique du Nord, a pour capitale **Halifax,** dominée par sa citadelle ; c'est aussi son grand port. On extrait dans la province la houille grasse ; on cultive dans ses vallées des fruits, dont la pomme. A visiter particulièrement, l'*île de Cap Breton,* qui, en fait, est maintenant reliée au continent par une chaussée. On y a reconstruit complètement et meublé la *forteresse de Louisbourg,* bâtie par les Français et rasée par les Anglais au XVIII$^e$ s. La visite s'effectue sous la conduite de guides portant les costumes de la France coloniale de Louis XIV. Les jours de fête, les Néo-Scotiens d'origine écossaise portent volontiers le kilt.

**L'île du Prince-Édouard :** la plus petite et la moins peuplée des provinces canadiennes. C'est un véritable jardin potager, 80 % de son sol est voué à la petite agriculture. On y élève aussi des renards et des visons ; on pêche l'huître et le homard sur ses côtes. Les plages sont fort belles et jouissent d'une douceur marine qui permet de s'y baigner longuement en été.

**Terre-Neuve :** une grande île rocheuse, assez austère. Son centre montagneux est peu habité. Ses étés sont frais et humides ; le reste de l'année, brouillards, neiges et vents ne favorisent guère l'agriculture et le tourisme balnéaire. Terre-Neuve possède heureusement des richesses minérales, principalement du minerai de fer. L'industrie principale demeure la pêche sur les hauts fonds les plus poissonneux du monde ; la morue y pullule ainsi que le maquereau, le hareng et, sur les côtes, le phoque. L'île, en devenant canadienne en 1949, s'est fait attribuer une partie du Labrador québécois doté d'un riche potentiel minier et hydroélectrique. **Saint-Jean** ou Saint John's, sa capitale est un port important. C'est aussi la ville située le plus à l'est du Canada, à 5000 km de Nantes et sur le même parallèle.

**Saint-Pierre-et-Miquelon :** c'est un peu au sud de Terre-Neuve, un petit morceau de la France sur un caillou, tout ce qui lui reste de son empire nord-américain. 5000 Français vivent sur ce minuscule archipel, commerçants, pêcheurs et fonctionnaires. On atteint le port de **Saint-Pierre** par avion, ou par bateau au départ de Sydney (Nouvelle-Écosse) ou également par voie de mer du port terre-neuvien de Fortune. Le climat des îles est humide et brumeux. On y respire surtout un petit air provincial très français, à quoi s'ajoute le pittoresque apporté par les équipages des grands chalutiers de toute l'Europe qui viennent s'y ravitailler.

Du côté de l'ouest, on trouve vite **l'Ontario :** il commence après la ville de Hull, par la capitale de tout le Canada, **Ottawa,** ville neuve dessinée par des urbanistes, qui regorge de parcs et d'immeubles administratifs. Le plus pittoresque est le *Parlement* qu'on visite, ainsi que sa tour qui abrite un célèbre carillon. En été, les touristes ne manquent pas la relève de la garde en grand apparat, avec fanfare, sur les pelouses de «la Colline parlementaire». Au printemps, on va voir les millions de tulipes; les premiers oignons ont été offerts en reconnaissance par les Pays-Bas. A ne pas manquer : les musées d'État dont la *Galerie Nationale de peinture et sculpture.*

Sur les bords du Saint-Laurent on a créé, près de Cornwall, *Upper Canada Village.* Ses maisons proviennent en partie des sites submergés par la construction de la voie maritime. Elles constituent, au milieu d'un parc, un ensemble destiné à évoquer, avec des personnages en costume d'époque, la vie des pionniers d'autrefois, là où 800 soldats loyalistes et britanniques ont défait en 1813, une armée de plusieurs milliers d'Américains. Ce rappel n'empêche pas les touristes des États-Unis de venir nombreux visiter les lieux. Au centre d'une contrée très riche et fort industrialisée, **Toronto,** la capitale de la province, rivale traditionnelle de Montréal, s'étale superbement sur les rives d'un des grands lacs. La vie culturelle est très active à Toronto, musique, théâtre, ballets, expositions d'art. La ville possède depuis peu un nouvel édifice : une tour monolithique en béton haute de 536 m qui porte près de son sommet un restaurant tournant.

L'Ontario offre également aux touristes le *festival de Straford,* où évidemment Shakespeare est honoré tous les ans, et surtout les *chutes du Niagara* qu'il partage avec les États-Unis.

Pour tous détails sur le tourisme en Ontario, appelez au **Centre d'information,** à Toronto, tél. : (814) 965-4006.

**Le Manitoba :** on entre ici dans la Prairie qui s'étend sur 2000 km. Partout, la terre noire et grasse favorise la poussée du blé et d'un fourrage succulent dont se nourrissent bovins et chevaux. A cause du climat continental, la saison agricole est très courte. Au long de l'interminable hiver, les terres dor-ment sous la neige et sont très humides au printemps. Les cultivateurs, dotés d'immenses machines, n'ont qu'un mois pour labourer et trois pour récolter. Souvent l'été amène de dures périodes de sécheresse ou des invasions de sauterelles. Au nord de cette gigantesque terre agricole, les trois provinces centrales exploitent, dans la zone du bouclier précambrien, des richesses naturelles : minéraux, pétrole, sable bitumeux et forêts de résineux. **Winnipeg** est la capitale et la ville principale du *Manitoba.* Ses industries découlent de son agriculture : produits alimentaires à base de céréales, conserveries de viande. Sur l'autre rive de la *rivière Rouge,* **Saint-Boniface,** fief francophone. Il rappelle les excursions et fondations de Pierre Gauthier de la Vérendrye et le souvenir de Louis Riel, métis de langue française, jugé et pendu en 1885 par le pouvoir anglo-saxon pour s'être opposé, lors de la construction de la ligne ferroviaire, à la main-mise de spéculateurs sur les territoires qui appartenaient à sa collectivité.

**La Saskatchewan :** encore plus opulente que sa voisine orientale. Dans sa partie nord, on trouve des gisements qui recèlent 40 % de la richesse canadienne en uranium. Sa capitale est **Regina.** Saskatchewan, vous l'auriez deviné, est un mot indien ; il veut dire : «là, où les eaux grondent de colère». C'est le nom d'un puissant cours d'eau qui coule dans le nord de cet immense territoire peuplé seulement d'un million d'habitants.

**L'Alberta :** grand fournisseur de pétrole et de gaz naturel ; cette partie ouest de la Prairie vit aussi de blé. Là où elle se vallonne, aux approches des montagnes Rocheuses, la Prairie devient très herbeuse et favorable aux grands troupeaux de bêtes à cornes surveillés par des cavaliers. Certains abandonnent ce métier de gardiens de vaches pour adopter le titre plus prestigieux de «cow-boy» professionnel. On les retrouve dans les rodéos et particulièrement au *Stampede de Calgary,* concours annuel d'adresse qui, tous les ans en juillet, rassemble les meilleurs cavaliers du continent. C'est un spectacle à voir, complété par celui d'une ville de négociants de blé et de bétail qui se déchaînent pendant une semaine au son de la musique western. La semaine suivante, **Edmonton,** capitale située au nord de la province, reconstitue le «bon temps de la ruée vers l'Or». Au cours des *Klondyke Days,* une grande frairie anime les habitants, vêtus comme autrefois. Sur les versants des Rocheuses, se trouvent les stations touristiques d'altitude : **Banff, Jasper,** le **lac Louise.** A partir de novembre, on s'y rend pour le ski alpin, dans des paysages éblouissants de beauté. L'été, on y fait de belles excursions.

**La Colombie britannique** (certains préfèrent dire Colombie canadienne) commence à la ligne de crête des montagnes qui la séparent du reste du Canada. Des fleuves mugissants qui dévalent dans les gorges s'étalent ensuite dans des vallées fertiles, adoucies par l'Océan qu'un courant venu du grand sud réchauffe ainsi que des vents tièdes venant de l'ouest.

# Index

Sur l'île Sainte Hélène : la Ronde

**Le Vert Galant,** 1425, rue Crescent (tél. 844-4155).

Dans le genre grec :
**Le Symposium,** 5334, av. du Parc (tél. 274-7022).

Dans le genre asiatique :
Nombreux restaurants chinois dans le secteur rues de la Gauchetière et Saint-Laurent. D'autres, dans le centre ville, nouvellement ouverts, proposent la cuisine du Szechuan. Exemple :
**Le Piment Rouge,** 1237, rue Metcalfe (tél. 866-7816).

On trouve aussi nombre de restaurants vietnamiens ou japonnais comme **le Katsura,** 2170, rue de la Montagne (tél. 849-1172).

Dans le genre restaurant de grands hôtels :
**Le Beaver Club** (hôtel Reine Élisabeth), 900 Ouest, bd Dorchester (tél. 861-3511).
**Le Restaurant de France** (hôtel Méridien), au complexe Desjardins (tél. 285-1450).
**Le Point de Vue** (centre Sheraton ; tél. 878-2000).
**Le Hugo** (hôtel Régence Hyatt), surtout apprécié parce que c'est un restaurant haut perché et pivotant (tél. 879-1370).
**Le Café de Paris** (hôtel Ritz-Carlton ; tél. 842-4212).

Dans le genre delicatessen, steak et smokesmeat :
**Moishe's,** 3961, rue Saint-Laurent (tél. 845-3509).
**Ben's,** 990, bd de Maisonneuve-Ouest, spécialités d'Europe centrale.
**Schwartz,** 3895, rue Saint-Laurent (tél. 842-4813).

Dans le genre fruits de mer :
**Chez Delmo,** 211 Ouest, rue Notre-Dame (tél. 849-4061).
**Chez Pauzé,** 1657 Ouest, rue Sainte-Catherine (tél. 932-3511).
**Le Chalutier,** 395, rue Lemoyne (tél. 845-1607).
**La Marée,** pl. Jacques-Cartier (tél. 861-9794).

Dans le genre québécois :
**Les Filles du Roy,** 415 Est, rue Bonsecours (tél. 849-3535).
Dans une demeure du XVIIe s., feu de bois, costumes époque du Roi Soleil, brunch dominical.
**Le Vieux Saint-Gabriel,** 426, rue Saint-Gabriel (tél. 878-3561).
**Au Quinquet,** 534 Ouest, bd St-Joseph (tél. 272-4211).

Dans le genre haut situé :
**L'Escapade,** tout en haut du Château-Champlain.
**Altitude 737,** au sommet de la pl. Ville-Marie.
(Ces deux restaurants, qui offrent une vue sur la ville, agrémentent aussi le souper de musique ; on peut y danser devant les merveilleux buffets).

Autre restaurant avec attractions : **le « Caf'Conç »** du **Château-Champlain,** spectacles de « la Belle Époque ».

Ces établissements et ceux du même genre servent aussi d'excellentes grillades sur planche de bois.

Dans le genre italien authentique :
**Chez Magnani,** 9245, rue Lajeunesse (tél. 387-6438).

**El Carretto** (sicilien), 2204 Ouest, rue Sainte-Catherine (tél. 933-6663).

Dans le genre nouvelle cuisine :
**La Dubelloire,** 4287, rue Saint-Denis (tél. 845-3437).

En dehors de la ville (bonnes tables) :
**La Sapinière,** Val-David (tél. 819) 322-2020.
**La Saulaie,** 1161, bd Marie-Victorin, à Boucherville (tél. 655-0434). Dans un parc de la rive sud. Excellente table. Très bon service (fermé le dimanche).
**Au tournant de la Rivière,** Carignan (tél. 658-7372).
**Les Trois Tilleuls,** à Saint-Marc-sur-le-Richelieu (tél. 584-2231).

Essayez aussi, au moins une fois, le restaurant classiquement canadien ou «petit-restaurant-du-coin» (il n'a généralement pas le droit de servir alcools, vins et bière mais l'on y apporte sa bouteille). Essayez par curiosité un «curb-service», si vous aimez manger dans votre auto.

## Les musées

(Ouverts de 10 h à 17 h, généralement fermés le lundi.)
**Musée d'Art contemporain,** cité du Havre : présentation permanente de peintres et sculpteurs québécois et internationaux. Entrée libre.
**Musée des Beaux-Arts,** 1379 Ouest, rue Sherbrooke : collections diverses, peinture canadienne et arts classiques (entrée libre).
**Musées McCord,** 690 Ouest, rue Sherbrooke : collections scientifiques de l'Université McGill : arts indiens et esquimaux. Histoire et préhistoire du Canada (entrée libre).
**Château de Ramezay,** 290 Est, rue Notre-Dame : musée historique, arts et traditions du Canada français.
**Musée Militaire et Maritime de Montréal,** vieux fort de l'île Sainte-Hélène : collections d'histoire (ouvert sur rendez-vous ; tél. 861-6738).
**Musée historique canadien,** 3175, chemin de la Reine-Marie : musée de cire.
**Musée de la Banque de Montréal,** pl. d'Armes : reconstitution d'une vieille banque, monnaies (entrée libre).
**Musée Marguerite-Bourgeoys,** église Notre-Dame-du-Bonsecours, 400 Est, rue Saint-Paul : vie de la fondatrice de la Congrégation enseignante de Notre-Dame (entrée libre).
**Centre Marguerite d'Youville,** 1185, rue Saint-Matthieu : trésor de la Congrégation des Sœurs grises et vie de leur fondatrice, Marguerite d'Youville (entrée libre).
**Musée d'Art byzantin,** 10025, rue de l'Acadie.
**Château Dufresne,** 4040 Est, rue Sherbrooke (tél. 284.0724) : musée des arts décoratifs.
**Musée Marc-Aurèle Fortin,** paysagiste québécois (1880-1970), 118, rue Saint-Pierre.

En dehors de Montréal :

**La Ferme Saint-Gabriel,** 2146, rue Favard, Pointe-Saint-Charles : souvenirs historiques des « Filles du roy » 1668 ; (entrée libre).

**Musée Lachine,** 110, chemin Lasalle (histoire locale et chemins de fer).

**Musée historique de Vaudreuil,** 431, bd Roche, Vaudreuil : œuvres d'art, antiquités, instruments aratoires anciens.

**Musée historique Charles-Lemoyne,** 4 Est, rue Saint-Charles, Longueuil : histoire de la ville, du château et de la famille Lemoyne, armes à feu anciennes.

**Musée Kateri-Tekakwitha,** église de Caughnawaga : histoire des Amérindiens et de la sainte indienne.

**Musée ferroviaire canadien,** 122R, rue Saint-Pierre, à Saint-Constant : plus de cent locomotives, wagons et anciens tramways (ouvert seulement de mai à fin octobre). Entrée : adultes 3 $, enfants 1,50 $.

## Les sports à Montréal

Si vous voulez assister à une partie de *base-ball :* le club des Expos rencontre ses rivaux de la ligue américaine certains soirs d'été au stade olympique.

Les matches de *tennis International Player's* se jouent au parc Jarry (métro Jarry).

En hiver, ne manquez pas une partie de *hockey,* lorsque le club local, les « Canadiens » (encore appelés les Bleu-Blanc-Rouge ou les Habitants) sont, au *Forum,* 2313 Ouest, rue Sainte-Catherine (métro Atwater), opposés à une autre équipe de la Ligue nationale. Il est difficile d'avoir des billets, à cause du grand nombre d'abonnés ; qui n'a pas un ami bien placé pour lui en offrir, fera la queue au guichet ou devra passer par le marché noir.

Le *Grand Prix automobile du Canada* (formule I et Atlantique) se déroule au début de juin sur le circuit Gilles-Villeneuve de l'île Notre-Dame.

A l'automne, il faut voir une partie de *football* (américain) au stade olympique où jouent « les Alouettes » de Montréal.

Les amateurs de *sport hippique* fréquentent, dans l'ouest, *l'hippodrome Blue Bonnets.* Des installations confortables permettent aux parieurs de souper tout en voyant les courses : le plus souvent du trot attelé, appelé ici « courses sous harnais ».

Pour les billets de sport ou de théâtre, c'est toujours du spectacle, adressez-vous à *Ticketron* (tél. 288-3651) qui a des comptoirs aux grands magasins Eaton et La Baie (métro McGill).

## Les théâtres et les cinémas

Dans la gamme des plaisirs : le *théâtre* dans les salles du **Rideau-Vert, Denise-Pelletier, Théâtre du Nouveau-Monde, Théâtre de Quat'Sous, des Variétés** (vaudeville local) et les salles de la place des Arts : **Maisonneuve, Port-Royal** et **Wilfrid-Pelletier.** Ainsi que de nombreux cafés-théâtres. A la belle saison, tout autour de la ville, des troupes vont jouer dans les théâtres d'été (pour tout cela, voir les pages spectacles des quotidiens). Le répertoire : les classiques revus et corrigés par les adaptateurs, metteurs en scène et comédiens du Québec. Très intéressant à voir : les adaptations de pièces étrangères contemporaines. Et surtout : les jeux nouveaux de la scénographie locale, brisant avec toutes les traditions et interprétés, sans aucun complexe, dans la plus rude langue de l'homme de la rue. Parfois de bons *concerts,* de la *danse* très peu conformiste.

Côté *cinéma,* une tendance : les grandes salles très ornées d'autrefois se subdivisent en petits locaux intimes. Les distributeurs y présentent les productions à la mode, prêts à modifier la programmation dès que baissent les entrées.

Les cinéphiles venant d'Europe doivent savoir qu'à Montréal ils verront, six mois à l'avance sur Paris, les productions américaines en version originale. Ils verront aussi, six mois en retard, les versions doublées en français de ces films, ainsi que les longs métrages européens.

Quelques salles qui essayent d'échapper aux circuits strictement commerciaux :

**L'Élysée** (salle Eisenstein et salle Resnais), 35, rue Milton.
**L'Outremont,** 1248 Ouest, rue Bernard.
**Parallèle,** 3682, rue Saint-Laurent.
**Le Séville,** 2155 ouest, rue Sainte-Catherine.
**Le Ouimetoscope,** 1240 Est, rue Sainte-Catherine
**Le Conservatoire d'art cinématographique** (Université Concordia), 1455, bd de Maisonneuve.

**La Cinémathèque québécoise,** 335 Est, bd de Maisonneuve.

En été, pour changer un peu, on peut essayer, à la sortie de la ville, les cinémas-parkings : sur l'écran de vieux bons films classés «pour tous». L'action, souvent, a pour cadre l'intérieur des autos.

## Banque, change

**B. N. P.,** Tour B. N. P., 1981, av. McGill Collège, tél. 285.6000.

## Montréal by night

D'un semestre à l'autre, la cote des boîtes de nuit varie à un tel point qu'il est difficile de suggérer d'utiles adresses. A noter toutefois :

**Le Beat,** 968 ouest, rue Sainte-Catherine.

**Café-Campus** (boîte d'étudiants autogérée), 3535, ch. Reine-Marie.

**Le Soleil Levant** (jazz), 286 ouest, rue Sainte-Catherine.

**L'Air du Temps,** 191, rue Saint-Paul Ouest.

**Le Club Soda,** 5240, av. du Parc (monologuistes comiques style libre).

Tout cela ressemble à ce qu'on peut voir un peu partout ailleurs.

Ce qui est typiquement montréalais devrait attirer les grands ducs en quête de divertissements nocturnes très folkloriques : **les clubs de nuit.**

On y va habillé comme on veut, seul ou en famille. On y trouve des gens de tous âges — de l'étudiant au rentier —, de toutes professions — du docker à l'homme d'affaires. On boit de la bière en bouteille ou du scotch. L'entrée, gratuite ou très bon marché, ne dépasse pas un dollar. Il faut donner un pourboire de 50 cents à un dollar au « maître d'hôtel » qui vous installe à une table ; on la partage parfois avec d'autres clients. Sur une petite scène, une formation musicale réduite, une chanteuse à voix ou un ténor qui sussurent de vieux succès américains ou français. Pendant les tours de chant le public bavarde, écoute d'une oreille distraite, au moins pour savoir quand est venu le moment d'applaudir mollement. Lorsque les artistes ont terminé, le « maître de cérémonie » annonce « la danse ». Des couples quittent les tables pour s'agiter au son de la musique. Et le spectacle reprend.

Dans d'autres établissements, l'ambiance est un peu plus corsée. La bière et les spiritueux sont servis par de jeunes femmes sélectionnées ; elles n'ont pour costume qu'une paire de souliers à talons hauts et une petite culotte. Pas d'orchestre, mais des haut-parleurs qui diffusent des décibels de musique enregistrée très rythmée. Sur la scène se succèdent des strip-teaseuses qui se déshabillent totalement sans trop s'attacher à une idée de suspense érotique. Un lit, une chaise, une peau d'ours servent parfois d'accessoires. Elles y miment en cadence les douces angoisses du plaisir et les ardeurs de l'incandescence, sous le feu de projecteurs mauves ou orange. Leur numéro terminé, elles quittent abruptement la scène, emportant leurs vêtements dans un petit seau de plastique, telle une bonne ménagère qui va suspendre son linge dans son jardin. Entre ces séries d'effeuillages, les serveuses aux seins libres lâchent pour un instant leur plateau, vont faire un petit solo de danse sur la piste, reviennent à leur service, espérant sans doute que leur performance finira par les classer dans les rangs des professionnelles du strip-tease. Un ou deux quotidiens de Montréal se spécialisent dans ces annonces de spectacles qui vantent les charmes des vedettes du nu progressif et de leur entourage de serveuses « topless ».

Pour les soupeurs épris d'histoire, il existe des *repas d'ambiance.* Au **vieux fort de l'île Sainte-Hélène,** on sert «le Festin du gouverneur» à la mode de 1681, en compagnie du *sieur de Frontenac,* entouré de sa cour. La soirée, pour une somme de 30 $, comprend l'apéritif, le souper, les vins et un spectacle de deux heures. Réservations : tél : 879-1141.

## Vos promenades dans Montréal

### L'Est et l'Ouest

Le survol nocturne de la ville est inoubliable : l'éclairage des rues en damiers, les grands pans de velours sombre des parcs et surtout du mont Royal, les projecteurs des constructions géantes illuminées, les rubans de lumière des autoroutes, les reflets dans les eaux. Tout cela, c'est à la fois Montréal et ce n'est pas Montréal. L'agglomération tout entière, c'est plus de deux millions et demi d'habitants, le tiers de la population du Québec. Mais la ville est en fait composée de municipalités autonomes, la plupart réunies dans une fédération des cités libres : la communauté urbaine de Montréal. Montréal n'est que la principale (1 075 100 habitants).

Comme Londres a ses «boroughs» incrustés dans son tissu urbain, Montréal recèle des municipalités autonomes incluses ; leurs rues échappent au système général de numérotation et portent souvent des noms que l'on retrouve ailleurs dans l'île. Ainsi en est-il notamment à *Westmount* et *Outremont,* bâties sur les pentes du mont Royal.

Dans ces parties de la ville, on remarquera que le massif montagneux peut compliquer la vie des automobilistes. La traversée nord-sud oblige à passer par de mini cols, le long de voies toutes en courbes et abruptes, hostiles les jours de verglas, de blizzard ou de brouillard. En revanche, *la Montagne,* ses pans de roches cristallines, ses boisés, donnent un heureux cachet à la ville et réservent en son cœur une zone verte et calme, peuplée d'oiseaux, d'écureuils et de faisans ; le promeneur penché aux balustrades des terrasses peut admirer d'un côté la ville et ses gratte-ciel, au loin le fleuve et à l'horizon, quand il fait beau, les monts Appalaches au-delà de la frontière américaine. Côté nord, il voit la ville résidentielle et, dans les lointains, la chaîne des Laurentides. A l'est, les districts commerciaux et ouvriers, les cheminées des usines et les torchères des raffineries. L'ouest se réserve, cachées dans la verdure, les villas dont la valeur est proportionnelle à l'altitude et à la solitude.

Il est difficile de se perdre à Montréal : par convention, toutes les voies perpendiculaires aux cours d'eau qui se rejoignent aux deux pointes de l'île sont réputées Nord-Sud, les autres sont Est-Ouest, même si parfois elles s'écartent de ces directions cardinales.

L'édifice cruciforme de la place Ville-Marie

La numérotation des rues Nord-Sud part du fleuve Saint-Laurent; celles Est-Ouest de la rue Saint-Laurent, axe imaginaire de la ville. Les plaques des rues indiquent par les lettres E et O (ou W) ces deux points; il faut aussi les préciser quand on donne une adresse. Ne l'oubliez pas : entre le 9000 Est et le 9000 Ouest de la rue Notre-Dame, il y a près de 20 km. Le système veut aussi que toutes les maisons soient numérotées de façon que les grandes tranches de mille en mille coïncident avec d'importantes intersections. Cela facilite les repérages. Pour arriver à ce résultat, les numéros sautent parfois quelques dizaines. On s'y fait.

## Une ville cosmopolite

La rue Saint-Laurent n'a pas seulement un rôle d'ordonnée édilitaire. C'est aussi, entre deux mondes, une frontière qui tend à être moins absolue; vers l'est, la partie habitée par les francophones. Issus du milieu rural québécois, ils se sont depuis longtemps installés dans ces quartiers, près des ateliers ou usines qui leur donnaient du travail. C'était la zone des revenus modestes et des familles nombreuses. A l'ouest, au contraire, on rencontrait les anglophones aux caractéristiques inverses. Cela est un peu moins vrai. Ce qui demeure : entre les deux secteurs se situe encore le domaine des nouveaux arrivés non encore intégrés qui conservent en partie leurs façons de vivre et créent, à la faveur des vagues d'immigrations, de petites Europe, Afrique et même Asie.

Selon les spécialistes, Montréal sera, à la fin de ce siècle, avec Toronto et Vancouver, une des trois mégapoles du Canada. Elle groupera plus de 5 millions d'habitants dont la moitié seulement sera francophone. Pour l'instant, 64 % de la population se réclame de la langue française et 22 % de la langue anglaise; beaucoup en fait sont bilingues. Les Montréalais d'origine italienne, 6,5 %, forment la plus importante minorité ethnique. Des immigrants récemment installés, venant du Vietnam, du Cambodge, d'Haïti, des Antilles anglophones, modifient la physionomie de la ville. Une partie de l'ambiance de la ville vient de la juxtaposition de nombreuses cultures, marquées par l'origine latine du groupe principal et par sa qualité de québécois. Si Montréal n'est pas exactement, comme on le répète, la deuxième ville française du monde, on ne lui nie guère son titre de capitale mondiale de l'aviation. Ici est née l'Organisation de l'Aviation Civile Internationale, agence des Nations-Unies, qui y a son siège avec l'Association du Transport Aérien International et la maison-mère d'Air Canada, rôle grandi par la présence de deux grands aéroports : Mirabel et Dorval.

Le bon marcheur entreprendra de visiter la ville à pied; les autres prendront le métro et l'autobus.

A éviter, l'automobile. Les embouteillages sont rares à Montréal, mais les points de stationnement sont introuvables. Seuls, quelques parcs gérés par la Ville sont abordables, mais toujours bondés. Les parcmètres municipaux se multiplient, acceptant les pièces de monnaie ou jetons offerts par certains commerçants. Attention, les préposés en tenue verte sont impitoyables lorsque le voyant rouge indique « Violation ». Les parkings privés sont scandaleusement chers ; leurs rapaces propriétaires exigent d'être payés d'avance et se disent totalement irresponsables de ce qui peut arriver à votre voiture. Quant à la police, face au stationnement illicite dans la rue, elle dépose sur les parebrise des avis de contravention de l'ordre de 15 à 30 $.

## La ville de demain

Le milieu le plus vivant, le plus raffiné, se limite à un périmètre enclos entre les rues **Université, Sherbrooke, Guy** et le boulevard **Dorchester.** Le boulevard de **Maisonneuve** et ses nouveaux gratte-ciel aux parois de verre ajoutent à l'éclat de ce « mille carré doré ». Pour explorer cette zone, départ de la *place Ville-Marie.* Un coup d'œil sur ce haut gratte-ciel, l'envie peut-être de prendre un de ses ascenseurs vers le sommet, le café-restaurant du 53ᵉ étage « Altitude 737 » (737 indique le nombre de pieds entre le sol et le faîte, soit 224 m). Dans l'autre sens, c'est la tentation des sous-sols et leurs suites de boutiques. Vers le nord, s'étend la *rue Sherbrooke.* Elle a 20 km de long. En la suivant loin vers l'est, on arrive aux installations olympiques ; vers l'ouest, à des banlieues huppées.

Point de repère dans la partie centrale de la rue Sherbrooke, entourée de pelouses, de grands arbres et de bâtiments anciens et très modernes, la vénérable **université McGill,** important établissement anglophone d'éducation supérieure, riche de bibliothèques et de musées, grâce à de généreuses fondations.

Un peu plus loin vers la rue Atwater, on trouve le nouveau **musée des Beaux-Arts.** Récemment agrandi, il possède 34 salles (tableaux, objets d'art, ethnographie, gravures). Il est complété par un jardin de sculptures et un restaurant.

Toujours dans cette partie centrale de la rue Sherbrooke, des galeries de peinture, boutiques de couturiers, antiquaires, joailliers de renom et le célèbre *hôtel Ritz-Carlton.* Sa parallèle au sud, c'est *la rue Maisonneuve ;* réaménagée depuis peu, elle se garnit, autour d'un des « campus » de l'**université Concordia,** de restaurants et cafés-terrasses.

## La « Catherine »

Un peu plus au sud encore, la *rue Sainte-Catherine,* la « Catherine » des vieux Montréalais, traditionnellement commerciale, un peu les Grands Boulevards de Paris ; magasins, cinémas, théâtres, boîtes de nuit, bars et tavernes, petits commerces, librairies. On y trouve des choses précieuses et de la pacotille, des tables médiocres et bon marché, des res-

taurants amusants. Aussi, quatre grands magasins très courus : **O'Gilvy, la Baie, Eaton** et **Simpson.** Des bouches
de métro donnent directement accès vers ces deux derniers magasins.

Autour de l'intersection Sainte-Catherine et Peel se trouvent
les bureaux-magasins des grandes compagnies aériennes.

Vers l'ouest, voici le **Forum,** temple du sport, La Mecque des
amateurs de hockey ; ce palais sportif devient, à l'occasion,
salle de concerts symphoniques, discothèque géante, haut
lieu du catch, patinoire pour Ice-Follies, grand cirque, sanctuaire du jazz et des groupes pop, salle de conférence pour
solistes de la parole, lieu de culte, tribune politique. Sa haute
verrière répercute les cris passionnés des foules. En face, le
**centre d'achats** géant **Alexis Nihon** relié par couloir souter-
rain au centre d'achats de Westmount Square. En direction
de l'ouest, commence une autre ville, Westmount.

Une centaine de mètres plus au sud court parallèlement la
*rue Dorchester.* Dans l'axe de l'université McGill, on trouve de
grands ensembles : la place Ville-Marie, sa tour cruciforme et
ses immeubles, l'*hôtel Reine Élisabeth,* construit au-dessus
de la gare centrale, d'autres séries de gratte-ciel dont celui
de la C.I.L., celui de la Banque Impériale de Commerce, terminé par un observatoire vitré d'où l'on a une vue étonnante
de la ville, surtout la nuit.

Face au *carré Dominion* (le mot square est considéré comme
un fâcheux anglicisme), petite place verte agrémentée de statues et de pigeons, se trouve l'*hôtel Windsor,* aujourd'hui
fermé, vénérable et confortable établissement qui a reçu longtemps les têtes couronnées et les grands de ce monde. On
l'a amputé, en partie, pour construire le haut bâtiment de la
Banque Impériale. Au sud, près de la gare Windsor, d'architecture très victorienne, un autre hôtel, le moderne *Château-
Champlain,* remarquable par son unité architecturale et ses
baies semi-circulaires qui lui ont valu le qualificatif de «râpe
à fromage».

Toujours sur la partie centrale du boulevard Dorchester, la
**basilique Marie-du-Monde** dont l'intérieur est richement orné.
Ses concepteurs ont voulu en faire une réplique réduite de
Saint-Pierre de Rome. De leur pieuse intention est résulté un
modeste pastiche, à présent écrasé par de hauts buildings.
La plaisanterie classique consiste à présenter celui de la
«Sun Life» comme le presbytère de la basilique...

Autre construction religieuse, au coin de la rue Guy, la maison-mère des Sœurs grises au milieu de ses jardins tranquilles, décrétée monument historique pour être mise à l'abri des
convoitises des promoteurs immobiliers.

Au cœur de ce quartier central et très vivant, une zone encore
plus animée ; pour le touriste, c'est le **quadrilatère enchanté.**
Il va du boulevard Dorchester à la rue Sherbrooke et comprend toutes les rues perpendiculaires : *Mackay, Bishop,*

Une des entrées des boutiques souterraines

*Crescent, la Montagne, Drummond, Stanley et Peel.* Elles sont bordées de restaurants, petits cafés, boîtes de nuit, boutiques garnies d'objets insolites, ateliers d'artisanat de luxe, antiquaires. Le jour, ces rues sont très passantes. Le soir et la nuit, la vie y est intense. C'est le grand rendez-vous de la jeunesse, des gens en quête de détente, des flâneurs.

### Le Montréal souterrain

Il existe un autre lieu extrêmement vivant et très typique du nouveau Montréal : les luxueux sous-sols qui rayonnent autour des *galeries de la place Ville-Marie* et *de la place Bonaventure.* Longtemps, à l'endroit où se trouve cette place, on voyait, à travers de tristes grilles, une énorme tranchée au fond de laquelle circulaient des trains à vapeur. En quatre ans fut construit, au-dessus de cet espace hideux, la **place Ville-Marie,** complexe d'édifices modernes et, dans ses sous-sols, le cœur du nouveau Montréal à ciel fermé, réservé aux piétons. Il s'agit de galeries marchandes climatisées, inondées de lumières artificielles, reliées à celles des gratte-ciel du quartier et aux couloirs du métro. On compte actuellement dans cette ville souterraine, aimable aux badauds, 1000 boutiques, 130 restaurants, 25 salles de cinéma et de spectacles, deux gares de chemin de fer, la gare des autocars interurbains, 8 grands hôtels, une université, trois grands magasins, plus de 11 000 places de stationnement pour autos, 10 stations de métro et le tout nouveau **Palais des Congrès,** pouvant recevoir 10 000 délégués.

Ces galeries qui forment déjà un réseau piéton de 12 km seront dans l'avenir connectées, formant sous la ville une autre ville ne connaissant ni le froid de l'hiver, ni la canicule estivale.

Les éléments de ce réseau piéton se trouvent, outre le complexe *Ville-Marie-Bonaventure, gare Windsor,* sous la *place de la Bourse,* sous les grands magasins *Eaton* et *la Baie,* sous l'*hôtel Mont-Royal,* relient la *place des Arts* au *Palais des Congrès* via le *complexe Desjardins* et l'ensemble de bureaux gouvernementaux *Guy-Favreau* et sous le *Palais du Commerce.*

## Le vieux Montréal

La musardise montréalaise se plaît aussi *place Jacques-Cartier,* dans le vieux Montréal, appelé tout court « le Vieux ». Tout y incite à la flânerie : modeste esplanade plantée d'arbres, garnie de bancs publics, bordée de cafés à terrasses, peuplée de fleuristes ambulants, de gratteurs de guitare, de cochers de fiacres, c'est le lieu de la rencontre ; le vieux palais de justice, l'hôtel de ville dominent ce mail tranquille. D'affreux hangars ont été démolis qui donnent enfin une vue sur le fleuve.

On trouve le *vieux Montréal* entre les rues Berri et McGill, entre la rue Saint-Antoine et le port. Ce rectangle est desservi par les stations de *métro Champ-de-Mars, Place-d'Armes* et *Victoria.* Quelques pas vers le sud et l'on baigne dans le passé de Montréal. Tout près, **le château de Ramezay,** vieux manoir du régime français transformé en touchant musée historique et la **chapelle Notre-Dame-de-Bon-Secours,** lieu de prière le plus ancien de la ville. A voir aussi, l'ex-maison de la Sauvegarde, où s'est installé un célèbre marchand de cigares ; un peu plus loin, accolée au vieux séminaire de Saint-Sulpice, l'**église Notre-Dame,** qui telle sa sœur de Paris a deux tours en H, mais aussi une immense nef dont l'intérieur marbré, sculpté, peint, doré, vitré de mille couleurs, illuminé avec soin, offre à l'œil un étonnant spectacle. L'oreille y trouve son compte lorsqu'un maître de la console touche les merveilleuses orgues. Également lorsque le carillon de la **tour de la Tempérance** se met en branle. De célèbres orateurs sacrés viennent ici prêcher le carême. Dans l'assistance des fidèles, les touristes se mêlent aux petites gens du quartier, aux employés de bureau. La *place d'Armes* face à l'église est le centre de l'activité financière. Dans de grandes tours d'acier, de verre et de béton, dans de hauts édifices désuets dotés de colonnes et de portiques grecs, sont installés les sièges sociaux des banques, des compagnies d'assurances, des sociétés de navigation, les bureaux des entreprises d'importation, des notaires, des avocats — à cause de la proximité du palais de justice. C'est aussi le quartier des journaux, des douanes, des administrations publiques. Le commerce de détail, longtemps florissant dans ces parages, est représenté par d'innombrables boutiques parmi lesquelles antiquaires et fripiers. Pour nourrir et abreuver hommes d'affaires, fonctionnaires et employés, on trouve là des restaurants bon marché et des tavernes.

## L'antique carré

Grouillant de vie le jour, ce secteur, le soir et en fin de semaine, tout comme la City de Londres ou le Wall Street new-yorkais, est silencieux et désert. Il borde heureusement le vieux Montréal si vivant précisément le soir et les samedi et dimanche. Il faut savoir se promener à pied dans ses vieilles rues, pavées à l'ancienne, éclairées de réverbères et en partie fermées à la circulation automobile. Des restaurants récents, mais à décor vieux Québec, offrent, servis par des serveurs et des serveuses en costume d'autrefois, les mets traditionnels. Ainsi au **« Vieux Saint-Gabriel »**, où l'on a reconstitué dans les caves un ancien poste de traite, dans les greniers un bistrot de port, ailleurs de grandes salles à manger illuminées par des lustres et des feux de bois et, au hasard d'escaliers et de couloirs, des cabinets particuliers, des bars surannés. Dans ces lieux, on propose de solides menus. Sous les voûtes du sous-sol, on boit le caribou, la « Marie-sanglante », le petit blanc, le vin de gadelle et la bière d'épinette.

Autour des cafés et des restaurants, se pressent des boutiques d'artisanat, de vieux mobiliers, d'antiques maisons longtemps transformées en entrepôts, que l'administration municipale aide à restaurer afin de rendre à ce quartier son charme et son entrain d'autrefois.

Au sud de cette zone, près des quais, aux environs de la petite place Royale, ont débarqué pour y fonder la ville le sieur de Maisonneuve et ses compagnons. C'était en mai 1642. Longtemps, Montréal a tenu tout entière dans ce quadrilatère fermé par le fleuve.

Le *port de Montréal,* situé à 1,600 km de l'océan Atlantique, est la porte d'entrée de l'arrière-pays qui comprend le centre et l'ouest du Canada ainsi que le midwest américain. Du printemps à l'automne, une flotte opère la navette entre Montréal et les ports des grands lacs. L'ensemble des installations est impressionnant avec ses 109 postes à quai, 28 hangars de transit, 3 élévateurs à céréale, 6 terminaux à conteneurs, une tête de ligne ferroviaire et son chantier naval de réparation. De la mi-avril à la fin novembre, une gare maritime dessert les différentes compagnies qui ont un service transatlantique de transport des passagers. L'hiver n'est plus un problème. Les cargos sont dotés de coques d'acier renforcé. Pour les autres, des brise-glace font et refont des chenaux. Mais ce domaine, fermé par des grilles que franchissent seulement, surveillés par la police spéciale, les débardeurs, est interdit au simple piéton.

Pour le voir, il faut prendre place, au pied de la rue McGill, à bord du *navire d'excursion* qui, en 2 h, longe le front de mer jusqu'à l'entrée de la voie maritime du Saint-Laurent, conduit autour de l'**île Sainte-Hélène,** foyer de Terre des Hommes.

Autres bons moyens : se promener dans cette île. Au coucher du soleil et la nuit, Montréal, ses gratte-ciel et son fond de collines y apparaissent transfigurés. Enfin au sud de la place Jacques-Cartier, des silos démolis ont ouvert une fenêtre sur le fleuve. C'est le Vieux-Port de Montréal, ouvert de juin à septembre. On y donne des concerts et des spectacles. Métro Champ-de-Mars et Place-d'Armes. Rens. tél. 283-5256.

## La rue Saint-Denis et autres nouvelles artères

Autre pôle de la vie montréalaise, le *secteur Berri-Demontigny.* C'est le nom d'une station de métro où se croisent les deux lignes importantes. A l'ouest, sur la rue Sainte-Catherine, la **place des Arts,** grand et moderne centre de spectacles, un des plus beaux d'Amérique du Nord ; il comporte la salle Wilfrid-Pelletier, concerts symphoniques et spectacles internationaux de variétés — et deux salles de théâtre et de musique. En tout 5 000 sièges.

A l'est, la **place Dupuis,** grand édifice à bureaux ; tout près la gare routière et le campus de l'**Université du Québec** à Montréal.

Au sud de la place des Arts et reliée à elle par une galerie souterraine, le **complexe Desjardins.** Il se compose, autour de quatre tours massives et inégales, d'un mail géant et couvert entouré sur plusieurs étages de vastes galeries marchandes — on les appelle curieusement des «basilaires». Elles donnent sur un espace où une équipe d'animation organise des spectacles, des concerts, des expositions. Là, *Radio-Canada* enregistre quotidiennement des émissions de variétés. Le complexe attire 30 000 personnes par jour qui musardent entre les fontaines, les buissons, les podiums, fréquentent les 14 restaurants de cette ville dans la ville. Dans une des tours, qui n'est pas vouée aux bureaux, un hôtel de la chaîne **Méridien,** 604 chambres, 4 étoiles.

Plus au sud, se trouve le nouveau *Palais des Congrès.* Rens. tél. 871-8122.

### L'axe de ce quartier : la rue Saint-Denis

L'établissement de l'**Université du Québec** (ou UQAM) à la croisée des rues Maisonneuve et Saint-Denis, sous le haut clocher conservé de l'église Saint-Jacques, a redonné à ce district le nom de **Quartier latin** (autrefois occupé par l'Université de Montréal installée plus au nord-ouest). La rue Saint-Denis où se mêlent culture et contre-culture, est le rendez-vous permanent de la jeunesse, qui envahit les cafés-terrasses, restaurants animés, marchands de nippes au touche-touche, s'étendent de plus en plus vers le nord.

En remontant la rue Saint-Denis, on trouve, passé la rue Sherbrooke, face au carré Saint-Louis à la fois vieillot et bohème, l'Institut de l'**Hôtellerie du Québec** (excellent rapport qualité/prix, mais il faut retenir à l'avance ; table très plaisante lorsqu'on est servi par des premiers de classe).

Parallèle à la rue Saint-Denis, la *rue Saint-Laurent* ne manque pas de charme. Sa partie au sud de la « Catherine » a été longtemps un centre de plaisirs bon enfant. Il ne reste plus guère que deux ou trois « boîtes » assez populaires, à tous les sens du mot, où l'on peut boire une bière en écoutant une chanteuse ou un ténor de fantaisie. Ces beuglants montréalais disparaissent, absorbés par les boutiques du quartier chinois tout proche.

Montréal a son petit côté Hong Kong. Aux alentours de la *rue de La Gauchetière* se sont fixés des Asiatiques qui depuis longtemps ont transformé les rues en installant sur la façade de leurs magasins ou de leurs restaurants des enseignes dans la langue de Confucius. La Ville a emboîté le pas en donnant aux cabines téléphoniques du coin l'allure de petites pagodes.

Un peu plus au nord, ce n'est plus l'Asie, mais une Europe multiple. Dans cette partie de la *rue Saint-Laurent,* se logent, en attendant mieux, les immigrés récents. Ils cohabitent, sans haine, mais non sans émulation commerciale. Ici et dans les rues adjacentes, on trouve tous les produits que l'on pourrait acquérir sur les marchés de Beyrouth, Lisbonne, Naples ou Athènes. Dans toutes les langues, on achète et on vend de tout. On travaille aussi dans de petites manufactures de vêtements, bijoux, fourrures, maroquinerie.

S'ouvrent aussi de nouveaux restaurants et boutiques à la mode. Ainsi **le Lux,** premier « drugstore à la parisienne », 5220, rue Saint-Laurent, ouvert jour et nuit.

Cette artère vivante coupe, vers l'ouest, la rue Prince-Arthur, bordée comme la rue Saint-Denis de cafés-restaurants, etc., elle aussi bordée de cafés-restaurants, bars et boutiques insolites, mais un peu plus guindés et davantage anglophones. Et vers l'est, la rue Duluth, mail piéton ou l'on trouve aussi des magasins rétro et des brochetteries, croissanteries et autres conquêtes de la néo-restauration.

Encore plus vers le nord, on aborde les avenues Laurier et Bernard qui conduisent dans Outremont, belle cité de banlieue verte en pleine ville, qui sont devenues d'élégantes rues marchandes où s'alignent restaurants et commerces de luxe.

## Le mont Royal

Coiffant Outremont, parc de 200 hectares occupant le sommet du mont Royal. En hiver, pistes de ski (avec remonte-pente), ski de promenade dans les sentiers, raquette, patinage sur le lac des Castors, promenades sous la chaude peau d'ours, dans des traîneaux (que les Montréalais appellent carrioles) tirés par un cheval au harnais garni de grelots. Dans des abris chauffés, on trouve boissons chaudes et sandwiches. A la belle saison, le parc devient un grand terrain de jeu pour adultes et jeunes. On y prend des bains de soleil, on y pique-nique, on y fait du jogging. Les amoureux recherchent les taillis et les policiers montés veillent à la bonne tenue. Le soir, on y donne des concerts sous les étoiles, on y organise des fêtes populaires. Autour du lac des Castors, des sculpteurs contemporains ont laissé d'immenses œuvres de pierre ou de métal.

**L'Université de Montréal,** dominée par sa tour, a son campus sur le flanc nord-ouest du mont Royal. Près de 30 000 étudiants à plein temps. Un équipement universitaire très complet. De nombreux laboratoires, dont un, consacré à la physique nucléaire, des bibliothèques, des collections, un stade, des patinoires, des piscines, un tremplin olympique de ski. Des résidences qui l'été sont ouvertes aux participants à d'importants congrès de sociétés savantes. Visites guidées gratuites en permanence de fin mai à fin août et le reste de l'année sur demande, tél. 343-6030.

Près de l'Université, au coin du chemin Queen-Mary et de la Côte-des-Neiges, sur une colline, l'**oratoire Saint-Joseph,** immense basilique coiffée d'un dôme, voulue par l'humble portier d'un collège, le bienheureux frère André qui guérissait au nom du père adoptif du Christ.

A ce centre nord-américain de pèlerinage, grand-messe à 11 h tous les dimanches avec les *Petits Chanteurs du Mont-Royal.* Concert carillon et récital d'orgue le dimanche à 15 h 30 et, l'été, le mercredi à 20 h. Deux musées. *Rens.* tél. 733-8211.

En face le **musée de cire** (payant). Souvenirs historiques et religieux.

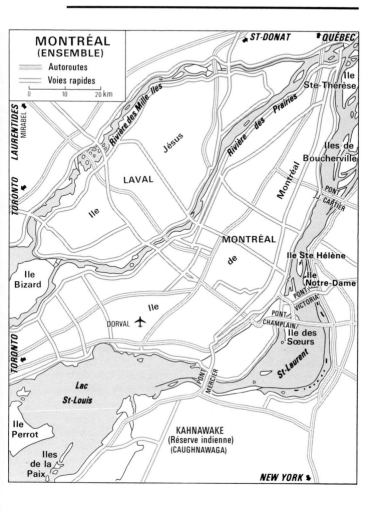

MONTRÉAL
(ENSEMBLE)

Autoroutes
Voies rapides

0    10    20 km

### Les îles de Montréal

En plein fleuve, face à la ville, réserves de calme, les îles :

— **Saint-Hélène :** dans un grand parc, des piscines en plein air, des sentiers de promenade. Ils mènent à l'**aquarium Alcan,** au **théâtre de la Poudrière** (répertoire international), au restaurant *Hélène-de-Champlain* (belles vues sur le Saint-Laurent, au Vieux-Fort (**musée militaire** et, du 24 juin au 6 septembre, tous les jours à 10 h, 14 h, 17 h, démonstrations de manœuvres militaires par des figurants portant les uniformes d'autrefois de la compagnie Franche de Marine et des Fraser Highlanders).

Accès par le pont Jacques-Cartier et le métro Ile-Sainte-Hélène.

**L'île Notre-Dame,** lieu des Floralies extérieures durant l'été de 1980, on y trouve :

**Terre des Hommes,** les beaux restes de l'exposition universelle de 1967. Parmi les mieux conservés, le pavillon de France, devenu centre culturel international.

**La Ronde,** hyper-parc d'attractions : 38 manèges futuristes, boutiques, discothèque (ouverte les fins de semaine et jours fériés du 30 avril au 19 juin, tous les jours du 20 juin au 18 août et la fin de semaine de la Fête du Travail, de 12 h à 22 h 30. Les dimanches de 10 h à 24 h. *Rens.* tél. 872-6222.

**Le parc floral,** la piste de course automobile **Gilles-Villeneuve.** Accès en voiture par le pont de la Concorde ou métro Ile-Sainte-Hélène.

Dans le même secteur, se trouve le *musée des arts contemporains,* situé à la Cité du Havre. On y fait, entre autres, connaissance avec les artistes canadiens d'aujourd'hui. Tout près du musée, se trouve **Habitat 67,** une expérience d'avant-garde dans le domaine de l'habitation.

Sur la rive sud, une tour d'observation près de l'écluse Saint-Lambert permet d'assister au passage des immenses navires qui entrent ou sortent de la voie maritime.

Une réserve indienne se trouve tout près de là, celle de **Caughnawaga** qu'on écrit Kahnawaka. Y vivent des Indiens de race mohawk, autour de la chapelle catholique dans laquelle la messe est dite dans leur langue. On visite le *musée indien* et le *vieux presbytère.* On y retrouve le souvenir de la sainte Kateri Tekakwitha, jeune Iroquoise morte en 1680.

Les autres quartiers de Montréal et de sa banlieue, s'ils ont des attraits, ne sont guère touristiques : dans l'est, maisons un peu baroques, à façades plates mais souvent ornées de remarquables escaliers en spirales. Dans l'ouest, cottages précédés de pelouses. C'est le Montréal des «petites patries». On y reconstitue la bonne vieille paroisse rurale des parents ou grands-parents. Souvent, dans l'ingrat paysage urbain, des parcs verts, rouges ou blancs, selon la saison.

A voir aussi : pour les amateurs d'étoiles : le **planétarium Dow,** 100, rue Saint-Jacques, tél. 872-4530 (tarif spécial aux moins de 18 ans et aux plus de 65 ans.) Pour ceux qui aiment la faune : le **jardin des merveilles** dans le parc Lafontaine, au N. de la rue Sherbrooke (ouvert du 14 mai à fin septembre), petit zoo dans un parc éducatif. Entrée : adultes 2 $, enfants 1 $. A la mauvaise saison les animaux sont visibles dans leurs quartiers d'hiver du **parc Angrignon.** Pour ceux qui préfèrent les plantes : le **jardin botanique,** 3$^e$ en importance au monde, près de 20 000 variétés de végétaux dans 30 jardins et 9 serres géantes, elles sont ouvertes toute l'année. Les jardins seulement à la saison estivale. *Rens.* tél. 252-1173. Pour les passionnés de télécommunications : la **tour de Radio-Canada,** bd Dorchester Est; on peut y visiter les installations, assister à des enregistrements de spectacles télévisés et, au dernier étage, avoir une vue rare sur la partie orientale de la ville. Sur le Saint-Laurent, face à la ville, descente en canots pneumatiques des rapides de Lachine. *Rens.* tél. 284-9607, ou *Voyageur Lachine,* tél. 637-3566.

Dans la partie est de la rue Sherbrooke, héritage de la XXIᵉ Olympiade, le **parc Olympique** autour d'un centre de natation, d'un vélodrome d'hiver et d'un stade de 50 000 places. Il a été conçu par l'architecte français *Roger Taillibert.* Il est coûteux, remarquable et inachevé. La tour, haute de 168 m devant supporter un toit rétractable au-dessus du stade, n'a pu être terminée, faute de crédits. Billets pour les manifestations sportives ou artistiques aux guichets du stade ou aux comptoirs *Tiketron.* Visite guidées payantes tous les jours. *Rens.* tél. 252-4737. Utilisation des piscine. Métro Pie-IX.

Face au jardin botanique, l'insolite «Château» Dufresne, demeure bourgeoise du début de ce siècle devenue **musée des Arts Décoratifs.**

## Montréal en dollars

Dans un continent où tout se mesure en terme de dollars, sachez que la municipalité de Montréal, pour son exercice terminé en décembre 1983 présente un budget qui s'équilibre autour de 1 260 000 000 $. Au chapitre des rentrées, plus d'un milliard de taxes locales. Pour les dépenses, 230 millions sont consacrés à la sécurité publique, police et incendies. Une bonne tempête de neige de 12 h coûte à elle seule aux contribuables une moyenne d'un million et demi de dollars. Pour permettre la circulation hivernale, les épandeuses déversent chaque année sur le sol 100 000 tonnes de sel.

# Visiter le Québec

## *Les moyens de transport*

### Par la route

Pour les longs trajets, bien sûr, l'avion. Sinon, louez une voiture. Les grandes entreprises internationales de location d'autos sans chauffeur ont des comptoirs dans tous les endroits fréquentés par les touristes. Lisez bien le contrat qui vous lie à la compagnie. Tarif quotidien pour une voiture américaine « compacte » : 40 $. Moins cher si vous prenez le véhicule à la semaine ou au mois et surtout en fin de semaine. Il faut ajouter l'assurance (7 $), la taxe de 9 %, l'essence. Les 200 premiers kilomètres sont gratuits ; au-delà, 30 cts du kilomètre. C'est l'ordinateur qui fixe le prix en fonction de l'offre et la demande locale. Il y a de nombreuses compagnies de location. Comme disent les Québécois, il faut « marchander dur » et l'on obtient de bonnes conditions. Si vous présentez une carte de crédit, vous n'avez pas d'acompte à verser.

Faites vos comptes ; souvenez-vous qu'au Québec, où le Système international d'unités (SI) est d'application récente, certaines personnes utilisent encore des mesures anglo-saxonnes et indiquent la consommation d'essence en milles par gallon d'essence plutôt qu'en litres par 100 kilomètres (un mille = 1,609 km ; un kilomètre = 0,621 mille ; un gallon = 4,5 l ; un litre = 0,219 gallon ; et 10 milles par gallon correspondent à un peu plus de 28 l par 100 km, alors que 10 l aux 100 km correspondent à un peu plus de 28 milles par gallon). Prix du carburant ordinaire, automne 1984 : 56 cts.

**Numérotation des routes :** le Saint-Laurent en constitue l'axe de base. Les autoroutes provinciales sont numérotées de 1 à 99. Les préfixes pairs 4, 6, 8, indiquent une déviation dont chacune des extrémités est reliée à la même autoroute principale. Les préfixes impairs 5, 7, 9, identifient une autoroute collectrice dont une seule extrémité est rattachée à une autoroute principale.

Les numéros des routes principales s'échelonnent de 100 à 199. Les routes secondaires sont numérotées de 200 à 299 au sud du Saint-Laurent et de 300 à 399 au nord.

Si vous ne conduisez pas, pensez aux autobus (ici, on n'appelle pas autocar les véhicules des transports interurbains). Ces bus sont rapides, confortables, relativement ponctuels. De mai à fin septembre, le billet *Tourpass* permet un nombre illimité de voyage en bus. A Montréal, Autobus **Voyageur** — Terminus : 505, avenue de Maisonneuve — Renseignements 842-2281.

## En train

Le train n'est indiqué que dans le corridor Québec-Montréal-Ottawa-Torronto qui constitue un réseau intégré de trains rapides à arrêts limités, ou encore sur de très grandes distances (Montréal-Vancouver, par exemple), pour un voyageur qui ne voudrait pas prendre l'avion. Pour les courts trajets (sauf les lignes de banlieue, où aux heures de pointe les rames se succèdent rapidement), les trajets moyens en train ne sont pas recommandés. Conçus avant tout pour transporter bois, minerais ou bestiaux, empruntant des parcours rarement rectilignes, les chemins de fer sont désespérants par leur lenteur, malgré tout le confort proposé aux passagers. Le billet *Canrailpass* permet des voyages illimités. Renseignez-vous en téléphonant au 1-800-361-5390.

## En auto-stop

Au Québec, il est interdit de faire de l'auto-stop sur les voies administrées par l'Office des autoroutes. Ce mode de déplacement (on appelle ça «faire du pouce» ou «voyager sur le pouce») est toléré sur les autres voies rapides à condition que le solliciteur se tienne hors de la chaussée, soit sur l'accotement de la route.

## La flotte est prête

L'abondance des cours d'eau a nécessité la construction d'un grand nombre de ponts au Québec. Parmi les plus imposants, le **pont de Québec** et le **pont Pierre-Laporte,** près de Québec, le **pont-tunnel Louis-Hippolyte-Lafontaine** et le **pont Jacques-Cartier** dans la région de Montréal. En outre, une trentaine de services de bacs, appelés *traversiers,* transportent piétons et véhicules. Certains voyages par traversiers constituent des mini-croisières. Entre Québec et Lévis, les bateaux-passeurs effectuent la traversée en huit minutes, mais ailleurs, les voyages sont plus longs comme entre Matane en Gaspésie et Baie-Comeau sur la Côte Nord où ils durent plus de cinq heures, aller-retour. Ceux qui aiment les croisières peuvent aussi embarquer, durant la belle saison, sur le cargo mixte *N.M. Fort Mingan* reliant *Rimouski* à *Sept-Iles* et à *Blanc-Sablon,* avec escales dans une douzaine de ports de la Côte Nord. Départs de Rimouski le mardi à 20 h, et de Sept-Iles le mercredi à 14 h. Le voyage dure une semaine. Aller seulement, y compris les repas, 241 à 265 $, aller-retour, de 477 à 541 $. Il faut réserver sa place huit jours à l'avance à Logistec Navigation (tél. 1-800-463-0860).

Pour une croisière de *Montréal aux îles de la Madeleine*, le départ du cargo mixte *N.M. Madeleine* se fait de Montréal le mardi, du 1er avril au 31 décembre. Aller seulement, 240 $; aller-retour, repas inclus, 480 $. Réservez votre place une semaine à l'avance à la Coopérative de transport maritime et aérien (C.T.M.A.) à Montréal, tél. (514) 871-1686; à Québec, tél. (418) 692-26-68. Voici un aperçu d'autres excursions offertes au Québec :

*De Québec, sur le fleuve Saint-Laurent : île d'Orléans* et *chutes Montmorency*, croisière de 1 à 3 heures, embarquement du quai Chouinard, 10, rue Dalhousie, de la mi-mai à la fin de septembre sur le *N.M. Louis-Jolliet* de la *Cie d'excursions maritimes*, tél. (418) 692-1159.

*De Montmagny vers l'île aux Grues, la Grosse île, l'Ile d'Orléans, l'île aux Coudres, Sainte-Anne-de-Beaupré, la rivière Saguenay, Pointe-au-Pic.* Voyages sur demande. Communiquez avec Jos. Lachance et fils à Montmagny, tél. (418) 248-09-48.

*De Chicoutimi sur la rivière Saguenay vers les caps Trinité* et *Éternité, la baie de Ha! Ha!* Croisières de 7 heures, juin et septembre, ou croisière de 4 h 30 en juillet et août, aller ou retour par autobus saison du 1er juin au 30 septembre. Embarquement sur le *Marjolaine II* à Chicoutimi. Renseignement croisières *Marjolaine Inc.*, tél. (418) 543-7630.

*De Trois-Rivières, sur le Saint-Laurent et dans le port.* Croisière de 2 h 30 du 1er mai au 30 septembre. Embarquement sur le *N.M. Jacques-Cartier* à Trois-Rivières. Les croisières *M.S. Jacques-Cartier*, Trois-Rivières. Renseignements tél. (819) 375-3000.

De *Magog* à l'*abbaye Saint-Benoît-du-Lac*. Croisière de 2 h 30 du 1er juin au 15 septembre. Embarquement sur l'*Aventure I* et *Aventure II* à Magog. Les croisières *Memphremagog Inc. Magog*. Renseignements tél. (819) 843-8068.

D'autres excursions sont offertes *sur le lac des Sables, à Sainte-Agathe-des-Monts, dans les Laurentides; autour des îles de la région de Sept-Iles; de Gaspé à Cap-des-Rosiers et au parc Forillon; autour du célèbre Rocher de Percé et de l'île Bonaventure.*

De *Sainte-Anne-de-Sorel* vers les *îles de Sorel* et la *rivière Richelieu*, croisière de 1 h 40 aux îles et croisière de 4 heures en soirée sur la *rivière Richelieu* du 1er mai au 26 septembre. Embarquement sur le *Survenant III* à Sainte-Anne-de-Sorel. Renseignements : *la Croisière des îles de Sorel Inc.*, tél. (514) 743-7807.

Port de Montréal - Croisière de 1 h 30 - 2 ou 3 heures : *îles Sainte-Hélène - Notre-Dame - Verte* et *Charron*.

Embarquement sur le *N.M. Concordia,* quai Victoria, au pied de la rue Berri - vieux Montréal - Métro Champs-de-Mars, du 15 mai au 30 septembre. *Croisières du port de Montréal Inc.* Renseignements tél. (514) 842-3871.

Les croisières d'été *Internationales* au départ de Montréal - New York se font avec le *S/S Veracruz* du 16 juin au 22 septembre. Aller seulement, retour par train *Amtrak* ou l'inverse.

## *Direction Québec*

Il y a quatre façons d'aller de Montréal à Québec par la route :

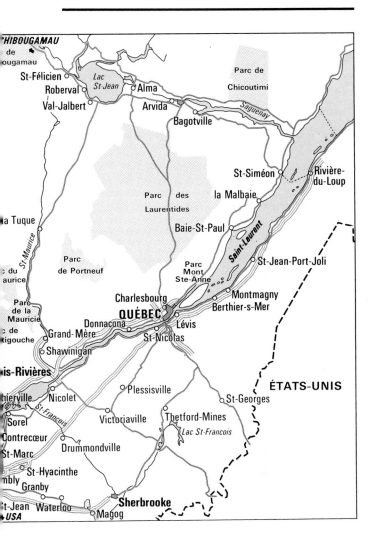

— l'autoroute A-20, une voie rapide qui franchit le Saint-Laurent et suit la rive droite du fleuve sur une distance de 220 km entre les deux villes ;

— la route 132, autrefois connue sous le nom de route des Seigneurs, qui suit la même rive, mais plus près du fleuve et traverse pas moins de 25 villes et villages ; elle est beaucoup plus pittoresque que la voie rapide, bien que plus longue (275 km) ;

A l'est de Québec, la route 138 se prolonge sur la rive gauche à travers les magnifiques paysages de Charlevoix et du Saguenay, jusque sur la Côte Nord. Elle ira un jour jusqu'aux frontières du Labrador, à Blanc-Sablon.

— L'autoroute de la rive nord A-40, nouvelle voie rapide, relie Québec à Montréal. Elle double le chemin du Roy, première route ouverte entre les deux villes en 1734.

## La route des Seigneurs

De Montréal : à Verchères, 48 km ; à Sorel, 86 km ; à Nicolet, 149 km ; à Québec, 307 km.

A la sortie du pont, voici **Longueil** (du nom d'un village normand, patrie d'origine de Lemoyne et de ses sept fils). Toutes les villes en bordure du Saint-Laurent qui offrent les façades de leurs maisons et églises aux reflets des eaux, ont des noms historiques : ceux des officiers du roi qui ont accepté de demeurer dans la colonie et que l'on a fait seigneurs. Elles se nomment Boucherville, Varennes, Verchères, Contrecœur, Tracy ou Sorel. A **Verchères,** une statue rappelle le souvenir d'une enfant de 14 ans, Madeleine, qui avait organisé la défense du manoir familial attaqué par une bande d'Iroquois.

L'agriculture et la petite industrie se partagent les terres. A **Sorel,** d'immenses usines, des chantiers navals. Là, le *Saint-Laurent* s'élargit pour devenir le **lac Saint-Pierre.** Là, débouche aussi la *rivière Richelieu,* déversoir du *lac Champlain,* route naturelle et historique des invasions indiennes, anglaises, américaines. Sorel a toujours eu une position stratégique importante. Les rives du lac et les îles sont depuis longtemps réservées aux villégiatures d'été. Les pêcheurs professionnels ou amateurs y guettent le doré, la perchaude, le brochet, la barbotte, l'esturgeon et l'anguille. La pêche se fait aussi en plein hiver, à condition de percer des trous dans la glace. Le chasseur se met à l'affût, dans le brouillard des matins d'automne, espérant le canard, l'outarde et la bécassine. Ces poissons et ces oiseaux sauvages se retrouvent dans la gibelotte de Sorel, spécialité culinaire locale.

C'est dans l'entrelacs des canaux de l'archipel fluvial que la romancière du pays, Germaine Guèvremont, situe ses héros du « Chenal du Moine ».

**Yamaska,** gros village agricole, tire son nom d'un mot de la langue cri. Il signifie « là où il y a beaucoup de joncs ». On y voit, en grand nombre, comme dans les autres villages de la côte, la maison traditionnelle : longue, faite de grosses pierres, couverte d'un toit très pentu, garni de lucarnes.

Près de **Pierreville,** on visite la réserve des *Indiens Abénaquis.* Ces Amérindiens y tissent de façon particulière le jonc local et mettent à fumer des filets de maskinongé. ils tiennent à **Odanak** un musée que l'on se doit de visiter.

**Nicolet,** à l'extrémité est du « lac » Saint-Pierre, fut une ancienne et importante ville, riche en églises, chapelles, couvents. Les forces conjuguées de la déchristianisation et d'un brutal séïsme en ont fait une cité qui tire encore son charme d'une vie très ralentie. A Sorel et à Lotbinière, on trouve des bacs à horaires réguliers qui permettent de passer sur la rive nord. Entre Nicolet et Sainte-Angèle-de-Laval, le pont Laviolette franchit le Saint-Laurent, menant à **Trois-Rivières.** Partout, au long de la route, on trouve des petits hôtels, motels, terrains de camping, zones de pique-nique aménagées. Il y a aussi de nombreux antiquaires. On trouve chez eux de vieux meubles québécois et des objets dont on se servait il y a cinquante ans dans les maisons rurales : jarres de grès, fer à repasser en fonte, planche à laver, harnais, brocs et cuvettes de toilette, lampes à pétrole, barattes, rouets, et autres objets familiers que le progrès a rendu inutiles depuis moins d'un demi-siècle. Ce bric-à-brac peut faire sourire l'Européen qui a une autre vision de l'antiquité des choses. Il est précieux aux yeux des Québécois, aù passé si récent, qui aiment se souvenir du temps où ils étaient des ruraux.

A partir de **Lotbinière,** riche en vieilles pierres — y voir entre autres, le *manoir Edmond Joly* —, on est dans la partie côtière du Pays de l'Érable.

Bientôt on arrive à **Saint-Nicolas.** Déjà ce sont les faubourgs de Québec. De Saint-Lambert à cet endroit, il y a 272 km. La traversée de tant de villages, les occasions de s'arrêter ne permettent pas de rouler à une bonne moyenne.

## *Direction la Gaspésie*

### Le Saint-Laurent, c'est la mer

De Lévis à Berthier, 42 km ; à Montmagny, 58 km ; à Saint-Jean-Port-Joli, 93 km ; à Rivière-du-Loup, 188 km.

Au lieu de franchir le pont Pierre-Laporte (il vous mène à Québec), vous pouvez suivre cette *route du bas Saint-Laurent* vers la Gaspésie.

Vous passez **Lévis-Lauzon,** cités-sœurs très industrielles, remarquables par leurs chantiers navals. Les rues en pentes, où se pressent de vieilles demeures, montent vers la terrasse à la cime de la falaise. En face, magnifique sur son promontoire, se dresse Québec. Un peu plus loin, la vue embrasse l'île d'Orléans et la côte de Beaupré.

Première étape : **Berthier-sur-Mer.** Car on ne longe plus Magtokoek, le nom ancien et amérindien du Saint-Laurent (Magtokoek signifie «fleuve aux grandes eaux»). C'est déjà l'Océan. Eau salée, douée de marées ; au flux, elle déploie ses lames et ses rouleaux crêtés d'écume ; au jusant, découvre les rives découpées, sableuses ou couvertes de galets et d'algues. L'air est vif. Chaque village côtier a son port, son quai ou son échouage (en québécois un «barachois»). Phares et amers garnissent la côte. Beaucoup de stèles rappellent des naufrages. On voit des maisons de marins comme en Bretagne, des plages, des villégiatures style 1920 ; elles soulignent qu'avant l'ère des grands voyages d'été venaient là des riches familles d'Amérique du Nord. Dans les rochers nichent le goéland argenté, l'eider, le cormoran. Il n'est pas rare d'apercevoir sur l'eau des troupeaux de baleines bleues, de bélugas, parfois de loups-marins. Bien avant Jacques Cartier, des Basques et des Bretons ont chassé ces mammifères aquatiques. Ils ont dû relâcher dans les anses. Peut-être s'y installer, pionniers inconnus, dont la trace existerait encore dans quelques chromosomes des gens de cette région.

C'est aussi, comme pour tous les anciens établissements de colonisation, des terres concédées en fief sous l'Ancien Régime. On reconnaît à travers la campagne de solides manoirs, des églises anciennes, les restes de moulins banaux et surtout la présence d'une longue humanisation. On continue à venir passer des vacances sur toute cette côte. On y chasse à l'automne le canard, l'outarde et l'oie blanche. Ces migrateurs s'abattent en troupes compactes et bruyantes à la bonne saison, pour refaire leurs forces, trouver leur nourriture le long des grèves et sur les îles du fleuve.

A **Montmagny,** où sont organisées fin avril et début mai des croisières d'observation des oies migratrices, se trouve une excellente table, celle du *Manoir des Érables,* un des rares établissements québécois à figurer sur la prestigieuse liste des Relais et Châteaux.

A partir de l'**Islet-sur-Mer** — un arrêt au **musée maritime Bernier** — on entre dans une zone célèbre par ses artisans. Ils sculptent surtout le bois. **Saint-Jean-Port-Joli** est leur capitale. Le premier sculpteur, Bourgault, suivi de ses enfants, neveux et cousins, de ses émules, a créé là une industrie rentable. La demande touristique fait que, de plus en plus, hélas!, les pièces sont fabriquées en série. Taillés dans le pin blanc, on retrouve en quantités industrielles le-petit-vieux-fumeur-de-pipe ou la-grand-mère-qui-tricote. On achète aussi des maquettes de voiliers. On peut même acquérir (un cadeau original à rapporter) la boîte de pièces taillées et d'accessoires divers qui permet, chez soi à la veillée, d'assembler et de coller une grande goélette, ou un clipper de course, toutes voiles au vent. L'artisanat se trouve aussi sous formes diverses dans les nombreuses boutiques : tissus, mosaïques, émaux, cuivre martelé, broderies, peintures. L'église vaut une visite. A l'intérieur, les artisans d'il y a deux cents ans ont orné voûtes, boiseries et mobilier, attestant que l'art de la sculpture est très ancien dans cette petite ville.

Dans nombre de villages de la région, on peut trouver dans chaque temple de remarquables œuvres d'art.

## Au bout, le Finistère

De Rivière-du-Loup : à Trois-Pistoles, 47 km ; à Rimouski, 103 km ; à Sainte-Flavie, 133 km ; à Matane, 195 km ; à Sainte-Anne, 286 km ; à Cap-des-Rosiers, 481 km.

Sur les bords du Saint-Laurent, Rivière-du-Loup

**Rivière-du-Loup** est une des plus jolies villes du Québec. Elle s'étale dans la verdure sur le flanc d'une montagne. Après une série de chutes, la rivière du Loup se jette près de là dans le Saint-Laurent. On voit de très belles villas entourées de jardins, des piscines, golfs, tennis, manèges, marina. Un bac conduit sur l'autre rive du fleuve, déjà très large, à **Saint-Siméon.**

A **Trois-Pistoles,** on trouve un bac pour **les Escoumins** sur la rive d'en face. Ce bateau-passeur, *Le Gobelet d'Argent,* permet aussi aux excursionnistes d'aller observer aux mois d'août et de septembre les baleines bleues et neuf autres espèces de cétacés dans l'embouchure du Saguenay. **Bic** se trouve au creux d'une immense baie, parsemée d'îlots et de rocs. **Rimouski** (en indien «terre de l'orignal») fait pendant à Rivière-du-Loup. Ville administrative, commerciale ; on y trouve un des *campus de l'Université du Québec.* On y visite un intéressant *musée régional.* Par les routes *293* et *295,* on se rend au *lac Témiscouata,* en pleine région forestière, via le *JAL,* groupe de villages voués à la disparition qui se sont organisés en zone touristique écologique. A **Auclair,** au *ranch des Montagnards,* randonnées à cheval de 2 à 10 jours avec des moniteurs animateurs.

## GASPÉSIE

0    50 km

Q   U   É   B   E   C

GOLFE    DU    ST-LAURENT

vers les îles de la Madeleine ➤

Anse-Pleureuse

Cap-Chat         Murdochville   Parc Forillon

Parc de la Gaspésie

Matane    Parc de Matane       Gaspé

Ste-Flavie

GASPÉSIE      Percé

Rimouski      Port-Daniel   Île Bonaventure

Parc de Rimouski

Matapédia     Baie   Bonaventure des Chaleurs

Rivière-du-Loup

NOUVEAU-BRUNSWICK    Bathurst

---

A **Sainte-Flavie,** une route se dirige vers le sud-est pour se terminer à l'extrémité méridionale de la péninsule de Gaspé. Nous reparlerons de la vallée de la **Matapédia,** clef du parfait tour de la Gaspésie.

En suivant la côte, on avance donc vers cette Gaspésie un peu mystérieuse, avant-poste du Québec sur l'Atlantique, terre rude, difficile à cultiver. De ses trois richesses, la pêche est en déclin ; la forêt ne fait plus vivre son homme ; seules des mines, isolées à l'intérieur, donnent un peu de travail à quelques Gaspésiens qui travaillent dur à extraire et concentrer le minerai de cuivre. Dans la capitale minière, **Murdochville,** les vapeurs industrielles tuent tout gazon, tout arbre, toute fleur. Le tourisme sauvera-t-il cette contrée ? Dans sa plus grande partie, le climat est rude en hiver, le printemps tardif. Le court été somptueux fait croire aux estivants que c'est le paradis. Parce qu'ils vivent loin du cœur vivant du Québec, les Gaspésiens doivent payer plus cher tout ce qu'ils achètent et revendent. Le touriste l'oublie parfois, qui doit dépenser plus qu'à Montréal pour vivre dans cette belle et sauvage contrée. La route côtière qui chemine parfois à pic au-dessus de la mer est taillée dans le flanc des pentes abruptes conduisant au massif gaspésien, fait de roches très anciennes. On ne peut rouler vite ; d'autant plus qu'à chaque tournant s'offrent à la vue d'admirables panoramas.

Près de **Métis-sur-Mer,** un extraordinaire *parc floral*, ouvert de juin à fin août. Son petit restaurant propose des spécialités québécoises.

**Matane,** près de la rivière du même nom, est célèbre pour ses fosses à saumons. La pêche y est permise sous certaines conditions. Un bac mène sur l'autre rive que l'on aperçoit à peine.

De village en village (des noms à retenir : Anse-Pleureuse, Gros-Morne, Manche-d'Épée, Pointe-à-la-Frégate), on arrive à la pointe de la péninsule : **Cap-des-Rosiers,** célèbre pour son grand phare. On est au bout du Québec continental, très exactement en face de la Bretagne, sœur de cette côte. D'ailleurs, en amérindien, Gaspésie veut dire «là où la terre se termine». C'est un autre Finistère.

### Le paradis des oiseaux

De Cap-des-Rosiers : à Penouil, 21 km ; à Gaspé, 37 km ; à Percé, 116 km.

Près de Cap-des-Rosiers, commence le grand *parc fédéral de Forillon.* La faune et la flore y sont protégées ; forêts, vallées, terrasses dominant la mer, rochers déchiquetés par l'Océan, composent ce domaine pourvu de terrains de camping et de pique-nique.

A **Penouil,** on est déjà à l'intérieur de la grande baie de Gaspé. Penouille vient d'un mot basque qui signifie péninsule et rappelle l'établissement précartiérien de marins européens. Les Basques ont eu les Vikings comme voisins sur ces côtes. La sœur d'Éric le Rouge, première femme blanche venue au Canada, serait enterrée quelque part sous un cairn.

**Gaspé** est surtout célèbre pour la visite qu'y fit, en 1534, le malouin Cartier et la première croix qu'il planta en Nouvelle-France, afin de la déclarer possession du roi. La ville, grâce à ce geste, mérite son orgueilleux titre de «berceau du Canada» que rappelle un festival d'été. Les malheurs de l'histoire ont privé Gaspé du grand port commercial et militaire qu'elle se devait d'avoir. Les maîtres anglais du Dominion ont préféré installer leurs bases à Halifax et à Saint John's. Ce n'est qu'au cours des deux guerres qu'ils se sont aperçus que ce mouillage immense était le plus sûr et le plus proche des côtes de l'Europe. Au moins, le magnifique plan d'eau pourrait-il être ouvert à tous les plaisanciers de la côte est de l'Amérique du Nord. Certains Gaspésiens rêvent d'un Port-Grimaud du Québec bâti là. Gaspé ne possède qu'une petite marina. On y trouve cependant des bateaux permettant, à bon compte, d'aller pêcher en mer le thon géant, la morue et le maquereau. Les rivières qui se jettent dans la baie sont très favorables au saumon. Gaspé est desservie par un aéroport important : liaisons régulières avec Montréal, Québec, Mont-Joli, les îles de la Madeleine et Antiscosti.

Le rocher percé vu par un lithographe en 1866

La ville de **Percé,** rivale de Gaspé, est riche d'un équipement hôtelier qui en fait une remarquable station de tourisme. Il faut dire qu'elle a pour elle d'être installée entre deux baies agréables, sur un large promontoire, dominé par une série de sommets. A cent pas de la côte, le célèbre *Rocher Percé.* Énorme étrave de calcaire siliceux, farcie de fossiles du type trilobite, archimillionnaire en années, pourvue en outre d'une arche naturelle de 20 m de haut. C'est le bloc de craie troué le plus photographié du monde.

Un peu plus loin, au large de cet Étretat québécois, l'**île Bonaventure** (encore une trouvaille de Jacques Cartier) est le nichoir protégé des milliers d'oiseaux de mer qui, depuis toujours, ont choisi ce site touristique pour venir y perpétuer leur race. On dénombre quelque 50 000 fous de Bassan qui piaillent dans tous les trous de la falaise, volent haut dans le ciel ou au ras des flots, mêlés aux mouettes, goélands, guille-minots et marmettes, macareux, cormorans et autres oiseaux de mer.

Des petits bateaux vitrés conduisent les touristes autour du Rocher percé, font le tour de l'île des oiseaux — court arrêt pour y laisser ou ramener des passagers — puis reviennent au bout d'une heure et demie à leur quai.

## La chasse à l'agate

De Percé à Matapédia : 272 km.

Sanctuaire d'oiseaux, Ile Bonaventure en Gaspésie

Autre plaisir de Percé, les promenades sur les plages à marée basse. On peut aller presque à pied sec jusqu'au fameux rocher, ramasser sur l'estran le bigorneau commun, l'étoile de mer, la patelle, la moule et l'oursin. En fait, ce que chacun recherche, c'est l'agate, pierre semi-précieuse délicatement colorée. Il y en a en grande quantité sur le rivage, mais hélas, à l'état brut, elle ressemble à s'y méprendre aux millions de galets au milieu desquels elle se cache. Seuls des yeux bien exercés peuvent discerner ces trésors. D'autres plages de la côte, notamment celle de l'**Anse-à-Beaufils,** constituent des gisements assez riches. Les collectionneurs malchanceux peuvent toujours visiter les nombreux magasins d'artisans de Percé qui savent trouver et polir ces belles pierres et les monter en bijoux. On peut voir encore des agates et bien d'autres choses au *Centre d'histoire naturelle* où sont présentées toutes les ressources de la côte.

Autour de la belle station dotée d'un *centre d'art et d'une auberge de jeunesse,* on peut faire, dans la partie montagneuse, de très belles promenades. Seules les personnes très réfractaires au froid certains jours de la belle saison se baignent dans la mer. Pour les autres, une piscine chauffée, au bord de la plage, permet les ébats aquatiques.

Le meilleur *restaurant* est le célèbre *Gargantua,* admirablement situé sur la hauteur, avec vues sur la montagne, les vertes vallées intérieures et la mer. Il vaut mieux retenir sa table, surtout le soir. On loue aussi des chambres ; un terrain de camping y est attenant. Les propriétaires, le Breton Pierre Péresse et sa femme, savent profiter des ressources de l'Atlantique, notamment des homards, pour embellir leur carte.

Autre très bon restaurant de la région : *l'auberge Fort Prével ;* l'établissement, salle à manger et chambres, situé au milieu d'un parc (plage, tennis et golf), appartient au *ministère du Loisir, Chasse et Pêche.* Ancienne base militaire, le terrain et les bâtiments forment un ensemble agréable au bord de la mer. A **Percé,** d'autres bonnes tables : le *Bleu-Blanc-Rouge,* la salle à manger de l'*hôtel de Normandie,* celle de l'*Auberge du Pirate.* Spécialités : les langues de morue, les coquillages, les crustacés. A **Miguasha,** au pied d'une immense falaise, farcie de fossilles rares, un musée bio-géologique. Il est traditionnel après un séjour à Gaspé et Percé de faire le tour complet de la Gaspésie jusqu'à **Matapédia.**

On peut traverser toutes les paroisses de la côte, essayer toutes ses plages, rivières à truites et à saumons. On remarque souvent près des rivages des séchoirs à morues, appelés vignaux, inventés autrefois par les Terres-Neuvas et encore utilisés par les Gaspésiens côtiers.

Le littoral sud de la Gaspésie est relativement tempéré par rapport au reste de la péninsule. Il borde ce petit golfe que Jacques Cartier (encore lui) a baptisé, un jour d'exaltation et d'été, *baie des Chaleurs.*

Au fond de cette baie, au confluent des rivières Matapédia et Restigouche (on trouve là une *réserve indienne* et un *petit musée historique*) commence la *vallée de la Matapédia.* La route 132 longe la rivière qui coule en partie dans des gorges profondes, des forêts ininterrompues de conifères, qui fournissent leur pulpe aux «moulins à papier»; dans les clairières, quelques villages agricoles perdus.

## La Gaspésie secrète

De Matapédia à Sainte-Flavie : 154 km.

De nombreux parcs provinciaux ont été créés au cœur de la Gaspésie. Excursionnistes, pêcheurs, chasseurs (pas partout) peuvent y louer des chalets ou camper. La Gaspésie montagneuse n'est pas bien pourvue en stations de sports d'hiver. Tant mieux! disent les vrais connaisseurs qui aiment faire de la raquette et du ski libre dans ce territoire de 240 000 km². Seul son pourtour est peuplé et son centre montagneux n'est parcouru que par des chemins forestiers, ignorés des automobilistes. Les vrais amoureux de la Gaspésie déplorent le déferlement des touristes, sur les plages, il n'y a pas si longtemps, réservées à quelques initiés, amateurs de bains froids, chasseurs d'agates et passionnés de foie de morue frais.

Dominant la péninsule, les *monts Chic-Chocs,* dernier avatar des Appalaches avant qu'ils ne disparaissent dans l'Océan, possèdent autour de hauts sommets de secrètes zones de toundra, des plateaux forestiers ignorés, des vallées à torrents, des lacs, des rivières inconnues. Là, le caribou, l'orignal, le saumon, le lièvre, ne craignent que les rares braconniers et les prédateurs qui les guettent. Cette réserve de calme et de solitude risque d'être dilapidée par les entreprises qui exploitent intensivement la forêt ou les sols métallifères.

Pour revenir de Gaspésie à Montréal, il existe un autre chemin que la bretelle Matapédia-Sainte-Flavie; il passe par le nord du Nouveau-Brunswick, contourne l'État américain du Maine. C'est la *route du Grand Portage.* Elle reliait autrefois l'Acadie au Québec, passant au long du *lac Témiscouata* (en indien «c'est profond partout»), pour aboutir à **Rivière-du-Loup.** Là, on peut prendre le traversier pour **Saint-Siméon** et revenir par la côte méridionale. Pour le plaisir de passer par ces petites cités qui s'appellent **Sainte-Rose-du-Dégelis** ou **Saint-Louis-du-Ha! Ha!** — y envoyer des cartes postales aux amis incrédules —, cette variante en vaut la peine.

## *Romantique vallée de Richelieu*

De Sorel à Saint-Denis, 31 km; à Chambly, 35 km; au lac Champlain, 34 km.

Bien sûr, en prenant, à partir de Montréal, la route *132* qui longe la rive sud du Saint-Laurent, vous n'êtes pas obligé d'aller jusqu'en Gaspésie et d'en faire le tour pour revenir dans la métropole par les différents chemins des écoliers qui s'offrent à vous.

Le long de la voie côtière, de Montréal à Québec, plusieurs variantes vers le sud sont possibles.

Ainsi, entre Sorel et la frontière canadienne vous est ouverte l'historique *vallée de la rivière Richelieu.* En remontant ses eaux, croisière classique pour plaisanciers canadiens, on aboutit au *lac Champlain,* situé en partie aux États-Unis ; de là, par la rivière Hudson, on arrive autour de New York aux portes de l'Atlantique. En voiture, la remontée se fait par une route sinueuse qui court jusqu'au poste frontière de **Rouses-Point,** dans une plaine très fertile. Elle est découpée en rectangles pour les besoins des agriculteurs ; ils se livrent à l'élevage et, dans les parties où la terre est très noire, se taillent de grands potagers et des vergers plantureux, festonnés de bosquets.

A **Saint-Ours,** premier village après Sorel, où l'on peut encore voir des écluses datant de 1844, vous n'êtes plus dans la géographie, mais dans l'histoire. La paroisse date de 1650 (ce qui au Québec s'apparente à l'ère mérovingienne). Elle fut, avec son territoire, cédée en fief à Pierre de Saint-Ours, un des officiers du régiment de Carignan. C'est là qu'a débuté, en 1837, la rébellion manquée des Patriotes, qui a gagné toute la vallée pour s'étendre autour de Montréal.

Sur les deux rives de la rivière, la route, bordée de prairies, de pommeraies, de bois et de villages, de belles résidences de pierre de taille, certaines très anciennes, de maisons d'artisans, ramène à **Saint-Denis,** où les drapeaux vert-blanc-rouge rappellent l'épopée des insurgés. Le *circuit du Souvenir* commence au restaurant *Le 1837.*

**Saint-Marc** est célèbre parce qu'on y trouve les meilleurs restaurants de la vallée, notamment celui des *Trois Tilleuls,* charmant hôtel, confortable et gastronomique, qui fait partie des Relais et Châteaux, et l'*Auberge Handfield :* chambres campagnardes, bonne cave, bonne table, petit port pour mini-voiliers où vient s'amarrer l'été *l'Escale,* un *bateau-restaurant-théâtre.* On se promène sur le pont pendant la croisière. En eaux calmes, on assiste au spectacle, on prend un verre au bar, on déguste à la salle à manger le filet de doré amandine, le coulibiac de saumon ou l'esturgeon fumé de Verchères.

Après **Belœil,** le cours d'eau est dominé par la grande masse du **mont Saint-Hilaire,** frère géologique du mont Royal. Il porte à son sommet un lac, sur ses flancs des vergers dans lesquels dominent les pommiers. Le ski en hiver, les arbres en fleurs au printemps, les excursions en été, l'achat des pommes à l'automne, attirent les Montréalais toute l'année vers ces lieux.

A **Chambly,** la rivière s'élargit. On y visite les restes d'un *vieux fort restauré* et *un musée.* Parmi les jolies demeures de la rue Richelieu qui borde la rivière, le 18, restaurée par son propriétaire — on ne visite pas —, fut celle du jeune lieutenant-colonel *Charles de Salaberry* qui, en 1813, vainquit les Américains à Chateaugay. Les ports de plaisance, les plages, les terrains de camping sont nombreux sur les deux rives que fréquentent aussi les pêcheurs d'achigan, de brochet et de perchaude. Puis, c'est le *lac Champlain* et *la baie de Missisquoi,* immenses plans d'eau, compliqués par des chaussées et des îles bordées de joncs, où s'ébattent entre États-Unis et Canada des oiseaux aquatiques.

## *Vue de l'Estrie*

De Montréal : à Rougemont, 40 km ; à Granby, 72 km ; à Eastman, 108 km ; à Sherbrooke, 151 km.

Un peu plus loin, au sud du Saint-Laurent, se trouve la région de **Sherbrooke,** ville de 85 000 habitants, construite sur une série de collines, ceinturée en partie d'une banlieue verte et fleurie, en partie d'établissements industriels. On y trouve aussi le large campus de l'université locale. Sherbrooke est la capitale des Cantons de l'Est, terres autrefois concédées aux loyalistes anglo-saxons, revenues depuis longtemps aux mains de Canadiens francophones. Un peu partout, toutefois, une minorité de Canadiens anglais, propriétaires de petites industries ou de commerces, cadres d'entreprises importantes, conservent une forte influence à la tête des municipalités et imposent leur style particulier.

C'est pourquoi dans cette région qu'on appelle aussi l'*Estrie,* on trouve tant de noms anglais. Très pastorale, creusée de grands lacs d'origine glaciaire, peuplée de petits bourgs très soignés : pelouses, maisons de bois peintes en blanc, clôtures de feuillages, vergers qui rappellent des coins de la Nouvelle ou ancienne Angleterre.

A **Sherbrooke,** la route s'étoile vers toutes les zones touristiques de l'Estrie. On traverse les hauts lieux de la pomme et du cidre, notamment **Rougemont** et **Saint-Paul-d'Abbotsford.** Les producteurs ont coutume d'installer sur des stands, le long de la route, leurs produits qu'ils proposent aux automobilistes : pommes nature, au sirop, en gelée, mais aussi sucre d'érable sous toutes ses formes, miel, et suivant la saison, fraises, œufs ou légumes. On voit aussi des objets de l'artisanat féminin : broderies, tapisseries au crochet, tissages et tricotages, accompagnés parfois de productions mécaniques du type chromos, imprimés sur fond de velours noir. Si, dans la tradition, Sherbrooke est la reine des Cantons de l'Est, **Granby** en est la princesse ; autre petite ville industrielle qui a mis sa coquetterie à parer et à fleurir son centre. Son *zoo* est célèbre.

**Valcourt** est connue comme la capitale mondiale de la motoneige. On y visite le musée de son inventeur, *J. A. Bombardier.*

A voir aussi **Eastman,** au bord de son *lac d'Argent* et sur les rives du *lac Memphrémagog* dont la pointe sud se termine aux États-Unis, **Magog.** Là, un bon gîte, l'*hôtel de l'Étoile.* Entre Eastman et Magog, le *mont Orford* et son immense parc qui abrite un centre d'art. Les *Jeunesses musicales du Canada* y organisent des sessions, des concerts. Tél. à Montréal 271-2566 ; à Magog (819) 843-3981.

Dans un site admirable s'élève la grande *abbaye bénédictine de Saint-Benoît-du-Lac.* On y trouve l'hospitalité traditionnelle de l'ordre. Si vous entendez dire qu'un de vos amis québécois y séjourne, cela ne veut pas forcément dire qu'il postule son entrée en religion.

C'est peut-être un homme d'affaires un peu surmené, un auteur en quête d'inspiration, un citoyen à la recherche de calme ; reçus gracieusement dans le monastère, ils y gardent leur liberté de rencontrer ou non les moines, mais ne manquent pas d'aller aux offices, ne serait-ce que pour écouter le merveilleux chant grégorien.

Autre belle pièce d'eau entourée de hauteurs où foisonnent les érables et les conifères : le *lac Massawipi;* le village de **North-Hatley,** situé sur ses rives, est surtout fréquenté par des écrivains, acteurs, artistes et artisans créateurs.

*The Piggery,* restaurant-théâtre, donne des spectacles en été (tél. 819-2191).

Deux vieilles demeures bourgeoises transformées en auberges perchées sur une colline dominent le lac. Le *manoir Hovey,* tél. (819) 842-2421, et l'*auberge Hatley,* tél. (819) 842-2325, plusieurs chambres avec foyer et une très bonne table à l'autre extrémité du lac à Ayer's Cliff. L'*auberge Ripple Cove,* tél. (819) 838-4296, offre des chambres et chalets et une gamme d'activités récréatives, canotage, voile et planche à voile.

Le centre le plus anglophone de toute cette région se situe à **Lennoxville.** On y visite la petite et très britannique *Université Bishop* (celle de l'évêque anglican), le mini-Oxford du Québec. A **Compton** un ancien collège transformé en centre de villégiature avec piscine, gymnase, tennis, équitation, bonne table, le *Domaine Saint-Laurent,* tél. (819) 835-5464, accueille les touristes.

Plus on se rapproche de la frontière des États-Unis, plus la région est montagneuse et boisée.

De nombreuses stations de ski très fréquentées, telle **Sutton,** au centre d'un district de résidences secondaires toutes saisons animent cette région. Beaucoup de Montréalais choisissent même d'habiter «à l'année longue» cette région semimontagneuse, bien desservie par l'*autoroute 10,* garnie de lacs et traversée de jolis cours d'eau comme les rivières *Saint-François* et *Yamaska.*

Plus à l'est, aux confins de l'État américain et très montagneux du Maine, la région du *lac Mégantic ;* sur le sommet le

L'abbaye bénédictine de Saint-Benoît-du-Lac

plus élevé du mont Mégantic (1 110 m d'altitude), accessible en auto, l'observatoire astronomique le plus puissant de l'est de l'Amérique du Nord. Des visites d'été, guidées par des étudiants en physique de l'Université de Montréal, vous initient aux secrets du ciel. Renseignements : tél. 343-6718 à Montréal ou (819) 888-2822.

## Le pays des sucres

De Sherbrooke à Thetford-Mines : Route *112* (106 km).

Dans toute cette partie du Québec, au visage si particulier et riant, on trouve des possibilités récréatives et touristiques, des industries de transformation, principalement le textile, d'ailleurs en régression et une richesse très rare au monde : l'amiante.

Les deux villes importantes, situées entre le Saint-Laurent et

171

la frontière américaine, s'appellent **Thetford-Mines** et **Asbes-tos** (mot anglais qui signifie amiante). Joseph Fecteau a, en 1876, trouvé en labourant une parcelle de son rang, une roche merveilleuse ; de teinte verte jade, on pouvait, en la grattant, en détacher des fibres minérales douces comme la soie. Des hommes d'affaires des États-Unis eurent vite fait de mettre la main sur le plus grand gisement d'amiante du monde, exportant dans leur pays le minerai brut où il est transformé en sous-produits de grande valeur. Les deux cités de l'amiante sont bâties autour d'énormes cratères, l'exploitation se fait surtout à ciel ouvert ; elles sont entourées de hauts terrils que le vent caresse, emportant les ténus filaments silicatés dans les poumons des habitants de ces villes minières.

Un peu au nord, commence la *région des Bois-Francs.* Dans la parlure locale, ce terme désigne des essences non résineuses : les hêtres, le tilleul, le merisier, l'orme, bois très utiles pour la fabrication de meubles, de petits navires et autres objets de la vie courante. Ainsi, trouve-t-on autour de **Victoriaville** de nombreuses fabriques de mobilier. L'arbre le plus répandu dans cette contrée est l'érable sucrier. **Plessisville** est le vrai centre de l'industrie acéricole, entendez la fabrication, à partir de la sève des érables, de sucres et sirops. Depuis longtemps, les Indiens connaissaient ce secret. Ils savaient que de l'arbre dont les feuilles rougissent violemment en automne, si l'hiver a été longtemps froid et provoqué de copieuses chutes de neige, si au printemps se sont succédées des périodes de soleil hâtif et de gels nocturnes, de l'érable entaillé, coule une eau un peu insipide. Patiemment concentrée par la chaleur, elle devient poisseuse, puis liquoreuse, chargée soudain d'un parfum typique. Refroidi brusquement, ce sirop se cristallise. Les Canadiens ont fait de la récolte et de la transformation de la sève d'érable un rite de passage solaire. Le temps des sucres, à la fin d'un hiver qui n'en finit pas, annonce les jours revenus de la tiédeur. On les fête, en allant en groupe à la «cabane à sucre». On déguste le sirop chaud, on en arrose les crêpes, on y fait cuire des œufs, il coule sur le jambon de ferme, on le verse sur les plaques de la dernière neige pour qu'il devienne au milieu des rires la «tire» que l'on ramasse à l'aide d'une palette de bois. Les enfants et les moins jeunes s'en régalent à pleine langue. On boit aussi l'alcool blanc mêlé de vin. On danse, on s'amuse. Un autre hiver va finir.

## Une curieuse Beauce

De Sherbrooke à Beauceville : 153 km.

Coincée entre les Bois-Francs, les bords du Saint-Laurent et l'État du Maine, autour de la vallée de la *rivière Chaudière,* se trouve *la Beauce.* Cette contrée ne ressemble absolument pas au terroir chanté par Péguy. La Beauce du Québec est

une marche aux paysages heurtés, composée de collines, de sapinières, de terres agricoles parsemées de blocs erratiques et d'érablières. Ce qu'il y a de plus remarquable dans ce Québec très excentrique, ce sont les Beaucerons eux-mêmes. Ils ont une nature très particulière. Très attachés à leurs coutumes, à leur parlure et à leur accent caractéristique, contraints secrètement par des pensers très profonds, ce sont de bons vivants, amateurs de veillées, grands raconteurs d'histoires, «gens de parole et gens de causerie», comme le chante le poète Gilles Vigneault.

On trouve à **Saint-Evariste,** en haute Beauce, un écho de cette faconde beauceronne : les habitants, aidés de deux muséologues professionnels, ont créé un extraordinaire écomusée où ils narrent de façon vivante leur passé et leurs projets de vie. Tout près, la plus grande érablière du monde : 17 propriétaires, 70 000 entailles.

A **Sainte-Marie,** centre économique de Beauce-Nord, pour les amateurs de plein air, un sentier balisé de *58 km* de randonnée pédestre l'été et ski de randonnée l'hiver file en direction de **Frampton,** village niché sur une montagne (hébergement familial).

A partir de Sainte-Marie, tous les chemins mènent à Québec. La route *173* traverse quelques villages agricoles et ramène sur le bord du fleuve Saint-Laurent, à **Lévis,** d'où l'on jouit à partir de *la Terrasse* d'une vue panoramique sur le fleuve, l'île d'Orléans et la vieille capitale ; bac pour Québec.

## Vers Québec par le chemin du Roy

De Montréal : à Repentigny, 24 km, à Trois-Rivières, 135 km ; à La Pérade, 174 km ; à Québec, 251 km. Route *138.* Une nouvelle autoroute relie aussi Montréal à Québec. De Montréal à **Berthierville,** l'autoroute *40* est à péage, mais gratuite, de Berthierville à Champlain et de Deschambault à Québec.

Pour aller de Montréal à Québec, on peut aussi choisir la route de la rive nord, la plus ancienne. Avant 1734, les Canadiens n'avaient pas le choix : il fallait embarquer sur une goélette et espérer un bon vent. Les intendants de la Nouvelle-France ont réussi à ouvrir une voie carrossable. Il fallait à l'époque 4 à 5 jours pour faire le trajet dans des voitures à chevaux, ralenties par les relais, les passages des rivières, à gué ou sur des ponts de bois. On dormait la nuit dans de rares auberges ou chez l'habitant. C'était le *chemin du Roy,* tracé au bord du fleuve.

A partir de Montréal, on le parcourt encore. Aujourd'hui, il commence par la traversée de longues banlieues neuves, axées sur d'anciens villages. On les devine à leurs maisons de «pierres des champs», leurs manoirs et églises de vieux style.

La cité des **Trois-Rivières** demeure l'étape traditionnelle. Là aussi la bourgade, créée par le sieur de Laviolette en juillet 1634, n'a pas gardé grand-chose de son passé historique. Son développement industriel, fondé sur le bois, la pulpe et le papier, l'a profondément modifiée ; de graves incendies, au début de ce siècle, ont détruit les vieux quartiers. Lorsqu'on survole cette ville, qu'on la regarde par le hublot de l'avion, on comprend très bien son nom. Il n'y a en fait qu'une seule *rivière*, la tumultueuse *Saint-Maurice*. Elle descend des hauteurs du «bouclier canadien», château d'eau du Québec ; là où elle se jette dans le Saint-Laurent, deux grosses îles barrent son confluent, la forcent à se diviser en trois bras. Au long du delta, un important port de commerce, rarement bloqué par les glaces hivernales. Les eaux de la Saint-Maurice, qui traversent du nord au sud un immense domaine forestier, sont favorables au flottage des longues bûches papetières. Le courant alimente aussi des usines hydroélectriques qui fournissent l'énergie nécessaire aux «moulins à papier». Là, le bois, déchiqueté par de lourdes meules de grès, ou mitonné dans des autoclaves géants bourrés de sulfate, devient une pâte lisse (à cause de ce procédé chimique, toute la ville et ses environs baignent dans une odeur sulfureuse, qui permet au voyageur de savoir de très loin qu'il atteint la capitale mondiale du papier). Les lourds rouleaux de ce papier, principalement destiné aux journaux, trouvent leur place dans les soutes des cargos ou dans les wagons de chemin de fer de cet important centre ferroviaire. D'autres industries enrichissent aussi Les Trois-Rivières, notamment les fabriques de matériel électrique. Ses habitants insistent surtout sur son caractère touristique : *port de plaisance,* possibilités de croisières fluviales, visite des restes de son *vieux quartier,* demeures du XVIe s., vieux couvent des Ursulines d'architecture normande qui abrite un charmant musée d'histoire locale, terrasses le long du fleuve, une *piscine* à ciel ouvert qui est la plus vaste du continent, et une *cathédrale* remarquable.

A la sortie de la ville, deux pôles d'intérêt : les *Forges du Saint-Maurice,* effort des premiers administrateurs de la colonie qui ont voulu tirer parti de gisements de minerai de fer. Ils ont fait construire des hauts fourneaux qui fonctionnaient au bois et qui, pendant des années, ont produit du fer en barre et de la fonte. Cette première sidérurgie n'a été abandonnée que vers 1883. Il n'en restait que des vestiges recouverts par la forêt. Des archéologues, des historiens ont, depuis quelques années, retrouvé cet établissement, mis au jour ses vestiges. Un parc historique a été créé, que l'on visite. Il donne une idée des débuts hâtifs de l'ère industrielle au Québec, le temps des forges, grâce auxquelles le Québécois pouvait se soustraire aux importations coûteuses venues des métropoles européennes.

A **Notre-Dame-du-Cap,** une dévotion spéciale à la Vierge, fondée sur une suite de miracles, a transformé une partie de la banlieue industrielle en station mariale où les pèlerins nord-américains viennent en foule.

Cette région est connue sous le nom de *Cœur du Québec*. Vers le nord, elle comprend la haute vallée de la rivière Saint-Maurice (Voir La Mauricie, eaux et forêts, p. 180). Au sud du fleuve, toujours dans le Cœur du Québec, on trouve de grands villages qui vivent de petite industrie, souvent liée aux produits de la forêt. Les habitants de **Drummondville** ont recréé un *village d'antan :* 68 bâtiments d'époque, ceux des colons du siècle dernier, ont été transportés et remontés dans un site rural au bord de la rivière Saint-François et sont habités par des artisans et commerçants en costumes d'époque. Une auberge de style ancien propose des mets de grand-maman et l'on y passe des veillées comme autrefois.

## Les poissons des chenaux

Entre Les Trois-Rivières et Québec, le chemin du Roy suit le fleuve de très près, offrant de nombreux points de vue au touriste détendu. Un village est célèbre pour une activité d'hiver que l'on trouve un peu partout le long du Saint-Laurent. *La pêche aux «petits poissons des chenaux».* On appelle ainsi le poulamon, sorte de morue naine qui, chaque hiver, remonte le fleuve pour venir frayer à l'embouchure des rivières. Ce n'est pas vraiment une pêche, mais une partie de plaisir. On loue pour la journée et la soirée une petite cabane de bois bien chauffée posée sur la glace. Il y en a des centaines à Sainte-Anne-de-la-Pérade qui forment sur la baie glacée un curieux village provisoire. On maintient une tranchée ouverte dans la croûte gelée qui forme le plancher de ces maisonnettes. Des lignes de pêche pendent du plafond devant chaque pêcheur qui a muni les hameçons de morceaux de foie de porc. Lorsque le poulamon mord, le fil se tortille et fait tourner l'allumette nouée à hauteur d'œil. Il suffit de ferrer largement et d'amener la prise du fond de la rivière dans la cabane. Les bons jours, des quantités de ces petits poissons blancs sont retirées de l'eau, on en fait des festins bien arrosés de bière et de liqueurs fortes. Sur cette rive comme sur l'autre, on pêche bien d'autres poissons au printemps et en été. En automne, sur les «battures» du fleuve, on se met à l'affût pour tirer les oiseaux migrateurs, principalement les canards et les grandes oies blanches. Le guide de la Pourvoirie distribué gratuitement par le *ministère du Loisir, de la Chasse et de la Pêche* vous fournira toutes les bonnes adresses.

Le chemin du Roy traverse Québec et, après **Sainte-Anne** (35 km de Québec), rejoint celui de la *Côte de Beaupré*. **Saint-Joachim** est le type du vieux village agricole, bâti sur la falaise accidentée près du *cap Tourmente*.

A **Saint-Tite** (56 km ; visite du *canyon des chutes de Sainte-Anne,* 74 m de haut) on entre dans la *région des Caps*. La route ne peut plus suivre le bord du fleuve trop découpé où viennent mourir, dans un chaos minéral, les puissants contreforts du bouclier primaire. Elle ondule sur les hauteurs, redescend à **Baie-Saint-Paul** dans une anse fertile, bordée par de

Chalets de pêche sous la glace à Sainte-Anne-de-la-Pérade

hautes masses rocheuses. Ce paysage a incité de nombreux peintres à s'installer là, qui, à leur tour ont attiré d'autres artistes, écrivains et poètes. Ici commence le *pays de Charlevoix,* étonnante suite de terroirs très brisés, où la nature vient à la rencontre de la culture. Signe particulier, c'est dans cette contrée que l'on trouve des petits hôtels tenus par des familles. A **Baie-Saint-Paul,** par exemple, l'*auberge Otis.*

## Le pays de Charlevoix

De Québec : à Baie-Saint-Paul, 98 km ; à Pointe-au-Pic, 145 km ; à Saint-Siméon, 187 km.

Dans le fleuve déjà large se trouve l'île aux Coudres — les coudres, ce sont les noisetiers. Pendant longtemps, ses habitants ont vécu de l'industrie de la tourbe et de la pêche, prenant des poissons dans des filets fixes ou allant traquer les bélugas dans les remous du Saint-Laurent. Ceux qui ont vu les très beaux films de Michel Brault et Pierre Perrault, «Pour la suite du monde» et «le Règne du jour» ont eu une vision de cette île de pêcheurs de marsouins. Ils ont entendu leur parler et peut-être compris leur particularisme. Aujourd'hui, l'habitant de l'île aux Coudres qui a repris goût à la pêche, vit surtout du tourisme. Si vous voulez visiter par une belle fin de semaine d'été cette parcelle du Québec, soyez patient ; pour prendre le bac qui y mène, il vous faudra attendre votre tour dans une longue file de voitures. Il vaut mieux aussi réserver dans les hôtels et auberges de l'île. On y goûte les plats traditionnels : éperlans frits, soupe aux gourganes (fèves), pâté croche, tarte à la rhubarbe. A l'*hôtel du Cap-aux-*

*Pierres* ou à celui de *l'Anse-Pleureuse,* vous aurez en surplus des spectacles folkloriques. Si vous ne pouvez faire la traversée, consolez-vous en visitant, à **Saint-Joseph-de-la-Rive,** *la papeterie Saint-Gilles,* où, comme à Ambert en Auvergne, on fabrique, à la forme, du papier de chiffon pur, filigrané, dans lequel sont incorporés, selon la saison, des pétales colorés de fleurs des champs, des feuilles d'érable rouges, des fougères. Après le village appelé **les Éboulements,** c'est le vrai Charlevoix.

Ici encore, les avancées du massif des Laurentides bordent la côte ; la montagne épouse la mer, une montagne tranquille, faite de lignes arrondies qui évoquent d'immenses corps de femmes, couchées nues sur l'horizon. Les élévations tombent à pic vers les rivages, formant des crans, ou s'ouvrent en amphithéâtre autour des estuaires. La route chemine de vals en crêtes, offrant de merveilleux panoramas. L'arrière-pays est tout en vallées et plateaux. Là, sont des rangs très anciens aux noms savoureux, d'antiques demeures de bois, des moulins à eau au long des ruisseaux multiples.

L'écrivain Félix-Antoine Savard a décrit ce pays où il vit et raconté l'histoire de « Menaud, maître-draveur », héros qui vit périlleusement en équilibre sur les troncs flottants qu'il doit « driver » dans le sens du courant.

Le complexe touristique **Pointe-au-Pic-La Malbaie-Cap-à-l'Aigle** rappelle le temps où cette région pittoresque, très fraîche pendant les étés, était le rendez-vous des grandes familles de l'Est du Canada et des États-Unis. Elles ont construit de grandioses villas de bois dès 1870. Pour elles aussi et les riches vacanciers et yachtmen a été créé le *Manoir Richelieu,* un palace entouré de terrains de golf et de courts de tennis. 305 chambres décorées en néo-rustique, discothèque. Le tout à des prix abordables. L'aéroport proche de Murray Bay est desservi de Québec et Montréal par Québecair.

La région est à présent surtout fréquentée par des estivants ordinaires qui recherchent la beauté des sites ; ils pêchent sur les quais, le soir au fanal, abrités de la brise par leur voiture, l'éperlan argenté.

De bons petits hôtels-restaurants, où l'on peut prendre pension sur toute la côte. Dans la région de **La Malbaie-Cap-à-l'Aigle,** l'*auberge des Trois Canards, la Pinsonnière,* le *motel Chez Pierre ;* le *Petit Berger* à **Pointe-au-Pic,** *la Perdriole* à **Saint-Joseph-de-la-Rive,** l'*auberge des Demoiselles Bouchard* à **Port-au-Persil.**

A **Saint-Siméon,** un bateau-passeur, contournant l'*Ile-aux-Lièvres,* conduit en moins de deux heures sur l'autre rive à **Rivière-du-Loup.** A **Bale Sainte-Catherine,** on touche le confluent du Saguenay et du Saint-Laurent. Pas de pont. Un traversier gratuit transporte piétons et voitures de l'autre côté de l'embouchure. Avant de quitter Charlevoix, il faut, si l'on aime la nature, visiter le *parc des Palissades,* centre éducatif forestier taillé au pied de très hautes falaises et la *Halte* *de Pointe-Noire,* centre d'interprétation des bélugas. De **Baie-Sainte-Catherine,** en août et septembre, croisières d'observation des cétacés. *Rens.* tél. (418) 653-8186.

## En route vers la Côte Nord

De Tadoussac : à Baie-Comeau, 198 km ; à Sept-Iles, 431 km et Havre-Saint-Pierre par la route 138.

A **Tadoussac,** on visite une petite chapelle de bois datant de 1747. Aux **Escoumins,** un peu plus vers l'est, les archéologues ont découvert les traces d'établissements successifs d'Amérindiens, installés en ce lieu avant l'époque néolithique. Bien avant Jacques Cartier, les Basques qui pêchaient la baleine, mouillaient dans l'anse, là où se jette la rivière *Sainte-Onge.* Aujourd'hui, les navires de fort tonnage y font une halte pour prendre au passage ou débarquer le pilote qui suggère au capitaine les meilleures routes pour éviter les courants du fleuve et faire voguer leur bâtiment au beau milieu des chenaux. Aux **Grandes-Bergeronnes,** au mois d'août, on peut observer de la rive les ébats des baleines.

A **Betsiamites** se trouve une réserve d'Indiens portant ce nom qui a un rapport, dans leur langue, avec la pêche à la lamproie.

Cette région appelée *Côte Nord* se fait de plus en plus désertique. La terre est peu favorable à la culture. Les Québécois qui habitaient là autrefois se nourrissaient du produit de leur pêche et de la chasse au caribou et autres mammifères. A présent, ils trouvent du travail dans les industries nouvellement implantées : à **Baie-Comeau,** l'aluminerie, la grande usine à papier créée pour approvisionner les rotatives du Chicago Tribune et, plus au nord, dans la vallée de la rivière Manicouagan, les installations de *Manic* 5 et son barrage à voûtes multiples, champion de sa catégorie. Il porte le nom du Premier ministre du Québec, Daniel Johnson, décédé subitement lors des fêtes de l'inauguration en 1968. Long de 1 300 m, haut de 215, il limite un lac artificiel de 1 950 km² de superficie. Tombant de 155 m, les eaux sous pression alimentent quatre groupes qui fournissent près de 1 300 000 kWh, transportés vers Montréal et sa région par des lignes dans lesquelles la tension du courant atteint 735 000 V. D'autres installations se trouvent sur le cours d'eau parallèle à la Manicouagan, la *Rivière-aux-Outardes.* Du 15 juin au 6 septembre, *Hydro-Québec* accueille les touristes désirant visiter les centrales de **Manic 2** et **Manic 5.** Rens. : tél. (418) 296-7902. Il faut prévoir 2 jours pour la visite des deux centrales. Entre **Hauterive** et Baie-Comeau, on emprunte la route *389 (209 km).* On peut visiter Manic 2, dormir à Manic 5 au *motel de l'Energie.* Réservations, tél. (418) 584-2301 ; le lendemain visiter les installations de Manic 5 ou bien loger à Baie-Comeau-Hauterive et faire le voyage aller-retour.

**Sept-Iles,** humble village de pêcheurs à l'origine, a connu une expansion formidable en un quart de siècle. A 600 km au nord, de très importants gisements de fer ont été découverts et mis en exploitation. Pour transporter le minerai jusqu'à la côte, une ligne de chemin de fer, longue de 576 km, a été construite dans une région difficile. Pour l'instant, la crise mondiale de la sidérurgie en freine l'essor. Le train, s'il transporte moins de minerai, est accessible aux touristes, chasseurs et pêcheurs. En 12 heures, à travers de fantastiques paysages de lacs et de rivières il mène à **Schefferville.** Départ tous les jeudis matins, retour les vendredis soirs. Rens. tél. (418) 968-7539. Pour réserver au *motel Royal de Schefferville,* tél. (418) 585-2601. La route tracée vers l'est jusqu'au *détroit de Belle-Isle,* face à Terre-Neuve, n'est carrossable pour l'instant que jusqu'à l'agglomération de **Havre-Saint-Pierre;** les pêcheurs sportifs de là partent pour des excursions vers les rivières très peu fréquentées où pullulent les saumons de l'Atlantique.

Pour visiter les villages de cette côte, mieux vaut prendre les petits avions qui font des sauts de puce d'un aérodrome à l'autre. On peut aussi, au départ de Rimouski ou de Sept-Iles, embarquer sur le navire *Fort-Mingan* qui relâche dans chaque port. C'est la croisière du silence et de la beauté saisissante d'une des terres les plus sauvages du monde. On visitera ainsi **Mingan** et son archipel, étonnamment sculpté par les érosions, **Natashquan,** patrie de Gilles Vigneault, où se trouve aussi un important établissement indien. **Blanc-Sablon** est le dernier village avant Terre-Neuve. Le Québec s'arrête là, âpre et désertique. Un bac conduit au port terre-neuvien de Sainte-Barbe.

En plein milieu de l'estuaire du Saint-Laurent se trouve aussi l'*ile d'Anticosti,* couverte de forêts et parcourue de rivières poissonneuses. Elle mesure 216 km dans sa plus grande longueur. Elle a longtemps appartenu au chocolatier français Menier qui, à bord de son yacht, venait y passer l'été. Il y a transporté des cerfs de Virginie qui vivent très nombreux dans l'île. Elle est devenue ensuite la propriété d'une importante entreprise forestière qui vient de la céder au gouvernement du Québec. L'île, immense réserve naturelle de la taille de la Corse, est ouverte aux amateurs de pêche, chasse et de villégiature, accès par avion de Montréal, Québec ou Sept-Iles (*Quebecair,* tel. 1-800-361-0200); par bateau, le *N.M. Fort Mingan,* de Rimouski ou Sept-Iles (tél. 1-800 463-0860).

## *La Mauricie : eaux et forêts*

Des Trois-Rivières : à Shawinigan, 29 km; à Grand-Mère, 42 km; à La Tuque, 162 km.

Les amateurs de chasse et de pêche n'ont pas besoin d'aller si loin. Il suffit, aux **Trois-Rivières,** d'emprunter la route 155 qui monte franc nord, le long de la gorge tourmentée de la *rivière Saint-Maurice* pour accéder au *haut Cœur du Québec.*

On traverse des villes industrielles que l'abondance de l'énergie électrique a attirées dans cette région hautement pittoresque. Ainsi **Shawinigan** où les usines élaborent des produits chimiques. Pour faire contrepoids à son destin industriel, la ville s'est dotée d'un centre culturel très actif où tous les arts se donnent rendez-vous.

**Grand-mère** est le nom d'une autre cité. Un grand rocher sculpté par l'érosion qui la domine rappelle le profil d'une vieille femme. Déjà les Indiens l'appelait Kokomis, ce qui dans leur langue signifie précisément grand-mère. Lorsque fut construite la centrale électrique sur la chute d'eau dominée par le célèbre Rocher, il fut soigneusement découpé à la scie, ses éléments numérotés et réassemblés au sommet d'un parc, afin de garder intacte la précieuse curiosité géologique.

On se trouve là au cœur de la *Mauricie,* connue également pour ses possibilités dans le domaine de la chasse et de la pêche. Tous les affluents de la Saint-Maurice mènent à des lacs, torrents boisés, où de nombreux camps sont à la disposition des taquineurs de truites ou des guetteurs d'orignal ou d'ours noir.

Au nord de **Grand-Mère** s'étendent deux immenses réserves naturelles et le *parc de la Mauricie* — on y pratique sur son réseau de lacs tranquilles et de torrents le canot-camping ou encore le camping classique sur d'innombrables terrains perdus dans les collines.

**Sainte-Tite,** dans la même région, ville de bûcherons mauriciens, a su, au bon moment, s'orienter vers les industries du cuir, du gant à la pantoufle. Ses fabricants de bottes, lancés par la mode vers la fantaisie, ont reçu en 1968 l'idée de créer un *festival western.* Depuis, tous les ans pendant une semaine, au début de septembre, la ville attire des milliers d'amateurs de rodéo. C'est la grande fête pour les Saintitais qui, tous habillés en héros du Far West, préparent pour les visiteurs des attractions variées : cavalcades, concours hippiques, courses de chevaux, tournois de fers à cheval (la pétanque du cow-boy), prises de veaux au lasso, élection de Miss Cavalière. On circule en ville en diligence modèle Texas 1880 ou en wagon de pionnier. On mime l'attaque de la banque ou la défense de la ville cernée par les Sioux, on reconstitue des mariages style conquête de l'Ouest, on se nourrit de bœuf rôti à la braise, on organise même des soirées bavaroises à la western et des courses de chars romains. Le principal est de s'amuser. Cette petite ville de 3 000 hab., en pleine montagne, est ainsi devenue une annexe vivante des grandes plaines légendaires. Elle vit pratiquement toute l'année dans l'ambiance cow-boy : chapeau de feutre et bottes de cuir. Tout le monde se sent un peu sheriff.

Plus au nord, **La Tuque,** autre ville papetière, doit son nom à un rocher en forme de bonnet de laine, la tuque des Canadiens français. Elle assure notamment sa promotion touristique par une grande *course de canots* : 160 km sur de eaux déchaînées de la Saint-Maurice, jusqu'aux Trois-Rivières, tous les ans, le premier lundi de septembre. Il n'y a pas si longtemps, tous les villages de la vallée servaient de base de départ aux nombreux bûcherons qui allaient travailler dans les chantiers de bois. Dur travail d'hiver. Il fallait que les grands conifères attaqués à la scie, ébranchés, tronçonnés, soient poussés sur les pentes enneigées jusqu'aux cours d'eaux gelés, en attendant le printemps qui leur permettrait de flotter, au fil de l'eau vers les usines à papier. Ces travailleurs de la «pitoune», pour la plupart cultivateurs, habitaient dans des dortoirs de rondins en plein bois, retournant chez eux à la belle saison. Aujourd'hui, l'industrie forestière s'est mécanisée à un tel point qu'il suffit de moins d'hommes pour exploiter les lots de boisés. Mais demeure dans cette région, comme dans toutes les hautes Laurentides et Appalaches, le glorieux souvenir de l'épopée des chantiers. La route de la Mauricie se termine au lac Saint-Jean.

## Deux royaumes, un pays

De Québec à Chicoutimi par la route *175* : 216 km.

On peut aussi atteindre cette région en partant de Québec. On prend la direction nord, à travers la *réserve faunique des Laurentides,* traversée par une excellente route. Des signes imagés indiquent fréquemment des traversées d'orignaux ou de caribous ; ces avertissements ne sont pas là pour la couleur locale, les animaux peu chassés sont chez eux dans ce grand domaine protégé et s'aventurent volontiers sur le chemin carrossable ; gare à l'automobiliste inattentif qui heurte un cervidé.

Dans la réserve, on peut camper ou loger dans des chalets, au bord des lacs, loués avec la barque qui permet des excursions.

Au sortir du parc, on entre dans le *Saguenay-lac Saint-Jean.* C'est un «pays» composé de deux «royaumes». L'étranger, c'est-à-dire celui qui n'appartient à aucun des deux, se doit de ne pas les confondre ; Saguenéens et Jeannais fiers d'appartenir collectivement au même ensemble, n'aiment pas trop qu'eux et leur contrée soient pris l'un pour l'autre.

Géographiquement parlant, on ne saurait se tromper : le Saguenay, plus qu'un fleuve, est une mer. Largeur moyenne 1,50 km. Longueur 104 km. Elle déploie ses eaux sombres entre de hautes falaises crénelées, parfois à pic. C'est un fjord, très creux jusqu'à la ville de Chicoutimi (nom indien qui signifie «jusqu'où l'eau est profonde»). Le lac Saint-Jean qui fait suite est une immense cuvette, elle aussi creusée par les glaciers, mais qui, tout autour, ont laissé en terrasses d'épaisses couches d'une argile fertile.

Saguenéens et habitants du lac Saint-Jean ont en commun

Au fond de son fjord, Chicoutimi

une imagination créatrice, un goût de vivre étonnant et des qualités d'hospitalité sans bornes. Quiconque arrive et ne critique rien est accepté d'emblée. Autre région riche en électricité, le Saguenay a attiré des industries qui en font une forte consommation : le papier, bien entendu, mais aussi l'aluminium. La bauxite arrive d'Afrique, de la Jamaïque ou de la Guyane (ex-britannique). Les minéraliers qui la transportent n'ont guère de mal à remonter le Saguenay où ils déchargent à **La Baie,** ville née de la fusion de municipalités étalées au fond de la baie des Ha! Ha!, dans un des bras du fjord. A **Arvida,** la bauxite est transformée en lingots brillants dans les immenses usines de la société Alcan (des visites sont organisées en juillet et août).

**Chicoutimi,** bâtie en gradins de chaque côté de la rivière, est une ville très vivante ; la vie nocturne ne l'est pas moins, surtout en fin de semaine. Selon une expression locale, le Chicoutimien aime «foirer», c'est-à-dire faire la foire.

### Le Carnaval du froid

De Chicoutimi : à Péribonka, 108 km ; à Mistassini, 133 km ; à Dolbeau, 135 km ; à Saint-Félicien, 193 km.

Ce goût de plaisir s'exalte particulièrement tous les ans pendant la semaine qui précède le mardi gras. Il fait très froid à Chicoutimi dans ce temps-là et les tempêtes de neige frappent durement cette région du nord du Québec. Pour conjurer l'hiver, les gens du Saguenay ont inventé un très joyeux *carnaval.* Toutes les femmes s'habillent comme faisaient leurs arrière-grand-mères : crinolines, capotes bordées de fourrures, grands manteaux de drap. Les hommes qui se sont laissé pousser barbe et moustaches tout l'hiver, sortent les hauts-de-forme de castor et les pelisses du papa de grandpapa : les organisateurs de ce festival du grand froid joyeux proposent des dîners en plein air (la bonne grosse charcute-rie, le pain de ménage juste sorti du four et les rasades de caribou ou de vin de bleuets, aident à ne pas geler sur place). A l'issue de la grand-messe, on reconstitue le temps où le crieur public lançait des avis et où les «encanteurs» organi-saient des enchères publiques (on peut vraiment ainsi acheter un cochon de lait ou des poulets vivants). A la piscine, cha-cun revêt les costumes de bain d'un autre siècle; les danses au coin des rues, les parades de skieurs ou de raquetteurs aux flambeaux, les épreuves dotées de prix entre bûcherons, le concours de la plus belle barbe sont autant d'occasions de s'amuser entre soi. Et avec les autres, car au fil des années, ce carnaval du bout du monde attire les grandes foules.

Pour qui vient l'été dans la région, il est d'autres plaisirs. Celui, par exemple de faire une *croisière* sur le Saguenay, sur un mini-paquebot fluvial doté d'un bar et d'une salle à man-ger où sont servis les mets de la région et d'un pont cou-vert sur lequel on peut danser. C'est un véritable voyage : le petit navire blanc quitte Chicoutimi à 8 h 30 du matin, s'arrête à Tadoussac au début de l'après-midi et revient à son port d'attache à 22 heures. A ne pas manquer, surtout les nuits de pleine lune. C'est le seul moyen, puisqu'il n'existe que peu de routes longeant cette étonnante rivière, de la voir et au long du parcours d'admirer les impressionnantes beautés du cap Éternité et du cap Trinité.

La visite au Saguenay s'accompagne, par tradition, du tour du lac Saint-Jean. Presque rond, 40 km de diamètre, il est cein-turé par une route de 230 km qui, au départ de Chicoutimi, passe assez loin de la rive. On passe à **Shipshaw,** où a été construit le premier pont du monde en aluminium, au-dessus des *gorges du haut Saguenay* verrouillées par une série de barrages qui fournissent l'énergie aux alumineries. A **Alma,** on peut embarquer pour une croisière sur le lac.

A **Péribonka,** aux blanches maisons sur les bandes de sable, on retrouve, grâce à un petit musée le souvenir de Maria Chapdelaine et de *Louis Hémon* qui y rédigera l'ouvrage qui fit le mieux connaître le Québec à l'étranger.

Péribonka est ausi le point de départ d'une *épreuve sportive internationale :* tous les ans au mois d'août, la traversée à la nage du lac, rendue pénible par les courants glacés qui le sillonnent.

**Mistassini,** un peu à l'écart, a reçu le titre de capitale du bleuet. C'est le nom donné à la myrtille nord-américaine. Au cours du mois d'août, ce fruit sauvage est mûr; une nom-breuse main-d'œuvre va dans les landes où se trouve les fruits violacés. Il en est recueilli environ 3 500 tonnes qui deviennent confitures ou garnitures de tartes à la liqueur — on peut les goûter et en acheter dans la boutique installée par les Trappistes et à la *maison Julac.* **Dolbeau** se situe à la même latitude que Paris. Aussi a-t-on installé là un astro-labe relié à la capitale française.

Village abandonné de Val Jalbert

## Cités vivantes et villages fantômes

De Saint-Félicien à Roberval : 23 km.

**Saint-Félicien** est doté d'un *zoo,* qui serait bien semblable à tant d'autres s'il n'était complété par un immense domaine forestier clos, où vivent en liberté des animaux sauvages. Traînées par un tracteur, des baladeuses grillagées traversent lentement en tous sens le parc naturel, permettant aux visiteurs de voir d'assez près et de photographier orignaux, cerfs de Virginie, caribous, ours et castors. Ainsi les animaux sont libres tandis que le public est en cage. Le jardin zoologique comprend aussi, sur la rivière qui le traverse, une passe migratoire des ouananiches qu'on peut voir en grand nombre à l'époque de frai.

La ouananiche est une autre spécialité de la région. Ses ancêtres, saumons, au moment où la mer primitive s'est retirée de la cuvette glaciaire pour faire place aux eaux douces, sont restés prisonniers des lacs. Ce poisson particulièrement combatif, à la chair savoureuse est très recherché par les chevaliers de la gaule.

**Pointe-Bleue,** sur les bords du lac, est une *réserve d'Indiens* surtout Abénaquis, Algonquins et Montagnais. Des « cabines » et camps de pêche sont loués en été aux vacanciers qui veulent vivre près des autochtones.

Un peu plus loin, la très élégante cité de **Roberval** est une base de départ classique pour les *expéditions de pêche et de chasse.* C'est aussi le point d'arrivée de la traversée à la nage du lac. Cet événement aquatique donne lieu à une semaine de réjouissances particulièrement bruyantes et bien arrosées. Par contraste, à 10 km de là, **Val-Jalbert** est un village fantôme. On le trouve au fond d'une gorge, où jaillit presque verticalement une chute d'eau de 72 m de hauteur. Là, un homme entreprenant avait, en pleine nature, installé en 1901 une usine de pulpe à papier et fait construire deux rangées de hautes maisons de bois se faisant face dans l'axe de la chute ; une église, un presbytère, une école, des magasins, un hôtel, un bureau de poste, une banque. Le tout pour ses employés et leur famille. Damase Jalbert avait donné son nom à l'ensemble. En 1909, son usine faisait faillite. D'autres tentèrent de remonter l'affaire de moins en moins rentable à cause de la concurrence des grandes entreprises papetières de la région. En 1927, le village dans la vallée perdue était déserté. Longtemps laissées à l'abandon ses maisons s'écroulaient doucement, envahies par la végétation. Le *ministère du Loisir, Chasse et Pêche* s'est porté acquéreur du domaine et en a restauré les bâtiments et les demeures, tout en leur conservant leur aspect un peu vermoulu de bourg abandonné ; l'hôtel recommence à servir des repas, le bureau de poste à vendre des timbres pour des cartes postales, les demeures sont converties en musées, ateliers d'artistes, l'usine en centre culturel et artisanal. La vie reprend dans ce romantique vallon.

# A VOTRE SERVICE
# DANS LE MONDE ENTIER

Imprimé en France par Offset-Aubin, 86000 Poitiers
Dépôt légal n° 9680-1-1985 — Collection 12 — Edition 01
Imprimeur n° P 13224
ISBN 2.01.010653.9        I.S.S.N. 0339.8838
24/1050/4

Le tour du lac Saint-Jean ramène, par **Chambord** (pêche à la ouananiche dans un beau décor lacustre), **Desbiens** (visite de la grotte dite *le Trou de la Fée*), **Métabetchouan** (camp musical où Vivaldi, Bartok et le jazz sont à l'honneur), à Chicoutimi-sur-Saguenay. On peut voir aussi une partie du fjord à **la Baie.** L'aéroport de la ville sert d'escale aux avions de *Québécair* qui desservent régulièrement la région et la relie à Québec, Montréal et les villes du Nouveau-Québec. A son port accostent des bâtiments qui viennent des mers lointaines. Tous les étés, des paquebots de croisière viennent s'amarrer là. Ne quittez pas la région sans goûter ses spécialités : la soupe aux gourganes, la tourtière du lac Saint-Jean (pâté de plusieurs viandes aromatisées et cuites au four dans un poêlon) et, bien sûr, la tarte aux bleuets. Les gens du pays prononcent volontiers ce mot «beluet», mais n'apprécient guère les étrangers qui veulent imiter cette façon de parler. Pour le chemin du retour, vous avez le choix : deux routes suivent de loin la crête des falaises le long du Saguenay. L'une aboutit à Saint-Siméon et l'autre à Tadoussac.

## *Voici le Nord moyen*

Autre moyen de connaître le nord giboyeux : sur la route de Montréal à Québec, prenez à gauche à **Berthierville,** en laissant le fleuve derrière vous. Vous aboutissez à une série de plateaux ondulés que la nature a encore agrémentés de buttes inattendues ou de dépressions soudaines : les coulées, au fond desquelles vont, tout en méandres, les ruisseaux pour se jeter dans les vallées profondes. Plus on roule vers le nord, plus le relief s'accentue, plus les conifères sont nombreux au détriment des feuillus. Peu de villages le long de cette route, mais de nombreux lacs cernés de bois. C'est la région *De Lanaudière.* La ville principale, **Joliette,** est fière de son musée d'art et de son festival musical d'été. Un autre nom à retenir (à 58 km de Berthierville), le bourg de **Sainte-Émélie-de-l'Énergie,** vocable introuvable dans le calendrier officiel des élus, mais bien connu des pêcheurs de truites.

A 100 km de Berthierville, voici **Saint-Michel-des-Saints,** et **Saint-Ignace,** les villages au bout de la route qui bute sur la pointe du *lac Toro* et ne va pas plus loin. Il y a des milliers d'autres lacs plus au nord, on ne les atteint qu'en hydravion. De nombreuses *expéditions de pêche et de chasse* partent ainsi de Saint-Michel, accompagnées par un guide indien de la réserve Cri.

Par une route forestière, on peut, vers l'ouest, avoir accès à une partie du *parc du Mont-Tremblant* et revenir par **Saint-Donat,** station d'été et d'hiver, championne pour l'altitude ; visiter, dans cette région *De Lanaudière,* la petite cité de **Rawdon** et son *village historique* reconstituant la vie des colons anglais d'autrefois dans ces hautes collines tourmentées. Elles font partie des Laurentides, ce terrain de jeu d'été et d'hiver du Montréalais.

THE OUTLAWS
SCARLETT
&BROWNE

# THE OUTLAWS
# SCARLETT
# & BROWNE

BEING AN ACCOUNT OF THEIR DARING
EXPLOITS AND AUDACIOUS CRIMES

# JONATHAN
# STROUD

WALKER
BOOKS

First published in Great Britain 2021 by Walker Books Ltd
87 Vauxhall Walk, London SE11 5HJ

4 6 8 10 9 7 5 3

Text © 2021 Jonathan Stroud
Cover illustration © 2021 Tom Cole
Maps © 2021 Tomislav Tomić

Printed and bound by CPI Group (UK) Ltd, Croydon CR0 4YY

British Library Cataloguing in Publication Data: a catalogue
record for this book is available from the British Library

ISBN 978-1-4063-9481-8

www.walker.co.uk

*For Kelsey, Naomi
and Alex, with love*

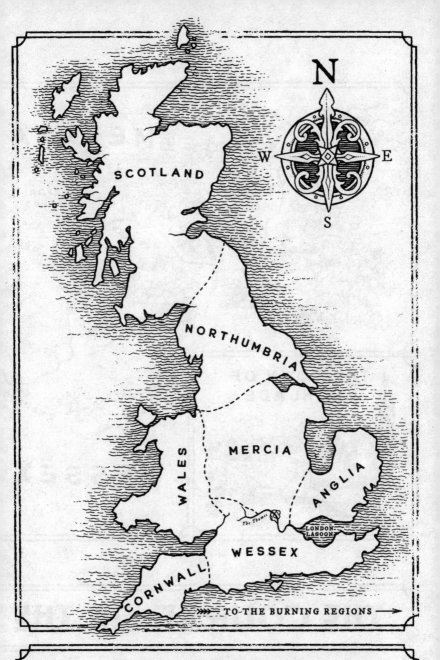

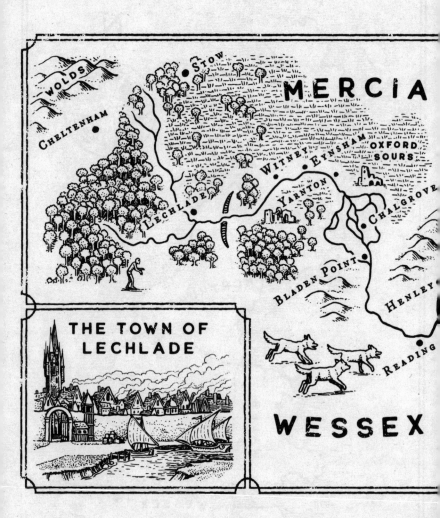

WOLDS

CHELTENHAM •

STOW •

MERCIA

OXFORD
SOURS

WITNEY • EYNSHAM •

L'ECHLADE •

YARNTON •

CHALGROVE •

BLADEN POINT •

HENLEY •

THE TOWN OF
LECHLADE

READING •

WESSEX

**THE COURSE OF THE**

ANGLIA

THE GREAT
RUINS

• MARLOW

LONDON LAGOON
AND THE
GREAT RUINS

25 MILES

RIVER THAMES

# I
# THE WILDS

# 1

THAT MORNING, WITH THE DAWN HANGING WET AND PALE over the marshes, Scarlett McCain woke up beside four dead men. Four! She hadn't realized it had been so many. No wonder she felt stiff.

She tipped her prayer mat from its tube and unrolled it on the ground. Sitting cross-legged upon it, she tried to meditate. No luck, not with four corpses staring at her, and a knife wound throbbing in her arm. A girl couldn't concentrate in those conditions. What she needed was food and coffee.

She got to her feet and glared down at the nearest body. It was a portly, black-bearded Woldsman in a denim shirt and jeans. He looked old enough to be her father. Perhaps it *was* her father. His face, half resting on mud and stones, wore an aggrieved expression.

"Yeah, we've all got problems," Scarlett said. "You try to rob me, that's what you get."

She stepped over the man and went down to the lake to inspect the animal snares. Yet again her luck was poor. The traps were broken, the noose strings bitten through. At the end of

13

a smear of blood a rabbit's head lay tilted in the bent, wet grass. The long rust-brown ears were cocked upwards as if giving her a furry two-finger salute. It was like the mud-rats had deliberately left it that way.

Scarlett McCain swore feelingly in the direction of the forest. Then she took a penny from her pocket and transferred it to the leather cuss-box hanging at her neck. Already in the red! And she hadn't even had her breakfast.

Back at camp, she brewed coffee over the remains of the night's fire. She drank standing up, straining the dregs through her teeth and spitting the black grit into the water of the stream. It would be a clear day; cool at first, but no rain. The hilltops of the Wolds were picked out in buttery yellow, the western flanks still dark and blue. Way off, beyond the edge of the fen, Scarlett could see the street lights of Cheltenham showing behind the fortifications. As she watched, they shut off the town generator and the lights winked out. In another half-hour, they'd open the gates and she could go in.

She rolled up her blanket and slotted her prayer mat in its tube, then went to collect her sulphur sticks. Two had been trampled in the fight, but three were OK: the smell had kept the mud-rats off during the night. Scarlett shook her head. It was getting so you couldn't take a kip in case one of those bristly bastards slunk out of a bush and bit your nose off. The bigger rats would do that. It had happened to people she knew.

She stooped to her rucksack, unclipped the two empty bottles and carried them to the stream. One of the men she'd killed was lying half in the water, face up, blond hair swirling with the river weed, a white hand floating above the pebbles like a crimped and

14

curling starfish. Scarlett went upstream of the obstruction. She didn't want to catch anything.

Her leather coat brushed against the reed stalks as she waded a few steps in and refilled the bottles. Mud and water reached halfway up her boots. She glimpsed her pale, round face hanging distorted beyond the ripples. Scarlett frowned at it, and the face frowned back at her. Its long red hair was tangled worse than the river weed. She'd have to sort that out before she went into town.

She was tightening the bottle tops when she felt the skin prickle on the back of her neck. She looked behind her, suddenly alert, her senses operating at a new intensity.

The sun was rising over the Wessex Wilds; everything was lit a fiery, optimistic gold. There was almost no breeze. Out on the lake the motionless water clung about the reed stems, as flat and blank as glass.

Scarlett stood where she was, a bottle in each hand, trying to hollow herself out so that every available sensation came flooding in. Her eyes moved slowly round.

No danger was visible, but that didn't fool her. Something had come out of the forest, drawn by the smell of spilled blood.

So where would it be?

A short distance from the shore, midway between the lake and the trees, the remains of ancient buildings protruded from humped grass. The melted walls were crags now, harder than rock and fused into strange black shapes. A flock of birds, coiling like a streamer, wheeled and darted high above, then swept off across the forest. She could see nothing else, nor was there any sound.

Scarlett walked back to her rucksack, fixed the bottles and

tube in place, and hoisted the bag over her shoulders. She kicked soil onto the fire, circling slowly so as to scan the landscape in all directions. If time had allowed, she would have rifled the bodies of the outlaws in search of supplies, but now she just wanted to get away. She made a token inspection of the bearded man; just another failed farmer who thought possessing a knife, a paunch and a bad attitude made him capable of attacking a lone girl sitting by her campfire. The knife was not as sharp as the one Scarlett had in her belt, but he *did* have a greaseproof pack of sandwiches in the pocket of his jacket. So that was Scarlett's lunch sorted.

She left the camp and began threshing her way through the tall, wet grasses. Off to the west, clouds were massing to extraordinary heights, mountains of pink and white towering over the Welsh frontier. Scarlett moved away from the lake and made directly for the crags. Better to face the creature now, out in the open with the sun at her back, than be stalked across the marshes. Hide-and-seek wasn't her thing.

When she got within fifty yards of the walls, she stopped and waited. Presently a long, low-backed piece of darkness peeled off from the edge and loped into the sunlight. It was a brindled grey and black wolf, a mature adult, twice as long as Scarlett was tall. Its head was lowered, but the lazily swinging shoulder blades rose almost as high as her chest. The amber eyes were fixed upon her. It came forwards unhurriedly, with the confident swagger of a salesman about to close a deal. No fuss, no flurry. It too was keen to get the job done.

Scarlett's hand moved slowly towards her belt. Otherwise she stood where she was, a slight, slim figure in a battered brown coat, weighed down with a rucksack and tube and bottles and all the paraphernalia of a girl who walked the Wilds.

The wolf slowed its pace. When it was six yards away, it halted. It raised its head to the level of Scarlett's, and she and the animal appraised each other. Scarlett took note of the wet fangs, the black lips, the intelligence burning in its gaze. Perhaps the wolf noted something in Scarlett McCain too. It turned its head; all at once it was trotting past her and away. Its thick sharp tang whipped against her face and was gone.

Girl and beast separated. The wolf ambled towards the lake, following the scent of the bodies. Scarlett took a comb from a pocket and ran it through the worst knots in her hair. Then she located a piece of bubblegum, tightened the straps on her rucksack, adjusted the hang of her gun-belt, and set off towards the distant town.

Enough dawdling. Time to get on with business. Time to demonstrate how a robbery *should* be done.

# 2

As always, Mr H. J. Appleby, manager of the Cheltenham Co-Operative Bank, was enjoying his lunchtime cup of tea. He had already eaten his sandwiches. His biscuits, coarse-cut oat and ginger, Mrs Simpson's best, were happily still to come. His waistcoat felt tight, and the prospect of making it even tighter gave Mr Appleby a familiar sense of well-being.

In the corner of the room the grandfather clock – known as "Old Glory" to four generations of his family – continued its deep, reassuring count-out of the seconds. The bank below was shut, all the tellers having gone to enjoy their lunch hour in the late spring sunshine. If he swivelled the chair, Mr Appleby could see them; in fact, he could see a fair few of the good people of Cheltenham on the high street below his window. The shop workers gossiping, the post-girls finishing their rounds, his tellers queuing at Simpson's the baker's... Sunlight glinted on clean tarmac and on the chrome handlebars of the bicycles in their racks. Everything was nice and orderly, calm and quiet. Just the way, Mr Appleby reflected, that things *should* be.

Without urgency, he surveyed the papers on his desk. They

had been carefully stacked and labelled by Miss Petersen. From the coloured tabs, he knew there were some Faith House documents to review, payments to be authorized, letters to sign. Not onerous, and certainly nothing as important as the biscuits. He chuckled to himself, reached out towards the plate—

—and paused. There had been no noise, but something had altered in the room.

He looked up abruptly.

A girl was standing in the doorway.

"It's lunch hour," Mr Appleby said. He drew his hand back from the plate. "The bank is closed."

"I know," the girl said. "That's kind of the point." One side of her mouth rose in a half-smile that did not reach her eyes. To Mr Appleby's annoyance, she walked into the room.

She had long red hair, held back from her pale and freckled face with a black bone clasp. Jeans, boots, some kind of old white sweater. Her hands were stuffed deep in the side-pockets of a long brown coat. Mr Appleby had a teenage daughter, but seldom paid attention to what she wore. Still, even he could see this wasn't the usual Cheltenham fashion.

"How did you get in?" he asked.

The girl didn't answer. Her eyes were a curious green colour, large and dark. They regarded him levelly. She was not showing much deference, Mr Appleby thought. Not any, in fact. And she was chewing something. Gum of some kind. Her jaws working steadily. His daughter did that too. He greatly disliked the habit.

"I must insist you answer me," he said.

The girl took a step or two towards him, past the clock, past Mr Appleby's collection of photographs arranged on the stripy papered wall. She peered casually at the photo of his wife at the cricket club fete, the one with her in the flowery dress and the wide straw hat. "My gods, they build them big out here," she said. "No food shortages in *these* parts, clearly."

The bank manager's lips drew tight. He half rose from his chair. "Young madam, I'm going to have to ask you to leave."

With unexpected speed the girl came forward. She reached the leather chair in front of the desk. Like most of the study furniture, it had belonged to Mr Appleby's father when he was manager here, and to *his* father before that. She swivelled it round, sat down and leaned back, her hands still in her pockets.

"Hey, it reclines," she said, chewing. "Fancy."

Mr Appleby returned his weight slowly to his own chair. After all, it was perhaps best not to make a scene. He ran dark fingers through the tight black curls at the crown of his head. "Well, then," he asked, "what can I do for you?"

"Oh, I want your money," the girl said. Her jaws made another couple of rotations. She flashed her half-smile at him. "I'm here to rob the bank."

Mr Appleby made an involuntary sound deep in his throat. Was she mad? It was incredible how even with all the checking, the monitoring, the weeding out in childhood, a few deviants kept slipping through. The red hair and pale skin should have given the game away. Or the weird eyes should.

"Are you indeed?" he said. "Are you indeed, Miss... I'm sorry, I didn't catch your name."

"That's because I didn't bloody give it, did I?" the girl said. "Right, there's a safe in the wall behind you. You've got sixty seconds to open it, Mr..." She glanced at the silver nameplate on his desk. "Mr Horace Appleby. Ooh, so I know *your* name. Isn't it good to be able to read? Sixty seconds, Horace, starting now."

"Maybe we can discuss this," Mr Appleby said. "Would you take a cup of tea?"

"Don't drink the muck." The girl crossed her legs and checked her watch. "That's five seconds gone and fifty-five seconds left." She winked broadly at him. "I do maths too."

"A biscuit, then?" He pushed the plate towards her. With the other hand he pressed the button under the desk. Eric would handle her. Eric was calm and big and not over-nice. He did what he was told. He'd take her to the quiet courtyard at the back. Nothing to scare the horses. Just a few slaps, bruises in soft places, send her weeping on her way. He smiled at the girl. His eyes flicked towards the door. Eric didn't appear.

"Fifty seconds," the girl said. "If you're waiting for that big guy stationed in the lobby, I'm afraid he won't be coming. He's a little ... tied up right now."

Mr Appleby blinked at her; his surprise got the better of his caution. "You tied him up?"

Now the girl *did* grin properly, both sides of her face scrunching up like a goblin. "Course not! The very idea!" The grin vanished. "I knocked him senseless. And if you don't open the safe," she added, "I'll do the same to you."

Mr Appleby didn't believe her about Eric, but all the same she was there, and Eric wasn't. He sat slowly forwards, steepled his fingers, put his elbows on the desk. There was a gun in his drawer, a nice Cheltenham-made revolver. Bought from the gun-smith's two doors down. But he'd have to get it out, fast maybe, and the drawer was stiff. "If you knock me out," he said, keeping his voice light, "then I won't open the safe. Will I? That's logic, isn't it?"

"Sure," the girl said. "If I do it in that order. Forty seconds."

Now that he was really looking, he could see the mud stains on her jeans and boots, the scuffs and patches on her coat, tell-tale signs of life led beyond the town. There was a peculiar leather cylinder hanging round her neck too, held in place by a dirty string. Penance box, maybe. So she *was* mad. Some kind of zealot. Mad and bad. He'd been misled by her youth, when she was just another filthy outlaw crept in from the Wessex Wilds.

He could do it, though. Get the gun. He'd used to shoot birds out on the flats, blast them down when the beaters blew the horns. Did it almost before they took to the air. He was older now, but he wasn't so slow. He could do it. The question was when. He realized that his hands were shaking.

Maybe it was better to keep her talking.

"You're clearly rather an unhappy person, my dear," he said. "You need guidance. If you want, we could pop along to the Faith House, get a Mentor to set you right."

"Oh, I don't think so," the girl said. "Thirty-five seconds."

Mr Appleby glanced at Old Glory. The hoary time-blackened face of the clock showed twelve twenty-seven. Miss Petersen never stayed out long. Yes, his staff would come back soon, find Eric, see something was wrong...

"You're not from here, I take it," he said. "Maybe you didn't see the cages in the square? Just opposite the tea shop?"

"Thirty seconds remaining," the girl said. "Yeah, I saw them."

"Those cages are where we put petty criminals here in

Cheltenham," Mr Appleby said. "You quit this nonsense now, you'll get away with a day or two in the cage. Nothing too painful – just a bit of public jeering, maybe some prodding with the poles of justice. Then you're run out of town. But if you don't quit it…" He tried to speak slow, put emphasis on every word. "If you *don't* quit, we've got the iron posts at the far end of the fields. We'll tether you there and leave you for the beasts. Or, who knows, maybe the Tainted will come out of the woods and carry you off alive. Do you want that, my dear? I'm an Appleby, one of the ruling families in this town. I can arrange it, easy as blinking. Thieves, deviants, bank robbers: that's what we do to them."

"Yeah?" The girl's green eyes gazed at him, unblinking. "Seems you're pretty tough. But *I* do things too. Ask the big guy in the lobby downstairs. Ask four dead outlaws out there in the fens." She blew a tiny bubble of pink gum, let it pop back into her mouth, continued chewing. "One thing I *won't* do," she added, "is waste time with my life on the line. Your speech there took fourteen seconds. I've used up another six. That's ten left to get that safe open, to remember the combination and turn the wheel just right. And you with those poor old shaky hands and all."

Mr Appleby swallowed. "I'm not opening the safe," he said.

"Eight seconds."

Just a quick movement would be all he needed. Distract her, wrench the drawer, pull out the gun… "I really think," he said, "we should talk about this." Gabbling now. Calm *down*. She wasn't going to do anything.

"Six."

He looked towards the window.

"Five," the girl said. "Four."

"You're too late." Mr Appleby pointed down into the street. "The militia are here."

The girl rolled her eyes, but she turned her head to look, and Mr Appleby yanked at the gun drawer. Stiff, yes – but he had it open! Goddamn it, the gun was wrapped in a handkerchief! *Why* had he done that? What was he thinking? Who wrapped their revolver like a birthday present? He flicked off the cloth, had it in his hand. He jerked his arm up, cocked the gun—

—and found the girl had a revolver of her own already pointed at his heart. She looked infinitely bored. Another bubble emerged, slowly, insolently, from the centre of her mouth. She moved a strand of hair away from her face.

*Bang!* The bubble popped. With a groan of fear, Mr Appleby flinched backwards in his chair. He dropped the gun with a thump upon the desk.

"Three, two, one," the girl said. "Time's up, Horace. Now open the bloody safe."

"All right!" Mr Appleby rose; in a flurry of frantic movements, he turned the circular dial, inputted his grandfather's code, and swung the safe door open. He heaved the strongbox out and dumped it down between the revolver and the plate of biscuits.

"There," the girl said. "*That* wasn't so hard, was it?" She gestured with the gun. "Now take off the lid."

He did so. Inside, as lovingly prepared by Mr Appleby himself, was the bank's cash reserve: neatly wrapped wads of fifty-pound notes, Wessex-issue, stacked, spotless and vulnerable. It made Mr Appleby sick at heart to see them like that, so naked and exposed. He stared at them miserably.

The girl took a string bag from somewhere, shook it out. "Put the notes in, please." Her eyes flicked towards the door.

A great hatred rose in Mr Appleby as he obeyed her. It was hatred for the chaos that ruled beyond the walls of the Surviving Towns, out there in the endless fens and forests; chaos that had the impudence to skip into his study wearing dirty boots and a leather coat.

"I'll see you killed," he said. "Where are you going to run to? Mercia? The Wilds? We've got trackers."

"Yeah. But they're no good." She was doing up the bag, looking at her watch.

"I have friends in every town."

"Friends? With your personality? That I seriously doubt."

"You are stealing Faith House money. You understand that they have operatives? They'll hunt you down."

The girl hefted the bag in her hand. "Will they? You heard of Jane Oakley, Mr Appleby?"

"No."

"Jenny Blackwood?"

He shook his head.

The grin became a glare. "Jeez. Don't you ever *read* the news-sheets?"

"I assume they're outlaws and brigands. Wicked females who beset the towns." He leaned towards her across the desk, quivering with all the righteous fury of a rich, respectable man. "They're your associates, I suppose?"

"No." The girl bent in close. He caught the smell of woods and water, and of a none-too-fragrant woollen sweater. "They're not my associates, Mr Appleby. They're *me*."

There was a soft cry from the doorway. Mr Appleby and the girl looked up. Miss Petersen stood there, open-mouthed and anguished, and with her – thank Shiva! – a militiaman in his dark green bowler hat.

For an instant no one moved.

To his own surprise, Mr Appleby reacted first. He snatched at the string bag, yanking it towards him. The girl came with it; he struck out wildly at her, but she ducked beneath the blow, swivelled and punched upwards with a strong, thin arm. Pain exploded in Mr Appleby's midriff, in the region of his tea and sandwiches. He let go of the bag and toppled backwards in his chair. Moaning, flailing, through his streaming tears, he saw the militiaman begin to move. But where was the girl? Above him, on the desk! She'd jumped so fast he'd barely seen it. She caught his eye, smiled. Bending low, she clutched the bag of notes to her, then sprang straight over Mr Appleby and out through the plate-glass window, pulling it away with her in a cone of sparkling shards.

Gone.

Blue sky. Sunlight. A heartbeat of silence.

A sudden outcry from below.

Dead, surely! Clutching at his stomach, Mr Appleby hoisted himself up. He took a stumbling step, leaned out of the window, gazed down upon a wonderland of spreading glass and scattering pedestrians.

Where was the body? He rubbed his eyes.

Somewhere near, a bell gave a merry tinkle. Mr Appleby looked up the road.

There – a bicycle! The girl on it, pedalling like a demon, the string bag bouncing at her shoulder. She looked back once, saw him peering, made an abusive sign. Then she swerved round a toddler, upended an old lady into the gutter, and sped on.

Mr Appleby could hear Miss Petersen behind him, yabbling like a crow. He heard the militiaman blowing his whistle, blundering his way downstairs. He ignored these distractions, craned his head out of his broken window and watched his money receding up the street. Soon he could no longer see the bag, but only a dancing flash of bright red hair, which seemed to wave cheerily at him as it passed the post office and the duck pond and the bus stop, and so vanished at last through the gates of Cheltenham and out into the Wilds.

# 3

THE SECRET OF BEING A SUCCESSFUL OUTLAW WAS TO MOVE FAST and stay light on your feet. No ties, no allegiance. Rob one town, head for the next; fling yourself willingly into the wastes between. Never look back. That's what set you apart from the fools in their little houses, cowering behind the safety of their walls. There were too many dangers in the forest. They never wanted to chase you far.

Even so, the Cheltenham pursuit proved more capable than Scarlett McCain had expected.

She sat under cover at the edge of the trees, looking through her binoculars at activity on the marsh road. The search teams were fanning out from the truck parked below the levees. Trackers with rifles; members of the militia in their green bowler hats; guys with big black dogs scurrying around. How those dogs could follow the scent of a bicycle, Scarlett didn't know, but they were doing a decent job of it. Everyone moved swiftly, efficiently, with a grim and purposeful air. The Cheltenham Co-Operative was *their* bank, and she had *their* money in her bag. They'd definitely risk the woods a little way before it got dark.

Scarlett wrinkled her nose. That was the drawback of doing a job at lunchtime. The chase would last a bit longer than usual.

But it was OK. The bike was underwater in a ditch. The cash was in her rucksack, and her rucksack was once more on her back. She had everything she needed, nothing to slow her down. Tucking the binoculars away, and keeping her head low, she retreated through the bracken and into the shadow of the trees.

To begin with, the woodlands were sporadic and half tamed. She passed loggers' camps, rough fields for pasture, grassy apple orchards, rows of beehives. Armed guardsmen watched over the pigs rootling in the orchards, while shepherds walked close beside the sheep flocks, keeping an eye on the thickets beyond. Scarlett slipped by them all, unseen, and so came to a remote and sunlit meadow, where the town's punishment posts stood on an ancient concrete platform. The chains hung empty. Light pierced the clouds; the trees around were soft and golden. There was an atmosphere of sombre melancholy in the glade. Scarlett felt a twinge in her belly, a deep, soft, remembered pain that she did not want to acknowledge. Far away came the yammering of dogs. She plunged on into the deeper Wilds and left the Cheltenham paths behind.

She went at a brisk pace, boots scuffing through the sandy soil, past shadowy boles and fallen branches, without bothering to disguise her trail. From time to time she checked the compass on her belt-chain, keeping north by east, in the general direction of the Mercian border town of Stow. If she kept away from the roads, she would reach Stow's safe-lands early the following afternoon. It meant a night out under the trees, but that didn't bother Scarlett. She had done many such journeys, and nothing had killed her yet.

An hour into the forest she came to a dead zone, where black mould rimed the trunks and a sour smell of ash persisted in the air. Here she saw crude symbols on the rocks, animal skulls wedged in crevices, dark blue slashes daubed on branches. The marks were old and faint, but it was a place to tread cautiously. Scarlett listened, and heard the noises of animals in the undergrowth and birds calling overhead. Her movements became easier. If the wildlife was relaxed, the Tainted were unlikely to be near.

Another hour, and with the trees once again verdant and the air clean, her pace had slowed. She began to think of Stow's attractions: its pubs, gaming tables and hot food. When she got there, she would first pay off her debt to the Brothers of the Hand, then start enjoying herself. In the meantime, she was on her own in the wilderness, which was just how Scarlett McCain liked it. She could not hear the dogs. The search parties were surely far behind. Provided she kept clear of wolves and other dangers, she had little to worry about.

It was then that she found the bus.

Coming out of a fern-choked gully, she saw ahead of her the curved embankment of a metalled road cutting its way through the forest. It was probably the one linking Cheltenham with Evesham to the north. The slope rose steeply, almost as high as the canopy of the trees, but Scarlett's eyes were fixed on its foot, where an upturned motor-coach lay, wrecked and broken, its battered side pointing at the sky.

She could see where it had pitched off the highway at the curve of the road, splintering the posts of the barrier fence, before turning over onto its roof and sliding most of the way down. A great black smear had been gouged through the vegetation, with many stones pulled loose by the fury of the descent. Near the bottom of the hill, the bus had struck rocks and tipped again, coming to rest on its side across the middle of a little stream. The undercarriage faced her, black, shining, indecently exposed. The wheels were still; there was silence in the little forest valley. A thin trail of oil danced and twisted in the water passing out from under the coach, shimmering away beneath the sun. A company of flies moved in the air either side of the metal carcass, like black lace curtains quivering in a breeze. But there was no wind, and other than the flies no sign of life. Even so, Scarlett McCain did not stir from her position in the shadow of the ferns, but remained still, watching the rise and fall of the flies.

Something swift and blue flashed above the water. A king-fisher looped along the stream and veered away into the trees. Scarlett came out of the brake. She walked to where the coach lay like a stricken beast: a vast thing, stupid in its haplessness.

A great hole had been torn in the side of the coach that faced the sky. The metal around the hole was peeled up and outwards like the petals of an iron flower.

There was a smell of petrol and spilled blood.

Scarlett halted with her boot caps resting in the oily water and listened again. Just the insects' buzzing, the indifferent trickle of the stream. Fragments of gory clothing were strewn across the stones on either bank, where the soft ground had been churned by giant paws. She could see the prints in the mud, and bloody drag marks glittering beneath quivering coatings of flies. The marks curved away from the embankment and into the trees.

It had been a Wessex Countryman, one of the bus services that linked the fortified towns. The blood on the ground was no longer fresh. The crash had happened at least the day before. Possibly some survivors had got out before the beasts emerged from the woods; but they had certainly not *all* escaped.

In any event they were gone now, leaving their possessions behind.

Scarlett put her hand under her hair and scratched the back of her neck. Then she assessed the position of the sun. The creatures that had scoured the coach were unlikely to return before dark. It was still only mid-afternoon.

She vaulted up onto the exposed side of the coach and walked along it towards the great torn hole. Through the windows under her feet she could see broken seats, cases, scattered clothes – a spoil-heap of bloody debris. Some of the eating had been done inside the coach. Bears or wolves, maybe, obeying the urgency of their hunger. Only when they were full would they have hauled the remaining bodies away.

When she reached the crater, Scarlett paused again for a time, pondering the implications of the *outward* curl of metal, the way the hole had been punched from within... But nothing stirred inside the coach, so she lowered herself carefully over the edge, swung like a pendulum for a moment, then dropped into the space beneath.

She landed lightly, knees flexing, coat billowing stiffly about her. Soft yellow daylight, thick with dust and death, streamed down from the line of windows above. Everything in the coach was turned ninety degrees out of true. Double rows of seats projected towards her from the side, forming deep recesses like the cells of a monstrous hive. One set of seats was low; the other hung above her head. Everything was strewn with a chaos of shoes, clothes and pieces of light baggage that had been thrown around the tumbling coach and later torn by claws.

Scarlett saw little of immediate interest, but after ten minutes' careful inspection she had forced open several bags and collected certain useful items: three tins of meat, one of chocolate pudding; a torch with a wind-up battery; and two books, much battered and repaired. Scarlett could read and knew the value of books. They would fetch a good price at the Mercian fairs.

There was also a little metal briefcase, secured with a padlock that Scarlett could not break. She didn't bother searching for the key. It had probably been in someone's pocket, which meant it was now in the belly of a wolf. But the case was just heavy enough to be interesting, and she took that too.

She returned to her starting point beneath the hole, packed her prizes in her rucksack, and hung the briefcase securely beside the prayer tube. She was just gazing up at the sky and clouds, preparing to climb back out, when she heard the noise.

Freezing was easy; the hard part was rewinding her brain sufficiently to figure out what she'd actually *heard*. Not a single sound, she thought, but *sounds* – a thump, a scuffle, a whispered snatch of words. She looked back, and for the first time noticed the large, box-like construction projecting from the ceiling. It was an amenity that all coaches had: the toilet cubicle. Its door was shut.

Everything was dead quiet. Scarlett looked up through the hole at the wandering clouds, at the freedom of the sky. She lifted her hands, arm muscles tensing, ready to launch herself out—

And sighed. With silent steps she left the hole and approached the cubicle again.

When she got near the door, so that she was almost beneath it, she noticed a red bar showing beside the metal handle. There was a word on it:

# OCCUPIED

There were also many long scratches scored deep into the varnished wood, showing where something had made frantic attempts to get inside.

Scarlett listened. No sound came from the cubicle.

She moved closer. The door was a few inches above her head. From the looks of the hinges, it would open downwards.

She had an odd impulse to knock politely on the door, but resisted it as absurd. Instead she cleared her throat; she had not spoken since leaving the bank, three hours before.

"Hello?"

It was strange to hear her voice at all in that wrecked and ruined place. It sounded false and heavy. No response came from behind the door.

"Is someone there?"

She waited. Not a movement, not a rustle.

Scarlett leaned back against the roof of the coach, scratched her nose, blew out her cheeks. This time she did reach up and tap gently on the side of the cubicle. "It's almost four," she said. "Soon the sun will move behind the trees and the glade will be in shadow. The creatures will return. They will smell you and attack the door. Eventually they will tear it down. I am a travel-ler, a simple pilgrim and a girl of God. I am here now, but soon I will leave. No other aid will come to you. If you are injured,

I have medicines. I can help you up onto the road. But you have to come out," Scarlett said, "in twenty seconds. That's the deal. Otherwise I go."

Her ears caught the trace of a whispered conversation. It was not a big space for two people to be trapped in. She imagined the stifling heat and dark. She imagined being inside there while the coach was rolling down the slope. She imagined being inside while the beasts ate the other passengers; while wolves howled and slavered and scratched at the plywood door. Scarlett McCain had plenty of imagination. Too much, in fact: it was something she could not eat, nor fight with, nor sell to give her tangible benefit, and she regretted having it.

"Ten seconds," she said.

Someone said something inside the cubicle; almost at the same moment, a flurry of rapid impacts struck the wood close above Scarlett's head. She stepped away – but not fast enough. The door swung open, slamming her hard on the side of the skull. As she reeled back, stars sparking behind her eyes, the cubicle disgorged its occupant. It fell at her feet, rolled across the debris in a blur of flailing legs and arms.

Scarlett McCain, clutching at the nearest seats, teeth ringing in her jaw, levered herself upright.

She gazed wordlessly down at a single sprawled person.

It was a youth, wiry, pale and angular, possessed of enormous staring eyes and a mane of wild black hair that spiked outwards like a fountain of water caught by sudden frost. Just one curl of it flopped forwards over his face as if someone had slapped him from behind. He raised a slender hand and pushed the strands away from his eyes, then resumed his original position.

A boy, staring up at her.

"Holy crap," Scarlett said.

With fumbling fingers, she took a coin from her pocket and transferred it to her cuss-box.

# 4

IN ALL HER TRAVELS ACROSS THE BROKEN LANDS OF BRITAIN, Scarlett had seldom been so uncertain about what to do. Bearded outlaws she could deal with, beasts and bank managers too. These were things she could outmanoeuvre, flee from or, as a last resort, shoot. She could rely on her speed, her endurance, and a wide range of antisocial talents to dispose of them.

But she'd had little experience of helpless-looking boys.

He just sat on the floor, staring up at her like a puppy. Scarlett McCain gazed back at him.

"Who are you?" she asked.

She couldn't tell how old he was. His shock of hair had been very roughly cut, perhaps with a knife. It emphasized his bony features. His eyes were wide and unnaturally bright. He looked a little younger than Scarlett – mid-teens, perhaps? – but he also looked malnourished, which meant he might be anything. He wore a white T-shirt, a green coarse-knit jumper, shapeless and very dirty, and loose-fitting flannel trousers. An enormous pair of grubby trainers encased his out-flung feet.

"Who are you?" Scarlett repeated. "Come on – talk."

The boy shifted his position, murmured something that Scarlett couldn't hear.

She frowned at him. "What?"

This time his voice was surprisingly loud. "I said, are you one of the Tainted?"

Scarlett grunted. "If I *was*, you would already be dead." She glanced back along the coach at the tilted planes of sunlight streaming down through the upturned windows. No time to waste. Even while she'd been inside, the angle had changed. With a finger she nudged the swinging cubicle door. "You been on your own in that thing?"

The boy looked up. Little droplets of water were falling from inside the cubicle. There was a faint smell of disinfectant and other scents. "Yes," he said slowly, "I was alone."

"Thought I heard you talking to someone."

"No."

"I definitely heard you talking."

He considered this, his head held slightly on one side. "Perhaps I was talking to myself."

"Uh-huh..." Scarlett rubbed her chin. "Well, *that's* not great, but we'll let it slide. You been in there for how long now? Hours? Days?"

"I really couldn't tell you," the boy said. "I've been in there since the crash. Since before the screaming started, before the things came." His gaze changed, became momentarily remote. Then he smiled up at her, smiled broadly, his hands clasped across his bony knees.

Gods, his eyes were too bright. He was sick or something. Scarlett could see right off she should leave him and get out.

Looking like that and talking to himself... Whether it was fever or he was just plain crazy, he wouldn't bring her luck.

Her jaw clenched. She glanced back at the steepled rays of sunlight, aching to be gone.

"It's getting late," she said. "You need to come out of here now."

The boy shrugged. "I guess. Are you from Stonemoor?"

"I don't know what that is. Can you walk?"

"Well," he said, "I expect I'm a bit stiff. It was cramped in there, you see, and also dark, and I was kind of wedged beside the toilet. I couldn't sit on it on account of the slant, and all the water and stuff had fallen out on me earlier when we were rolling down the hill, so it was very uncomfortable. Plus I didn't like to put my weight on the door in case it opened, or the things outside heard me. Of course, when all the screaming had finished, they *did* hear me – or smelled me, more like. *Then* there was trouble. They were biting at the door and scratching, and howling, howling, for the longest time..." His eyes drifted again, focusing on something Scarlett couldn't see. Then he blinked. "Sorry, what was your question again?"

Scarlett glared at him. "I've forgotten myself, it was so long ago. I asked whether you could walk. At least we know your jaw's operating fine. Get up."

The boy did so, awkwardly, silently but in evident pain, supporting himself against the upturned roof of the coach. He was taller than Scarlett had thought, almost the same height as her – but all bones and gristle, no muscle to him, and shaking badly too. He radiated weakness. She felt a wave of irritation.

"I've got pins and needles in some pretty strange areas," the boy said.

39

Scarlett had already turned and was marching down the aisle. When she got below the gap in the metal, she looked back and saw with annoyance that the boy had not followed her. He was still leaning against the roof in a state of limp exhaustion.

"Hurry it up!" she called. "You can climb out through here."

The boy didn't respond at first. Then he said: "Is there anybody else outside?"

"No. They're all dead."

"Is there a limping man? A woman with black eyes?"

"No. Neither of them. Of course not. On account of every-one being dead, like I just said."

"I don't want to meet that woman."

Scarlett stared at him. "That's fine. You won't. What you *will* meet soon, if you stand there like a fool, is a wolf, a bear or a dire-fox, because that's what's likely to show up in this bus after dark. Or the Tainted, which is even worse. There's no natural man or woman within six miles, apart from me," Scarlett added, "and I'm buggering off. I can help you before I go, or I can leave you to be eaten. Choose now, chum. It's all one to me." She lifted an arm towards the hole, squinting upwards into the light. One flex, one jump, and she'd be gone. She felt a powerful temp-tation to do just that. Maybe that's what the boy wanted. Maybe he *wanted* her to leave him. Please gods, let that be the way of it. He'd just ask her to go.

"Don't go," the boy said in a feeble voice. "Wait up. I'm coming..." He lurched upright, began shuffling along the aisle.

Scarlett let out a long and narrow breath. Fine. She could help him up onto the road and leave him there. Someone would be along eventually. A supply lorry, another long-distance coach.

She gazed up at the sky's deepening blue. Only likely not this evening... But that wouldn't be *her* problem.

She glanced across. The boy was still tottering listlessly through the debris.

"Can't you go a bit faster than that?" she said. "A corpse would have made it by now."

The boy looked pained. "I'm trying. My bottom's numb."

"What's that got to do with it?"

"Makes my legs stiff. Right up here, see, at the back of my thighs. Ooh, my buttocks are like concrete. If you prodded them, I wouldn't feel a thing."

"Well, we'll never know." Scarlett waited, tapping her fingernails pointedly against the roof. The boy reached her. She indicated the hole. "Right. This is the way out."

The boy smoothed his shock of black hair away from his face and considered the gap. His skin was smooth and unlined, his expression one of calm contemplation. He seemed to have no interest in the bloodstained clothing they were standing on, nor any true understanding of the dangers of their situation. It was almost like he wasn't really there.

"Well?" Scarlett demanded. "Can you climb to the hole?"

"No."

She snorted. "Predictable. All right, stand there. I'll give you a leg up."

She did so, taking his weight on her hands while he scrambled up into the light. His trainers were big, his movements flapping and clumsy, but he hardly weighed anything. Scarlett had a brief fantasy of propelling him upwards with a mighty flex of the arms so that he disappeared over the treetops and was never seen again. Somehow, she resisted the urge. With much gasping and flailing, he clambered over the rim of the hole and onto the top of the bus. In a single rapid movement, she pulled herself up beside him.

They crouched together on the expanse of warm metal, above the rocks and stream. The air was good and fresh after the bloody confinement of the interior, but the boy's face was scrunched up in pain against the daylight. He folded an arm over his eyes. Scarlett ignored him and jumped to the ground, to a dry place beside the water. All around her the trunks of elms and silver birches hung in black shadow. She listened to the flies buzzing on dried blood, and to a silence that lay upon the forest beyond. It was a deep silence.

Possibly too deep. She couldn't hear the calling of the birds.

She rotated slowly, her hand making an unconscious movement to the knife hilt at her belt.

Not the Tainted, surely. They were mostly out beyond the borderlands.

Not the Cheltenham search parties. They'd have turned back long ago.

Something else?

Nothing moved in the bracken. Heat haze swam on the lip of the road embankment high above, where the coach had come down.

Maybe not… Her hand relaxed. Even so, it was best to remain watchful, quick and quiet.

"THANK YOU!"

The joyous cry came from atop the bus, where the boy had

got to his feet. He was making tentative motions towards climbing down, standing at the edge, peering over, but also waving and grinning at her. His arms jutted out at angles, the sleeves of his enormous jumper flapped as he waved; he looked like a great green fledgling about to take flight.

"Thank you!" he called again. "It feels so good to be out!" Moving stiffly, he sought to negotiate his descent, lost his balance, toppled back, and fell against the metal with a thud that echoed around the glade. He lay there a moment, with his feet and legs sticking over the edge, then sort of flowed bonelessly forwards and dropped in a heap to the ground.

Scarlett rolled her eyes. Turning away, she unclipped a bottle and took a swig of water. By her watch, it was well past four. In a couple of hours it would be getting dark, and she'd need to have found shelter. She shrugged her pack off her back, tightened the cords securing the tube and the little metal briefcase. She'd get that opened in Stow. For sure, it contained something of value. Money? Weapons? Maybe.

The boy had picked himself up. The reverberations of his impact against the coach were still echoing faintly among the trees.

"Shouldn't prat about like that," Scarlett remarked. "Noise is not good here."

"Sorry," the boy said, "it's just I'm so—"

"And if you mention your stiff bum again, I'll punch you."

He stopped talking.

"Just a little tip there," Scarlett said.

He blinked at her. The sun caught his black hair, made it shine like a dark flame. For the first time she noticed a purplish bruise on his forehead, a thin red weal across the side of his neck. His body was shaking slightly; he dropped his gaze, and looked off in a distracted way at the trees and stream.

Scarlett nodded. "So, if you're ready," she said, "I'll take you up to the road, where you can wait for help. Then I'll be off."

She stepped out into the stream, moving lightly from rock to rock in the direction of the embankment. Halfway across, she glanced back. The boy hadn't stirred.

"This is such a beautiful place," he said.

"Aside from all the flies and bloodstains, you mean? It really isn't. Come on."

"I guess you're right. I've never been somewhere like this." He set off after her, slowly, diffidently, stumbling on the stones. "Thank you for rescuing me. You are a kind person."

It was an absurd comment, and Scarlett did not respond to it. "You do realize you didn't actually *need* me," she said. "You could have come out of that cubicle at any time."

"I was too frightened. And too weak. Do you have any food?"

"No."

"I haven't eaten for a while."

She walked on a couple of steps, then stopped. "I suppose I *do* have water. Take a drink from one of these bottles. Or use the stream."

"Ah, no, I'm OK for water, thanks. There was a tap in the cubicle. I drank from that."

"Yeah? So you're fine." Impatience swirled inside her. She walked on, rounded the carcass of the coach, began clambering up the embankment.

44

"There wasn't much to do apart from drink," the boy added in a small voice. "I just sat there, listening to what was going on outside…"

He meant the beasts eating the passengers, of course. Scarlett wasn't interested in that. It was something that had already happened, and happened to someone other than herself, which made it doubly irrelevant. Her only concern was with what lay ahead for her in the forest – and getting safely to Stow. Still, the boy's presence was distracting, and the fate of the bus was strange. She might have asked him about it, and he might have answered. But her impatience and irritation were too great, and all she wanted was to be rid of him. And thirty seconds later it was too late.

The sun had crested the top of the embankment; it danced behind the broken barrier fence, casting forth shadows like cage bars that striped the slope before them. The ground was steep, its long grass spattered with black clumps of earth ripped up by the coach's slide. It was not easy going, even for Scarlett. She could hear the boy wheezing and puffing behind her. Get to the top, dump him, and move on. She turned to hurry him, saw him lit clear and golden, a scarecrow in a bright green sweater, struggling but smiling, his eyes fixed on her with a look of stupid gratitude; and beyond, rising up beside the coach, where it had lain concealed as they passed it, a shape, large as a standing stone, but brindled with red-brown fur; a black-throated, black-pawed monolith that lowered itself upon its forelegs and hastened up the slope towards them with a romping stride.

Scarlett knew in that instant that she didn't have enough time. The bear was too fast; the boy too near, too unaware, too downright hopeless in a dozen ways. He was talking again – probably offering up more pointless thanks – completely insensible of the on-rushing, swing-bellied death that shook the ground behind him. She had no time. She knew that this was so even as she took three strides down the slope – and jumped. She knew it as she collided with the boy, one arm thrusting him sideways, the other reaching for her belt... She knew it as she scrambled for her knife. Then the bear slammed into her, and the impact and the pain and the onset of the teeth and claws and hot, foul breath only proved that she'd been right.

# 5

THE BOY, TUMBLING BACKWARDS IN THE GRASS, CAME TO A HALT, raised his head and saw the bear rearing and thrashing a few feet away. What a hideous snarling it made! The noise crescendoed, and its back bucked and reared in weightless frenzy, until – all at once, as if belatedly conscious of the proprieties of its bulk – it subsided in a single shuddering movement. The growling ebbed into nothing. The hairy sides relaxed; the bear lay still and sprawling on the sunlit ground.

For a few moments the boy blinked at it. His own hair was over his face. He blew it away from his forehead and got carefully to his feet, his limbs quivering, light as water, and stood looking at the vast shape that lay there like a red-brown outcrop of the earth. Black paw pads with dirtily translucent claws were splayed out at the corners, like the carved leg supports on Doctor Calloway's desk in her office at Stonemoor. The boy thought about that desk, about standing before it on the half-moon rug, waiting for whatever trouble would inevitably come to him; and for a few moments he was no longer on the slope in the forest. Then he snapped back into the present and remembered the existence of the girl.

She was nowhere to be seen.

He gazed around him in the silence.

No, she was gone. Devoured or crushed by the bear. A mild regret stirred inside the boy, an emotion he wanted to acknowledge aloud.

"Unknown girl or woman," he said softly, "I thank you for your companionship, brief though it was, and wish you well in whatever afterlife you find yourself. I shall remember you always – your hair, your scowl, the roll of your green eyes. I am only sorry I never learned your name."

A voice came from the bear, a muffled growl as from a pit in the earth. "Will you stop that warbling and help me?" it cried. "I'm not dead!"

The boy had stepped back in shock; now he stared at the hairy shape in sober doubt. "Sir Bear, I believe you tried to kill me. You have certainly killed the only person who was ever kind to me, and thus I owe you nothing. I wish you no harm, of course – but I fear you must fend for yourself."

A flurry of swear words emerged from somewhere beneath the bear. "Are you kidding me?" the voice roared. "I'm down here! Get me out!"

The boy bent close, and with some difficulty moved the hot, damp foreleg aside, revealing a glimpse of the girl's face, somewhat compressed and sweaty, and surrounded by a tangle of long grey armpit fur. A hand protruded and made a series of vigorous gestures, some of which were practical, others merely expressive. Terse verbal instructions followed. By such means the boy understood what was required. He pattered back down to the treeline and returned with a long stick; using it as a lever, he was able to lift a portion of the bear's shoulder, and give the girl space to wriggle free.

She emerged stiffly and in some disorder, hair matted, eyes blazing. To the boy's horror, she was also stained red from neck to waistline. Her front was soused and dripping.

"You're covered in blood," he whispered.

"Yeah," the girl said, holding up a knife. "Because I killed the bear, see? Killed it as it leaped on me. In return I was almost flattened beneath it. An idiot would have understood the situation. A baby would have grasped it in a glance. Not you. I had to lie trapped under a bear's arse while you gave a little speech."

She was angry again; it seemed her default mode. The buzz of her thoughts beset him. But the boy, who had been in the power of people who were never angry, yet who did terrible things to him, was undaunted and even reassured. He gave her a beaming smile. "For a second there," he said, "I *did* think it was the bear talking. You've got to admit appearances were deceptive. But I'm overjoyed to see that I was wrong, and that you are alive! And that you saved my life again! But are you all right? I think you're bleeding."

She inspected some lacerations on her shoulder, places where the cloth of her jacket hung down in ribbons. The flesh below was pulpy and torn. "I've got a few scratches, yeah – and I'm also slightly *thinner* than I was before." She glared meaningfully at him.

"Yes." The boy gave a sombre nod. "Well, it puts my stiff bum in perspective. I won't be mentioning that again. Now, there is something very important to be done. I realized it when I thought you were dead. We do not know one another's names. We have not been introduced, and I won't go a moment longer without remedying this omission." He waited, smiling at her.

She had crouched down, and was wiping the blade of her knife on a tussock. Now she glanced up at him, shielding her eyes with her hand. "Our names? Does it matter?"

"Why, certainly it does. I shall offer mine first, for I am in your debt. My name is Albert Browne."

She scowled. "I'm Scarlett McCain, for all the good that'll do you. So, we are acquainted. And now we must say farewell."

The boy gave a small twitch, his face suddenly slack. It was as if she had pricked him in the heart with the point of her knife. "Say farewell?" he asked. "Why?"

"Because you're going up to the road, where you can wait for another bus to come by. I'm cleaning myself up, then I'm heading into the forest." She had taken the bag off her back and was inspecting it sourly, prodding and plumping and feeling for damage. She paid particular attention to a long tube, Albert noticed, checking its seal, wiping off flecks of bear blood. A pair of shattered binoculars were brought out and discarded with a curse. She didn't look at him.

"Can't I come with you?"

"No."

"I've got to wait out here?"

"That's about the size of it."

"There may be more bears around."

She shrugged, didn't answer.

"And the things that ate the bodies in the bus," he added. "They'll be back for sure. You said so."

She tightened a strap. "Someone will drive past first. It's a working road."

"When will they come, though? Before dark?"

"Before dark, yeah."

Her hesitation had been minute, but he'd spotted it. He read the evasiveness in her mind. "What if they don't? I'll be eaten."

"You'll be fine." She straightened, hefted the bag. "Anyway, you can't come with me."

"Why not? I won't be any trouble."

"You just can't, that's all."

"But they'll tear me apart. Pull my legs off. You'll hear me screaming."

"I won't," the girl said. "I'll be much too far away. And anyway," she added, "I'm *sure* you won't be eaten. It's not likely at all. They'll eat this bear first, and there's lots of meat on him. He'll keep them going half the night."

"It's what happens in the other half that worries me." Albert's expression was forlorn. "You'll hear my arms being pulled off, you know. There'll be this distant popping noise. Pop, pop, pop, gone. That'll be me."

"No, it won't. And how many arms have you got? Three? No, I'm just as likely to get eaten as you," the girl said. "I'm heading for the deep forest. That's much worse than here. It's where the Tainted live..."

"If it's so bad, two of us would be better than one." He smiled brightly at her. "I could look after you."

Albert's first clue that this comment was a mistake came when a bloodied hand reached out and grappled him round the throat. It drew him bodily forwards, trainers scratching on the ground; drew him close to the white face, curtained by twisted coils of damp red hair. The girl's lips were tight; the green eyes stared at him. "I'm sorry," she said. "What did you say?"

The quality of her anger had shifted; her voice was quieter, more dangerous. Albert Browne, who knew a thing or two about the imminent onset of violence, spoke rapidly. "I'm sorry if I offended you, Scarlett. It *is* Scarlett, isn't it? It's just I'm a bit light-headed and I haven't had anything to eat for two days. The thought kind of came out wrong. What I *meant* was, obviously I wouldn't 'look after' you – that's a stupid idea. But I *could* help out, maybe. Keep watch for things. Make myself useful…"

Albert paused. He sensed his words dropping lifeless to the earth. The girl just looked at him.

"I got you out from under the bear, didn't I?" he added.

She let out an oath, flung him away. "Yes!" she said. "But only after I'd bloody saved you from being swallowed whole! And I wouldn't have *been* in that predicament if it wasn't for you!"

Albert stopped himself falling over only with difficulty. "Ah," he said, "but you only turned round and *saw* the bear because I was talking. Without me, it would have crept up and got us both. So, there you are – an example of our perfect teamwork! We both helped out each other."

The girl ran her hand back through her mess of hair and gazed at him. "Gods almighty," she said. She shook her head disgustedly, though whether at herself or him, he couldn't tell. Then she rummaged in her coat, took out a coin, and inserted it in the dirty leather box hanging from her neck. After reflection, she added several more. "I'm running out of room in here," she growled. "Thanks to you, I've been swearing blue murder all afternoon…"

She folded her arms, stared off into nothing, then back at him.

"I'll say three things," she said. "One. I'm not slowing my

pace for you. If you drag behind, or get your backside caught on a thorn-bush – well, tough luck, baby: I'll leave you without a goodbye glance. Two. You do what I say, no argument and no discussion. Three. We cross the Wilds, get to a town – finito, that's when we part ways. That's the deal. OK?"

"Well—"

"No argument and no discussion, I said! My rules start now!" She settled her pack comfortably in the small of her back and jerked a serene thumb in the direction of the hill. "If you don't like it, fine. The road's up there."

With that she turned and began walking down towards the stream.

Albert Browne did not follow her immediately. He sensed his new companion required a bit of space. But nor did he dally too long. He was weak and he was hungry, and if he was going to reach his objective alive, he needed all the help he could get. For the present, that meant he had to stick with Scarlett McCain. But it was good. Everything was going his way. The sun was shining, the trees were green and he was free to walk the world. Putting his hands in the pockets of his prison trousers, and whistling huskily between his teeth, he set off after the girl.

They left the old A-road behind, moved steadily east and north. At times they could hear running water below them, but the thickets of bramble and holly were too dense for streams to be seen. The route they took was not a path; at least, not one made by human feet. Rather it was a trail, a high road for the beasts of the Wessex woods as they weaved their way between the tree boles and buried ruins, following the hidden contours of the valleys. The soft earth of the trail was dotted with punctuation marks that had been made by running claws.

They were crossing a spur of the Wolds, where low, rounded hills broke clear of the woods like shoals of fat, bald swimmers coming up for air. Once, this had been a populated country. Stumps of ancient concrete bridges rose among the trees. Across the centuries, the rivers had moved and the ground had risen, swallowing the bridges, the towns, the roads that served them. In places sections of buried roofs were visible, their tiles lying like scattered jigsaw pieces amid carpets of yellow flowers.

Evening was approaching. It would not do, Scarlett knew, to be caught in the deep forest after dark. A safe place would have to be found. And that meant a cave, a ruin, a high tree that might be defended. She kept a lookout as they went, and did her best to ignore the youth scuttling behind her on his skinny legs, his trainers scuffing at the dust and leaves.

Exactly *why* she had let him come with her, she did not attempt to fathom. It was certainly not that she wanted company! Perhaps it was something to do with the tug of the prayer mat in its tube upon her shoulder; the knowledge of the guilt she might have felt had she left him on the road to die. But such introspection irritated her; worse, it slowed her down. She was more concerned with reaching Stow and settling up with the Brothers, before playing the tables in The Bull with any profit that remained. The fairs might be on too, with entertainments to be had: steam wheels, shotgun alleys, seers and sweetmeats – and also their markets where healthy youths were bought and sold. This last detail lingered in her brain. In silence she eyed the boy as he negotiated the way beside her.

The trail had been climbing for some time. At last it broke free of the trees and they found themselves on the top of a broad hill, with chalk underfoot and a soft land of woods and water stretching away to blue horizons. Far away, a cluster of pale electric lights marked the location of a settlement where the generator had already been switched on for evening. The rest of the country was quiet and cold. Scarlett felt a great wave of loneliness wash up from the landscape, crest the slopes of the hill and break against her. It always hit her in such places, this: the emptiness of England.

At her side the boy shivered, though the afternoon's late sunlight still shone on the waving grasses and stretched their shadows long before them.

"What are those dark shapes?" he asked. He meant the black towers and spires that here and there across the depths of the view broke above the line of trees.

"Deserted villages. Towns, maybe." She glanced askance at him. "The usual."

"I have read about such things."

It was an odd comment, and Scarlett realized vaguely that she had not asked the boy anything about himself... Well, tough. She wasn't going to start now.

He was gazing east, his black hair shining in the sun. If someone fed him properly, Scarlett thought, if he'd stop being so wide-eyed and drippy all the time, he'd be really quite saleable. It was easier to see that out here than in the green gloom of the trees. True, he was awkward, skinny and wide-mouthed, like a frightened skeleton, but he was nice enough looking in a way. There were no missing limbs, no obvious deformities... His skin was healthy too, which was a bonus. The traders at Stow would appreciate that. She could point it out to them.

"It is a very lovely view…" he said.

Scarlett stared at him. She had never considered the Wilds beautiful, nor heard anyone else say so. It was empty and dangerous. People were easily lost there. She'd seen the bones.

"Not really," she said. "Your eyesight is askew. You also thought the gully with the bus was nice, and that had bits of viscera hanging from the trees."

"I suppose. Which kingdom are we in?"

"Wessex. How do you not know that? We are near the frontier with Mercia. Over there is the Vale of Oxford. There was a great town in it long ago, though you can't see the ruins from here. They are another four days' march, and much of the plain is flooded."

He nodded slowly. "I should like to visit those ruins."

"You wouldn't. They are surrounded by black marshland, where nothing grows and the air makes you sick. Also in the borderlands are the Tainted, who will peel away your flesh and eat it while you watch. I'd say Stow Town, where we are headed, is a rather better bet."

"It sounds safer."

"Yes."

"Are you going to sell me at the fairs?"

She frowned at him. The sharp jab she experienced inside her was mostly one of annoyance. "Of course not. Why would you say that? I will leave you at Stow as agreed. If we don't meet any more bears, we will be there tomorrow afternoon."

"That long?" The boy seemed taken aback. "We must spend a night out here?"

Scarlett shrugged. "We are not yet halfway across the forest. Look behind us. You can trace where we have come." She turned and pointed west, almost directly into the light of the sun. "You see that patch of bare hill across the valley? That's just above where I found you. We were there an hour ago…"

Her voice trailed off. She reached for her binoculars, but they were gone; instead, she cupped her hand across her brow, frowning. The sun made it difficult to make out details, but surely… She glanced aside at the youth. What was his name, now? Albert…

"Albert," she said, "do you see the place I'm talking about? Where the trees draw back?"

"Certainly, Scarlett. I see it."

"Take a look for me. Are there people moving there?"

He looked. His tone was bland, uninterested. "Yes…"

Yes. Like black ants, moving in a line. Six of them at least, dark-clothed, advancing at a steady pace. Dogs with them. As she watched, they halted; one figure bent to the earth, studying the ground. They came on again. Even so far away she could sense their pace and purpose. In seconds both dogs and men had disappeared into the trees.

The boy was watching her. "Why are you frightened of those people?"

"I'm not frightened."

"Perhaps they are hunters – or farmers, maybe."

"They are neither. We need to speed up. We need to speed up now." She was walking as she spoke, bee-lining the crest of the hill. It wasn't enough. Anxiety spiked her, goaded her on. Within seconds, her walk became a jog and the jog became a run.

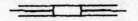

**6**

**D**USK BEGAN TO FALL SOON AFTER. THEY HAD DROPPED BACK
down towards the level of the forest, out of daylight and into
the evening shadow of the hill. Presently they came to a place
of uneven ground, pocked by holes and lines of tumbled brick.
A settlement had once stood there. Triangular fragments of concrete wall, blackened by fire, thin and sharp as shark fins, rose
above them in the half-dark. Everything was smothered with
giant knotweed, high and pale and tangled like the chest-hair of
an ogre.

Scarlett led the way onwards, with many glances over her
shoulder at the hill above. Once she saw movement up near the
ridge, and her heart clenched tight, but it was only a bird riding the
air currents. Faintly they heard its croaking on the wind.

Her discovery of the coach had driven the Cheltenham bank
raid from her mind. She had almost forgotten the search parties;
certainly it had never occurred to her they would pursue her so
far, so deep into the forest. But they had. Now, with unpleasant
clarity, she recalled the bank manager's vivid threats; also the
iron punishment posts with their glinting chains, standing in

sunshine at the edge of the fields. Pushing through the knot-weed, fast as she could, she felt a sharp, dense weight growing in the pit of her belly.

They were close, less than an hour behind.

Her only ally was the oncoming night.

In the centre of the ruins, they came upon a tumbledown farmhouse from a later age, grey and stooped and soft with brambles. Here the knotweed had grown undisturbed for years, gaining, in places, the thickness of a child's waist. It curled through the eye sockets of the buildings, over their red-brick bones, pushing against the doors till the panels burst and were carried up and out towards the sky. They hung there now, higher than Scarlett's head. There were birds too, fluttering among the milky flowers, and the scent of the air was vegetative and sporous. It made Albert Browne sneeze, and even Scarlett's skin began to itch.

She came to a decision. "We'll stop here."

"Spend the night?" He stared round at the darkness twining through the weeds.

"Easy to defend. We can keep the animals away."

"And the men behind us?" The boy hadn't mentioned them since the top of the ridge and had never asked why she was being chased. But he had been watching her all this while.

"They'll halt on the hill. It's night. No one moves through the forest at night."

She spoke with an airy confidence she didn't quite feel. No one tracked outlaws so deep into the Wilds either.

But she had to stop. It was dark, the boy was grey with fatigue, and she too needed to rest.

They explored the ruin until they found a room where the

roof beams had not yet fallen and the flagstone floor was covered in dry dead moss and quantities of leaves. It was a good place to sleep. Its only animal traces were small-scale – tight, twisting tunnels among the leaves, the discarded casings of insects, and dried seed pods that had been piled in corners to make winter homes for mice. In the shell of a neighbouring room Scarlett discovered a ground-pheasant's nest, with a fat mother bird sitting on a clutch of pale blue eggs. It snapped its beak at her, but was ignorant of humans and did not know enough to be afraid. She wrung its neck and pocketed the eggs, then went to locate some brushwood.

When she returned to the roofed room, she found Albert Browne sitting cross-legged on the floor in the last of the dying light, examining a collection of bright red seed pods and yellow leaves. He was staring at them in rapt admiration.

Scarlett stood and scowled at him. "Don't tell me: you find them beautiful."

He gave her a beatific smile. "Aren't they just?" He was arranging them in a line. "So delicate, so intricately textured…"

She dumped the wood on the floor with a clatter. "Yes – well, don't let me bother you. I'll just make a fire… Cook this dead bird… Set up defences… Won't take me more than an hour. You just holler if I get in your way."

"OK."

He went back to his study of the seed pods. Scarlett stared mutely at his bent head. A large piece of brushwood was near at hand. It was the work of a moment to connect the two with a single short, sharp blow. The boy did a backflip and ended up with his jumper over his face and his bottom in the air.

He rearranged himself indignantly. "What did you hit me for?"

"For your impudence and laziness! For leaving me to do all the work!"

"But, Scarlett, you told me to do everything that you said! 'No argument! No discussion!' Those were the exact words you used! And just now you told me to leave you in peace while you did those jobs." He rubbed sadly at the back of his head. "I don't understand how I have offended you."

"Your main offence is an appalling ignorance of sarcasm." Scarlett tossed the branch back onto the pile. "Let me be clearer: I make the fire; you pluck the bird. Then you roast it, while I fix up the sulphur sticks. Is that plain enough?"

"Certainly. Though you might have said that in the first place." He picked up the pheasant. "Ooh, look at the pretty speckled feathers— All right, all right, you don't have to hit me again."

After that, preparations proceeded in silence.

Firelight ignited the colour of the ancient bricks. The pheasant roasted on a skewer above a roaring blaze. Scarlett had built the fire in the innermost corner, to allow as little light as possible to escape. There was a risk it might be seen, but this could not be avoided. They had to eat. While the boy tended to the pheasant, she unpacked her acrid-smelling sulphur sticks and lit them near the door and window to ward off mud-rats and other smaller predators. This done, she stepped out into the farmhouse yard. It was overgrown, a place of bushes and brambles. The sun was gone; a dim red glow shone in the west above the hill.

Some animal was howling in the woods; when it abruptly

ceased, there was intense quiet. Scarlett's senses strained against it, listening for footsteps…

Nothing. Of *course* there was nothing. It was night. She spun on her heel and went back into the room.

The boy was listlessly turning the skewer, his face passive and serene, his skin glimmering darkly in the firelight. He might have been made of fossilized wood or stone. He was doing nothing overtly annoying, but his collection of coloured leaves and pods lay beside him on the ground. He had arranged it in size order. The sight of this – in fact his very presence – made Scarlett suddenly sick with anger.

She took a long, slow breath to calm herself. In the previous twenty-four hours, she had killed four men, committed a bank robbery, walked many miles across difficult country, been squashed by a bear, and acquired the unwanted company of an idiot. By any standards it had been a long day. But worst of all, she had been unable to meditate that morning. She knew that all her anger, her pent-up agitation, was rising from that omission. She needed to relieve the pressure – and do it soon. Right after the meal would be nice. She went to her pack and unclipped her plastic tube. Tipping out the mat, she spread it carefully on the ground at a distance from the fire, patting and smoothing out its rucks and curls.

The boy was watching her. "Why are you doing this? What is that thing?"

"I am setting out my prayer mat. I wish to pray."

He nodded. "Praying? I have heard of that. So you do it on that old rag?"

Scarlett paused. "I use this fragile, sacred cloth, yes. And, by the way, once I'm sitting on it, there are rules. You don't bother me, prod me, talk to me, or flick soil at my ears. You leave me alone and wait for me to finish."

Albert Browne considered the matter. "So it's like a toilet, then? Old Michael at Stonemoor used to express himself in similar terms."

Scarlett clutched pre-emptively at her cuss-box, then took another deep slow breath. "I won't strike you... Self-evidently you are a simpleton and have a head filled with clay. No, Albert, it is *not* like a toilet. Quite the reverse! This mat, when it's unrolled, is holy ground."

"Yet you plant your backside on it," the boy observed. "That is a sorry act, and surely disrespectful to the sacred cloth."

Scarlett gave a bleak half-smile. "It is not really so strange. When I sit upon it, I am in a state of grace."

"So if I sat on it, would I be in a state of grace too?"

"No. You would be in a state of some discomfort, for I would beat you with a stick. Listen to me closely. Never let me catch you touching this cloth with your dirty fingers, let alone your ragged arse, or it'll be the worse for you. It is my mat, and mine alone. Do you understand?"

"I do, Scarlett, I do." The boy nodded vigorously, rocking back and forth on the moss with his skinny arms wrapped tight around his bony legs, but Scarlett McCain noted that he could not take his eyes off the mat and that it continued to exert a powerful fascination. Not even a haunch of roast pheasant could fully distract him, and his bright eyes still glittered in the firelight as, after the meal, she finally sat cross-legged on the mat to begin her meditations.

The prayer mat was made of coarse cloth, roughly woven out of yellow and red threads. As a physical object it had no value; indeed, its material worth was negative, for it was grimy and malodorous. But for Scarlett it was the symbol of her daily retreat from the world and more particularly from herself. It represented her ability to escape. Now she sat straight-backed, her hands folded; half closing her eyes, she let the light of the fire swim and dance behind her lashes, as her mind untethered itself and took off on a series of vaulting leaps.

She thought of the four outlaws by the mere that morning. Well, their deaths had not been her fault. They had attacked *her*, and self-defence was the right of all. They should have guessed the person she was, used common sense, and let her be. Who would miss them? Not even their mothers. They were worthless and incompetent, and by killing them she was doing the world a favour. Yes, she could safely scratch *them* from her mind.

She thought next of the Cheltenham bank job. It had been carried out efficiently and well, and without causing any gratuitous harm – aside from the bank guard, of course, and she'd made sure he wasn't dead. The haul was good enough to settle her debt with the Brothers of the Hand, then let her live like a queen, if only for a month or two. Not only that, it was another successful strike at the Faith Houses and the Surviving Towns, which anyone with a conscience would celebrate. In sum, it was an act to make a girl proud, rather than ashamed. So, no need for guilt there, either.

By now Scarlett enjoyed a feeling of warm satisfaction. True, the militiamen were doggedly tracking her, but she could evade them the following day. She knew there were rivers in the low-lands ahead – somewhere near, even the ancient Thames had its source – and it would be an easy matter to swim these to throw the dogs off their scent. A good sleep, an early start – soon the Cheltenham men would be left behind. What was she worried about? She had everything under control!

Thus Scarlett's meditations proceeded. She ended as she always did, thinking of the Seven Kingdoms. She imagined looking down on them from a great height – at the wastes, forests and mountains, at the tiny towns and villages nestling in between. It always did her good to remember how insignificant her misdeeds were when set against the catastrophes of the past, the misfortunes of humanity, the landscape's colossal emptiness, the vast indifference of the surrounding skies…

Scarlett's mind looped back into the present. She felt calm and composed. The mat had done its job. It was like a great weight had fallen from her and left her shiny and renewed.

She opened an eye. The fire burned low in the corner of the room. The boy was standing at the window, looking out into the dark.

"What is it?" she said. "What's the matter?"

"I thought I heard something."

"What kind of something?"

"A long, low whistle."

She was already on her feet, rolling up the prayer mat. Her calm was gone; still, she was cool and decisive. "The kind of whistle you might use to call an obedient dog?"

"Maybe."

"How near?"

"That's hard to say. I thought it was fairly close, but it happened five minutes ago, and I've heard nothing since."

*"Five minutes?"* Scarlett gritted her teeth. "You didn't think to call me?"

"Well, you were in a state of grace. You told me not to bother you."

"Christ. Where's my tube? Where's my bag?"

"Here by the window. I've already packed them. I thought we might change rooms."

"We'll need to do more than that." Scarlett was beside him, moving at speed, stowing the mat, shouldering the pack, squinting around the side of the window into the black night. She could see nothing, but thought she heard faint noises, the softest of rustlings, the lightest of footsteps. They might have come from any single direction – or from all around.

The pursuers *hadn't* stopped. They'd kept on going after nightfall. Scarlett chewed her bottom lip. It didn't make sense: that simply wasn't what normal militia trackers *did*.

"We can't be trapped in here," she said. "We're going to have to make a dash for it. So – we burst out the door, make a break for the bindweed on the left. They'll shoot; we run the gauntlet. Ten to one they won't hit both of us. If we're unlucky and we run straight into them, we'll have to fight hand-to-hand, force our way into the forest beyond. OK? It's easy."

She looked at him. Easy for *her*. No doubt about it, the boy was going to die.

Albert Browne nodded. "Yes. Or we might nip out up there." He pointed to a side wall. In the dwindling firelight, Scarlett saw that an area of bricks near the top had collapsed, creating a gap that led to the neighbouring room. "They won't see us if we go that way."

A noise sounded out in the knotweed, a low, husky, repeated trill that might have been birdsong, but wasn't. Scarlett moved from the window. "That's probably the first sensible thing you've said in your life, Albert," she said. "Come on."

The boy's attempts to scale the bricks were haphazard, and twice Scarlett had to put out a hand to support him when he slipped. But he reached the opening, inched sideways into it like a crab, and was gone. Scarlett removed her rucksack, bundled it into the gap and followed him. She was through.

On the other side of the wall was a roofless, starlit space, surrounded by broken stonework. It was choked with ferns and weed, and phosphorescent night-flowers that shone eerily in the dark. By their glow, Scarlett saw the boy moving hesitantly across it, stumbling on the uneven ground, making little noises with each step. She groaned inwardly. He was *so* hopeless; a one-legged man would have proceeded with more finesse.

Dropping soundlessly down, she flitted to his side and took ungentle hold of his ear.

"Stop making such a racket," she whispered. "They'll hear you."

The boy shook his head, pointed. "It's OK. They think we're still by the fire."

The wall ahead had tumbled low; through a gap in the stones, they could see onto the overgrown yard at the front of the farmhouse. Firelight glinted from the open doorway of the room they'd just vacated. The roof showed black against the stars.

Out in the knotweed forest, darkness hung like shrouds. And within this darkness, shadows moved: figures in bowler hats converging on the yard.

Militias weren't stupid. The Cheltenham men knew who she was. They wouldn't risk tackling her one-on-one. They'd try to overwhelm her, five or six at once…

Scarlett bent close to the boy. "We may have a chance here," she breathed. "They'll rush that room together. When they do, we shin over the wall and make for the forest."

"They'll all go in together? Think that's what'll happen?"

"Yeah. It's a guarantee."

A flash of red light among the knotweed. The fizzing of a fuse. A figure danced forwards, lobbed a cylinder through the doorway of the cottage, darted back again.

The room exploded. Gouts of yellow-white flame plumed out of the door and window, spiking upwards between the roof beams. Timbers cracked, stones fell. In the room alongside, Scarlett and Albert Browne were thrown sideways by the force of the blast.

Echoes of the eruption rebounded off the hills above and out into the Wilds. A beam toppled from the wall beside them and crashed among the ferns.

Scarlett picked herself up, blew hair out of her eyes.

"Course," she said, "I *might* be wrong."

# 7

THERE WAS BLOOD ON THE SIDE OF HER FACE, WHERE SHE'D HIT it against a stone in falling. Other than that, she was in one piece. She still had the rucksack too, with the prayer mat and the cash. Everything essential was accounted for. Scarlett crawled through the ferns and debris to where a shape uttered feeble groans.

"Keep it *down*," she hissed. "If you're dying, do it *quietly*. Are you all right?"

Albert Browne sat up. His hair was covered in brick dust. "I'm one big bruise. Also, I think I landed on a thistle."

"In short, you're fine. Stop moaning and follow me. I want to see what they're doing."

With infinite caution they returned to their vantage point overlooking the yard. The wall was intact, but the neighbouring room, where their campfire had been, was a pile of jumbled stone. Small tongues of flame flickered amid the rubble, and a stream of luminescent smoke flowed up towards the stars. By its light, they could see the outline of six figures congregated a short way from the farmhouse. All wore tweed jackets and bowler hats. One man held two dogs on chains; others had revolvers in their hands. There was an air of tension; the men watched the smoke in silence, without drawing near.

Scarlett ducked back behind the wall, scowling into the darkness. OK, so they thought she was dead. They were waiting to make sure. Perhaps that was fair enough, but it didn't explain why they were being so damn fearful. As far as they knew, she was crushed beneath a heap of stones. Something was off. Something didn't quite make sense.

The boy tugged at her arm; his voice sounded close beside her. "That explosion, Scarlett – what made it?"

"A stick of gelignite." She shook her head sourly. "It's crazy. Why choose to blow up the banknotes?"

"Banknotes?" Even at a whisper, she could hear the interest in his voice.

"Doesn't matter." But it *did* matter. She'd never experienced a pursuit like this before, not even after the Norwich heist, when powerboats of men carrying harpoon guns hunted her skiff up and down the Anglian floodlands. Not even after the robbery at Frome, when their trackers trapped her on the edge of the drowned quarry – five men, armed with knives and axes, eager to cast her corpse into the black water. Tight corners: Scarlett was used to them. This felt different. The remorseless chase across the Wilds… The gelignite… It wasn't what normal trackers did.

No point dwelling on it. The main thing was to get away.

Motioning the boy to silence, she looked over the wall again. The pursuers seemed to be gaining in confidence. They drew closer to the pile of steaming rubble. The dogs sniffed here and there. Someone laughed. An abrupt order was given. A man with a stick began to prod among the stones.

They were searching for her body, or perhaps the cash. Either way, it was time to go. Scarlett retreated noiselessly through the ruins with Albert at her back. In seconds they had scaled a tumbled wall, flitted across an open space and vanished into the darkness of the forest.

It was not easy going in the pitch black, but they went on blindly, feeling a path among the knotweed, until exhaustion overcame Albert at last. Scarlett heard him slump to the ground. She crouched alongside, trying to think. They had travelled a fair distance from the cottage. If the militia came after them again, there was little she could do. Clearly Albert was going no further. Her own limbs were as heavy as marble; the rough earth felt like a goose-down bed...

"All right, we rest here," she said. "At daybreak, we move on."

She waited; Albert did not answer. After a few moments, with her own thoughts drifting, she realized he was asleep.

They woke in the grey dawn. Mist wound like a solid thing through the arches of the knotweed. The forest around was silent.

"I'm mighty hungry this morning," the boy said. "My tum's shrunk as small as a walnut. Think we could go foraging? Maybe we could actually *find* some walnuts. Or mushrooms. Mushrooms grow in forests, don't they? I've never seen a mushroom. I'd like to experience that." He rubbed his midriff sadly. "Mainly I just want food."

Scarlett was trying her best not to listen to him. She had taken her compass from her belt and was considering the ruins and the surrounding knotweed, trying to recall the layout of the eastern Wolds. From what she could recall, it was mainly forests and rivers.

North by north-east for Stow was what they wanted, but in the heat of the pursuit the night before, she'd lost precisely where they were. And the militias were not far away. She scratched the back of her neck. It was hard to concentrate because the boy was still prattling on about how famished he was. Scarlett had forgotten so many words existed. To shut him up, she rooted in her rucksack and found the greaseproof package she had taken from the dead outlaw by the lake the morning before.

"Oh, Scarlett – sandwiches for me? You *are* generous! What kind are they?"

"Cheese and pickle. Ignore the red stains on the wrapping."

"Lovely! Are you *sure* you don't want a bite? No? I'll just tuck in, then."

Which he did. Scarlett had never seen a mouth so large. It was like those giant man-eating frogs you got in Anglia, the ones that came up at you from under your boat. Those frogs would be proud to have a mouth that wide. Without waiting for him to finish, she wrestled her rucksack onto her shoulders and set off briskly to the north. It was high time they were on their way.

They zigzagged through the knotweed, through the mists and its strange half-light, moving gradually downhill. Minutes passed, an unknowable tract of time. They skirted other stone walls, swathed in moss. Everything was muffled – their steps, the brush of their coats against the weed stems, their ragged breathing.

"Why are there so many ruins here?" the boy said. "They seem so old and sad."

Scarlett grunted. "Well, they're certainly *old*. Probably abandoned during the days of the Great Dying. Or maybe during the Frontier Wars. Your guess is as good as mine."

"It isn't, really," Albert said. "I don't know about any of that."

He didn't seem to know about *anything*. Scarlett glanced aside at him. He was stumbling as he walked, and had dark rings below his eyes.

"Bet you wish you'd stayed by the bus," she said. "You could've hitched a lift by now."

He flashed her his bright-eyed smile. "Oh, no, Scarlett. I much prefer being here with you. Tell me – I wanted to ask yesterday, but I hardly knew you then, and now we've been through so much together, I feel we're on a firmer footing – tell me, what is your profession? Why are you out here in this wild place, all alone?"

Scarlett shrugged evasively. "I am a traveller, a pilgrim. I go where my prayers take me."

"And where *is* that?" The boy was watching her with his big dark eyes. "Where *do* you go?"

"I sell sacred relics among the Surviving Towns of Wessex," Scarlett said. "I carry a number of such objects in this bag, as it happens. Also I do good works, perform random acts of charity … that sort of thing. It keeps me occupied. Your bus, for instance. I saw that yesterday and climbed inside to help."

The ground steepened abruptly. The knotweed was suddenly sparse around them, and there were rocks and pine needles at their feet. Straight ahead they saw a slope of pine trees angling sharply down. Beyond their tops was a gulf of air. Scarlett consulted her compass again.

"Ah, the bus," Albert said. "You were kind enough to come on board to rescue me."

"Yes…"

73

"And also rob it. If I am not much mistaken, the briefcase on your back was carried by one of my fellow passengers."

Scarlett had forgotten the little metal briefcase, still dangling from her rucksack. She scowled at him. "Not rob. Retrieve. I hope to return it to that victim's heirs or relatives."

"Oh, yes. Of course. You must be a very holy person."

The shape of one of the nearby pine trees changed. Scarlett's head jerked up; she saw a man with a tweed jacket and a grey bowler hat step out from the shadows of its trunk. He raised a gun towards them. She reached under her coat, pulled out her revolver and fired. The man spun on his heels and fell on his back without a sound.

"Not exactly holy," Scarlett said. "I wouldn't claim that. Come on – we need to run."

She plunged away down the slope, and the boy followed. At the edge of her vision, she glimpsed other figures coming through the trees. Dogs barked. Shots were fired. The noise was dull and deadened, as if in a locked room.

It was a precipitous descent. The lower branches of the pines were dead and bare; the grey trunks rose out of an undulating duff of dropped needles, frozen in waves and stretching into the distance. This carpet was years deep, and Scarlett found her boots skidding and slipping, ploughing a V-shaped shower of needles with every step. Beside her, Albert Browne went with a jerking, stumbling rhythm that suggested imminent collapse. As Scarlett already knew, he had no meat on him, no oomph in the legs to withstand the downward impacts. She could have gone at twice the speed, but he was already struggling.

A rush of spraying pine needles; glancing back, Scarlett saw several men from the pursuit party careering down the slope. A bullet whizzed between her and the boy. The trees were growing sparser. Sunlight shimmered far ahead; they were scree-running between the trunks towards a line of green and blue.

A river. One of the rivers was there.

Scarlett cursed; she could easily accelerate. Get to the water and away. But the boy would be shot in the back. She stopped running. "Albert."

"What is it, Scarlett?" He caught up, the sleeves of his jumper flapping around his skinny arms. His breath squeaked like a rusty bellows, but his face was calm.

"You go on ahead," Scarlett said. "Follow the slope down to the river. When you get there, jump in. Let it carry you downstream. Can you swim?"

"No."

"Of *course* you can't. Why did I even ask? Well, find a branch or log or something; hang on to it. Try not to drown." She looked at him. "But drowning's probably better than being caught by these guys, so don't mess about – jump in."

He blinked at her. "What about you?"

"I'll follow. I'm going to delay them."

A rapturous smile formed on his face. "Thank you, Scarlett."

"For what? I need you out of my way. It's a good vantage point, is all."

"You're such a noble, thoughtful person."

"Oh, I'm really not." She glared at him. "Now get going. Go! *Now* would be nice."

Figures came into view among the pines. Even then, Albert Browne looked tempted to continue the conversation, like some

75

halfwit townsman gossiping on a high street. In a few seconds they'd have him in shooting distance. Scarlett fired a dissuading bullet uphill, making the pursuers dive for cover. The action seemed to ignite something in the boy. All at once he was plunging away from her down the slope, stumbling and skidding.

An old pine tree stood near by, its broad foot thick with shadow. Scarlett took cover there, pressed her back against it. She opened her revolver, checked the cylinder, closed it again. Four cartridges left. Enough to be going on with.

The trunk smelled of sap and dust, and there were spiders' webs in the curls of the bark. She stuck her head out from behind the tree, looked up the slope. A storm of gunfire. Small geysers of pine needles erupted near her feet. She ducked back in again, the position of three men fixed in her mind's eye. Two were well concealed behind a tree stump and a patch of broken wall; the third, less favourably, in the shadow of a mossy concrete horse trough.

She rubbed her face, chose, held the gun ready, made a feint with one arm so it briefly showed around the tree.

Another round of shots. Needles leaped and danced. A piece of pine trunk exploded, sending fragrant splinters against Scarlett's face. She waited till the gunfire subsided. Then she stepped out from behind the tree, raised the revolver and shot the man crouched behind the concrete trough. Before he began his slump sideways, before he even realized he was dead, she had stepped back into the cover of the tree.

The next volley of bullets was lighter and more ragged, as was to be expected from two barrels instead of three. She waited for it to finish, watching the outline of the boy far down the slope. Now he had reached the sunlight... Now he was out of sight. He would be in the water in a moment. She'd done what she could for him; there was no need to delay any longer in case reinforcements came.

Stepping out the second time, she chose the tracker hidden behind the broken wall. Either he'd moved slightly, or her memory was off: the first shot struck the lip of the stonework, sparking in the dimness, an inch to the right of the peeping bowler hat. She adjusted her aim, fired again, had the satisfaction of seeing the hat flip up and backwards, though whether or not she'd hit its owner, she couldn't tell. And no time to find out; she was already diving downslope, surfing the pine needles on enormous vaulting strides. Bullets whined about her – she felt one strike the rucksack – then she was dodging around trees, ducking under branches, plunging crazily from one foot to another, down, ever down... And now there was silence behind, and the band of sunlight growing stronger up ahead.

Scarlett shot out over a raised bank in a shower of needles and landed in long grass. The day's brightness stung her eyes. She was out of the pines. Straight in front of her, the slope continued steeply to an abrupt and unexpected edge. The river showed far below, patches sparkling, parts in deep blue shadow. It had cut a shallow gorge here on the edge of the Wolds, and was deep and fast-flowing. To left and right it bent away, was lost among the folds of the hill. Scarlett took this all in as she ran forwards.

Most of all, though, she noticed the boy.

He was still there. Standing feebly at the edge of the drop. It was as if the words "limp" and "ineffectual" had taken on human form. He was bending out, looking at the river, his black hair and

77

big jumper fluttering in the breeze that ran along the gorge.

Scarlett gave a gasp of fury. She approached at speed. "You idiot! I told you to jump in."

"I thought it would be a gentle little bank! Maybe some reeds and pebbles and that! You didn't tell me it'd be a cliff!"

"What cliff? It's only about twenty feet up. Maybe thirty."

"I can't do it. It's too far. I'll break my back in the fall."

"There's only a small chance of that. A real low percentage." She turned her back on him, watching the dark wall of pines. Already there was movement. One ... no, two men coming. They'd stay under cover, shoot from there. It'd be too easy for them. "Albert, you need to jump in now."

"Can't. I'm frightened."

"Are you more frightened of *certain* death or *possible* death? Which is worse?"

"Neither really tickles my fancy."

"Well, something had better start tickling it fast," Scarlett said. "I'll give you five seconds, then I'm jumping in without you." She raised the gun, fired at one of the advancing figures under the trees. With a groan, the man pitched violently forwards onto the pine needles. He lay face down, slipping slowly downslope on a final journey of a few inches more. He came to a stop right at the tree edge, stretched out on the ground, one arm extending into the light.

It was Scarlett's final bullet; as if sensing this, her other pursuer took advantage. A bearded man came running out onto the grass. He wore a brown checked jacket, red trousers; he had a grey bowler hat perched on his head. There was a long thin knife in his hand.

Scarlett put her revolver back in her belt and drew out her hunting knife. She glanced back at the boy, then at the churning waters below. Yep, it was doable. Not too many rocks. Some big tree branches, wedged against the side of the cliff wall. You'd need to avoid hitting those. But it could be done. *She* could do it, anyway.

"Albert."

"What?"

"Are you going to jump?"

"No."

"You are the worst." She looked back at the approaching man. All at once he was very close. He smiled at her, his teeth glinting white behind his beard. He was younger than she'd thought, moving fluidly with a dancer's gait. He looked fast and competent, not quite like a normal militiaman. Sunlight shimmered on the metal blade.

"Got no bullets left," the man said. "But the knife'll do."

"Yeah," Scarlett said. "That's about my thinking too." She brushed a strand of hair out of her face, raised her knife in readiness. She knew he would move quickly, guessed he'd seek to distract her by talking, or by making some meaningless gesture with his free hand so her attention was diverted. Sure enough, the hand fluttered sideways like a wounded bird. She waited till he'd committed himself, had put the weight on the balls of his feet for the attack – then she rolled sideways, and with a snake-like movement of her arm thrust upwards. As it was, he was lucky. Her balance wasn't quite right; he managed to lean aside so the blade whistled past, slicing the front of his jacket. She tried again; this time he parried, meeting her knife with the edge of his, jarring her arm so she almost dropped the knife. No, he was not a normal militiaman. She moved away from him, scowling.

They faced each other, moving slowly.

"You're good, sweetie," the young man said, with a smile. "But there're others coming. They'll have more guns."

Scarlett looked at Albert Browne, standing at the edge of the cliff. With a dizzying sense of unreality, she saw he had his hands clasped casually behind his back. He was peering over the edge, blank-faced, as if lost in thought, more like a short-sighted schoolmaster out hunting beetles than a boy trying to escape someone with a big knife.

She turned back to the bearded man.

"You know he had nothing to do with it?" she said. "He's just an idiot who tagged along. You can tell that, right? Whatever happens, you can let him go."

Shadows moved in the trees beyond. It distracted her; when she looked back at the man, he had an expression of bafflement on his face, which quickly broadened into amusement and disbelief. The white teeth parted. He laughed. It was the same laugh she'd heard at the cottage the night before.

Scarlett glared at him. "And what's that cackling in aid of?"

"It's just you're so funny," the man said. "It's only –" He laughed again – "what makes you think we're after *you*?"

It took a moment for her to digest the words, to adjust to the implications.

And everything shifted.

Her bank job at Cheltenham fell from the forefront of her mind. She saw instead the upturned coach at the bottom of the embankment, with the hole torn in its side. She saw a close-up of that hole, the ragged metal peeling up and outwards, blown by a violent force from within. She saw Albert Browne as she'd first seen him on the floor of the coach, the sole survivor, almost unscathed, and all the other passengers dead and gone…

Realization struck her.

*What makes you think we're after you?*

And as she hesitated, the bearded man moved. It was just too fast – Scarlett couldn't dodge or deflect the blow. Nevertheless, her left arm went up in a protective gesture, guarding her heart – and the knife blade went straight through the palm of her hand. It protruded three inches on the other side. Scarlett McCain felt an explosion of pain. She stabbed at the man's arm, so that he let go of his knife hilt. She dropped her weapon, held her wrist tight, cursing.

Still smiling, the man backed away. He signalled to the forest behind him. A shot rang out among the trees.

Scarlett bared her teeth. With her free hand, she pulled the knife out of her palm and flung it aside. She flexed her fingers tentatively.

Albert Browne gave a soft cry of dismay. "Scarlett! Your hand – it's bleeding!"

"Yes – isn't it? But don't worry. I can still do this." Scarlett stepped close and shoved him viciously out into the gorge. With a squeal he disappeared.

The people in the pines were firing repeatedly now. Scarlett didn't hang around. She gave them a last gesture to remember her by, then walked backwards over the edge.

# II
# THE TOWN

"Good morning, Albert," Doctor Calloway said.

Albert could imagine her on the other side of the partition, the neat black clothes, the blonde hair scraped up above the velvet headband. The pen held ready. The fingers on the dial. The slashes of red lipstick on the smooth pale face. He could always visualize her perfectly. The trouble was he could never do anything about it. The iron partition saw to that.

"Can you hear me?" Doctor Calloway asked.

"I can hear you."

"Good. And can you move your hands or feet?"

He knew the questions before they were asked, the order and exact phrasing; he could have answered them all, rat-a-tat-tat, like so much gunfire, and gone straight on to the test. But she liked him to respond fully, as if it was his first time. No cutting corners, no shortcuts. Only the necessary punishment. This was the scientific method.

Albert strained against the straps that bound his wrists and ankles. "No. I can't move them."

"Do you have the mask on?"

"Yes." It had been she who had placed it on his face. Adjusting the mask was always the last thing, after tying him to the chair and fixing the wires to his thighs and forehead. He could smell her perfume lingering on the cloth.

"And can you see anything?"

"I see nothing." Just a soft blackness pressing against his eyes and nose.

"You remember the table in front of you?"

"Yes, Doctor Calloway."

"What was on it?"

"A corked green bottle. A flower in a jar of water. Two candles, one of them lit. A dish of rice. A pot of stones. A brown bird in a cage."

"Good." This was the only part of the preliminaries where his answer varied, and even here the range of possible options was not large. Sometimes there was a mouse in the cage, occasionally a rat. The flower was unusual; he had been given it only twenty or thirty times. More often the jar simply contained water, right up to its rim. There were always two candles, always seven items on the table – this never altered. What *did* change was the distance of the table from the chair where he sat. Sometimes it almost touched his knees. Sometimes it was far off across the tiled room. Today it was roughly midway, which meant it wasn't the range they were testing, but the degree of stimulus. He felt the soft touch of the wires trailing down the side of his head. Sweat gathered under his arms. It was going to be a bad one.

"Are you well today, Albert?" Doctor Calloway asked.

"I'm well."

"Are you upset or worried about anything?"

"No."

"Do you have anything on your mind? What are you thinking of right now?"

"I'm thinking of you."

It was always his answer. And always she ignored it, the tone of her voice not varying, neither hurrying nor slowing, just moving on to the next question.

"I want you to empty your mind, Albert. Empty your mind of everything and focus on the objects on the table. Can you visualize them?"

"Yes."

"Pick one. Whichever is clearest to you."

"OK." He chose, randomly, the flower in the jar of water. Not because it was clearer than the rest; perhaps because it was harder than the others, or more unusual. Really, he didn't care. He never chose the caged animal, seldom the bottle with the cork. No doubt this was part of the experiment, building up a psychological portrait of him. He wondered if in all these years they'd discovered anything useful.

"Have you chosen?"

"I have."

A faint click came, as it always did. Albert had long puzzled over that click, thinking perhaps it was the electric circuit powering up, or some safety catch being taken off. Lately he had guessed it was something to do with the lights in the room being altered. Mind you, after the tests, when she took the mask off and resuscitated him with water, the room always looked the same.

"Very well. Albert, I would like you to focus on the object now."

That was always how it began: no fanfare, no build-up, and

no clue how long he would be given before she applied pain. It was part of the challenge, of course – overcoming the uncertainty and fear. It might be five minutes before she switched the current on and it might be thirty seconds. Sometimes he could do something in that time, and sometimes he couldn't. It never stopped her turning the dial.

Albert closed his eyes beneath the mask and projected his will at the faint impression of the flower that he could see hovering white and ghostly in the blackness. He visualized easily enough the bent stalk, the five fringed petals, the hard lines of the surrounding jar; what was difficult was to summon the energy to do anything. He felt listless that day, bored by the monotony of the routine. What he wanted was to get out into the grounds, talk with the kid with the quiff again.

Doctor Calloway was silent. She rarely said anything more until the end of the test. But he could hear a faint rasping, which he knew was caused by the serrated beak of the bird as it tried to saw its way through the bars of its cage. An irritating noise, but better than the half-human chatter of the rat they'd brought in once. That rat, a pink, hairless specimen they'd found out in the marshes, had sounded for all the world as if it was trying to speak. Albert couldn't concentrate thanks to the awful distorted mewling it had made. That day he'd done nothing, no matter how much they'd hurt him.

And now – oh no, *surely* not yet – Albert felt the prickle starting in his temples, knew her pale fingers were on the dial, getting the current going. No, it was too soon. Was she not going to give him *any* proper time?

"Please," he said. "I'm not ready."

Thing was, to get anywhere he had to focus. Shut out the hateful prickling that spread like running spiders across his skin. Shut out the sound of the bird, shut out the smell of the woman's perfume, the touch of wires, the sweat running down inside the mask...

Shut out the thought of the kid with the quiff – and what he'd told him.

*That* was easier said than done.

He pressed his teeth together, tried to regain control. But the image of the flower dispersed like trails of ink in water. He saw instead a green island, far away. Panic rose like bile inside him. "I'm sorry," he said. "I can't do it. Not today. Please could we try again later, when—"

The shock, sickeningly familiar, was stronger than usual. It must have been a full half-dial. If it had gone on any longer, Albert thought he would have broken through the straps. He subsided in the chair, body shaking, mind blank, tears fizzing from his eyes. Faintly he heard the dispassionate scratching of the pen.

"Why are you doing this?" he whispered. She didn't answer. Which was small wonder; he could scarcely understand his own question. There was too much blood in his mouth – he had bitten into his tongue.

"Please concentrate, Albert," the calm voice said. "We have a lot to get through this morning."

*A lot to get through.* His eyes were open, his face wet beneath the cloth. "Yes," he said. "I'm so sorry. I'll do my best, Doctor Calloway. I'll do my best for you now."

# 8

Beyond the Wolds, the landscape flattened and the forests petered out. The river coiled south through a region of scrubby wetlands that stretched green and brown to the horizon. The sun shone; a thousand pools sparkled among the threshing reeds. Ranks of willow trees bent over the water like women washing their tangled hair.

A large tree branch turned slowly in the centre of the current, a thin speck in the vastness. Two figures lay sprawled upon it, their limbs outstretched and trailing. They had not moved for a long time. Far above, carrion birds drew patient circles between the clouds.

Scarlett had not meant to sleep. But the sun's warmth and the silence and the lulling of the water had enfolded her and taken her far off to a dreamless place. She awoke suddenly to brightness and to pain; and also with a distinct sensation of something walking up her back.

She opened an eye, to discover a large purple-black crow sitting on her shoulder. It stared thoughtfully out across the water, like a grizzled riverboat captain watching for signs of ambush. As she looked, it ruffled its feathers and gave her ear-lobe a speculative nip. Scarlett jerked her head, cried out. The crow flew off. The branch bobbed crazily midstream.

The light was too bright; she closed her eye once more. For a moment she was elsewhere, falling from the cliff again, her coat rising stiff on either side like outstretched wings...

She saw the rest in fragments. She had hit the water with a crack like a spine breaking; fizzed down through cold darkness; hung suspended in the depths, before kicking upwards into air. There had been blood on the surface, her own blood. The bag was too heavy on her back. She'd begun to sink again...

A hand had grasped hold of her – it was the boy's. He'd been clinging to a floating branch, straining to pull her towards him. Her rucksack snagged on something. A kick, a tug – the side of the bag tore free. Then – somehow – she was aboard the branch, gasping, bleeding.

Up on high she remembered noise and outcry, gunshots and commotion. Looking back towards the cliff, she'd glimpsed figures on it, gazing down at them; one of these, Scarlett thought, was a woman. The sun flared; they disappeared around a bend in the gorge. Then there was nothing but pines and crags, the soft rushing of the water. The river had carried them away...

Full consciousness returned to Scarlett. She opened both eyes and took stock of her condition.

It wasn't as positive as she would have liked. Her left hand was black, curved stiff as a claw. Blood fused it to the branch; her palm was a throbbing wad of agony. The arm itself was locked tight around a protruding spur of wood. Without this, she would probably have slipped into the river and drowned.

As it was, she was half on and half off, one of her legs partially submerged. She had no feeling in this leg; presumably it was simply numb.

All her body ached; she longed to change position, but any movement threatened to rotate the branch and cast her off. Worse than all of that, she had an excellent view of the happily dozing Albert, who seemed to be curled in a position of the utmost comfort. He was bone dry, with his legs drawn up and his hands cupped under his head like a sleeping infant. A faint smile played upon his lips; his breathing was sweet and easy. A breeze shifted the fronds of his black hair.

"Wake up!" Scarlett's mouth was dry and crusted, and she could anyway scarcely speak for rage. The sound that came out was little more than a throaty gargle, and the boy did not stir. A volley of growling curses achieved no better result. At last, balancing precariously, she reached out her good fist, swiped at Albert's head and thumped it hard.

"Sorry, Doctor Calloway, sorry!" He woke with a start, eyes wide and staring, and wrestled himself furiously into a sitting position. The branch rolled and tipped and Scarlett subsided further into the water.

For a few seconds Albert stared out at nothing, his body trembling. Slowly, he relaxed.

"Hello, Scarlett," he said. "Sorry – I didn't know where I was… For a moment, I thought… I thought I was in trouble. But it's good. All good… We're fine."

Scarlett stared up at him, waist-deep in water, clutching at the branch with gory fingers. "What's that?" she croaked. "You say we're fine?"

"Yes! Two friends together, two comrades at large in the world!" He ran a slow hand through his hair. "Ah, it is a fair and beautiful river. What a joy to hear its happy gurgles, to see the sunlight shimmer upon it as if it were made of liquid gold… This is a better life by far than in the forest. Do you think we could float like this all the way to London and the sea?"

He was out of reach now, and Scarlett couldn't hit him again. She did her best to smile. "Help me out of the water," she said sweetly. "Help me out and I'll tell you."

He looked at her. "Help you up here? I'm not sure there's room."

"There is room, and something in the depths of the river is nibbling at my boots. It might be a giant pike. Help me out, Albert, please."

"You speak with eerie calm, but your face promises violence. I feel a little frightened."

"Oh, don't be like that. It must be the extreme foreshortening that makes my expression distort that way." She stretched out her good hand. "Come on, friend, pull me up."

Still he hesitated. "I'm not sure…"

"Just one quick tug, that's all."

"Well…"

With some reluctance, he reached out. Scarlett snatched at his hand, and with a mighty yank pulled him into the water. A squeal, a splash; he was submerged. Scarlett made a concerted effort to clamber up one-handed onto the branch in his place, but it rotated and pitched, lacking a counterbalance in Albert's weight, and she plunged back in. Albert's head re-emerged alongside her, soused and squalling in panic; his thin arms grappled at her desperately, further hindering her efforts. She kicked out at him. For some seconds there was a frenzy of slaps and splashes and shouted curses; when these ceased, both Albert and Scarlett clung to the edge of the branch, dangling dismally side by side.

Albert wore an expression of damp reproach. "That was unkind of you. You knew I couldn't swim."

"Shut up. Just shut up. I don't care."

"Now we shall both drown." He sighed. "And I so wanted to reach London."

Scarlett tried and failed to blow wet hair out of her face. "London doesn't exist. You would only drown there as well. In any case, we can easily reach the bank. At the next bend, use what few muscles you have in your legs and help me kick. We can steer the branch into the reeds. Not yet – wait till we're close. I'll tell you when."

Silence fell; there was nothing but sunlight and the gentle lapping of the water. Scarlett could not see beyond the log; she craned her head sideways, trying to gauge the bend of the river and the distance to the bank. Sunshine played on the surface; time slowed. She thought of the great fish that haunted the larger rivers. Even now, one might be rising silently through the water towards her trailing feet... She thrust the idea aside. Into her mind instead came memories of the chase down the forest slope and the last moments before the plunge from the cliff. The gunfight among trees, the young man with the knife... They were fractured images, almost as slippery as the side of the branch. She could get no purchase on them. They flitted past her like the tattered remnants of a dream.

Except for one thing.

*What makes you think we're after you?*

Scarlett's teeth clamped tight. She had no trouble hanging on to *that* little memory. She stared with hot eyes across the water. Next to her, she could hear Albert Browne humming under his breath.

The river turned sharply to the east. Ahead, a band of reeds rose like the wall of a stockade. Scarlett stared at them. She had no idea how far they had come. The sun was high – they had drifted for several hours while they slept, and were certainly nowhere near Stow, where grim, impatient men waited for her to pay off her debts.

First things first. Get off the river. The log yawed as the river changed direction. The reeds suddenly loomed close.

"Now!" she cried. "Kick!"

The current ran them near to the bank, but it was moving fast, carrying them ever onwards as they kicked and splashed, turning the surface to foam. Distance was hard to gauge so low in the water; they seemed to make no progress at all. Albert was soon worn out and hung beside her, gasping, while Scarlett continued kicking in a white heat of desperation. Her energies ran low; her head began to spin – all at once she looked up and saw the looming shadow of a broken bridge, set among willow trees. Its concrete spurs projected high above the stream, the rusted metal tips spreading like the fingers of giant hands.

And there below, almost upon them: the thicket of reeds. She felt her foot glance against something soft and firm. The bank was suddenly very close. Scarlett gave a final kick. The branch struck a submerged ledge of mud and stopped abruptly, so that both Scarlett and Albert had their grips dislodged. They wallowed, coughing, struggling to gain firm footing. It wasn't easy:

the river was shallow, but the ooze below was deep. Slowly, with much ungainly floundering, they reached a mudbank beyond the reeds and limped ashore.

Scarlett flopped forwards onto her knees, and shrugged her rucksack off her back. At once she took a quick inventory of her equipment. To her relief, her gun was still in its holster, though it was soaking and would need to dry. She had no cartridges left. She had lost her knife on the clifftop. One of her water bottles had two neat holes in it, where a bullet had entered and exited. The tube and the metal briefcase were unharmed. At first glance, the rucksack itself seemed in one piece too; a second glance revealed a great tear along one side-pocket, where it had snagged on a rock or branch immediately after her fall. Scarlett's blood ran cold. She urgently inspected the hole, only to discover that the string bag containing the money from the Cheltenham bank job had been dislodged and washed away.

Scarlett gave a hollow groan of fury. She would have sworn as well, but didn't have the energy. Her hand was a mess, her body soaked; she felt shivery and light-headed. With some difficulty, she located her medical kit in another pocket, sealed in its plastic pouch. Opening it with her teeth, she pulled out the antiseptic spray and squirted it onto her palm, gritting her teeth at the stinging pain.

She tossed the bottle aside and stood up straight, newly bleeding from one hand.

The sun shone brightly through the reeds and willows. Up on the struts of the bridge, a raucous host of red-legged storks preened and fluttered like a troupe of acrobats in their feathered black and white cloaks. The toppled concrete supports were iced with droppings and crowned with nests of bones and sticks. Scarlett disregarded the birds. In her experience, storks only attacked those about to die.

Speaking of which...

Not far away, Albert Browne lay like a stranded jellyfish on the mud, all sodden jumper, crumpled trousers and flaccid, outstretched limbs. He was on his back, staring up at the blue sky, his face as placid and unconcerned as ever. Watching the clouds, maybe, or counting the circling birds of prey. Like everything was peachy. Like no one's money had been lost. Like there was nothing needing explanation; nothing that needed to be urgently discussed.

Scarlett strode over and prodded him, not gently, with a boot. "Get up."

"Already? But, Scarlett, I have only just collapsed. I have conducted great exertions just now, helping waft us both to shore."

"You did bugger all. The log kicked harder than you. Get up. I'm not talking with you lying down there."

Frowningly, she watched him totter to his feet. She watched him brush a few grey chunks of river mud off first one leg, then the other. He straightened. Before she could speak, he bent again and methodically picked a twist of river weed from the laces of one shoe.

She glared at him. "Finished?"

"Yes. No, wait – there's another bit of weed here too."

"Forget the weed. Listen to me. Who were those men?"

"Which men?"

Scarlett gave a hiss, lurched close and grappled him around the collar. "You *know* which men! The ones who tried to kill us!

The ones who we barely escaped by leaping off a cliff! The ones who put a knife through my hand!"

He blinked at her, his eyes pools of innocence and woe. "Your poor hand. How's it doing?"

She held up her blackened claw. A crust as dark as burnt sugar bloomed like a ragged flower across the palm, while fresh bloody stalks ran down her wrist and up her sleeve.

"How do you *think* it's doing, Albert?"

He peered at it. "Ooh. Ah. Is it sore?"

"Goddamn it, you can see daylight through the centre! What do you think? Yes, it's sore!" She glared at him. "And it's *your* fault! Answer my question, you little mud-rat, or I'll knock you down."

The boy spoke carefully. "I don't think you should punch anything with that bad hand."

"I won't. I'm ambidextrous. I'll use the other one." She raised her fist. "In precisely two seconds."

"But I don't know who those men were! I've never seen them before— Ow!"

"That was just a slap. There's more to come."

"But I swear I've never—"

"I'm not asking for their middle names and birthdays! I want to know *why* they're after you! For what purpose! And that, my friend, you most certainly *do* know. Speak!"

Albert Browne made a frantic defensive gesture. He took a step back, and then another, slipping and sliding on the black shingle.

"I don't know! Perhaps … perhaps they were from Stonemoor."

"That doesn't mean anything to me. What *is* Stonemoor? Keep talking."

"It is where I lived. A great, grey house…" His eyes flitted towards her and away again. "Do not send me back there, Scarlett. If you try, I will walk into the river and drown myself. Do not send me back there."

"I'm not going to send you back. Shiva's ghost! I don't even know where it is. Was it in Gloucester? Cheltenham? Some place like that?" She waited, but he looked at her in bafflement; clearly the names meant nothing to him. Scarlett rubbed in frustration at the side of her face. "Was it even in a town?"

"I do not know."

"But you know what a town *is*?"

He smiled broadly. "You mean a place with standing buildings, shops, a surrounding wall, gates and defences to keep out the Tainted and other beasts. There are people in it."

"Yes. That is a town. Christ. And Stonemoor?"

Albert nodded. "I do not know if it was in such a place. We never left it. Beyond the house were the grounds, and beyond the grounds a long high wall, and when I stood at the windows I could not see past the wall, except for the green tops of trees far away."

Perhaps he wasn't actually lying, but he was not telling the whole truth, of that Scarlett was sure. He had left to get on the bus, for one thing. She scowled, screwing up her eyes. His unworldliness wasn't faked, she was certain of that; naivety rolled off him like mists from a mountain top. But there was more to him than this. Dangerous people wanted him dead.

"Tell me about this house," she said. "Who lived there?"

"It was me, Old Michael —" he hesitated — "and Doctor Calloway…"

"Just three people?"

"Oh, well, there were the other guests, and the servants, and the medics and technicians, and there were the guards who stood at the doors, and the ones who walked in the grounds shooting the birds if they flew too close, and there were the odd-jobbers, and the boy with the quiff who died, and some others I forget. I was not allowed to speak with any of them, apart to answer specific questions. If I did, Doctor Calloway whipped me." He took a breath. "But now she is in the past, and Old Michael is dead, and I don't like to think of any of it more than I can help." He smiled at her, as if that finished the matter. "Scarlett, are you all right?"

Scarlett in fact felt sick and dazed. The sky shone white like a sheet of iron. Her hand hurt. It was hard to focus.

"So you were kept locked up in this house?" she asked.

"Yes."

"Why?"

The smile on his face grew fixed and taut. He did not look at her. "No one ever told me."

"Got to be a reason, Albert, and I think you know it. But then you escaped, did you?"

"I found an open door. I went out. I wanted to see the world."

"I see. As easy as that. And what happened on the bus?"

"The bus?"

"Why did it crash, Albert?"

"You know, you do look awfully pale, Scarlett. Do you want to sit down?"

"No! I want an answer to my question."

"The driver lost control. It all happened so fast. I find it hard to recall."

Scarlett took a slow breath, wondering whether to slap him again. Her cold, wet clothes clung to her and she could feel an ache behind her eyes. No, now was not the time. "Shame," she said, stepping away. "Us being two comrades and all. It's a crying shame you can't be straight with me."

"That insinuation rather hurts," the boy said. "I have told you many interesting and truthful things. Also ... if it's a question of being straight with one another, I must say for a 'simple pilgrim and a girl of God', you seem very skilled at shooting people through the head."

Scarlett shrugged. "I'm a multitasker, what can I say? All right, don't tell me. But if your Doctor Calloway ever catches up with us, I might see if I can get a proper answer out of *her*."

She turned to get her bag – but before she knew it, Albert was at her side. She had never seen him move so fast. A fierce urgency possessed him; his eyes were wide and staring. "Scarlett, please do not speak so casually of that woman! She is perilous. I have seen her do terrible deeds!"

"Yeah?" Scarlett hesitated, momentarily taken aback. "I've done stuff too."

His voice dropped to a whisper. "If she should ever find us," he said, "you must run from her and keep running. Do not seek shelter; she will find you. Do not try to parley; she will cut you down. Do not fight back; she will laugh in your face as you spin and burn. Remember, it is death to go near her! Death!" With a final shudder, his face went bland and calm again. "But she seldom leaves Stonemoor, I am glad to say, so I'm sure it will never happen. Now, Scarlett – it is time to rejoice in the present. What do you want us to do?"

Scarlett was thinking of the black outline she had seen on the clifftop as the river swept them away. A woman's shape, watching them go. She said: "We must get to a town. I need to fix my hand. And that means a long walk."

The boy looked at her, aghast. "*Another* walk? But I'm so tired, Scarlett."

"Me too, and if we stay here, the storks will pick at our bones. We're miles from anywhere. We'll have to cut our way through the reeds and bogs, fight off river snakes, walk till our feet bleed. Walk till we reach a town. Otherwise we die. You understand me, Albert? We've got no other option."

"True. Unless we take the boat."

Scarlett blinked at him; she slowly turned her head. As in a dream she looked where he was pointing. Sure enough, just beyond the bridge, tucked among the reeds and willows, a battered rowing boat was tethered to a post.

"How about *you* walk; *I* take the boat," Albert said. "That option works well too."

But Scarlett was already ahead of him, pushing through the reeds, stumbling in the mud, ignoring the clattering outcry of the storks as she waded past the concrete supports. Her heart was beating fast. A boat! What luck! They could float to a river town, where medics—

"And look," Albert said, "there's the owner."

Not far beyond the bridge, the reeds had been cut down. A tumbledown hut stood in the dappled shadows of the willow trees. Old sulphur sticks hung black and waxy among the fronds, and rangy chickens scrabbled here and there in the scratty soil. Beside the riverbank, hunched on an ancient dining chair and doing something uncoordinated with a fishing rod, sat a very large man. He wore a straw hat with a ragged brim, a pair of faded jeans, and a blue checked shirt hanging open over a stained white vest. His feet were bare. He was grey-haired, voluminously bearded, and powerfully built. A beetling brow, protruding over a veiny nose, cast into deep shade two small and cunning eyes set slightly too close together. Scarlett saw at once he was a classic backwoodsman of a kind commonly found in the Oxford Sours.

The man had been alerted by the clamour of the storks. As they came out of the shadow of the bridge, he let out a grunt of aggression and surprise. Flinging down the fishing rod, he got to his feet and set off purposefully towards them, kicking a chicken out of his way.

At Scarlett's side, Albert hesitated. "Maybe we *should* walk, after all."

Scarlett looked at the man. Although not young, he was taller than she was by a full foot, maybe more, and broader than the two of them put together. He had an enormous jagged hunting knife tucked in his dirty string belt. He had sized up Albert in a moment, and was now staring at Scarlett with a keen interest that bordered on wolfish rapacity.

"He will want money for the boat," Albert whispered. "You *do* have money, don't you, Scarlett? Please say you do. Or what can you give him in exchange?"

Scarlett pursed her lips thinly. As of the last few hours, she had rather less money than she cared to contemplate. "Don't worry," she said. "I'll give him something."

The man stepped close and opened his mouth to speak. As he did so, Scarlett swayed forwards and punched him full in the face with all the strength of her good hand so that his head jerked back and he toppled to the earth like a felled tree. He lay spread-eagled, toothless mouth agape, eyes closed, fingers twitching, his unkempt beard jutting to the skies.

Albert Browne had given a cry as the blow struck. "That poor old man!"

Scarlett gazed at him. "Are you blind? He was clearly a git. And we need his boat. He would not have given it to us otherwise."

"You didn't even ask him!"

"There was no point. Stop gawping. Hurry up and get aboard."

Albert shook his head in wonder. "Your behaviour surprises me. What next? Are you going to kick him while he's down? Why not rob the fellow too?"

There was a pause. "You know," Scarlett said slowly, "that last one is an excellent idea."

# 9

ALBERT AND SCARLETT DID NOT SPEAK MUCH DURING THEIR
onward journey in the little rowing boat. Mostly this was because they were busy devouring the supplies they had found in
the bearded woodsman's hut. There was smoked fish and black
rye bread, bags of apples, onions and hazelnuts, and plastic bottles of a watery beer which they sipped from metal pannikins.
The bread was stale, but the fish and beer were very good. They
sat facing each other, knees almost touching, eating and drinking with fanatical intensity, and staring determinedly in opposite
directions.

Albert was still slightly affronted by the robbery they had
committed, but not enough to ignore the food. It was the best
meal he had ever tasted. When he was finally full to bursting, he
wiped his mouth on the sleeve of his jumper and belched contentedly. Then he settled back to read Scarlett's mind and watch
the world drift by.

The landscape was changing, the reeds and marshes being
replaced by meadows. They were entering the safe-lands around
a settlement, though the Wilds were still at hand. At a bend in the

river, a great brown otter, as long as a man, sunned itself on the mud, belly up, tail trailing in the water, following the progress of the boat with black, unblinking eyes. Beasts that size could easily kill a child – drag it to the cool green depths of the river and wedge it among the tree-roots for devouring later. But for Albert Browne the bright day bleached away the horror; he marvelled at the light playing on the rich and creamy fur, and the boat passed swiftly on.

Albert had long wanted to see such things. He had lain in his cell as the rattle of the pill-carts sounded down the corridor, and dreamed of animals, forests and towns, and the Free Isles sparkling far away. Now he was experiencing it all. Yes, his enemies would keep pursuing him, and he would not be safe for ever. But the sun was shining, he had a decent start and he felt no trace of the Fear inside him. Even better, he had Scarlett at his side.

Scarlett! So much of his good fortune was down to her. Yes, she might be a bit grumpy with him right now, but she'd saved his life several times, and no amount of slapping or eye-rolling could change that. When she wasn't looking, he snatched little glances at her, noting how – despite her battered clothes and bloodied hand – she sat straight-backed, perfectly balanced and erect of purpose, watching the way ahead. Strands of her long, auburn hair whipped about her bone-pale face, which showed precisely the same fierce and freckled poise that had transfixed him from the moment he'd fallen out of the toilet at her feet. Nothing in the muffled, muted corridors of Stonemoor had prepared him for Scarlett McCain's existence, and it overwhelmed Albert to realize they had been thrown together only by chance. How easily he might have missed her! If he had chosen to leave the wrecked coach earlier, perhaps, or if she had taken another way through the forest… The awful notion didn't bear thinking about at all.

Not that she was easy company. She hadn't said a word to him since getting on the boat. The reasons were obvious, and he didn't actually *need* to read her mind to understand her silence. But really it was impossible not to, her sitting so close like that, and with her thoughts breaking over him in hot clouds of indignation, suspicion and pain.

Her wound was distressing her and she blamed him for it. That was the strongest emotion by far. But she also had images of banknotes swirling in her head, and when these came into focus her annoyance with him grew particularly sharp – Albert didn't know quite why. On top of all that, a great angry curiosity burned inside her about him and his past. For some reason, she was cross with him about this too; cross even with herself for *being* curious. It was all a bit of a mess, in Albert's opinion, as other people's heads so often were. Still, no doubt she would calm down in time.

"Albert, stop daydreaming!" Her voice made him jump. "We're getting near."

He swivelled on his bench. The river was running through a patchwork expanse of fields, with crops growing green and orange in the westering sun. To his fascination, Albert saw a battered tractor moving slowly up a rutted lane. Somewhere ahead, twists of chimney smoke rose blue into the eggshell air.

He felt a thrill of eagerness and fear.

"Oh, Scarlett," he said, "I could shake you firmly by the hand. Not your bad hand, obviously – that would be a mistake.

But to visit an actual town... That has long been one of my heart's desires! Will there be inns and cake shops there?"

She gazed at him. "Yes. More to the point, it will have *doctors*. I assume you don't have any cash?"

"None." He said it sadly; he would have liked to please her. His eyes flicked to her rucksack. "I'm sorry that you've lost your money too."

For some reason that was a mistake. A bulb of rage flared round her, a halo of exasperated light. She swore roundly under her breath. Slowly, glaring at him, she located a penny in her pocket and transferred it to the leather box around her neck. "How do you *know* that?" she said. "As it happens, you're right. I still have a few quid, but the doctors will take it all..." Her frown deepened. "You're staring at me. What are you doing that for?"

Albert smiled politely. "It's just I notice you put coins in that little box whenever you use rude words. I was wondering why, that's all."

The halo faded. Scarlett sighed. "It is an imperfect world," she said. "I am imperfect. The cuss-box is there to remind me of that fact. When I fall short of the standards I expect of myself, I slip a coin inside. The weight reminds me to do better."

Albert nodded in understanding. "I see. Yes, you kill, you lie, you rob, you hit old men and steal their boats. I only thank God you draw the line at swearing – it would have been just too dreadful otherwise. What do you do with the money?"

"None of your business. But look now – there's the town."

The river had swept around a bend and flowed due south, straight between the fields, and in the distance rose a high earth wall, with coloured flags upon it. A crowd of rooftops peeped beyond, a spire, two brick and concrete towers, a host of smoking chimneys. Even at a distance, Albert could see a great gate, bright and shining, set open in the wall. There were grassy dykes either side of the river, with stone paths atop them, and many people walking, carrying the tools with which they'd been working in the fields. Boats with triangular sails moved upon the river – white notched flecks that caught the sun, drifting lazily to and fro.

The scene was on a different scale to anything Albert had imagined.

"It's so big…" he said. "So magnificent… Tell me, what is that spiky tower thing?"

She scowled. "The Faith House, at a guess."

"And that ornate roof to the left?"

"The top of a cricket pavilion."

"Amazing… How many people live there?"

Scarlett shrugged. "Several thousand. It's one of the Surviving Towns of Wessex. Lechlade, at a guess – I came here years ago." She sniffed disparagingly. "A word of warning, Albert, before you start gibbering with anticipation. Don't be misled by all the flags and finery. Towns aren't more civilized than the Wilds. In some ways they're worse. See the black things on the battlements? That's cannon for shooting outsiders like you and me. They'll do that if we've got the plague, if we're deformed, if we're outlaws, or if they think we're in the pay of the Welsh. Supposing they let us in, the same applies. They're desperate to keep the old ways going. The High Council of the Faith Houses is on the watch for any kind of deviation, be it physical or moral, and if they find it, they'll kill us in short order. And the population will help them. It's been like that for at least a hundred years, and they aren't going to change their habits on account of ragged-looking visitors like us." Her eyes narrowed. "*Particularly* if we've got secrets to hide."

A little of the gloss had been taken off Albert's excitement. He swallowed. "It sounds a slightly harsh philosophy."

"Too right it is. And there's a case in point." She gestured beyond him.

Not far off, a domed grass mound rose close beside the river-bank. On its top sat a scaffold of wooden poles, not unlike a giant picture frame. In its centre hung a pale and irregularly shaped piece of cloth or canvas – pancake-coloured and very weather-worn, with many odd holes and tears, lengths of stitching, and faint blue markings in places. It flapped in the breeze, and its shadow extended long across the river.

"That is a strange construction," Albert said. "The canvas, with those marks… I feel it almost looks like—"

"Like human skin," Scarlett said. "Yeah, because it is. Well, not *exactly* human – it's stitched together from the skins of the Tainted. The ruling families skin the creatures and hang them up on boundaries as a deterrent. Encourages others of the breed to keep away. It's an old one, this, by the looks. Even the tattoos have mostly faded now. But it does the job."

Albert's mouth hung open; for a moment he couldn't speak for horror. "That is a savage act. Can even the Tainted deserve such treatment?"

"You wouldn't ask that if you'd seen them."

"And you have?"

He felt a door slam shut in her mind. She had retreated to a deeper place. "If you ask me," Scarlett said, "killing the Tainted is the only good thing the towns ever do. But we don't want them to try the same with us, so we'd better spruce up, make sure the guards will let us in."

From somewhere she produced a comb and began tugging at her hair. A crosswind blew. High on the mound, the ancient skin cracked and jerked, as if tearing free of its bonds.

The harbour of the town was a confusing series of wooden platforms and jetties, ladders and ramps, set beneath the high earth walls. It was a busy place, festooned with flags and bollards, and pressed about with vessels of many kinds – dhows with sharp sails, motorboats, fishing yachts, lumpen barges, even a primitive raft. Boatmen were carrying bags and baskets of fish, cloth and other goods to and from the gate. High above, guards with rifles looked down from watchtowers. From somewhere came the rich, sad tolling of a bell.

They moored the rowing boat and set off along the jetties towards the gate. At Scarlett's insistence, Albert had combed his hair and brushed off his clinker of river mud. She herself had located a glove from her rucksack and, gritting her teeth, had pulled it on to conceal her wounded hand. Her pain was clearly increasing; she was pale with strain and grey around the eyes. She paid little attention to the activity all around, but Albert was agog at the canvases and nets, the masts and hawsers, the whole bright, busy complexity of the scene. All the same, he eyed the throng of people with some nervousness. It was the first time he had been exposed to a crowd since his ride on the bus. And *that* hadn't ended well.

They joined a queue funnelling down an open stone passage to the river gate, where a small white guardhouse stood beside the path. Here some of the incomers were stopped and questioned, while most passed directly inside. And now, as Albert had feared, he became aware of a great and growing hubbub in his mind, a flash of unwelcome images, the buffet of a dozen personalities close at hand. As on the bus, the tumult was discomforting, though at least here he wasn't the centre of attention. He sought to distract himself by tapping his foot, humming jauntily, whistling a cheery tune.

"What's the matter with you?" Scarlett hissed. She had stepped close and gripped his arm. "You're twitching like a madman! You know what they *do* to madmen? They chain them in the woods for the beasts to eat! Don't draw attention to yourself! Do what I do."

They had almost reached the guardhouse. Two iron doors hung open in the high earth ramparts, with a sunlit street shimmering beyond. The queue moved through at a decent pace – fishermen bearing swollen nets, a man wheeling a barrow, an old man carrying a child...

Scarlett swaggered forwards as if she owned the place. In moments, she was in. Albert felt a surge of confidence. He started after her—

"Hey!"

A young, dark-skinned man sat at an open window in the guardhouse. He had his hand raised; a finger twitched and beckoned. Albert's heart struck painfully against his ribcage. He halted.

"Yes, you. Boy with the ragged hair. Step over here."

It was like Stonemoor all over again: being pulled out of the line-up, walking to the punishment room under the eyes of laughing warders... Albert shuffled to the window. The young man's face was bland, his eyes coolly watchful. He wore a crisp white shirt, tightly filled with all relevant muscles, and a striped red and yellow tie. A coffee cup rested at his elbow, alongside several neatly stacked piles of papers. A rifle muzzle was visible too, propped against the counter.

The man regarded him. "What's your name, and what are you doing in Lechlade?"

It was not a difficult question, but Albert found he could not answer. An image flashed before his eyes – an image of himself, distorted and contemptible, as projected by the guardsman's mind. And it was not quite right: his skin was paler, his features less regular and more brutish; it projected a certain shiftiness and depravity that Albert didn't feel he actually possessed. It was not pleasant to see precisely what the young man thought of him. Albert flinched back, as if he had been struck.

*They chain them in the woods for the beasts to eat.*

The guard's eyes narrowed. "What's your *name*, I said?"

"His name is Billy Johnson." All at once, Scarlett was at his side. "He is my assistant," she went on. "He is a little shy, as you can see, but harmless enough. We have travelled some days through the Wilds, and he is evidently struck dumb with delight to be here. Yes, Billy and I thank God, Allah and dear Lord Brahma, among others, that we have come safely to Lechlade." She nudged Albert sharply with an elbow. "Don't we?"

"Yes," Albert said.

The guard tapped a biro against his teeth and studied Scarlett. The image in Albert's mind changed; the distorted version of himself was gone. The guard's perception of Scarlett, which replaced it, was more or less accurate, with certain attributes perhaps over-emphasized a little. It was certainly less hostile than his response to Albert had been.

"He have any bodily defects?" he asked.

"No," Scarlett said. "Nor mental ones, despite appearances." She winked at him.

"And what is *your* name, miss?"

"Alice Cardew."

The guard took up his biro and made a note on a form. "Wessex name, is that?"

"Yes, sir. Wessex born and bred I am, out Malmesbury way. My dear old dad's family's been there, time out of mind."

She was beaming now. It struck Albert how all the pain and weariness had seemingly fallen away from her. Her green eyes sparkled; she radiated trustworthiness and health.

"What is your occupation?"

Scarlett leaned forwards confidingly. "I'm so glad you asked me that. I am a supplier of holy relics."

The man sat a little straighter in his seat. "Holy relics?"

"Yes, indeed." Scarlett reached into a pouch in her coat, brought out several small clear plastic boxes, containing items nested on cotton wool. "I sell fragments taken at great personal risk from the sacred sites of the Seven Kingdoms. Do you see this shard of ruby glass? It comes from the otter-haunted ruins of Ely Cathedral in the Anglian Fens. These square blue tiles? Genuine faience, retrieved from the Drowned Mosque of Bristol, five fathoms down. Ah, but I see you are interested in this small but remarkable set of bones... Yes, you have excellent judgement. This is none other than the right big toe of Saint Silas, the Kentish hermit, the very toe with which he healed the moneylender."

Scarlett moved the boxes on the countertop in such a way that the shiny plastic sparkled in the sun. "Of course, such items have miraculous powers. Yet they are all available for purchase, or can be touched, kissed or fondled for a lesser sum."

The young man made an involuntary movement of his hand toward the boxes. He controlled himself and frowned. "It is easy to claim miracles. Do you have proof of this?"

Scarlett gestured expansively. "The evidence is here before you! Have we not just rowed across the Wilds entirely unmolested? In any case, to express my thanks for our safe arrival, you may if you wish take the saint's toe bones as a token of my gratitude."

The man's thoughts were no longer directed towards Scarlett or Albert; instead they had devolved into a fog of avarice and mystical joy. His expression did not change, but by faint relaxations of his body, Albert knew that Scarlett had done it, and they were in. The guard glanced at his form. "Thank you very much, miss," he said. "Just a couple of formalities. Have you ever come into contact with the Tainted?"

"No."

"Have you ever been to the Burning Regions?"

"No."

"Are you an anarchist, an agitator, or an agent for Wales, Anglia or the Cornish State?"

Scarlett's smile was relaxed and indulgent. "No, sir. I'm none of those."

The guard sat back, ticked some boxes, marked the paper with an outsize ink stamp, and pocketed the toe bones. "Welcome to Lechlade, Miss Cardew. Enjoy your stay."

So it was done. As in a dream, Albert felt Scarlett take his arm. They passed between the river gates – two towering slabs of wrought black metal, of proven resistance to claw, tooth and fang – and beneath an arch of grim grey stone. He could hear the murmur of human voices, and songbirds trilling. Beyond was a green and sunlit space. He walked on and into it. And so, for the first time in his memory, and despite the efforts of the warders at Stonemoor, who had sacrificed their lives attempting to prevent just such a moment as this, Albert Browne entered a Surviving Town.

# 10

THE SETTLEMENT OF LECHLADE OCCUPIED A ROUGHLY OVAL SITE on level ground, overlooking the confluence of the ancient rivers Thames and Coln. It was surrounded by a patchwork quilt of fields that stretched across twenty-five square miles of good, un-contaminated country. A black tarmac road ran like an arrow from the land gates towards the circle of distant woods and marshes, linking the town to communities in Wessex, Mercia and beyond. Lechlade's main contributions to this trade net-work were wool, mutton and leather goods. Its slave market, though small, was famous for its quantity of healthy children, mostly taken from raids on the borders of Wales. Its Faith House maintained high standards of decency and order. A rota system ensured that everyone – even members of the ruling families – served in turn at the guard-towers, keeping an eye on the forest. They watched for the Tainted, for wild beasts, for bands of roving Welshmen, for outlaws... Who knew what danger might steal next out of the wilderness and wreak havoc in the town?

Within moments of his arrival on the high street, unhindered and unnoticed, Albert Browne had been left alone.

"Here's a pound note," Scarlett said. "If you're hungry, buy food. But otherwise don't talk to anyone. That's the absolute rule. Each town has its own laws; they're always slightly different. Not walking on the grass, not standing up when a family member passes ... it might be anything. In Swindon, if you pick your nose in public, they lock you in the can. Watch what everyone else does, and copy them. And for the gods' sake, don't get into unnecessary conversations. That's not your thing at all. Wait on that bench, see, between the punishment cages and the butcher's shop. I'll be back by nightfall, once I've fixed my hand." She glared at him. "Then you and I have unfinished business to discuss."

Albert felt a soft jab inside his chest. "I know it. You are talking of our parting ways. That was our agreement, when we got safely to a town."

"It surely was. But before we do that, I need some *answers* from you, pal." She held up her stiff gloved hand, the caked blood just visible on her wrist. "I want a proper explanation as to why this happened to me."

With that, she turned and was gone into the crowd.

Albert remained on the pavement, a crumpled pound note between his fingers. He didn't know what to do. His encounter with the guard had unsettled him, and Scarlett's warnings about the people of the town were preying on his mind. It was hardly to be expected that Doctor Calloway's men would have yet caught up with him, but evidently Lechlade was not somewhere he could properly relax. At least, not alone. With Scarlett alongside, it might be different.

Quite suddenly, he realized his companion's departure had left a hole inside him.

Still, he was in a town at last – and it was full of wonders. He stood on a tarmacked turning circle, fringed by bright green lawns, where freight brought in by river was being transferred to rickshaws and petrol-powered trucks. Ahead of him, a broad street curved away, its houses low, two-storeyed, with steep red roofs and plump bay-windowed frontages that twinkled in the afternoon sun. In the angled golden light Albert could see a butcher's, a greengrocer's, a bakery, a hat shop, and many other marvels fading off into the haze. Functioning street lights, ready for evening, rose from clean, swept pavements; they were decorated with hanging baskets of pink flowers.

Near the butcher's was a neat red postbox, and also a public fountain, where a small boy in somewhat drab grey clothes was taking a drink, a broom propped on the bench beside him. More disconcertingly, three splaying steel posts rose here too. There was a cage dangling between them, some ten feet off the ground. The sun was shining directly behind it, so it was impossible to make out the details of the rather thin person slumped inside. No one else was paying the cage any attention. Remembering Scarlett's advice about fitting in, Albert reluctantly looked away.

Without definite purpose, he started walking slowly up the road, being careful not to bump into any of the people in the crowd. There were so many of them! So many shades and colours, laughing, talking, flowing in and out of the shops like a flood tide. There were women in jeans and coloured blouses, bowler-hatted gentlemen, healthy-looking boys and girls. Proper living people, with no obvious physical deformities. So different from his fellow guests at Stonemoor, who scarcely did anything but groan and screech from sun-up to curfew. The citizens of

Lechlade had a vitality that enthralled Albert – and unnerved him a little too. He sensed their thoughts jostling each other in the space around him, the images merging, colliding, distorting… It would have been madness to focus on them; his mind would have been stretched in a dozen directions at once. To escape the temptation, he ducked into the baker's shop, where, to his delight, he succeeded in buying an iced cherry cake and a bag of liquorice. Cake was not something that was on offer in Stonemoor, and its sweetness was a revelation. Cradling it close, tearing off chunks and stuffing them in his mouth, he continued along the road.

A short way further on he came to an impressive pillared building, which proved to be the Lechlade Municipal Bank. A languorous moustachioed gentleman with a sharp-shouldered suit and slouched gun-belt stood outside its tall glass doors, watching customers come and go. His thoughts seemed to focus mainly on alcohol; those of the customers, as so often in the outside world, revolved around money. Neither subject interested Albert, who was growing weary from keeping his perceptions under control. Seeking a place away from the crowds, he crossed the road and entered a small park, a place of paths and manicured lawns, set amongst green trees.

An old lady was sitting on a bench, reading a news-sheet in the late afternoon sun. She was a somewhat portly pink-skinned person in a dark blue jacket and grey skirt. She glanced at Albert with small bright eyes as he perched himself beside her.

Albert offered her the paper bag. "Would you like some liquorice?"

"No, thanks; it gives me wind."

Albert withdrew the bag. He took a piece himself and sucked it somewhat cautiously. They sat in silence a while more. The lady's thoughts were quiet and fleeting and dissipated swiftly on the air. Albert did not seek to sieve them. He was tired.

After a while the woman put down the sheet. "That's my day's entertainment over. Have you read the news?"

"Not yet."

The lady nodded. "Well, you haven't missed much. There has been an atrocity at Cricklade, where a woman working in the fields was taken by the Tainted, dragged into a ditch and devoured. Severe electrical storms have damaged towns in Northumbria. An unknown female outlaw, uncouth and red-headed, has robbed the bank at Cheltenham. And one of the Great Ruins has collapsed into the centre of the London Lagoon, causing a tsunami that washed away a village on the shore. Mind you, that last one happened a month back. It has taken this long for word to reach us, so I wouldn't say it was exactly 'new'."

"It is interesting to hear it, anyway," Albert said softly. London! He felt a fizz of longing at the mention of the name. London! The Free Isles! Ah, that was his dream. But they were so far away... He gazed wistfully at the dappled sunlight in the trees. "This is a nice place," he said.

The woman stirred. "Yes. It is Primrose Park, the heart of the town. It is here that we have the Festival of Welcome, to celebrate all healthy children born that year. Also the Electricity Fair in autumn, when the generator is cleaned and garlanded with flowers."

Albert sighed. What joy to belong to a safe, walled town! "How long have you been in Lechlade?" he asked.

"Sixty-six years, and counting," the lady said. "And you?"

"About twenty minutes."

The lady made a sad clucking noise with her tongue. "Just as I thought. But don't worry, I'm not one of those folk who hate strangers, however odd their habits or their accent. I've even got time for the Welsh. My family has resided here fifteen generations, as proved by the books of record at the Faith House, and thus we are allowed to wear the blue Lechlade ribbon in our hats on festive days. Yes, I know a fair bit about the town. From this bench you can see the domes and spires of the Faith House itself, where a dozen religions are on offer. The Mentors are very friendly. Which faith do you personally espouse?"

Remembering Scarlett's warnings, Albert was non-committal. "I am not too sure."

"Well, if you are a Pluralist, you can enjoy the rituals in any combination. I like a bit of Buddhism myself, a little pinch of Islam. Now, just over there is the Lechlade Municipal Bank, where all our wealth is stored. I worked there myself as a teller for many years."

"I have a friend who is interested in banks," Albert said. "It looked a fine one. And very secure. There was a man with a gun standing outside, I noticed."

The old woman chuckled. "Hank is mostly there for show. We have other defences."

Albert's eyes were full moons of casual fascination. "Really? What *are* those?"

"Oh, heavens! I'm not at liberty to say."

"Of course not." And now Albert *did* pay attention to her thoughts, which were briefly quite distinctive.

The old lady moved on to other subjects; she expounded at length on the virtues of Lechlade and its community, so that Albert's heart swelled with longing. Sitting there in the sunlight, he felt sorrow at the lonely road he knew he must travel. "How fortunate you are to live in such a peaceful town," he said.

"Peaceful it is for the most part," agreed the lady. "Course, from time to time outlaws and bandits break in to carry out their wicked acts. But it is no great matter." She nodded towards a leafy corner of the park. "When we catch them, we take them there."

Albert looked. "What, that pretty mound with all the flowers on the sides?"

"Yes. That's Execution Hill. It's where we burn them."

"Oh." His face fell. "I thought it was a bandstand."

"It's been a while since we used it." The lady pressed her lips together. "It's always such a jolly show. Strip the villains bare, we do, and whip them well, then tie them to iron tumbrels and roll them right into the middle of the flames." She nodded to herself. "It bloody well beats the cricket, I tell you. Still, I mustn't complain. Our watchtowers are high, our sentinels vigilant, and life is quiet and placid here at Lechlade. Where are you staying?"

"I don't yet know."

"You have two options: The Toad and Heart of England. The Toad has better beer, but most of the town slavers drink there, and they are always on the look-out for puny friendless youths who won't put up much of a fight. Mark my words, you will go to sleep in a feather bed and wake up in a cage on Fetters Lane. Heart of England is run by Dave Minting, who is friendly, personable and serves good food. True, he also employs two urchins to clamber between the ceiling joists at night and rob his guests of their valuables. But his rates are low, and that's worth bearing in mind."

Albert rubbed his chin. "Neither inn seems especially desirable."

"Well, don't kip out in the street, whatever you do. The militia will find you and put you in the cages. And don't try begging, either. Or loitering. Or spitting on the pavement, except in the designated troughs."

"There seem quite a lot of ways to get put inside the cages here."

"That's how it has to be. This is a place of order, and must remain so." The old lady gathered herself up in stages. "Well, it's been lovely chatting. I must be getting home for tea. Stay safe." With that, she shuffled away.

She had been a nice woman, but all her talk of punishment and cages had soured Albert's mood. A dull panic flared inside him, a feeling of entrapment. The town was no sanctuary. It was as if he were back at Stonemoor again. For the first time since escaping the bus, the old agitation returned, the stirrings of the Fear. For a while he sat in silence, watching the shadows lengthen across the lawns of the park. The heat of the day faded; he began to feel cold. No, he had to keep moving. Leave the town, leave Scarlett McCain, make his way quickly onwards. Escape before his enemies caught up with him. Perhaps if he found another bus...

He returned to the high street and wandered along it, head lowered, arms swinging stiffly at his side. The crowds were as busy as before, and now their proximity began to erode his defences. Their thoughts were too loud, too raucous; he could feel their personalities brush against him as he threaded his way along the pavement. The touch made him jerk and twitch, as if he'd been prodded physically as he passed. He had that old clammy, crawling feeling deep inside, his heart beating faster, the sweat breaking out on the palms of his hands... Ah, no, *that* wasn't good. He tried to calm himself. He thought of Scarlett again.

A shadow loomed beside him. It was sudden, vast and swollen. A smell of flowery aftershave dropped over him like a net. Albert jumped back in fright, his breathing short, his eyes bulging. He pressed against the window of a shop as a fat gentleman in a tweed suit waddled past, a small white hunting hound following on a lead.

No, it was OK. It was OK... He didn't know the man. But, my goodness, Old Michael had had *precisely* the same sort of shape, the same round shoulders, that same awful too-sweet odour. For a moment there, it was as if his old jailer had pieced himself together, come after him like a vengeful ghost.

All at once, Albert knew he had to leave the high street. There were too many people, and he didn't have much time. He was too upset; the Fear was growing inside him. It was getting strong – soon, if he wasn't careful, it would break out. He put his head down, weaved forward. Almost instantly he saw a side turning and ducked into it at a run.

The narrow street he found himself in was very much quieter, which was an immediate relief. There was nobody around. After a hundred yards it opened onto a wider space. He slowed and stopped, letting his heart rate lessen, lessen...

The tumult in his head faded. The Fear retreated. He'd put a stop to it for now. Good.

He was in a grey, walled yard. The buildings alongside showed their backs to it; it was cool and shadowed in the early evening light. Weeds poked through cracks in the concrete; dark puddles lay like liver spots on an old man's skin. Albert did not remember evidence of rain elsewhere in Lechlade; it seemed this concrete had recently been sluiced. There was a smell of tobacco smoke, beer and water. Several long benches had been stacked against the brick wall that blocked the exit from the yard; on the adjoining side, a steel cage sat atop a stepped platform. It was man-height, very long and narrow, and draped in a black tarpaulin.

There was no obvious way out ahead of him, and Albert did not much like the atmosphere of the yard, so he reluctantly turned to retrace his steps. As he did so, he noticed a large canvas booth nestling unobtrusively in the shade of the wall beside the platform. It was made of khaki cloth, with a wide awning and an open front. Somewhat to his surprise, there was a rug laid on the ground beneath it, giving it a sense of semi-permanence. It also contained a desk, a lantern, several wooden chairs, a cash box, a storage rack – and three persons.

A thin, pale-skinned woman sat working behind the desk. She wore a yellow bowler hat, black shirt and checked tweed jacket. She was inspecting a pile of papers, her brow furrowed and shoulders hunched high like the wings of a feeding bird. As Albert watched, she took a puff from a cigar that lay on a tin plate beside her.

Standing at her back – one drinking from a coffee mug, one fiddling with some ropes and chains hanging over the wooden rack – were two men.

The man sipping from the mug saw Albert first. He nudged the woman, who looked up and gave a dismissive wave. "Too late, love. Last sale was yesterday. Next one, you gotta wait a week."

Remembering Scarlett's edict, Albert hesitated before speaking. "Pardon me. I was looking for the coach stop."

"Not this way, honey. That's on Cheap Street, by the land gates. This is Fetters Lane."

"Thank you. Goodbye." Albert made to go.

"Do you *know* the way to Cheap Street?" the woman called. She had taken the chance to study Albert more closely. "If you're new in town, we could give you directions, maybe."

Albert did not have a great desire to remain, but it was a kind offer, and it would probably have been rude to walk away, so he approached the tent. The daylight was fading, and the lantern on the desk was still turned low, so it was only when he was quite close that he realized just how big the two men standing with the woman were. They were muscular and heavy-set, with gold earrings that glinted dully in the dusk. One was light-skinned, the other dark; they wore leather coats of green and black, with buckles on the cuffs. There was a watchfulness about them, the woman too; he glimpsed their thoughts mingling with the cigar smoke in the canvas eaves at the top of the tent.

"I suppose it must be somewhere off the high street," he said, as he reached the desk. "Is it just along a bit further, maybe?" His voice trailed off. They were thinking about money, like so many people seemed to. Curious thing about it, they were looking at *him*, and thinking of cash. "Look, I don't want to bother you. I can see you're busy."

"Grateful for the distraction. I'm just totting up last night's figures, which let me tell you, ain't so good." The woman had greying hair, but a smooth and ageless face. "We can show you the way, honey. It's no big deal. What's your name?"

"Albert." He remembered too late that Scarlett had given a fake name to the guard. "Albert … Johnson."

"Johnson?" She sounded puzzled. "You surely not a Lechlade kid, then, Albert."

"As a matter of fact, I'm not."

"No. We don't have any Johnsons here. Well, it's nice to meet you, anyhow. I'm Carrie."

"Hello, Carrie."

"So, where're you from, then?"

"Out west." Up in the smoke, on the fringe of his vision, he could sense her thoughts quickening. He didn't glance at them; he knew it was polite to look at the person, not the thoughts, and she was fixing him right in the eye.

"Got a family here?" the woman said. "Friends?"

"No." He looked back along the lane towards the high street where the sun still shone and people walked. "Actually, I *do* have a friend with me. We're just passing through."

"Is that right? How old are you?"

"I'm not actually sure."

The woman sat back in her chair, took the cigar from the tin plate where it lay smouldering, and drew in a breath of smoke. She opened her mouth, let it flow out again, a bulb of greyness billowing between her lips, watching Albert the while. "You're a wanderer, then, honey," she said. "No fixed abode."

He shrugged. Scarlett would be cross if she saw this. He wasn't *intending* to keep having conversations. Trouble was, these towns-people *would* keep asking you questions. "Did you say you could direct me to the coach stop?" he said. "I should probably get on…"

"Where's this friend of yours, then?" the woman, Carrie,

asked; she seemed not to have heard him. "He a good-looking boy too?"

"I don't see no one," one of the men said.

"I'm meeting her later." Albert used the man's interjection as an excuse to swing his eyes away from Carrie's, up towards the images in the smoke. The thoughts of the three people flitted dimly, like fish in river shallows, splinters of shadow flexing in the depths...

And the thoughts were ugly. Albert saw crying children, bare backs, whips and iron bars; memories of harsh words and actions, dark places, violent deeds...

All at once, he sensed the presence of *other* thoughts, faint and broken, coming from the iron cage beyond.

Albert looked back at Carrie. "It's been nice talking to you," he said indistinctly. "I'd better go now."

He stepped away; his legs felt stiff and weak, as if made of balsa wood. The people in the tent remained staring at him, motionless as three idols in a forest; only their eyes moved, keeping pace with him.

Albert walked across the yard. The high street seemed a good deal further off than he remembered. There were still people on it, but not as many as before.

Behind him, he heard a clink of chains.

Now he began to run. He went with the arms of his jersey swinging, his trainers slapping hard on concrete.

Something struck his legs above the ankles, wound round them, drew them tight together. He fell awkwardly, crying out as his shoulder struck against the ground. His head hit too. Light blazed bright across his eyes.

When it faded, the Fear had awoken in his head.

He rolled over, trying to sit up and remove the weighted cords tangled round his legs. The two men had left the tent and were crossing the yard after him. They didn't hurry. They were ambling easily; one of them finished his coffee and set the mug on the desk before he came. They walked with a clatter and a jingle, and Albert saw that they carried metal batons in their hands, and in their belts were cuffs and lengths of chain.

Albert wanted to talk to them, try to reason with them before it was too late. But the Fear was too strong. The knock to the head had set it going, and now it was pulsing, swelling, growing ever stronger and more shrill, while the slavers strolled towards him and his fingers worked desperately at the mess of cords. It was no good; he couldn't loosen them. And all the time the pressure inside was building up and building up, so his whole body shook with it, and he couldn't do anything with his fingers at all. And then one of the men raised his baton casually, and Albert knew from his thoughts he was going to strike him, and finally the pressure in his head swelled so much it couldn't be contained any longer. The Fear burst out, as he had known it would, and Albert's hopes of moderation and restraint were drowned out altogether.

# 11

First thing Scarlett did, once they'd fixed her up, was pay a visit to The Toad inn, a low-slung, slate-roofed building on Cheap Street, close to the land gates. In the beer lounge, golden sunlight slanted through grimy window panes and pooled beneath the scratched black tables. The landlord polished glasses behind the bar. He was of ambiguous nature. His mauve cardigan and big round spectacles conveyed an essentially harmless personality; his stubbled white hair, scarred chin and muscular shoulders suggested otherwise. Scarlett wasted no time in small talk. From a pocket of her coat, she took a squared metal token, stamped with the image of a four-fingered hand, the little finger bitten off at the base.

She set it on the counter with a click. "Been a while since I was here," she said. "Who do I need to talk to?"

The man surveyed the token for a moment. Without speaking, he picked out a bottle of beer, opened it, set it before Scarlett, and pointed at a nearby table. Then he left the room.

Scarlett took a chair with the wall at her back, so that she had a clear view in all directions. She adjusted her coat so that her gun was exposed and obvious. She had no cartridges in it, but the Brothers weren't to know that, and they *did* know her reputation.

While she waited, she inspected her bandaged hand. It looked the business now, in its snow-white layers of gauze and padding. She could move the fingers freely; the palm was still sore, but it was a clean and healing pain. The doctors had been just in time. It had been a mess when they got to it: black, throbbing, swollen like a bullfrog. She'd been lucky none of her tendons had been cut by the knife. A half-inch either side, they said, she'd have lost the use of her fingers. As it was, they just sterilized it, sewed it up, took her cash and let her go.

While she'd been sitting there, chewing gum, watching them work the needle and thread, Scarlett had done a spot of thinking. Her head was clearer now. The way she figured it, she had two main problems, and both needed sorting before leaving Lechlade.

The first was the bank money; the second was Albert Browne.

Albert... So far, he'd managed to avoid telling her who and what he was. And he *was* something, of that she had no doubt. She thought back to the explosion in the ruined cottage, the way the pursuers had so cautiously approached the steaming rubble. You didn't do this with a normal boy, and you didn't chase him so far across the Wilds either. Clearly he was important to some-one, and that made him valuable – a possibility worth exploring. In any case, Albert owed her big time now, and the primary thing he owed her was the truth. She'd find that out, soon as she got back to him.

Before this, however, there was the issue of the Cheltenham bank money to fix. Which is why she was at The Toad, waiting.

She glared across the empty bar, took a sip of beer, set the bottle down.

As she did so, a man entered through a curtained recess at the back of the room.

Quite what the Brothers' representative in Lechlade might look like, Scarlett hadn't bothered to guess. They came in all shapes and sizes; this one was a slim, narrow-shouldered young man in a dark blue pinstripe suit. He had neat brown hair, worn long at the neck. His face was so aggressively unmemorable that its very normality paradoxically unsettled the observer. He moved smoothly, without noise; approaching the table, he nodded at Scarlett, took a chair and sat with a flourish, adjusting the cuffs on either wrist. He smelled of violets and cinnamon.

"I hear you carry a calling card," he said. "Mind if I see it?"

Scarlett held up the token. "Here. I suppose you got *your* authority too?"

The man smiled. "Some." He held up his left hand, showing the lopped stump of the smallest finger. "My name is Ives. How can I help you?"

"OK." Scarlett put the token away. "I need to contact the Brothers in Stow on an urgent business matter. Contact them today. You got means of doing that?"

"We've got pigeons," the man said. "It can be arranged, Miss Oakley. You *are* Miss Jane Oakley, I take it?" he added. "Do I have the honour and privilege of addressing the aforementioned? Or is it Jenny Blackwood?" The smile lingered; he regarded her with pale grey eyes. "There's a fair few names out there for you."

"Yeah," Scarlett said carelessly. "As it happens, I'm going by Alice Cardew today."

"Oh, indeed? It's easy to lose track. So many names, so many exploits. Safes cracked, vaults burgled, banks broken into... You're practically a celebrity among the Lechlade outfit, Miss Cardew. The young freelancer who does everything we do, only faster, better, with a bit of real panache." The eyes narrowed; the smile faded. "Though the word is lately you've been a naughty girl. Stepped out of line. Killed people you shouldn't have. You're trying to pay off a blood-debt now. That's what *I* heard. Is it so?"

Scarlett held his gaze. She took a sip of beer. "I need a bird," she said. "That's all."

"No, what you *need*," Ives said mildly, "is to answer my questions. Here's another. You robbed the Cheltenham bank yesterday. That news came through to us by messenger pigeon too. All well and good. You were due in Stow Town this afternoon to hand it over to our friends there, as you promised. Nice and easy. Yet you show up here in Lechlade instead. Why?"

"I ran into a spot of trouble. I got diverted."

"What kind of trouble?"

She held up her bandaged hand. "Circumstances got in the way."

"I see. But you've got the money with you, of course?"

"No."

The young man became still. "No? What does that mean?"

"It means I don't have it. I lost it when I jumped in a river."

Ives ran a pale thin hand back through his hair, up and over his scalp, all the way down to the base of his neck. He whistled. "I don't care what name you go by, that doesn't sound so good."

It didn't sound so good to Scarlett either, but she wasn't going to let *him* see that. She shrugged, kept her face blankly unconcerned. "I'm here, aren't I? I've come to square it with them. That's why I need to send a message. I'll find a way of getting the money. It's no problem."

Ives's silence was eloquence enough. He sat watching her for a moment. "Thing is," he said finally, "Soames and Teach, they're impatient men... They've got standards. The last freelancer who reneged on a deal, they fed him to their owls."

"Which is why I'm not crossing them."

"And the one before that, buried alive under the market cross at Stow."

"Precisely. So—"

"If memory serves, the one before *that* was found in pieces in—"

"Look, have you *got* a bloody messenger bird, or haven't you?" Scarlett's composure had cracked just a little. Glowering, putting a penny in her cuss-box, she watched Ives rise and, smiling blandly, gesture her to follow him. They passed through the inn and out to a shady side alley beyond. Here, a dozen small mesh crates had been stacked against the wall. Feathered shapes hopped and fluttered in the shadows of their prison, and there was a soft and constant cooing. A young servant girl in grey overalls was scrubbing at an empty crate. At the sight of Ives, she dropped her brush and stood to smart attention.

"This lady wishes to send a message," Ives said. "Arrange it, will you?" He turned to Scarlett. "I'll leave you to it, Miss Cardew. We'll see what answer comes back. If I were you, though, I'd seek inventive ways to remedy this situation. In the meantime, don't leave town."

The young man departed in a swirl of violets and cinnamon.

Scarlett went to a writing desk beside the crates, took a pen and sheet of airmail paper, and wrote out a note of explanation to certain persons at Stow. She folded the letter, sealed it, then rolled it up and placed it in a tiny plastic cylinder, which she carefully addressed. In the meantime, the servant girl had put on a leather glove, and extricated an enormous and ill-favoured pigeon from its crate. It was a Cornish Brawler, with dirty white plumage, hot red eyes and metal tooth spurs fixed to its yellow bill. It wore an iron helmet and spiked greaves on its lower legs for protection in its flight. A chain fixed it to the glove. The bird hissed at them and lashed out with its claws. The girl fed it live mealworms from a plastic box, and it subsided.

Scarlett handed her the cylinder; the girl clipped it to a leg clasp.

"This is Raqi," the girl said. "He's vicious, mean-tempered, and the victor of a dozen aerial battles. He always gets through. Do you wish to hang a holy charm on his leg to guarantee safe passage?"

"No."

"It has been blessed by the town Mentors, and immersed in the well at the Faith House. And it is only a negligible extra charge."

"No."

The girl nodded. "The men usually do it. They are silly fools. As if it makes a difference to Raqi. All right, darling, off you go."

She lifted her gloved hand, loosed the chain and, with a crack of pinions, the bird took off. Scarlett felt the force of its wingbeats as it passed directly over her head. Ascending swiftly between the houses, it banked to the left and disappeared among the rooftops.

"How long is the flight to Stow?" Scarlett asked.

"An hour. He will be there at nightfall."

Scarlett nodded. "Good. A reply will come. I will be back for it tomorrow." She paused. "What is your name?"

The girl seemed surprised to be asked the question. "Greta."

"This is for you, Greta." Scarlett unscrewed a bung at the corner of her cuss-box, tipped out a handful of coins, and gave them to the girl. "Thank you for your work." Leaving the dumbfounded girl staring after her, she hoisted her rucksack into position, and walked back onto the streets of Lechlade.

The evening crowds were out, taking their promenades up and down the high street in their suits and straw bowlers, their blouses and pretty hats. On the marble steps of the Faith House, beaming Mentors watched the people strolling by. Posters on the walls showed smiling couples with their perfect babies. Not a deformity, not a blemish to be seen. The posters acted both as encouragement for aspiring parents and as a reminder of the standard that had to be maintained. There were no posters of the fate that awaited babies that fell short. It was everything Scarlett loathed about the towns. She walked among it all wearing a bland and easy face, and with her stomach folded tight with the old, dull pain.

Before going to find Albert, she visited a gunsmith and, with some of her last pound notes, bought a fresh supply of cartridges for her revolver. At a hardware store, she bought a sharp new knife. A few yards further on, she happened to pass the Lechlade bank. It was clearly a notable highlight of the town, and Scarlett, as a tourist, paused to inspect it. It seemed a solid construction, with stout iron doors, a leathery gunman on guard by day, and iron grilles to swing over the ground-floor windows by night. She strolled down a side alley, squinting up at its higher windows, and noting the decorative brickwork protruding here and there. Returning to the main doors, she nipped into the vestibule, browsing through pamphlets and looking idly around. The cashiers worked behind thick glass screens, with strong doors barring entry to the interior of the bank. You could see a staircase beyond the screens, and clerks passing up and down it with metal boxes, presumably to a safe in the basement. It was a different category of institution to Mr Appleby's place in Cheltenham, and annoyingly secure. Scarlett tucked the pamphlets back in their racks, nodded at the guy with the moustache standing at the entrance and, deep in thought, continued on.

The trucks and rickshaws had gone when she reached the end of the high street. The turning circle was deserted, the river gate closed. Dusk was falling. The punishment cage dangled silently between its metal posts, its lone occupant as motionless as before. Just another poor wretch who had fallen foul of some cruel and arbitrary Faith House law. Scarlett arrived at the bench outside the butcher's—

And found it empty. Albert was nowhere to be seen.

Why had she even expected him to keep a simple rendezvous? He was such an idiot! Probably he'd got lost, or had fallen in the river, or had found some shop with pretty lights and was staring at them, mesmerized. Or he'd simply left her and gone away… Scarlett was dimly aware of a pang inside her. Not disappointment, obviously! Just exasperation.

Well, who cared? It would be a whole lot simpler if he just vanished from her life. Really, this was an opportunity. The best thing was to abandon him and go. Yep, Scarlett was about to do precisely this. She was off to get a bath, food and some much-needed shut-eye. She wouldn't hang around. Before going, though, she took one last look along the pavements...

And saw Albert Browne sitting on *another* bench, further down the street.

He was hunched over, with his hands in the pockets of his trousers, his black hair drooping jaggedly over his brow. His face was oddly shadowed, so that for a moment he looked gaunter and harsher than Scarlett remembered, almost like someone else. Then he raised his head, and the light fell on him, and he was his familiar cheerful self.

"Hello, Scarlett! How's your hand?"

"Sore, but sewn up. Why are you on this bench? We said that one over there."

"I know. I didn't want to be by the butcher's. I didn't like all that meat." His voice was tired, his movements slow. "You've been rather a time," he went on. "I was beside myself just now."

"I got here by dusk, as I said I would. What have you been doing?"

"Oh, just wandering about. I went shopping and bought a cake and sweets, and saw a pretty park." He clapped his hands together. "But what a joy it is to see you again, Scarlett! Now we should go to the Heart of England inn. I hear it's the best in Lechlade, though we need to watch for urchins who climb through the ceiling to rob us in the night."

Scarlett stared at him. Not for the first time with Albert, she felt events were running away from her. "Hold on. No. What's this about inns? It's *answers* I want from you, not hotel advice."

"Yes, but surely you'd *love* a bath first, and somewhere to eat, sleep and wash your clothes." He smiled at her. "And, after all, where are we going to talk? In the road?"

Scarlett rubbed uncertainly at the back of her neck. It was true there wasn't much to be said for hanging out in the dark. Besides, she could hear a hubbub starting at the far end of town. Screams and shouting in the high street; running feet and piercing militia whistles... Some kind of trouble. She didn't want to get involved with anything like that. She hesitated, conscious of Albert gazing at her in that way he had. Sappy, doe-eyed, but oddly precise and intense. She groaned inwardly. Well, he was right about one thing. She *did* need to find an inn. There remained the question of payment, but something would occur to her.

"OK," she said gruffly. "Where's this Heart of England?"

*Now* he was beaming. "Thank you, Scarlett. That's just what I thought you'd say."

Heart of England proved to be a rambling, whitewashed inn with a roof of thatch, situated on a quiet side street not far from Lechlade's park. It was a more salubrious outfit than The Toad. To one side was a garden of neat grass, fringed with apple trees and borders of geraniums. As the night fell and the generators powered up, an electric light flickered on above its sign. The picture showed a playing card with a single blood-red heart. Scarlett could see it shining through her window.

It was a simple room, but it suited her requirements. There was a bed, a cabinet, plaster walls, wood panelling across the ceiling, dark green wallpaper of uncounted age. On the wall hung old-style prints in golden frames: the Seven Wonders of Wessex – the Skeleton Road, the Buried City and the rest. She had a key to the communal shower room. If needed, a hasty exit could be made via the porch roof directly below her window. It was as well to be prepared.

The landlord had accepted a small deposit for two rooms, and hadn't asked for evidence that they could pay the rest. This was lucky, as Scarlett was now out of money. He had then shown them to their chambers on the first floor. Albert, feathery with exhaustion, as feeble now as when she'd found him on the bus, had scarcely managed to climb the stairs. He'd agreed to meet her in the bar two hours later, and had tottered away, leaving Scarlett on her own.

She showered, changed what clothes she could, took the others to be laundered by the inn. Stiff with exhaustion, she lowered herself onto the prayer mat and tried to assimilate the day. It was tough going. Two or three men killed, the money lost, pleading with the Brothers for more time. Not her best work. And all because of Albert. He was messing up her meditations too, because whenever she tried to focus on solutions, she found herself thinking of the danger and mystery that hung about him. Thinking also of his calm, clear face.

Scowlingly, she gave it up. She could hear laughter echoing up through the floorboards from the public rooms, together with the smells of tobacco, beer and food. It was distracting, particularly the food. Scarlett left the mat and turned to practical matters. She emptied out the contents of her rucksack on the bed, assessing her losses, hanging damper items out to dry. The things she'd stolen from the wrecked bus – the tins, the torch and books – were in a waterproof pouch and had survived unharmed. Good. She could sell these on tomorrow.

Then there was the little padlocked briefcase, still dangling from the back of the rucksack. Perhaps *that* would contain money, or something to be sold.

Taking a jemmy from her bag, Scarlett snapped the lock and forced the case open. She had been expecting papers, pens, documents of business... And the contents *did* relate to someone's line of work. She sat on the bed, gazing at the collection in surprise. There was a neatly coiled set of chains, a pair of handcuffs, coils of restraining wire. There was a plastic pot of sleeping pills. There were two packets of cartridges for a handgun. There was also a battered copy of *Tompkins' Complete Bus Timetable*, covering Wessex, Mercia and Anglia. Most curiously, there was a slim, curved iron band. It was hinged halfway along, and had a set of locks and clips at each end, so that it could be formed into a head-sized oval ring. Scarlett stared at the band in puzzlement. It reminded her of a leg manacle — its presence, alongside the chains and handcuffs, suggested a coercive function. But it was very light. She could not see what it could possibly do.

The final item in the case was a folded piece of paper, which Scarlett looked at last. She took it out, flipped it open—

And froze.

Printed on the paper was a black and white photograph.

A boy with a mess of black hair.

It was a close-up photo, a mugshot, a head-'n'-shoulders job, like the ones of outlaws pasted outside the militia stations all over Wessex and Mercia. And not some hairy wild-man, not some chicken-necked sheep stealer or sagging-crotched road-thief. A boy. *The* boy. The same spiked hairstack, same all-too-slappable face; the same big, dreamy eyes gazing out at something far away.

There were a few words typed below the photograph too.

# WANTED
## DEAD OR ALIVE

# ALBERT BROWNE

*By the order of the High Council, in accordance with the gravity of his crimes and the nature of past incidents, a REWARD is offered to all Faith House operatives for the CAPTURE or EXECUTION of the fugitive ALBERT BROWNE.*

*[This reward being payable on receipt of PROOF, and according to the following conditions:*
*Alive: £10,000; Dead: £10,000.]*

Scarlett sat on the bed, in the light of its solitary bulb, tilting the paper slowly in her hand. She read the words again, carefully, several times. She looked at the pills and the metal band. She thought of where she'd found the case, in the bloody wreckage of the bus. And she went on tilting the paper, so the light played on its surface. Sometimes the face was in shadow and sometimes it wasn't. It looked no different from the face she'd had mooning around her the last two days. Except Albert wasn't smiling in the picture. The black eyes were staring at the camera and he wasn't smiling at all.

# 12

Dusk deepened and night settled over Lechlade. Church bells and calls to prayer rang out from the spires and minarets of the Faith House. Warm lights shone in the windows of the Heart of England, where the taproom had filled with its evening clientele. A diminutive serving boy bustled among the crowd with trays of beer and olives. The smell of frying fish issued from the kitchen.

Scarlett, entering shortly before eight, took a table in the corner. Albert was not yet there.

With practised eyes she scanned the room for militiamen or other dangers, but all seemed well. Just traders and fishermen up from the jetties, drinking beer at tables, or standing in groups beside the bar. Two young women played dominoes; a third threw darts at a pitted board. At a table close to Scarlett, an old man and a child shared a meal. They were a curious couple. The man was very dark, with a tumult of grey hair. The little girl had fair skin, a round stomach and a truculent expression. She had no plate of her own. On finishing each mouthful, she stared intently at the man, who sawed at his steak, elbows out, wearing an expression of supreme disinterest. Eventually the child would open her mouth and point. At this, the man flipped a chip or chunk of meat over the table with his fork. The child snatched it up, chewed it in a flash, and so the process began again. Scarlett watched them in fascination until a movement by the door distracted her. Albert was in the room.

There he was, grinning broadly at her, waving so extravagantly he almost knocked a pint glass from a burly trader's hand. Sashaying forwards, he narrowly avoided colliding with the serving boy, tripped over the feet of a girl playing dominoes, and with a flurry of nudges, near misses and stammering apologies, zigzagged precariously to her table.

He plopped himself down opposite. "Phew! Made it. Hello, Scarlett. How was your bed? I dozed off and slept like a happy, tousled log. Then I found the shower, only I forgot to lock it, and a woman came in while I was bending over to pick up the soap, and got a little startled, so I followed her down the corridor to try to calm her down, only I'd forgotten to put on my towel, and she began whooping like an ape and shut herself in her room. I've been banging on her door ever since, but she hasn't come out yet. It's been quite an evening. Well, *this* is a nice place. A bit busy, but I don't mind crowds when I'm with you. What are we having to eat?"

He took a breath at last. Scarlett stared at him. Without words, she took the piece of paper from her pocket and set it on the table before him.

Albert blinked at it. "Ooh, that's me," he said.

Scarlett said nothing.

"Not my best side," he added. "Where did you get it?"

"I got it," Scarlett said, "from the little metal briefcase I found in the bus. Remember that? I expect you do as you said it belonged to one of your fellow passengers. What you *didn't* tell me was, this passenger was travelling with you."

She watched his eyes flick side to side as he considered what to say. "Well, not exactly *with* me," he said slowly. "Two men got on the bus at a stop after mine. They sat down close, got talking to me. Asking lots of questions. I wasn't that keen on them, to be fair. They're dead now, anyway."

"Yes, they are, aren't they? And there are some sentences written on this paper, Albert. Can you read them, or do you need me to do it for you?"

He hesitated. "I can read."

When he'd finished, Albert sat back in his chair as if using the muscles of his body for the first time.

*"Well,"* he said.

"Well."

"Well, I knew those two guys didn't *like* me. I noticed they gave me some pretty funny looks from time to time."

"They were going to *execute* you, Albert! Or capture you and send you back to this Stonemoor place, or wherever it is you're from! They were Faith House operatives! Do you know how tough they are? What the hell did you do to them?"

He shook his head. "Nothing. I did nothing."

Scarlett gazed at him. "I see." She reached beneath the table. "OK, let's try another tack. Maybe you can tell me what *this* is for."

She brought out the metal ring, the bands clipped together to form an oval shape. Albert made a slight hissing noise between his teeth; he flinched as if he had been struck.

"That's not kind," he said. "It's not kind of you to show me that. Do not ask me to wear it, Scarlett. It hurts. It isn't good for me."

Scarlett leaned across savagely, grabbed him by the wrist. "I didn't say anything about *wearing* it, did I? What *is* it, goddamn it? That's what I want to know. No bleating, no lies. Now's the time to answer, or I walk out of that door."

"It's a restraint." His voice was faint. He spoke close to her ear. "A mind restraint."

"Yeah?" She pulled him closer. "Keep going. What does it *do*?"

"Hey there!" Out of nowhere, the serving boy had materialized at their table. "Welcome to the Heart!" He was a very small individual, narrow-boned, hirsute and of uncertain age. "Can I get you two lovers a bottle of wine? If you're hungry, we also do couples' platters of fresh Thames eels, arranged in a hearts motif. Plus two little forks, so you can link arms and feed each other." He snapped his fingers twice for emphasis and winked at Scarlett. "Very cute, it is. Romantic. So what do you say, pretty girl? Eels and wine for two?"

A muscle in Scarlett's cheek twitched. She detached her hand from Albert's wrist and moved it to her belt. Albert was staring at the boy. He spoke thoughtfully. "Do you think this is the tiny kid who climbs across people's ceilings at night to steal their valuables?"

"I hope not," Scarlett said. "Because I'm a light sleeper, and if I get disturbed, I tend to do *this*." She whipped her knife from her belt, tossed it spiralling upwards, caught it in mid-air, and slammed it, with a vicious thunk, blade-deep in the table.

The serving boy stared with bulging eyes at the quivering hilt. "It sure as heck's not me."

"I'm glad to hear it. Now listen. No wine. No lousy eels. We want your best coffee, right now, and even better fish and chips. And you can put the bill on our rooms."

The kid departed, rather faster than he had come. Scarlett transferred her glare to Albert. She tapped the knife meaningfully. "Now's the time. Tell me who you are and what you can do. I'm waiting."

Just for a moment, she thought he was going to bluff her, string her along again. His gaze sidled sideways, momentarily mesmerized, as she had been, by the old man and the child, who were still working their idiosyncratic way through their steak. But then he sighed; his attention snapped back to her.

"It's as I told you," he said. "I have been kept at Stonemoor always, as long as I can remember, with the other guests. The restraints are used to keep us quiet. At night they gave us pills to sleep, but I used to palm them, hide them under the floorboards, because I liked to stay alert. Well, one night, I discovered a way out. I waited till they thought I was dozing, then left the house. I walked for two days, looking for a town, but all I saw was woods and hills. I was getting pretty hungry – I only had some bread I'd taken from the kitchens – but then I found a road, and by great good luck there was a bus coming along. So I flagged it down, and paid for a ticket, and that was all right, but—"

"Wait," Scarlett said. "Paid with what? You were a prisoner. How'd you have money?"

There was a fractional hesitation. "Oh, I'd found a few coins in the house somewhere. I can't recall just now. So I was on the bus, and feeling really happy because it was taking me far away from Stonemoor and Doctor Calloway, when these two men got on. They were scanning the passengers, and when they saw me, they sort of strolled over and sat either side. They asked who I was and whether I had any papers. It made me rather uncomfortable, I must say."

As a story, there were more holes in it than in Scarlett's socks. Whether a single scrap of it was true, she couldn't say. She placed her bandaged hand flat on the table. "And the bus? How did you crash it? And don't bloody lie to me because I know you did."

"I didn't *want* it to crash," Albert Browne said. "I wanted to get off. But the men and I got into an argument. There was a lot of shouting, a disturbance. Everyone got involved. I got upset. The driver was distracted. He lost control at a crucial moment. We hit the barrier, went over the edge. The rest you know. Why are you smiling in that horrid way?"

"I'm smiling because you still refuse to tell me the key thing. There's a reason why you were locked up in that place, a reason why they're after you. A reason why they like to put this metal thing on your head, or dope you up, or whatever it is they do. And I got to say I'm real excited, because you're going to tell me the truth with the very next words that pass your lips." Scarlett's hand strayed to the knife hilt. "*Aren't* you?"

He hesitated. "All right. Yes, I can do something."

"Good. What is it? Speak up."

"I will tell you, Scarlett, because I trust you and respect you. Also, I think you are likely to punch me senseless if I do not."

"Correct in every detail. So?"

"I can read minds."

Scarlett stared at him, her own mind suddenly blank. Somewhere on the other side of the bar, somebody laughed.

The child on the next table caught a chip in her open mouth. All the sounds of the room – the talking and the laughter and the clinks of glass and fork – faded out. She heard a voice speaking. It was her own.

"You read minds?"

"Yes."

"What, anybody's? Any time?"

"Mostly anybody. It depends."

"You could do the people here?"

"Well, it's a bit noisy here, too much going on. It's hard to separate the images. But that old man next to us," Albert said. "Right now, he's thinking about getting passengers for his next boat journey downriver. The child is hoping for the last bit of steak. The woman at the table beyond is thinking that she's going to win the game with the little tiles." He gave Scarlett a little shrug. "See?"

"It's called dominoes," Scarlett said. "And no, I *don't* see. Not at all. You could be making all of that up."

He nodded wisely. "Ah, you're doubtful. I can tell that too."

"Yes! That's because I just *said* it! And because you can see my lip curling and my fingers drumming on the table! You'll have to do better than that."

"Really?" He scratched his nose. "OK. I can tell you're hungry. You're tired. You're irritated with me. Is that any good?"

"No."

"Also you haven't a clue how you're going to rob the Lechlade Municipal Bank. Probably you could get in through an upstairs window, but there's got to be some kind of high-level security in the basement, and you're concerned about committing yourself when you don't know what it is, particularly when your hand's still bad. But then again, you've got to get the money or else the nasty men you owe it to are going to be awful angry; and besides, you can't even pay for our rooms." He sat back. "Now you're basically just shocked. Oh, look, and here's our food."

As in so many things, Albert was right. The serving boy had corkscrewed out of the crowd, carrying a tray. It had a pot of coffee and two plates of fried fish, curved and crisp and golden, and balanced on nests of chipped potatoes and meadow peas. He set them before Scarlett and Albert with a flourish, then hovered at their table. His face was pale.

"Excuse me, miss and sir. May I say something?"

It took Scarlett a moment to focus on him. "Well?"

He hesitated. "You don't mind me speaking? I don't want that knife coming out again."

"It's not coming out. The fish looks good. What is it? We're having a conversation."

"The militia's just been in, spoken to Mr Minting. I've got to go around and tell everybody." He cleared his throat. "It's just … you might want to be cautious about leaving the inn tonight. There's been killings." He gazed at them helplessly. "Maybe a beast got into the town. Maybe the Tainted. No one's sure."

"Killings? In Lechlade?" Scarlett sat back and stared at him. On the other side of the table, Albert was busily surveying the food. He took a chip.

"Three people, they think," the serving boy said. "It's hard to know – they're in so many pieces. Slavers, respected citizens, up in the middle of town. They've been torn apart. It's a terrible business. They got the centre cordoned off, but there's no sign of nothing, and for all we know the creature could be anywhere. Could be out *there*, looking in on us now." He indicated the black garden beyond the windows. "Heaven knows how it got past the land walls… But Mr Minting says anyone who wants can spend the night here in the taproom. I got to spread the word."

Scarlett nodded. "Thanks. We have our rooms. But we'll be careful."

The boy flitted away to talk to the old man and the child. Scarlett looked back at Albert, who was prodding his peas with a fork.

"Look how beautifully *green* these are," he said. "Can we eat now?"

"No. Albert, how do you know—" She lowered her voice, leaned in close. "How do you know about … about the bank? I'm not even thinking about it."

"Not now. But you *were* earlier, when you met me at the bench."

"And you read my thoughts?"

"It's more I just *saw* them. It's not like words, or anything as concrete as that. I see pictures, get feelings. They flit past quick, so I don't always sieve them right. If I'm tired, I don't see anything at all. But if someone's cross or fixated, the picture comes through strong. *You're* cross and fixated quite often, Scarlett." He smiled at her. "That makes it easy to sieve you."

She rubbed her hand across her mouth. "Are you sieving me now?"

"I'm trying not to. It doesn't seem polite."

"Christ. What the hell else have you seen?"

"In you? Not much. Nothing bad. You needn't worry."

"Good."

"Just all the stuff about robbing banks, a few corpses, you know."

"Yes, all right! Will you keep your voice *down*?"

"And that time you considered selling me into slavery," Albert added. "That was a bit off."

Scarlett gave a start in her chair. "I never actually *thought* that!" She felt herself blushing; she rubbed agitatedly at her hair. "Well, OK. Maybe I did. Briefly. But not in a bad way. We'd only just met, hadn't we? I'm not thinking of doing that now."

"I know you're not. Though you *have* been idly wondering whether you can sell me to Doctor Calloway to make a quick profit. It's not a good idea. I wouldn't be very happy, and that would make you sad. Also, Doctor Calloway would only kill you. She'd kill me, and then kill you, and that would be *such* a waste of a good partnership, don't you think?"

It took Scarlett a moment to absorb all this. Then indignation overcame her confusion. "A partnership?" she said. "Is *that* what you call it? What have *I* got out of this? You've lost me my money! You've almost had me killed! See this hand? That's *your* fault, remember?"

"Yes, it is. And I'm sorry." The big dark eyes regarded her. "I know that I owe you my life, and I want to repay you. Now, if you don't mind," he said, "I've really *got* to try one of these chips."

Scarlett sat mutely, stiff and tense, as Albert began on his meal. She watched him spear a chip, dunk it in mayonnaise, inspect it with the fixed attention of a prospector sifting for gold. She watched a smile of perfect pleasure spread across his face as he put it in his mouth. A thin and ragged boy in a too-big jersey.

A boy who could *do* things. She imagined him opening her mind up and casually looking inside. It gave her a cold and crawling sensation.

"Yes, it frightens people, for some reason," Albert said. He took a forkful of peas.

She shuddered. "Too right it bloody does. Don't do it on me."

"Sorry."

"The other people at Stonemoor have these powers?"

"Yes. Or similar." He indicated the head restraint, lying at the edge of the table. "Doctor Calloway always said we were dangerous. Most of the time I had to wear that thing. Something in the metal stops me seeing images. It blocks them somehow. She didn't like me seeing stuff. Said it was wicked. It upset her."

"I bet it did if she was working for the Faith Houses." Scarlett glanced around at the mass of men and women in the taproom, at their open, laughing mouths, the lips and teeth, the hot faces shining under the electric lights. No abnormalities, no deviation. If they knew about Albert, he wouldn't leave the room alive. "Albert, listen to me," she said. "The people who are after you, the High Council of the Faith Houses, they run all the houses across the Seven Kingdoms. They don't rule the towns – that's the local families – but they *do* make the laws about what makes a proper healthy person. Like I said, birthmarks, extra fingers ... none of those genetic quirks are smiled upon. A deviation like yours... Well, frankly I'm surprised they haven't killed you long ago. No offence meant, obviously."

"None taken." He was trying a piece of golden fish.

"Now," Scarlett said, "it so happens I've got no love for the

Faith Houses. Fact is, I have reason to hate them. So anyone who irritates or upsets them is OK by me. That's why I'm not waltzing off to collect the reward for you right now… But that *doesn't* mean I'm happy to have been drawn into your problem. You put me in danger too. And I *still* don't think you're fully levelling with me about what you truly are."

He nodded, pushed his plate aside. "All right. Then I'll tell you something else. I want to get to London."

"London?"

"Yes, indeedy." His face was as serene as if he'd asked her to pass the ketchup.

"I told you already. London is gone. It sank long ago. It doesn't exist."

"There are islands—"

"No. I've been that way. I've taken the motor roads to Anglia and Mercia. I've been as far as the estuary, where the Thames opens into the lagoon. There's nothing there, just some massive ruins sticking out of the water. Also seabirds and whirlpools and storms and bloody great fish that'll chomp your boat in half for break-fast. It's not a great spot. Some would even say it's the arse-end of England. Why would you want to get out there?"

"Because there's a community on those islands," Albert said. "It's a place where someone like me might go. It's not part of Wessex, or, or – was it Anglia, you said?"

"Anglia, Mercia…. But, Albert, this is nonsense. There's no community out there. Just ruins and a few mad fishermen in huts around the lagoon. Where did you hear this tosh?"

"The Free Isles, they're called. They don't have any restric-tions on who you are or what you can do. They welcome people who are … different. Different in *whatever* way. They're not like the towns. Not like Stonemoor." His expression became wistful. "I'd be safe. I'd be far away…"

"You'd be far away, I give you that. But this Free Isles stuff… No. I've never heard—"

"Well, that's what I want, anyway," Albert said. "And what about you, Scarlett? You've heard lots about me now. What's your story? Take a chip and tell me all."

She glared at him. "I don't have a story. And I don't want a chip."

"Who are these men you owe money to?"

"What's that got to do with anything? Local businessmen."

"Criminals?"

"If you like."

"But you're a criminal too. I'd have thought you'd get on fine."

"Great Siddhartha, Albert! It doesn't work that way." She blew out her cheeks, sat back in her chair. After all, it wouldn't hurt to tell him. He'd probably already "sieved" half of it without her knowing. "They're the Brothers of the Hand," she said. "An outfit based in a town called Stow. They organize … certain activities across Wessex and Mercia. They don't like freelance operatives like me. I trod on their toes a bit – robbed a place they didn't want robbed, killed a couple of their men. Nothing big … but it got them irritated." Scarlett took the coffee jug and poured herself a cup. "They've demanded compensation, or else it'll go badly for me. Obviously I can handle myself, but I want to pay them off. It's simpler. That's all." She shook her head, took a sip. "I really don't know why I'm telling you this."

"I do." All at once, his smile was radiant. The strength and certainty of it took her by surprise. "Because I can *help* you, Scarlett. I can repay you tenfold for all the help you've given *me*..." He leaned close, his expression suddenly cunning and conspiratorial. "I'm talking about ... the Lechlade bank."

"For the gods' sake, speak more *quietly*." Scarlett glanced about them, but there was no one close. The old man had finished his meal and was departing, leading the child by the hand. "What are you wittering on about?" she said. "*You* can't help me there."

His dark eyes were shining with excitement. "I can. I'll help you break in."

The idea was so comical that Scarlett forgot herself. She laughed. It was the first time she had done so in an age. "Let me explain about banks, Albert," she said. "The big ones, they've all got safeguards – traps, tripwires, pits, fake safes rigged up to explode. To get past them, a girl needs strength, athleticism, guile." She took a chip, grinning. "Don't take this the wrong way, but – setting your talent aside – you're completely useless. You barely got across this room without being beaten up. There's no way you could help me during a job. You'd just fall over and trigger an alarm."

Albert nodded. "Perhaps. What safeguards has the Lechlade Municipal Bank got?"

"That's part of *my* problem. I don't know yet."

"How will you find out?"

"I may not be able to. That makes any expedition more dangerous for me."

"OK. And what would you say if I told you I already knew the secret safeguards of this bank, in every detail?"

Scarlett gazed at him. "Meaning?"

"Meaning I was speaking to a lady who worked as a teller there. Nice lady, though she suffered from digestive problems. But she knew all about their security." He smiled at her. "I know where the keys to the vaults are hidden. I know how they protect the safe."

"She told you this?"

"In a manner of speaking. I saw enough images to be sure."

Scarlett ran the tip of her tongue across her lips. Despite herself, she could feel her heart beating fast. She realized she was holding her cup of hot coffee, and the heat was burning her fingers. She set it down. "What are you suggesting?"

"A sort of deal. I help you get your money. Maybe more than before. In return, you put me on a boat that'll take me to the Free Isles. Pay my fare. No other obligation. That's my suggestion."

He set about his food again. Scarlett looked at him. Well, her first intuition in the coach had been correct. He was clearly mad. The idea was mad too. Sure, it would be *feasible* to pay someone to take Albert downriver. A fisherman or trader of some kind. But why would she choose to help a weird and crazy boy fulfil some half-baked dream?

"Because you'd never find the keys for a start," Albert said.

Scarlett blinked. "Stop *doing* that." She took a sip of coffee, glared out across the room. The armoured pigeon would have reached Stow by now. The Brothers would know she had lost the cash… "So what do they have?" she said at last. "Is it man-traps, extra guard-posts, something like that?"

He shook his head. "In the bank? None of that. It's much worse." He leaned forwards over the ketchup, spoke in an exaggerated stage whisper, which at any other time would have made Scarlett itch to slap him. "All the money's in the safe, and the safe is in the basement. And in the basement..."

"Well?"

His eyes gleamed; his voice was scarcely audible. "In the basement is the *beast*."

Scarlett sat there. "A beast?"

"I think before we go any further," Albert Browne said, "we should establish the terms of the agreement." His smile was innocently enquiring. "Do we have ourselves a deal?"

She frowned at him, picked up her fork. All at once she remembered how famished she was. "Why bother asking me?" she said. "You already know."

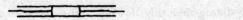

# 13

ALBERT'S FIRST BANK HEIST DIDN'T BEGIN QUITE THE WAY HE had expected. In his idle daydreams, he'd hoped for an athletic, even swashbuckling, entrance, perhaps pattering like a cat across the Lechlade rooftops, before dinking through a skylight and sliding smoothly down a coiling rope to land nimbly in the vault itself.

In fact, he spent the first twenty minutes standing in a puddle in a cold and dirty side alley, holding a smelly packet of raw meat.

"Are you *sure* this is necessary, Scarlett?" he breathed. "Why don't you just climb up to the window and get on with it?"

The side of Scarlett's face was a pale crescent in the darkness. She was pressed against the wall beside him, gazing out at the lit concrete expanse of the high street a few feet away. "I told you. We've got to wait for the militia patrol to go by. Stop talking. And keep that parcel away from me."

"It *does* stink, doesn't it? Why have *I* got to hold it?"

"Because it's your job. We're a partnership, as you keep telling me. Well, we each have tasks appropriate to our skills, and yours, my friend, is to hold the offal. Hush, now! Here they are."

Sure enough, Albert saw two figures in bowler hats pass along the street. A torch beam swung briefly along the alley, but Scarlett and Albert were wedged tight into a recess in the wall and remained unseen.

The footsteps faded. Scarlett inched towards the light and squinted at her watch. "Yep, right on schedule, like the unimaginative town-dwelling berks they are. They won't be back for half an hour. By which time, we'll be out and gone. Come on, let's get you to your post."

With soundless steps she approached the corner. Albert followed more slowly; he was weighed down by a small but heavy backpack. They peered out along the road.

A row of lit street lights glimmered in both directions, shivering frailly with the distant fluctuations of the generator. Over in Primrose Park, oil lanterns hung from the trees. The militiamen were faint figures heading towards the land gates; otherwise, the high street was quiet, the town around it, sleeping. And beside them the Lechlade Municipal Bank rose into the night above its pillared portico – austere, impregnable, the overlord of the Lechlade scene.

There was a window just beyond the corner, obscured behind its set of iron night shutters. Scarlett halted beside it. She was entirely dressed in black, even down to the plimsolls that she'd produced from the depths of her bag. Black glove on one hand; white bandage on the other. Just a light cloth bag strapped over her shoulders and, hitched above her gun-belt, *another* belt with many hooks and pouches and her safe-cracking tools hanging at her side.

"You're going to wait here," she said. "All set?"

"I suppose so…" Now that it came to it, Albert did not much

like the idea of being left on his own. He looked at the package in his hand. "This meat is dripping on me."

"No, it isn't. Or if it is, put it down."

"I'm sure there are wolves around. Savage ones. They'll be drawn by the scent. You'll open the window and find me gone. Just my trainers left, with my little feet inside them."

"There are no wolves in Lechlade. And if there are, I won't forget you – I'll keep your feet as a memento. Oh, stop looking so miserable. Joining this heist was your idea, remember? All you've got to do is wait. It'll take me five minutes, no more."

And it was easy to believe her, standing beside him like that – her hair tied back from her face, her skin shining so, all brisk and sure and confident. And with her thoughts gleaming above her, as bright and effervescent as he'd ever seen them. Showing how she would scale the wall, break in, come down to fetch him… Scarlett's belief in her talents was absolute. It made Albert believe her too.

"All right," he said. "I'm ready."

"Good. No need to be twitchy. If anyone comes, just nip back into the alley until they pass."

"All right."

"That's your only conceivable danger."

"Fine."

"And don't bump the backpack. It's got gelignite in it. If it goes off, your head'll shoot over the rooftops and ping between the chimneys." She waved a casual hand. "See you in five."

Albert was inching forwards so his backpack no longer brushed the wall. "Don't be long."

He was going to say more, wish her luck, say whatever

friends and partners said before they started a daring enter-prise together, but she'd already sunk away into the shadows of the alley and was gone. He moved to the corner and watched the girl-shaped fleck of darkness flit six metres down to the drainpipe on the wall opposite the bank. Up she went, as fast as blinking. A flex, a shimmy; she had disappeared onto the flat first-storey roof. He waited, counting slowly in his head… Then – how his heart swelled to see it! – she erupted back out over the edge and arced across the alley's yawning void.

With a thump and a muffled swear word, she landed on the vertical face of the bank's side wall. *Surely* she was going to fall! No – it was OK! She'd gauged it correctly: she'd reached the first decorative lip of stone. Her fingers snared it; her muscles snapped and locked, holding her in position. For a second, her legs swung loose beneath her, plimsolls scuffing at the wall. Then she stabilized herself. She paused, probably to catch her breath, and reached up to the next protruding block. Now her feet found purchase too. Up she went, hand over hand. He hoped her stitches were holding firm.

Less than two minutes after leaving his side, Scarlett had scaled the wall. He glimpsed her crouched on the sill of a third-storey window. She was reaching in her belt – for her glass-cutter, maybe. How could she *possibly* balance like that? Ah, but she had the tool! Now she leaned forwards into the recess, and was lost to view.

Rapt with admiration, Albert returned to his allotted place. Scarlett had moved with such strength, grace and surety. Even more extraordinary was how closely her actions had followed the intentions of her thoughts. It had been a beautiful thing to witness.

Now if only she'd hurry up, open the ground-floor window and let him in.

He stood listening to the street's silence. Across the way, the trees of the park where he'd spoken with the old lady were soft brushed notches, lit by drops of lantern light. Three days had passed since their chance conversation had started Albert's great idea fermenting in his mind. Three days in which Scarlett had raised a dozen objections to his taking part in the raid.

In the end, circumstances had forced her hand. She was running out of time.

For Albert, his stay in Lechlade had been a breathless and unnerving insight into the life that Scarlett led. The first morning after they made their deal, she had gone off alone, and been away some hours. On her return to the inn, she was pale and distracted. There was a slip of paper in her hand.

"Here," she said. "It's a message from the Brothers of the Hand."

The note was written in red ink in a neat, calligraphic script, very ornate and curled. It had been stamped with an image of a splayed hand, the little finger bitten off at the base.

*Do not presume to direct us to clemency, when you have failed in your avowed intent, which was to redeem your sorry life with cold hard cash. We will be merciful one final time. Fresh clocks have been set. Give the money to Ives of the Lechlade Chapter by midnight on the fourth day. Otherwise you know the necessary outcome.*

"And don't ask what the 'necessary outcome' is," Scarlett added darkly. "You don't want to find out."

"I surely don't." Albert handed the paper back. "Do they *really* feed people to their owls?"

She grimaced. "Will you *please* stop reading my thoughts? Yes, as a matter of fact they *do*." She crumpled the paper, tossed it aside. "Which is why we've got to get to work."

And indeed the threat of death and dismemberment had a galvanizing effect on Scarlett, which Albert could only marvel at, even as he struggled to keep up with her. Far from being despondent, she became a whirlwind of activity. Her injured hand was quite forgotten; energy coursed through her. There followed two days of intense preparations.

First, she went to Lechlade market to raise immediate funds. She sold off several items from her rucksack – two books, four holy relics – and even the chains and handcuffs from the Faith House agents' briefcase. All told, these fetched a good price. The case itself had a broken lock, but it too was bartered off to a stall-holder for a few coins. Albert noticed she did not dispose of the vile mind restraint; what she did with this, he didn't see.

Next, Scarlett carried out her own reconnaissance of the bank. Working from the lobby and a cafe across the street, she took note of the position of doors and locks, the routines of the tellers, the times of the militia patrols. "You have *your* sources of information," she said. "I need mine. Got to get a view of the bigger picture, see how the bank fits in with the town around it. No sense carrying out the perfect snatch, and then being collared by a patrol the moment you hit the street, is there? We've got to understand the patterns."

Scarlett also conducted exhaustive explorations of the lanes and paths of Lechlade, tracing out the quickest and least obtrusive routes across town. She was particularly interested in how to get to the wharf. She watched the evening routine at the river gate, saw how the guardhouse was left untenanted when the docks fell quiet.

All being well, this was their destination following the raid.

"The first thing I do, the instant we get the money," Scarlett said, "is take it to the Brothers and clear my debt. The second thing is – we leave town. They'll close the gates as soon as they discover the theft in the morning, and we want to be long gone by then. This is where your hare-brained plan to go to London comes in. We hire someone with a fast boat and we leave in the middle of the night. I'll come with you as far as the next river town. After that, baby, I'm out of here. You'll be on your own."

The thought of journeying onwards without Scarlett gave Albert a dismal feeling inside. But there was no help for it. He had to keep moving. The longer he remained in Lechlade, the more on edge he felt. A cold tension was spreading through him. Behind the manicured flowerbeds and the spotless shopfronts, it was a cruel place: a town where men and children were kept in cages; where slavers and criminals walked in sunlight, wearing their expensive clothes. It made him sick to think of it. And somewhere, near or far, Doctor Calloway's men were hunting him. They would not give up. He knew it as surely as if they were knocking on his door. They would seek to bring him back, tie him to the padded chair, bring out the wires and experiments again… He would not escape a second time. The isles were his only hope, but his enemies were coming. He found himself anxiously surveying the faces in the crowds.

"Well, I know someone who can take me to London," he said. "An old man with grey hair. He was eating at the table next to us in the inn last night."

It took Scarlett a few seconds to make the connection. "Who? That weird old guy with the kid? You sure?"

"He's looking for passengers to take downriver. Outwardly he's a trader in smoked fish. Normally he smuggles cigarettes between the river towns too, but the supply of tobacco has run low this year. He's badly in need of money, and he's worrying about how to take care of his granddaughter. I think he's just what we're looking for."

Scarlett's jaw had grown a trifle slack. "You found out all that just by sitting next to him? And there was I thinking you were talking to *me*."

"Oh, I was, most of the time. But that fellow's thoughts were *loud*."

They found the old man sitting on the wharf, away from the hurly-burly of the queues around the guardhouse, and close to where a store of precious petrol drums was stacked behind barbed wire. He was mending a hole in a piece of white tarpaulin and sipping on the contents of a hip flask. As Albert had observed the night before, he was a very thin, even bony individual, with dark brown skin and a shock of streaked grey hair that bristled out around his narrow skull like the mane of a Mercian wildcat. The small blonde child sat at his feet, building a tower of wooden bricks.

Without ceremony, Scarlett made their request. The old man listened in silence. His face was weathered, his clothes were patched and torn, but Albert noted a certain dignity to his posture, and the glimmer in his eyes was shrewd.

167

Scarlett finished; the old man nodded, spat over his shoulder into the river, and spoke. "If by 'islands in the London Lagoon' you mean the Great Ruins, I can provide passage there. But not for a low price. The Thames forms the frontier between Mercia and Wessex. It is a desolate wilderness, infested with bandits, blood-otters and wolves. There are reports of the Tainted too: they are getting closer to civilization with every passing year, and they have been known to ambush undefended boats and eat the passengers. Plus there are whirlpools and irradiated regions where anyone who dives into the water finds their skin peeling off. They look up and see it floating above them like a great pink lily pad with legs." He broke off to sniff and take a sip from his hip flask. "And that's before we get to the perils of the lagoon. In short, anyone stupid enough to travel the river takes their life into their hands. But if they've got the cash, that's their look-out. Which bonehead wants to do it, anyway?"

Albert cleared his throat. "Me."

The old man blinked in surprise. "I assumed you were two slaves, making a request for your master or mistress uptown. In that case, my dear sir, it's a voyage which does you credit. A fascinating view of our broken lands. We will pass many ruins of historical interest, stretching back to times before the Cataclysm and the Great Dying. I can get you there in five relaxing days. It'll cost you five hundred pounds and not a penny less. A night-time start is extra. And I'll need twenty-four hours to get *Clara* ready."

Scarlett stared at the little child. "Why so long? Can't you just plonk her in the boat?"

The old man gave a snort of derision. "*That* is Ettie, my granddaughter. *Clara* is my vessel, moored yonder. The fastest and most reliable ship on the river. My pride and joy."

He gestured vaguely behind him; Albert looked and saw a rank of motorboats glinting resplendently in the sun. "I would be pleased to sail in *Clara*," he said. "Thank you."

"In that case, I shall get ready for our voyage."

Arrangements were made, though Scarlett was somewhat sceptical of the old man. "He looks at death's door," she said, as they left the wharf. "I've seen skeletons in better condition. I wouldn't be surprised if one of his legs drops off and he uses it to steer with, but if you're happy, that's fine by me."

So the days passed, and plans for the raid were finalized. On the afternoon of the third day, they settled their bill at Heart of England and left the inn. As darkness fell, Scarlett's bags were left in bushes near the river gate. They made their way by chosen backstreets to the park, and across to the alley beside the bank. At midnight, the operation began. Albert took up position by the wall.

A harsh metallic noise at his ear made him gasp. He jumped, almost dropping the parcel, nearly banging his backpack on the stones. The metal shutters squealed aside, revealing an open window, unknown depths, and Scarlett's face hovering like an irritated ghost within.

"How can you possibly be startled?" she hissed. "You *knew* I was going to open this window. That was the whole plan. It was about as predictable as anything in life *can* be." She glanced up and down the empty street. "Come on. If you haven't already died of a heart attack, see if you can coordinate your limbs long enough to get inside."

She grasped his hand and pulled him up. In Albert's opinion, the process went smoothly enough, apart from one stumble on the window ledge. As he fell back, Scarlett grabbed the scruff of his jumper – he hung there a moment, arms flapping frantically, then pitched forwards and landed on Scarlett instead. She was softer than anticipated; a second later, she had pushed him away. He stood beside her in the darkness, panting, sweating, clutching the parcel of meat.

The smell in the bank was of furniture polish and ink. It reminded Albert of Doctor Calloway's office, of its varied punishments and humiliations, and it set his heart racing. Scarlett was busy closing the shutters and the window. She had a wind-up torch in her hand.

"You look a mess," she whispered. "Like something dredged up in a net."

"Well, it's my first time breaking and entering. I'm just nervous, that's all."

"All you've done is climb in a window! What will you do when we get to the beast?"

He swallowed. "I was hoping to leave the beast bit to you."

"Yeah?" She tossed him the torch. "First do what you came for. Find me the basement keys."

Brushing wet hair out of his eyes, Albert shone the light around him. They were inside the bank lobby, beyond the security barriers. It was a panelled room; the marble floor was milky-white with red striations. There were clerks' desks, filing cabinets, teacups and coat-stands. Doors and arches led to further rooms. On one side was the locked door to the basement: massive, ornate, a slab of oak and iron.

Albert drifted forwards, letting the torch beam glide over the furniture and play against the walls and corners. He could visualize the place where the basement keys were kept, as relayed by the pictures in the old woman's mind. The way *she'd* seen it, it was a hidden compartment in one of the panelled walls, just above the corner of some large, dark cabinet or bureau. If he went slowly, it shouldn't be hard to track down.

"I thought you said you knew where it was?" Scarlett was watching; she hadn't moved.

"I've got an image, that's all. I don't know its exact location." The hiding place would be out of sight of the public areas – that was logical. He passed through a doorway into a back room. More desks – yes, and walls of panelled wood… He was getting warm. It was really no different from the way he'd gradually scoped the warders' minds back at Stonemoor, figured the layout of the prison grounds, pieced together the route that would get him to the outside world with minimum confrontation. Simpler too. He wouldn't have to kill anybody.

"I didn't realize there'd be a delay," Scarlett said. She'd followed him; he could hear the impatience in her voice. Like almost everything that didn't involve climbing drainpipes and jumping over alleyways, waiting made her irritable. "What are you doing?" she said. "Why are you sitting in that chair?"

"I'll need to see the wall from the correct angle. The way the old woman saw it…" He got up abruptly. "Yes, that works. I think I've found it."

It wasn't *quite* the picture in his head – maybe he'd sat at the wrong desk – but the carved edge of the bookcase was the same. The wall behind was panelled; when he pressed the panel just above the case, a catch sprang open. A set of two keys hung on a peg inside the wall.

Smilingly, he offered them to Scarlett. "There."

At first her expression didn't alter, but he could feel the aftershock of his display of talent working its way through her. Her mind was whirling, processing what she'd seen. All at once she grinned, and he grinned back. "Well," she said. "There *is* a use for you. Good work. As your reward, you can have the raw meat back again." That was all she said. She took the keys and the torch, and carried them to the door on the far wall.

Here she hesitated, studying the lock, studying the keys. Now it was Albert's turn to wait.

He frowned. "Why don't you just try them?"

"Because sometimes, Albert, there are fake keys and explosive charges. Put the wrong one in, turn it the wrong way, the thing blows up in your face... Do you want a go?"

"Er, no."

"This one looks as good as any. We'll see."

She inserted a key. She twisted her wrist decisively. There was a single, fateful crack. Albert flinched.

Nothing else happened.

Scarlett pulled open the door.

Beyond was a low, curved ceiling, and a flight of stairs heading straight down into the dark. A faint odour hung on the air, a stench of pent-up wildness. Scarlett's torch showed the steps fading into shadows. Absolute silence.

Albert made a polite gesture. "After you."

"How kind." Scarlett held the torch so it illuminated the steps, tightened the straps on the cloth bag on her back, and set off, slowly, deliberately, placing her shoes with care. Albert followed, pattering at her heels.

He spoke softly. "Aren't you going to get out your gun?"

"There won't be anything yet. Clerks come down here, don't they? The creature's got to be secured somehow."

Albert did not quite share her confidence, but they proceeded safely to where the steps changed direction. The scent on the air was stronger now: a rich, sour animal smell, heavy with despair and rage.

"The lady had never been down here," Albert whispered. "It was beyond her security level, or else she was too frightened to go. I got no picture from her, anyway. But she knew there was *something* down here."

"Sure," Scarlett said. *"Something."*

The staircase ended. They came out in a small, plastered room, empty save for a door, reinforced with metal housing. It had a grim and practical look. The fastidious elegance of the bank lobby was a world away.

Albert stared at the door without joy. "Think this one's safe to go through too?"

"Nope. Not at all." Scarlett shone her torch at a paper sheet stuck to the wall; it had rows of scrawled signatures, and a biro beside it, hanging from a string. "A rota," she said. "Look: 'Feeding and Boxing' has been carried out by Frank early this morning, while Clive's had the job of 'Unboxing' this evening. Lucky Clive. Know what that means? Whatever's behind here has been let out of its cage, left unfed, and is now waiting for us to come in."

"What do you think it is?"

"Could be anything."

He glanced at her. "You think it's a wolf."

"Don't *do* that. Let's see what tries to eat us, shall we? I hope you've still got the meat."

Albert had. He watched as Scarlett selected the second key from the ring. Once again, her thoughts were small, tight and precise; once again, her actions echoed them, with just the slightest delay. She unlocked the door with extreme care, but did not open it. No sound came from inside the basement room. Scarlett took her gun, spun the chamber, checking the cartridges, put it back in her belt. She beckoned. Albert handed over the greaseproof packet. Scarlett tore it open to reveal a great heap of minced liver. This she held in her good hand.

"Wonder if Clive has done his job properly?" she said softly. "Open the door."

It was not Albert's favourite moment of the evening, reaching over and raising the latch. The door was hinged inwards; when he pushed, it swung open with almost too much ease.

Blackness. Shadows in a deep, dark room.

At that moment, Scarlett's torch flickered and went off. She cursed, tapped the casing. The beam came on again. It sent a thin, frail light straight forwards, illuminating a squat black bank safe standing at the opposite wall.

Albert wrinkled his nose. The bitter scent was strong now, carried on warm, stale air.

Nothing visible. Nothing between them and the safe.

He waited, watching Scarlett. She stood there, holding the meat, and listening.

Silence? No, not quite. The faintest clacking, as of claws on stone.

She swung the torch slowly to the left. Three shapeless white forms rose out of the darkness, making Albert jump. The beam jerked; even Scarlett's hand was a little unsteady.

"Old chairs," she murmured, "furniture under sheets… Great Jehovah's Uncle, could they *make* it any more eerie?"

She moved the torch beam back past the safe, over to the right. And now, away in the far corner, something else leaped woozily into focus: a wooden crate of unexpected size, its hinged door open, entrails of straw spilling out across the flagstones.

Albert exhaled slowly. "Ooh…"

"Finally." Scarlett hefted the meat. "Now all we need—"

With a fearful scream, a black shape lunged from the shadows, great knife-blade claws slicing at her head.

# 14

I⊤ WASN'T WHAT SCARLETT WAS EXPECTING. ALBERT HAD BEEN right: she'd guessed a juvenile wolf. Wolves were the top choice for banks, particularly in Mercia and the west, but the burghers of Lechlade had gone for something more exotic, and it caught her by surprise. She jumped back through the arch, dropping the torch, as a great weight collided with the door frame. Beside her, Albert yelped and toppled out of view. Claws skittered on stonework, sending up sparks. Chains clattered. There was another hideous screech. Scarlett resisted the temptation to fire the gun. Gauging her moment, she dived forwards, scooped up the rolling torch and ducked back out again, just as a huge curved head slashed down.

With shaking hands, she caught it in her torch beam as it wheeled back into the basement: a giant flightless bird, tall as she was, with a powerfully muscled head at the end of a long, S-shaped neck. Its legs were scaled and strong, its plumage green-gold, its great eyes mad and staring. The light enraged it; the bird threw itself again towards the door, its chain whipping like a snake across the floor. A bolt-cutter beak, long as her forearm, opened wide… Scarlett put the torch between her teeth, readied the meat and tossed it through the doorway, high and far across the room. The bird wheeled round to follow it. Two snaps of the beak, the offal was gone. It turned to look again for Scarlett, but she had slammed the door, turned the key on the other side.

She felt the force as it struck against the wood.

Breathing hard between her teeth, she swung the torch around. Where was Albert? Lying on his back by the steps, with his legs waving in the air. It was typical of him.

"Get up," she snapped. "You're not hurt. Don't pretend you are."

There was a lot of flailing. It was like watching a beetle trying to right itself. Finally, he stood beside her, flinching and blinking as the thuds continued against the door.

His eyes stared at her beneath his ragged fringe. "What *was* that?"

"Horn-beak. You never seen one?"

"No."

"Get them mostly in northern England. Big flocks up there."

He digested this. "Think it can break through the door?"

"No. Anyway, it's on a chain. Just got to wait."

He nodded. "How many sleeping pills did you put in?"

"Twenty. Thought it was a nice round number. How many would put you to sleep?"

"One made me drowsy. Two knocked me out."

"Twenty should work, then."

"Yes." He stared at the door. "What if it doesn't?"

"We shoot it."

"Oh," Albert said. There was a pause. "Poor bird."

"Yeah. Otherwise we don't get the money, Albert, and *you* don't get to London."

"It just seems a shame, killing it," he said. "Just seems a shame, that's all."

Scarlett looked at her watch. The impacts on the door had ceased. A series of fainter thuds, suggesting random collisions, indicated that the pills she had taken from the Faith House agents' briefcase were doing their work.

"What *is* it with you and getting to the lagoon?" she said. "I keep telling you there's nothing there."

He didn't answer; they stood quiet in the darkness. Scarlett was just about to speak again when Albert stirred. "There was a boy," he said abruptly. "A boy they brought to Stonemoor. He had a quiff of white hair and shining eyes, and a leather jacket that crackled when he moved. He was older than me. They put him in my cell for a time, while they were testing him, finding out what he could do. He told me about the Free Isles out in the lagoon."

"And how the hell did *he* hear about them? From some other madman?"

"He'd come from there. He'd left them, he said. It was a mistake, which he regretted. He was trying to get back, travelling across England – but then Doctor Calloway caught him. I never found out his name. He was trying to get back. He said anyone was welcome there – if you were special, if you weren't, it didn't matter. I was wearing the band. He said I wouldn't need one in the Free Isles. There was no one to judge you; no one to lock you up." His voice was so soft, she could scarcely hear him. "That sounded good to me…"

From the room beyond came a particularly loud impact. It was followed by silence. Scarlett held up her hand. She listened at the door, heard nothing.

"They got talents like you on these islands?" she asked.

"I think so. Maybe."

"What happened to the kid?"

There was a pause. "Oh," Albert said, "he died."

Still no sound from the inner room. Scarlett took hold of the handle, pushed the door open cautiously – and almost bumped it into the head of the giant bird, which lay outstretched like a broken puppet on the safe-room floor. One great glazed eye stared upwards; a faint hissing came from the nostril high on the scimitar beak. Scarlett stepped over the twitching neck, crossed swiftly to the safe. As she'd thought from her first glance, it was a Lewes Durable, made far away on the other side of Wessex. That meant it was robust and tough to move, but nothing a small piece of gelignite wouldn't fix.

"Albert," she said. "Take the torch. Give me the bag."

He did so; as she prepped the explosive, pushing it beside the locks and hinges, he remained staring down at the unconscious bird. She couldn't blame him. It was a sight. It was said that great flocks of horn-beaks roamed the Northumbrian hills, preying on sheep and villagers. Scarlett had never travelled that far, never been north of Mercia. One day she would go, though its towns weren't famed for riches. But those flocks would be worth seeing.

She struck a match against her shoe, lit the fuses, and strolled across to stand by Albert.

"Put your hands over your ears," she said. "Three, two, one…"

Three sharp cracks, a triple heat-flash; the bird's plumage rippled; the floor of the cellar shook beneath their feet. A little plaster fell from the ceiling and twists of smoke rose from the safe. Walking back, Scarlett took her jemmy from her belt, spun it in the air, caught it, prised at the black and smoking holes on the safe door, and watched it thump neatly to the ground. She took off the cloth bag on her shoulders, pulled it open and ready. This was always the best part of the operation: like opening a birthday present, probably. She bent, looked in: the usual leather boxes, stacked with banknotes and Wessex trading vouchers, a bag of random jewellery and, even better, three small bars of gold.

Good. The Brothers would be satisfied. It was a respectable haul.

Scarlett poured the lot into her bag, left the empty boxes lying, and set off for the door. She found Albert sitting on the floor by the bird. He was stroking the magnificent curving beak, feeling the granular smoothness of the yellow-brown keratin. The bird was in a sorry state. Half its breast feathers had fallen out; the down beneath was ragged and teaming with lice. The eyes stared dumbly upwards, the pupils dilating and reducing with the movement of the torch beam.

Albert patted the soft plumage. "What have they done to you?" he said.

Scarlett stepped past him briskly. The whole operation had taken slightly longer than she'd expected. Still fast, still not bad, but she wanted to be afloat and away from Lechlade before the night was much older.

"Come on, Albert," she said. "I've got the money. This is done."

He half rose, then hesitated. "Can we take off the manacles, Scarlett? It's so cruel. Can we free it, please?"

She was about to refuse, about to laugh at his ridiculous sentimentality – then bit the impulse down. After all, why not? There *was* something wrong about seeing the bird's magnificence reduced to this. She turned, kneeled down and, with a single twist of her jemmy, broke the shackle on the bird's great scaly leg so it was free of the weighted chain. Then she dragged over a chair and wedged the door wide open. "Just a little something to welcome Frank and Clive in the morning," she said. "The bird ought to have woken up by then."

"Thank you," Albert said. He patted the bird a final time.

They climbed the stairs, returned to the lobby floor. Scarlett locked the basement door and watched Albert return the keys to their hiding place. Yeah, of the whole operation, *that* was what had shaken her most. Seeing him find the keys. That was the proof, right there – proof of his abilities. If you had the power to do *that*, just stand beside someone and scour the inner secrets of their mind... What might you be able to accomplish, properly directed?

Surely you could do anything.

Of course, Albert was so unworldly, he didn't realize what he'd got. Scarlett frowned as she stood there in the dark. It was almost a shame they would soon be parting ways...

But for now, they had to complete the job neatly, so no one would know anything till morning. That meant getting Albert out first. They crossed to the window by which he'd entered. The road seemed clear. Scarlett opened the casement and shutters, pulled over a chair and helped him gain the sill.

He hovered there, uncertainly. "I'm not good with heights, you know."

"Yeah. I *do* know. My gods, do I know. Well, you can either jump and land on your feet, or I'll push you out and you'll land on your head. What's it to be?"

"Oh, all right, then." With a flump and a squeak he was gone; a moment later, he was vertical and grinning, and dusting himself off industriously. "Hey, I did it. I did it!"

"Fantastic. A three-foot drop. A new world record. Now do what we agreed and head back to the river gate. Find the bags and wait. Don't go to the old man until I come. We don't want anyone to notice us leave Lechlade."

"Right. Secret, silent and unseen – that's me!"

"Good." She had her hand on the shutter; she was ready to be gone. His big eyes stared up at her. All at once she imagined what she'd be thinking if their positions were reversed. "Don't worry," she said. "I won't welch on my side of the deal. I'll come to the gate, and I'll bring enough money for the boat."

He smiled at her. "Oh, I'm not worried. I know."

Yeah, he *knew*. Despite herself, Scarlett again felt the crawling sensation up her spine.

She closed the shutters on him, shut the windows. Now, when the militia came by again, all would be as before. She returned the chair to its place, shouldered her bag and headed swiftly back upstairs to the attic room by which she'd entered. The moon was up; the circle of glass she had removed from the pane lay on the floor, shining in its light. Without hesitation, she slipped out onto the sill, turned, and began to descend, using the same protruding stones she had used on the way up. A floor or so further down, she edged to the left, towards an opportunity she had noticed on the climb. Below the rear of the bank was a steep-roofed outbuilding, a coalhouse or similar. The stones above it were smooth, so it had been useless on the way in; as a place to drop down to, it was perfect. She edged closer, her plimsolls slipping on the stonework; finally, she stopped and let them dangle, hung there looking down.

In such moments − private, perilous, at risk of disaster − Scarlett edged closer to true contentment than at any other time. She became a thing of movement, of instinct, a sum of smooth responses, the master of each new threat and challenge. It was the simplicity she liked. Break into the building. Steal the money. Get out alive. Everything else in her existence fell away: the anger that roiled inside her, the gnawing sadness she would not name, the guilt that hung heavy around her neck. She'd dropped them by the river gate, along with her rucksack and her cuss-box and her prayer mat, and was temporarily set free. She felt almost weightless, existing solely in the present, and while that present lasted, she knew only a fierce joy.

She relaxed, let herself drop outwards into the night. She fell twelve feet onto the black pitched roof, slid down the tiles, and out over the edge and down to the alley floor. She landed soundlessly, knee joints flexing, muscles compensating to absorb the shock. The gold bars in the bag thumped against her; she'd have a bruise from that. Otherwise she was fine. She flitted up the alley to the corner of the high street. On the opposite side of the road she saw lanterns shining in the trees. No one was around. Away she went, over the street and into the park with the cloth bag bouncing on her shoulder, the bank left far behind.

Her heart rate slowed, returned to normal. Scarlett glanced at her watch. Twenty-six minutes for the whole operation. Gone without a hitch. She allowed herself a little smile.

Two men stepped from nowhere, out of shadows into lantern light. One raised a pistol; the other swiped his arm sideways with full force, punching Scarlett off the path, over the grass, to collide headlong with a bench beyond. The impact almost stunned her; nevertheless, she turned, head spinning, stars sparking in front of her eyes, took her knife from her belt and flicked it back precisely along her line of approach. Anticipating the move, the man had already jinked to the side, so the knife cut close past his left armpit and stuck quivering into a tree beyond. He raised a gun, trained it on her heart. Scarlett immediately stopped dead and lifted her hands. The way he'd dodged the knife told her all she needed to know.

It's fair to say neither man radiated cosy benevolence. Both were very large. The one who had struck Scarlett was tall and bull-like, with an enormous torso, and upper arms the width of her waist. His features were blunt and brutish, as if drawn at speed by an untalented child. Beneath his black fedora, his hair hung greasily about the neck. He wore a sober black suit, black shirt and black tie, an outfit that somehow only emphasized his height and girth.

His companion was shorter, but immensely broad, with a swollen midriff pressing urgently against his zipped black leather jacket. His legs were almost triangular, tapering at indecent speed to two small black boots. His light blond hair was worn slicked back; his face had the softness and delicacy of an open-cast slate mine. Both men stood with their pistols trained on Scarlett. She remained motionless. They'd chosen their positions deliberately, taking care to keep on opposite sides of her. She might have shot one, but the other would have plugged her, easy, before she could spin around.

The tall man adjusted his hat, which had been dislodged by the strenuousness of his blow. A ring glinted on a finger in the moonlight. He made a slight motion with the muzzle of his pistol. "Take your revolver out of your belt, Miss Cardew. Do it slowly. Now throw it on the grass with a nice easy motion. Don't startle us. No sudden movements. Lee here's as skittish as a Cornish pony, and his gun's been known to kick." He watched as Scarlett complied. "There now," he said. "That's better. Don't you think so, Lee?"

"Yep," said Lee. His eyes blinked at her lazily. Of the two, Scarlett could see he was the more dangerous. His gun-hand was the steadier, and he was less in love with his own voice.

She glared at them both. "This a robbery? If so, you're wasting your time. I don't have anything worth taking."

"No?" That made the tall man chuckle. He had unusual teeth, the top incisors far apart and splayed outwards like an upturned V. "Well now," he said, "that surprises me. And there was me thinking we saw you jumping out of a bank with a bag of stolen cash on your back, not two minutes ago. Isn't that so, Lee?"

"Yep," Lee said.

Scarlett shrugged. "Your eyesight must be going. I'm on my evening constitutional, and I've not been jumping out of anywhere. Though I've a mind to jump along now to the militia station and report your vicious assault." She glanced aside at the taller man. "There's a dentist in the high street too, supposing you're looking for one of them."

"Ooh, naughty," the man said. "No, what we're looking for is Miss Alice Cardew, otherwise known as Jane Oakley, among other aliases. A killer. A bank robber. A freelance outlaw. You going to fess up?"

"No."

"Show me what's in that bag."

"I'm showing you nothing," Scarlett said, "leastways not without knowing who you are. By my reckoning you've got two names for me. I've got none for you."

The tall man bowed his head. "Very right and proper. My name is Pope. Samuel Pope. Lee and I work for the Brothers of the Hand here in Lechlade. We organize distribution of black-market goods, arrange collection of payments, little matters of trade... But that's not all we do. We have other work, other skills. Don't we, Lee?"

"Yep," Lee said. The muzzle of his gun remained quite still.

Scarlett frowned. "I don't understand. You're from the Brothers?"

"Certainly. She's a sharp one, this – don't you think so, Lee?"

"Like a razor."

Scarlett glanced at Lee. "Three words? You going to take a lie-down after that speech? Listen, this is a mistake. I've got the money I owe. I'm on my way to see Ives right now."

Pope's teeth flashed whitely as he smiled. "Yeah? You expect us to take your word on that? Ives told us to keep our eyes on you. He thinks you're planning on skipping town."

"Not till I paid up," Scarlett said. "That's the deal. I've got the money, with twenty-four hours still on the clock. So everything's OK. Put the guns down and we can go along to The Toad together."

"No need," Pope said. "Just give me the bag. And do it slow."

"And then what?" Scarlett asked. "What happens then?"

Neither man answered. Lee's gun was like a hawk hovering mid-sky, like it had been nailed in position. There was cool intention there. Scarlett's mouth was papery; she felt weightless, her muscles weak as water.

"We can go along to The Toad," she said again. "Ives wants the money, doesn't he?"

"He wants the money," Pope agreed. "Thing is, he also wants you dead." His smile faded. "Which is why we're going to shoot you now."

# 15

Scarlett hadn't needed to be told. She was already balanced on the balls of her feet, trying to watch both men at once, trying to guess which way to move. Maybe she could roll and spin, pass between the two bullets as they cut their instantaneous X across the air, reach her gun, down them both before they got a bead on her...

More likely she'd be on her back, eyes darkening, her lifeblood draining out.

She drove the image from her mind.

"I call that treachery," she said. "Do the Brothers have no honour?"

"What we got," Pope said, "is common sense. You're dangerous and unpredictable, Miss Cardew. You hurt our business before, and you surely will again if we let you live. Which is why we end it here."

Scarlett could see the logic of it. She licked her dry lips. "You boys let me go, we could always split the money."

"Ah, now you offend me! A piece of girl-trash drifted in from the Wilds, thinking to bribe two gentlemen of Lechlade!

Please! I'd sooner hang your skin on the frame beside the river."

"It was only an idea."

"And not a very good one. Well, it was nice talking," Pope said, "but I believe we have reached the conversation's terminus." The muzzle of his gun shifted. Scarlett flinched—

A low voice spoke from the darkness. "Not so hasty there. Hold hard a moment, chums."

The men's fingers were bent close about their triggers. If either tightened their grip by so much as a notch on a gnat's belt, the guns would fire, and Scarlett would spin round and die with earth in her mouth. Pope turned his head slightly. "Who calls? Who are you, please? What do you want?"

There was a furtive rustling close by. "Just a friendly gent with an interest in the matter," the voice said.

"Who speaks from the bushes at night and says they have an interest in the affairs of honest folk?" Pope cried. "It is a ridiculous notion. In fact, it affronts me. Retreat in silence! Be off with you!"

"No, no, come and join us!" Scarlett called. "You are welcome, whoever you are! In fact, bring anyone else who might be passing!"

Pope frowned. "This is an undesirable event. Lee, keep your eyes on the girl."

A person emerged from the confines of the nearby rhododendron bushes. He was a short, stocky, middle-aged man, dark-skinned, with cropped black hair. He wore a brown bowler hat, a brown suit with a yellow tie, a long brown overcoat that hung open loosely enough for him to access his gun-belt. A pair of circular, rimless glasses were perched on his small snub-nose. His polished boots shone in the lamplight. His clothes were all neat lines, sharp angles, crisp-cut edges; he had something of the look of a Mentor at the Lechlade Faith House, like he wanted to chat you through his portfolio of religions. But his movements were crisp and purposeful too, and in some indefinable way Scarlett knew he was not a Lechlader at all. She was instantly wary of him.

It wasn't the time to dwell on it. He had prevented her being shot like a dog, and that counted in his favour. She remained poised where she was, and waited.

The newcomer drew clear of the bushes and arranged himself on the path, opposite Scarlett and midway between the two Brothers. He flicked one side of his coat back, revealing an ivory gun-hilt, stuck a thumb in his waistband, became still.

There was a silence.

"Don't let me interrupt the flow, chums," the man said in his soft, deep voice. "Remind me where you'd got to."

"They were just about to kill me," Scarlett said.

"That's right," Pope said. "Because she's an outlaw. A robber." His stance had subtly changed; Scarlett could see the tension in him. His eyes flickered from Scarlett to the newcomer. "It's one hundred per cent permissible. No need for casual bystander concern."

The stocky man smiled faintly. Light glinted on the surface of his glasses; his eyes could not be seen. "You mustn't kill this girl," he said.

"At last!" Scarlett cried. "*Someone* talking sense!"

Pope scowled. "You just keep your opinion to yourself, mister. This girl's left a long trail of busted safes, dead men and weeping bank managers behind her, like cowpats dropped behind a herd. Don't be mistaken by her youthful shininess: she's as black-hearted and desperate a character as ever entered Lechlade, and is not worth crying over. But goddamn it, I don't have to spell things out for a skulking bush-ferret like you. What's your concern in this?"

"My name is Shilling." A sparkle of cufflinks; the man made a slight adjustment to his neat round spectacles. "I have an interest in this girl too. But I need her alive."

Scarlett nodded decisively. "Good."

"For now."

"Oh."

"You working for the banks?" Pope asked. "I guess there's a reward out for her."

"There may well be," the stocky man said. "But I'm not working for the banks."

"You a detective of some kind?"

"Not that, neither."

Pope hesitated, processing the information. "In that case, perhaps you'll fade back into the shrubbery with all good courtesy, and let us get on with our lawful business."

A slight breeze twitched the corners of Mr Shilling's coat. His hand remained hooked at his gun-belt. "Are you religious, gentlemen?" he asked. "You believe in good and evil?"

There was a silence. Pope was frowning in puzzlement. For the first time, Lee's eyes flicked sideways, away from Scarlett and back again. Scarlett breathed out slowly. No, he was *not* a Lechlader. Not a militiaman, not a detective. Not working for the banks. Her first instinct had been right. He was a Faith House man. An operative. And that meant he was fast.

She got ready to move.

"I see the concept of good and evil's maybe a little hard for you two beauties," Mr Shilling said. "That doesn't surprise me. I know criminals when I see them. If I had time, I'd run you both down to the militia station quick-smart, get you tucked up in the cages. But I'm after something worse than you. Something wicked and ungodly. This girl knows where it is. She's brought corrosion to your town."

He was looking at her as he spoke; Scarlett knew it, even though she couldn't see his eyes. And he was talking about Albert – poor strange, hapless Albert. *Wicked and ungodly…* Yeah, this was the way the Mentors always talked about deviation, how they justified the cruelty, the weeding out of undesirables from the towns. The babies quietly removed, the children led into the forests… The cold fury she habitually felt when thinking about the Faith Houses crystallized deep in her stomach, hardening her sense of purpose and her will to survive. She gauged the position of her gun in the black grass. Her chance was coming. Her muscles ached from being tensed and ready for so long.

"Truth is, chums," Mr Shilling went on, "she's harbouring a dangerous individual here in Lechlade. Not your common deviant, either. A boy that may bring destruction to you all."

Scarlett gave a start. "You're talking about *Albert*? Really? Are you sure?"

"My employer and I have travelled a long way to hunt him down," the man said. "The killings have already started in Lechlade. Which is why I'm happy to let you two gentlemen walk away. No questions, no trouble. It's not too late for you. But you need to go now."

*Killings?* Scarlett's mind was awhirl. For a moment, she lost focus. Furiously, she mastered her thoughts, swallowed her confusion down. No! No time for that! Relax. Watch the men's hands and stay alive. It would only be a matter of seconds.

At her side, Lee was a hulking statue in the dark. He made no response to Shilling's offer. But a hiss of indignation had issued from Pope's lips. "I like your cheek, mister," he said. "We're not walking anywhere. No, what happens here is: we shoot you dead and lay you out alongside this girl. Simple as that." His chin jutted; the words faded in the air.

"That's a strong statement," Shilling said softly.

Pope smiled at him. Shilling smiled back. Lee didn't smile at anyone, but a grimace flashed across his face, as if in premonition of pain.s

"Well, then," Shilling said.

Pope's gun moved.

As if from nowhere a pistol appeared in Shilling's hand. He fired at Pope, twisted sideways, avoiding the bullet from Lee's swivelling weapon. Pope gave a ragged cry.

Scarlett was already jumping, rolling across the grass, aiming for the spot where her own gun lay; she passed through Pope's shadow as he toppled backwards.

Lee had dropped to one knee. Arms outstretched, gun in both hands, he fired three times more, once at Scarlett, twice at Shilling.

A bullet sang between Scarlett's boots; she came out of her roll, started to run.

Pope hit the ground, his limbs undulating like rubber, his hat spinning clear.

Shilling was leaping too, aloft and horizontal, his coat billowing in mid-air. One of Lee's bullets passed through his coat; the other missed. Shilling landed, rolled, shot Lee from under the crook of his arm.

Scarlett scooped up her revolver, lying hard and cold on the midnight earth. She kept running, ducked behind the nearest tree.

Pope's hat stopped spinning and lay still.

Scarlett brushed hair out of her eyes, peeped back round the trunk of the tree. Lanterns shone softly in the trees of the park. Pope was dead. Lee was hit in the chest. He had blood in his mouth. He was attempting to rise, trying with a series of small, tortuous movements to reach the gun that had fallen from his hand. It was inches away. He couldn't reach it.

Mr Shilling was on his feet, bending for his hat and the little round glasses that had dropped to the ground. Scarlett raised her revolver. Without looking, Shilling fired two warning shots in her direction, causing her to jerk back out of sight. She returned fire round the trunk of the tree, knowing instinctively that he would already have changed position.

Which *she* needed to do as well. The park gates were close, the high street waiting beyond. Before moving, she stole a final glance. As predicted, Shilling was unhurt. He had stepped over Pope's body and was walking over to Lee, his gun ready in his hand.

Scarlett put her head down, sprinted across the grass to the entrance of the park. She skidded to a crouch behind the brick pillar of the gate, brushed hair out of her eyes.

A gunshot sounded behind her, unanswered in the night. The park fell silent. Crouching at the pillar, Scarlett peered back through the iron railings, staring at the interlinking planes of shadow, the surface subtleties of the dark.

He was coming. Where would he be?

A stocky form broke briefly from concealment in the trees. It was much closer than she had expected. Scarlett fired twice. The shape ducked sideways and was gone.

Scarlett launched herself down the street, the cloth bag bouncing on her back. A mist was rising. Store signs swung above her, advertising hats, news-sheets, cakes and confectionary... There was a postbox not far beyond the bank. As she ducked behind it, a bullet shattered the window of the hardware shop beyond.

Dogs had woken; all along the high street, lamps were coming on. Sitting on her haunches, pressing back against the metal, Scarlett opened her revolver, fed three bullets from her belt loops into the empty chambers. She snapped the gun shut, closed her eyes, put herself in Shilling's shoes. He would be at the park gate now, watching the postbox, waiting for her to break cover. But the mist made it hard for him – that, and his need to take her alive. He'd have to aim low, and running legs were a lousy target. He might easily miss from that distance. So, he'd find a closer position – and soon, before anyone else arrived. He would keep away from the lights, stick to the shadows, which meant he would work his way quietly along the opposite side of the road. Not too far, not enough to expose himself...

She gave him a few more seconds, just in case he'd stopped to pick his nose or something. Then she took a deep calm breath. Stepping up and out from behind the postbox, she fired six shots blind at an angle across the street. Four bullets struck stone and concrete; two hit Shilling as he crept in the darkness beside the confectioner's store, lifting him bodily off his feet and through the plate glass of the window beyond. He collapsed on his back among a shower of sweets and bottles, sticks of rock and rolling gobstoppers. Groaning, he sought to rise. Scarlett stepped towards him – and at that moment a door opened in a house close by. There was a hoarse and angry challenge. Scarlett gave up on Shilling. She tucked her gun back in her belt and sprinted off along the road.

At the river gate, the arch was a deep ring of black cut through the high earth wall. The gate was open. As she ran towards it, Scarlett could glimpse the quay beyond, the threads of mist, the moonlight dancing like beads of fat upon the water. This was the meeting place. There was no sign of Albert at all.

She stopped at last, stood with her lungs burning, hands wedged against her heaving sides. Hair waterfalled her face. Away back along the high street she heard shouts, dogs barking, telltale sounds of the town being mobilized. Five minutes, they'd be here.

"Hey there, Scarlett. You were quick!"

A figure stepped from the darkness of the river gate. A spare, slight form, thin as a reed, silhouetted against the water beyond. The arm of an over-large jersey waggled as he waved.

"Gosh, I never thought you'd get the job done so soon," Albert said. "But that's Scarlett McCain – smooth and sure and professional to the last. Why are you so out of breath?"

Scarlett straightened. "Because I *didn't* get the job done. I've still got the money. I was double-crossed. Two Brothers tried to kill me, now the whole town is up in arms, and if we don't get out of here now, we'll be burned in iron tumbrels before the night is out."

"Oh, so it was an utter balls-up, then?" Albert passed her the bags. "Ah, well. Here's your cuss-box – sounds like you might be needing that. Shall we go to the boat?"

Scarlett held up a hand. "Wait. Little question for you, if you don't mind."

"Are you sure we've got time?"

"It's just a quickie." She stepped closer to him. "Albert."

"Yes?"

"Have you killed anyone while we've been here in Lechlade?"

The shape at once became still. His face was shadowed. "Me?"

"Yes."

"No."

"Sure about that? Just, I wonder if it's the kind of thing you might forget."

"Yes! I'm sure!" He paused. "Well, no one significant."

"Go on."

"There might have been a couple of slavers…"

"I bloody knew it."

"But they were trying to chain me up, Scarlett, put me in a cage! And it wasn't really *me* that did it, anyway. The Fear came, and I maxed out, and when that happens—"

Scarlett gave a whoop of rage. "I bloody *knew* it. I *knew* you were hiding something from me. It might interest you to know, Albert, that thanks to *you* your friends from Stonemoor are right back on our heels. I've just had a shoot-out with one of them all across town, and he's not the *only* person here. I'm pretty sure that—"

He wasn't listening. He was transfixed, looking beyond her up the road, an expression of such unmitigated horror on his face that even Scarlett, who'd seen the Burning Lands, who'd walked by night through the feeding grounds of the Tainted, couldn't help but catch her breath. She turned to follow his gaze. She didn't read minds, as Albert did – yet she guessed correctly what she'd see.

A woman was walking through the mists down the centre of the road. She came swift and silently, black coat flapping behind her, pale face gleaming, pale hair swept behind. She carried no visible weapon, but even at a distance there was a sureness and a vigour about her that made the mind recoil.

"Albert…" A soft voice sounded on the air. "Come to me."

*It is death to go near her. She will laugh in your face as you spin and burn.*

For a moment, Scarlett didn't move.

The mists parted. There behind the woman, limping extravagantly: a stocky man in a bowler hat and long grey coat, gun held ready at his side.

"Albert," Scarlett said. "You need to come with *me*."

There was no response when she grabbed him by the sleeve. He was inert, a spent battery, a broken spring. He was still staring back towards the woman as Scarlett wrenched him into action, pulled him with her towards the arch, sweeping up her bags as she did so.

Under the earth wall, out onto the wharf, where mists curled around bollards and the moored boats floated low and dark, masts slicing the moonlit water. A few lit oil lanterns hung from stanchions along the edge of the quay. A wooden watchtower yawned above them on four stilt legs. Beside it rose the pyramid of petrol drums behind its fence of chicken-wire.

Cobblestones became wooden slats as they passed the empty guardhouse. The boardwalk rang hollow beneath their feet, like a round of sparse applause.

Scarlett scanned the jetties ahead, looking for signs of life.

"Old man!" she called. "Old man! Where are you?"

No one answered. Scarlett cursed; she tried again.

"Do you see him, Albert? Where's his boat?"

She glanced at Albert, drifting beside her on stiff, uncertain strides. She still had him by the arm. Albert Browne, in his sagging jersey, his slacks and big trainers. He looked as helpless, as hopeless, as harmless as ever, his face blank, his black hair flapping.

*Slavers, respected citizens… Three people… Hard to know, they're in so many pieces…*

"Old man!"

*Maybe a beast got into the town.*

From the mists up ahead, a querulous enquiry. "Who calls?"

"Your passengers! In a state of some distress!"

"I thought you were never coming. I was just making cocoa, before going to bed."

"We need to leave! We need to leave now!"

"I'll need to see the colour of your money first. I want my deposit."

"Yes, in a moment! Just start the bloody engine!"

They reached a turn in the boardwalk. Scarlett sensed the woman and Mr Shilling come out through the arch behind them. She halted, thrust Albert on ahead of her. To her frustration he came to an immediate standstill. He was still in shock; all life had drained out of him.

"Snap out of it!" she snarled. "Get to the boat!"

He didn't respond. She looked back across the water. The woman was walking towards them along the wharf. Shilling had stopped. His face was blank, the glasses panes of nothingness. For a second, he and Scarlett stared at each other across the water. Then he put one hand in the pocket of his long grey coat, drew out a cylinder. Before she could react, he bent his arm and threw.

As the cylinder disappeared against the sky, Scarlett saw everything as a snapshot: Shilling, the woman, the dappled moonlight, the earthen walls of Lechlade; the high stars over-topping everything, bright and clear and cold…

A clink, a chink, a rattle. The nearest sailing boat disappeared in a blast of fire.

The explosion knocked Scarlett against the bollard next to her. She fell and struck her head. For a moment she saw nothing, then she blinked light into her eyes.

There was blood running down her face, and Albert standing over her.

"Scarlett!"

"Oh, you're back with us, are you? I'm all right. Get in the boat."

"They've killed you!"

"No, they haven't. Where's the old man? Don't fuss — we haven't time."

But he was no longer looking at her; instead he was glaring through the smoke at Shilling, at the approaching woman, his fists clenched, teeth bared, a vision of puny indignation.

He was in plain sight, a clear shot. He might as well have had a giant flashing arrow pointing to his head. Scarlett clawed at his jumper, sought to get to her feet. "Get down, you fool!" she cried. "He'll shoot—"

At that point, something happened.

Away across the water, there was a vast concussion – a silver flash in the pile of petrol drums that was at once swallowed by the multiple ignition of the stack. For an instant, a dozen fiery chrysanthemums bloomed: then the far end of the wharf was blown apart. Scarlett went flying along the quay in a blizzard of burning matchwood. Missiles of fire tore through masts, sending sail-beams spinning. The watchtower flexed back with the force of the blast, rearing like a horse. Its legs splintered; the platform slumped, toppled to the side. It crashed down against the earth wall by the river gate, where Mr Shilling and the woman in black had just been standing, engulfing it in a sea of fiery kindling.

Scarlett rolled and bounced against the boardwalk. She landed on her back. Splinters of wood, the size of children's fingers, fell on top of her like rain.

She got to her feet. Thick, acrid smoke filled the air. She could not see. The sailing boats were burning. There was a roaring and a crackling all about her, and strange, high-pitched pops and whistles as dry wood burned with extreme heat.

The end of the wharf was a dome of flames. Silhouetted against it, a stocky figure was pulling itself upright, adjusting a bowler hat upon its head.

Christ. Where was Albert? Where was the old man?

Part of the wharf subsided. Scarlett almost lost her footing. She felt the whole structure list beneath her. Ducking below missiles of charcoaled wood, propelled from the still-exploding petrol dump, Scarlett ran back along the steepening dock. And there – Albert's outline, showing black and thin against the inferno! He was below her, standing on some kind of craft, and beckoning. A bony shape showed that the old man was at his side.

Scarlett jumped down beside them. As she did so, the wharf collapsed altogether, sending out a high black wave. The craft they were on rose and bucked and shot away into the night. It bumped against open lock gates, then passed through into the waters of the Thames.

Scarlett's legs gave way; she subsided to the unseen deck. Close by, she could hear Albert coughing. Numbed, half senseless, she looked back towards the river walls of Lechlade. The wharf was a tableland of smoke and fire. Ships burned, masts toppled. Flames as tall as fir trees danced and spun against the sky.

The boat drifted on into the dark.

Smoke rolled after them. Soon it had blanketed the stars.

# III
## THE RIVER

IT WAS THE KID WITH THE QUIFF WHO LOOSENED THE WINDOW, the morning he maxed out, blowing up the day room and taking with it a nurse, two warders, and himself. Ordinarily when you were maxing you didn't get a scratch on you, but it was different for the kid this time because the ceiling fell on him.

Old Michael told Albert it was a lesson to the rest of them to control their anger, but it was evidently a lesson to the authorities at Stonemoor too. After that, anyone got twitchy, anyone so much as sent a milk glass spinning unexpectedly across the refectory table, they got six guards jumping on them and a syringe jammed in their backside with enough sedative to knock out a horse. Those syringe needles were a yard long and blunt as your finger. Lined up in the guards' belt-holsters, they had a cooling effect on the emotions. Just the look of them made you get all English and rein your passions in.

They left the kid's bed alone for a week, the cell door open, his leather jacket still hanging on his chair – like everything was normal, like the kid had just nipped off to the lavatory block or something, and wasn't buried in a hole out on the Back Field.

Albert knew it was another lesson. He said this to Mo in the next cell, and Mo conceded it was possible, but he was taking his evening pills at the time, and afterwards he couldn't remember the conversation. They were giving Mo a lot of pills around then. Two weeks later he couldn't remember the kid.

The evening after it happened, Albert skipped stew and went down to the day room to take a look at the mess. They'd propped a board against the entrance, where the door had been, but he slipped behind it and took a tour over the crunchy black floorboards, past the rubble and molten glass, the half-burnt sofas and all the rest. The collapsed ceiling had been cleared away, and you could see the untouched spot where the kid had been standing.

The western window had been just outside the sphere of influence, and it looked untouched, the glass still in and the bars unbroken. But Albert noticed the evening sunlight coming through a tiny crack between the brickwork and window frame, and when he pushed at the frame, the whole thing shook like a rotten tooth. Standing close, he could feel a little breeze coming through it, fresh and soft as a child's breath.

*That* was worth knowing about. It made his heart jump inside him.

He guarded his secret carefully, and told no one, scarcely even daring to think about it. But Doctor Calloway could never be fooled, not entirely. She or someone noted his distraction, caught the way he lingered in the grounds after roll call, gazing out over the walls to the hills beyond. And before long he was summoned to her study.

"Are you restless, Albert?"

"Restless, ma'am?"

"Thinking of leaving us somehow?"

"No."

"Oh, Albert..." She moved her hand across the desk top to touch the birch cane lying there. The bars in the study window were parcelling out the sunshine on the desk into little squares, and Doctor Calloway's fingernails shone as they made slight adjustments to the position of the cane. "If you're going to lie," she said, "don't do it in a way that demeans you. Make up something magnificent – something that gives us all joy. We have seen you looking beyond the walls. You'd like to go out there?"

"I don't know, ma'am." Sensing a trap, not wanting to be too eager, nor denying it either. Not knowing what she was likely to believe. "Sometimes I do. I like the colour of the trees. But Matron says there are nasty things in the woods, and I don't like the sound of that."

"No, it wouldn't be safe for you to go out," Doctor Calloway said. "And you've got trees in the grounds of the house."

"Yes. I like our apple trees. But I wish they had birds in them."

She glanced to the window, at its segments of blue. "Don't you see birds in the sky, Albert?"

He nodded. "I do, but the guards shoot them if they come too close."

She said something else, but Albert's mind had jumped to the toothed bird he'd found when he was little, not long after he came to Stonemoor. Most of the birds the guards killed fell outside the walls, but this one had dropped between the laurel hedge and the wall. It was old, the flesh black and shrunken, the eyes gone, the feathers a blue-black sludge. But the tiny jagged spurs in the loosely gaping beak were as sharp as knives. He had touched one with a finger and it had drawn blood. That beak fascinated him. The lower half was almost coming off, so he had twisted it clear and put it in his pocket. He'd gone back to see the bird again a few days later, but they'd found the carcass by then and cleared it away.

He realized the woman was waiting for him to reply.

"Sorry, ma'am, I missed that."

The small red mouth became a line. "Is your restraint covering your ears? Has it slipped a bit? Do I need to make it tighter, Albert? I can tighten the screws for you. Tighten them so your head bleeds."

He shuddered. "No, please – you don't need to do that."

Her hair was pale as crushed straw, but there was a square of sunlight on it, igniting it like fire. She sat forwards in the chair. "I was asking, Albert Browne, if you were happy here."

"Yes, Doctor Calloway."

"Do you take your pills like Matron says?"

"Yes, ma'am. I do. Every night."

"That's good." But she was looking at Albert like she was not quite sure, and he could see she was going to say something else pertaining to it, so he cut in quick.

"They taste awfully bitter," he said. "Especially the blue ones. But I crunch them all up anyhow." He gave her a smile, kind of weak and loose at the edges, both long-suffering and eager to please. That smile worked a treat on Old Michael and the nurses, but Doctor Calloway just looked at him with her soft black eyes, and Albert began to think he'd overdone it.

"You don't want to chew them," she said. "Just swallow them

down with your milk. They don't taste of anything then. I'll have to get Matron to help you, make sure you do it right."

Now it was her turn to smile, and it was a brisk one with a hard edge. She made a note on the paper set out on the desk, the pen moving swiftly in her pale white hand. The skin was as thin as baking parchment. You could see blue veins under the surface. Like her face and neck, her hands were without blemish, with none of the birthmarks so many guests had.

She put the pen aside. "Why do you think we do this?" she said. "Keep you here?"

"I don't know."

"We are protecting you. We keep you safe." She swivelled her chair round, smoothed down her dress. "Since you like windows, Albert, you may look out of this one."

From this height you could see above the outer walls, above the gatehouse, see where the white gravel track ran away between thick bushes along the curve of the hill. The land close to the walls had been cleared for security reasons: it was black and torn and studded with the carbonized roots of trees. Beyond rose brushwood, then forest, dark green, fading into the blue distance across successive waves of hills.

"Matron is right," Doctor Calloway said. "The land is wild and strange. A bad thing happened long ago, Albert, and its influence is still with us. The world is changing. It's changing much faster than it should. Animals and humans are changing too. There are giant wolves and bears and other carnivorous beasts in the forests, and of course there are the Tainted, who lie in wait to devour the traveller. True humanity is in retreat, and you would not last five minutes beyond our walls..." The pale, heart-shaped face gazed up at him. "Are you not pleased at the way we look after you?"

"Yes, ma'am," Albert said. "I'm truly grateful."

"And it is not only the beasts and cannibals that would kill you, but ordinary Englishmen and women too. They are threatened from all sides and do not look kindly on anything out of the ordinary coming past their walls. Your terrible illness would arouse them to violence."

"How would they know?"

She laughed softly. "I should think the metal restraint on your head might give them a clue. And if that were removed … well, Albert, you know the harm you'd do. You have no control, no willpower. The wickedness in you would come out at once, like it came out of that stupid boy the other day." A spasm ran through her, perhaps of disgust or irritation. "Did you speak to that boy, Albert?"

"Once or twice, Doctor Calloway."

"You should not have done so. Like him, you are disgusting and you are deformed and until you respond to treatment you must remain here at Stonemoor. Do you understand me?"

"Yes, Doctor Calloway."

"What are you?"

"I am disgusting and deformed."

"That is exactly what your parents said when they gave you to me, years ago. There is no place for you anywhere but here. Do not let me catch you thinking of the outer world again."

And he didn't let her catch him. But when they reopened the day room, a few weeks later, the crack beside the window was still there. They'd missed it, which was unlike them. Albert was

careful not to go near it in the coming months, except occasionally, as when closing the curtains. When he did so, he felt the breeze
again. It blew on his skin if he put his cheek close to the plaster,
and for an instant he'd capture the scent of the beech woods on
the hill below the house, all leafy and sappy and somehow green.

Better than that, the window still shook when you pushed.

# 16

Some nights last for ever; others run past like water through the fingers. In no time at all, this one was gone.

Lying where he was on the moving deck, Albert could hear the swirl of the river and Scarlett's occasional ragged snores close by. Otherwise there was a deep, wet silence. His eyes were open, but he saw nothing. The dawn had arrived cloaked in granular, grey fog, which enfolded him like a shroud.

His head felt raw and empty, as it always did after the Fear had been at work. A residue of it was still pressing inwards on his chest. Staring into whiteness, he thought of the pale-haired woman in the long black coat. She was striding towards him, surrounded by pillars of fire. To Albert she almost seemed *of* the fire, darting this way and that with inhuman speed, growing in size, getting ever closer...

He shut his eyes tight. She was going to catch him. All his life, she had known everything he had done, everything he wanted to do. He had never been able to escape her, and he wasn't going to manage it now.

What a punishment she would have waiting for him back at Stonemoor!

A swell of agitation made him move. He levered himself into a sitting position, breathing hard, staring all about him. The fog was growing brighter. No longer solid, it was a thing of weaving threads and layers, which presently retreated enough for him to notice a large box or crate on the deck beside him. He sat his back against it and waited.

By and by, another dark mass resolved itself into Scarlett's sleeping form.

She was huddled on one side, her head resting on an outstretched arm. Her mouth was open. Long strands of hair straggled across her face like river weed. Her body and clothes were grey with ash. The bandage on her wounded hand was black. She was cupping the bag with the bank money tight against her chest.

The vision of Doctor Calloway faded from his mind. He sat and looked at Scarlett instead.

Over the past few days Albert had seen his companion in a succession of different guises. She had been a sternly practical traveller, leading him through the forest. She had been a grumpy ascetic, meditating on her mat. In the forests above the river, she had been a cold-eyed sharpshooter, mowing down Doctor Calloway's men without a second thought. In Lechlade she had been first a merchant trader, selling holy artefacts of dubious provenance, then a bank robber of boundless grace and daring. And at the wharf-side – what? She had steered him to safety yet again. She hadn't *needed* to. She might have turned and fled.

So many Scarletts in such a short time! It was only now she lay unconscious that these changes finally stopped; it was only now Albert realized how young she truly was. Scarcely any older than him.

Around her head flitted a faint nimbus, a coronet of images: random, flickering, moving at bewildering speed. Albert didn't try to sieve them. He could never get anything out of someone while they slept: it was all too messed up and confused. But he could tell when they were starting to wake up. He watched idly. And sure enough, the pace of Scarlett's night-thoughts began to slow. Coherence blossomed; clarity returned. He saw a child standing on a bright white road. The child raised its arm as if in greeting or farewell. The image vanished; and now the recent past asserted itself on Scarlett's mind. He saw Lechlade burning; flames and explosions and raking gunfire; men leaping, screaming, dying; a man with bloody bubbles in his mouth; a demonic figure in a bowler hat pursuing her through the night...

She coughed, spat and opened her eyes.

"Hello," Albert said. "Sleep well?"

As grunts went, it was expressive. He waited while Scarlett stared dully into the mists, gathering her thoughts to her as a confused old woman would her cats, to shore up her reality and prevent everything falling away. Ah, *now* she remembered. Now she was awake. She sat up, brushing ash from her face. If anything, she looked more dishevelled vertically than she had lying down.

"I know what you're doing and don't do it," she said. "Where are we?"

"In some fog."

"*Aside* from the fog. And where's the old man?"

"Asleep somewhere, I expect. It's clearing now, Scarlett. We'll soon see."

She nodded. Kneeling there on the sodden deck, wet, dirty, with a cut on her face and her black clothes pitted with burn holes, she didn't *look* so great. But already her mind shone with energy and determination. She was imagining swift progress beneath blue skies, the sharp prow of the boat cutting the water into speeding foam…

"We need to get the engine going," she said. "Now it's light, someone will find a boat that didn't get burned. They'll be after us soon."

Albert experienced a stabbing pain inside him. "Yes."

"The Faith House operative, Shilling. He definitely survived the blast. He's very dangerous and very good. He killed two of the Brothers without breaking sweat. He'll be coming. I don't know about the woman."

"Oh, she'll be coming too," Albert said.

"You sure about that? She was standing very close to the petrol dump when it went up. Then a watchtower fell on her. She's quite possibly dead."

He gazed at her bleakly. "You'd *think* so, wouldn't you?"

Scarlett shrugged. "We'll find out. Did you see what kind of motorboat we're on?"

"No. It was all a bit smoky there at the end."

Her eyes flicked towards him. "Yeah… Wasn't it just? Well, it doesn't matter which boat we've got, really, as long as it's fast."

As she spoke, a crosswind sprang up from the shore and blew across the river, helpfully dispersing the mist around them. Scarlett and Albert stood up stiffly, groaning at their many bruises, and inspected the vessel properly.

"Ah," Albert said.

Scarlett's face had sagged somewhat; she stood with hands on hips, just staring.

It wasn't a motorboat at all.

It was a ramshackle wooden raft.

On the plus side, it didn't look like it would immediately sink. It was a large, rectangular construction, big-boned and ungainly, made mostly of long white tree trunks that had been lashed together with rope. But there was a distinctly home-made quality about the rough-hewn edges and the garish orange plastic floats fixed at intervals along the sides.

Most of the deck was lined with smooth-cut wooden boards, only a few of which were broken in the middle. In the centre, a squared area had been partitioned off; here wobbled a precarious tent-like construction – essentially a black tarpaulin balanced on four spindly poles. Inside this shelter were two chairs, a heap of cushions and a great patched eiderdown, from underneath which the old man's tufted grey hair could just be seen protruding.

At the raft's stern, an enormous and oft-repaired rudder protruded into the stream like a diseased limb, fixed to a simple wood and rubber tiller. Here too was a wooden box for the steerer to sit on, and also a number of empty beer bottles, studded with dew, that rolled and clinked as the raft drifted gently in the current. Towards the front of the vessel was a deckchair and a row of plastic boxes. A number of sizeable wooden crates took up the remainder of the space – it was against one of these that Albert had been leaning.

Spread over everything was a thin coating of charcoal dust and fragments of black wood from the burning of the wharf. It was a picture of shabby desolation.

Albert cleared his throat. "Well, it *could* be worse."

"How?"

"I don't actually know."

The view beyond the river was scarcely any more cheering. Damp and disused wheat fields, choked with scrub and sapling trees, showed among the mists on both sides. Either it was the very edge of Lechlade's safe-lands, or the abandoned property of some other town. There were no signs of human life. Albert looked back along the Thames into the dreariness and fog. Somewhere behind them, Doctor Calloway was hastening on his trail.

"The worst thing," he said, "is how slowly we're going. And the old gent told us it was fast."

Scarlett nodded grimly. "He *did*, didn't he?" Stalking to the shadow of the tent, she took hold of an aged foot splaying from under the eiderdown and gave it a sharp tug. There was a raddled hacking sound. The eiderdown's surface shifted; it was violently cast aside to reveal a distressing knot of hair and bony limbs, which unfolded in a complex manner to become the owner of the raft. The old man sat up, still coughing, blinking in the acrid light.

"Yes? Who is it?"

"It is your passengers again. We want a word with you."

"It's a bit early for words, surely. The sun is hardly up."

"It's up plenty high enough for us to see the grim reality of this raft, which you described to us as... What did he call it, Albert?"

" 'The fastest and most reliable ship on the river.' "

"That's right. So before it disintegrates and we must swim for our lives, we'd like to discuss that little description with you."

Before the old man could reply, there was a kerfuffle at his side. The tiny pale-skinned girl sat up too, wiping sleep from her eyes with balled and pudgy fists. She glared up at Albert and Scarlett with an expression of faint disgust. Then she prodded the old man and tapped her nose with a finger.

He nodded. "In a minute, Ettie. I know, I know – I am hungry too. But there are these idiots to attend to first." He ran a hand through his hair, which sprang back up as wildly as before. "All right, since you're my valued customers, we can talk, though I don't expect any complaints. Aboard the good raft *Clara*, I run a tight and classy operation. Now, turn westwards if you will. I am standing up, and I have no trousers on. Also, I need to relieve myself into the river."

The old man made a decisive movement. There was an unwanted flash of nightshirt and gaunt, bare leg. Albert turned at speed. With poor grace, Scarlett did likewise. They waited, side by side, trying to ignore the vague sounds coming from behind.

Scarlett leaned close to Albert, spoke softly so no one else could hear. "This is your fault. You know how you read his mind back at the inn? How you saw his need for money, his desire for passengers, and all the rest of it? How come you didn't notice the bit where he had a crummy raft?"

"I don't see *everything*," Albert whispered. "It doesn't work that way. I saw that he loved his vessel and thought highly of her capabilities, which is surely the main thing. He may be a bit gruff, but I think he is a competent river pilot. And he's all we've got. So please don't beat him up or shoot him, or whatever else it is you're tempted to do."

There was a brief silence. He noticed Scarlett staring at him with narrowed eyes. "OK," she breathed. "And while we're at it, while we're setting the ground rules, make sure *you* don't brutally kill him either, like you did those three slavers in town, or blow him up, like you did that wharf."

Albert shrank under the quality of her inspection. It was what he had always dreaded. She had found him out. She knew him for what he was – a disgusting and wicked thing. He shifted miserably. "I – I won't. I couldn't, even if I wanted to. I haven't got it in me today."

It was true. Albert's whole body ached. He had expended too much effort at the wharf. He hadn't maxed out, but it had been close, and the Fear had sapped his strength. It would take days for him to recover.

He realized she was studying him.

"I'm sorry," he said.

"Sorry for what? The slavers? Albert, they imprison children! The wharf? Who cares? We needed to get away. No … don't worry about any of that. But I do want to find out how you *did* it." There was a quality in her voice that he hadn't previously heard. It sounded almost admiring. "The petrol drums," she went on. "The way you just set them off… I've never known anything like it before."

"It's not something I plan," he said. "It just happens. I don't *want* to do it, you know."

"Maybe not. But it was an amazing thing to see."

"It's an awful feeling. I lose control, and this terror builds up inside me, and…"

He stopped. She wasn't listening to him; she was talking as if to herself. "No *wonder* they want to kill you," she said. "Or lock you up again. I'm beginning to understand it now… You're going to have to tell me more about this Stonemoor place, Albert. And about Doctor Calloway too."

In many ways, Albert considered that his true life had begun five days before, in a whirl of tumbling metal, as the bus rolled off the forest road. As ever when he considered the time before that, he felt the old dread rise round him like river fog. Memories came rushing back, as if carried by ghosts across the mists and water. The intensity of Scarlett's interest was disturbing. He regarded her miserably and said nothing.

There was a cough behind them. The old man stood there. Mercifully, he now wore a pair of trousers; also a plaid cotton shirt, a sleeveless denim jacket and a pair of grubby blue deck shoes. The little girl was in a dirty cotton smock and went barefoot. She was sitting at one of the plastic boxes at the front of the raft, tucking into a shrivelled apple with apparent relish. The blankets and pillows under the tent had been cleared away, and two rickety deckchairs erected in their place. The wind had also blown some of the charcoal into the river, so the raft was not quite as decrepit-looking as before.

All this was good news. Less good was the large black bulbous-ended shotgun in the old man's hands, which he was pointing directly at them.

Albert blinked at him. "What's this?"

"A blunderbuss. It can blow holes in both of you at once, so don't try anything." The old man gave them a baleful glare. "Where is the money for this voyage?"

Scarlett indicated her bag. "We have it here. What happened to the part about us being valued customers?"

The old man's eyes bulged; his bristly chin jutted fiercely as he spoke. "All in good time, missy. This is my insurance policy against hijack. When we made our agreement, I thought you to be an honest young woman and a naive young man, newly-weds perhaps, planning an eccentric cruise. Now, in the clear light of day, what do I see? A simpering oaf and a ragged she-bandit with bad hair, who left Lechlade under disreputable circumstances, and now make rude comments about my raft. The stench of desperation hangs about you both, and it sounds from your discussion that you expect pursuit. Frankly, you are not ideal passengers. Is it any wonder I take precautions?"

Albert could sense Scarlett losing patience. He made a placatory gesture. "Sir, let me set your mind at rest. We of course intend to pay your money, and will do so now. There will be an extra sum for the inconvenience of our hasty departure. Secondly, we apologize for insulting this noble vessel. But we have not properly been introduced. My name is Albert, and this..." He hesitated, whispered loudly sidelong: "Scarlett – do you wish to be known as Scarlett McCain or Alice Cardew today?"

She looked at him. "Given what you just said, I think Scarlett will do fine."

"Right! And this is Scarlett. Sir, it is a pleasure to meet someone of such gnarled antiquity; I am sure you are a repository of great wisdom, and we look forward to learning much from you while you are still with us. Perhaps you could also tell us *your* name?"

He smiled his broadest smile. It was a precarious moment. The old man's thoughts were a swirl of indignation, but he could see his resistance lessening. The mention of extra money had certainly helped matters: Albert glimpsed hazy images of an older version of the pudgy granddaughter, beautiful and tall and dressed in unlikely finery.

"Your child is very pretty," he added. "I believe you mentioned she is called Ettie? She will grow up to become a fine woman."

The old man held his gaze a moment, then sniffed and lowered the gun. "Maybe. Right now, she is a pest who eats me out of house and home. Very well, let us proceed with our arrangement. I am called Joe. And now perhaps you could see your way to giving me my money."

"Certainly, Joe! Right away! Oh, just one thing. Could we possibly go a little faster? The way *Clara* is drifting purposelessly is delightful, but there are people behind who might..." Albert hesitated, "... inconvenience us all if they draw level."

The old man grunted. "Not to mention hang you both from the nearest tree. Very well, I will start the engine."

He shambled to the wooden box below the tiller, unhooked its lid and lifted it up to reveal a metal motor and a mess of rusty wires. He prodded at a button, pulled on a throttle. There was a smell of petrol, a sudden flume and spray. The raft didn't exactly buck like a mule and charge madly onwards, but there was a marked increase in speed. The old man adjusted the tiller, and went to attend to his granddaughter. Albert and Scarlett were left alone.

"That was well done," Scarlett whispered. "You disarmed the old fool nicely. Much better than slapping him, which is what I was going to do." She opened her bag and took out a wad of money, which she counted through with practised speed. "For our captain. He can have twenty per cent now, the rest when we get to London. There's plenty to go around, anyway."

"I am sorry that your meeting with your fellow criminals

went wrong," Albert said. "I didn't have time to mention it before. I'm shocked by their dishonesty."

Scarlett snorted. "The Brothers? Don't worry about that! They're the ones who reneged on our deal. It's tough luck on them. I'm left with the money, and it's *their* men who ended up dead." She grinned at him. She seemed suddenly in a very good mood.

"But they'll put a price on your head, won't they?" Albert began. "Won't it be dangerous for you to—" A thought occurred to him. "Wait. Did you just say 'when *we* get to London'?"

Scarlett lifted her arms and stretched slowly, luxuriously, like a dog in sunshine. "Well, I can't hang around this part of Wessex now, can I? The Brothers are after me, not to mention the people of Lechlade, Cheltenham and the rest. Plus your Doc Calloway and Shilling. Maybe it's time I took a trip out east, after all. Disappear for a while. See the sights of the wild frontier…"

She flashed him another grin, and went to give the old man his money. Albert watched her go. He hadn't had time to sieve her properly, but he was aware that she wasn't thinking about the lands out east particularly, or even the pursuit behind them. She was mainly thinking about him.

Albert was tired. He sat on the raft, staring up the river. To the east, the sun showed as a pale lemon disc behind the mists. The banks on either side were broad expanses of purplish mud, fringed by low-lying woodland. There was no sign of human habitation. A single black deer, taller than a man, stood at the shore, drinking from the water. It raised its head as the raft went by, its ebony antlers glittering, then turned on spring-heels and with two bounds was gone into the brush.

Somewhere ahead were the Free Isles, places of refuge at the edge of England… They were still so far away, but with Scarlett at his side, perhaps it *was* possible to reach them. To Albert, the spectres of the night before seemed suddenly less menacing. For the first time since Lechlade he felt a splinter of hope inside him. The tension in his body lessened. He allowed himself a private smile…

"Hey, boy!" It was the old man calling. "If you've finished lolling about, there's danger up ahead. In a few minutes we pass a ruin occupied by a colony of large toothed spear-birds. It is their breeding season, which makes them savage. If we don't take steps, they will attack us, carry Ettie away, and rip the rest of us into bloody cubes of flesh. Or do you just want to go on sitting there?"

Albert sighed. All things considered, he thought he probably didn't.

# 17

On the edge of the low-lying Oxford Sours, the great Cataclysm of the past had sent up a spur of land – a ridge of breccia, shocked quartz and fused black glass, steep and curved and sharp as a quill. Through this ridge the persistent Thames had eventually cut its way; and here, high on a headland above the gorge, a concrete gun-tower had been built in the period of the Frontier Wars, to watch over the river and exact tolls from passing boats. This bastion, in turn, had fallen into ruin. Grey-black walls angled out above the churning waters, and twisting strands of metal rose stark against the sky.

In recent years, a colony of flesh-eating spear-birds had made their home in the tower. Their ragged nests protruded from every crack and window, so that the upper portions of the ruin were blurred as if by a surrounding haze of smoke.

Scarlett kept sharp watch on these nests as the raft drew near the gorge.

Right now, the sky above was empty, but it was as well to be prepared. She stood at the front of the raft, her coat and hair flapping behind her, checking her revolver with practised speed.

Loading it, spinning the cylinder, snapping it shut... There was a box of cartridges on a crate close by. The raft leaped and bucked on the uneven waters, but Scarlett remained quite steady, boots apart, straight-backed and resolute, chewing calmly on a piece of gum.

In fact, she felt more at ease than at any time since breaking into the Lechlade bank. This was what she liked – a clear, straightforward objective, a simple danger to be faced down. But more than that, she had a sense that things were going her way. She had a bulging sack of banknotes, a head start on her enemies, a gun in hand, and the wilderness up ahead. Life was good again, and the sun was shining too. And – not far away, in thrall to her, in debt to her, and dependent on her for his very survival – she had the remarkable Albert Browne.

Glancing back along the raft, she saw that everyone was in position. The old man, Joe, stood at the tiller, head lowered, his mane of hair haloed outwards in the wind. In one hand, he held a burning ammonia plug on the end of an iron chain, its bitter smoke curling and twisting out above the Thames. He had taken off his denim jacket and rolled up his shirtsleeves. He was giving little jerks of the hand, keeping the raft clear of the rocks on either side – displaying surprising skill. Surprising to *her*, at least. Not to Albert. Joe was a deft river pilot, Albert had said. And he was right. Because Albert knew these things.

The child, Ettie, sat inside the tent, playing contentedly with her battered set of wooden bricks. Four sheets of black plastic netting had been unfurled from the top of the tent awning and clipped to the deck, creating a sealed cube with Ettie safe within. It was the best place for her, in more ways than one. Scarlett had no time for little kids. They were annoying and distracting, and only got in the way. Predictably, Albert had been smiling and simpering at the child in the most fatuous manner as they got the tent ready. Scarlett had to admit, though, his performance was having a mollifying effect on the grumpy old man.

Albert himself was wedged between two crates, stumbling and swaying with every roll of the raft. His hair hung over his face and he looked fairly green. Joe had given him a knife and a bitter-smelling sulphur stick to help keep the birds away, but he was holding them limply, staring at them as if he wasn't sure which way up they went. She pursed her lips. Really he should have been locked in the tent with Ettie, for all the good he was going to do in the gorge. In practical situations, he was completely useless. And yet...

Scarlett chewed on her gum, thinking back to the wharf. To Albert, just standing there above her. To the petrol drums igniting...

She couldn't get over what she'd seen.

The raft entered the gorge in the middle of the river. The shadow of the cliffs closed over them. The waters became still more turbid, choked with tumbled slabs of concrete. And now, high up among the tangled nests, Scarlett spied movement – great broken-backed shapes unfurling themselves, long necks untwisting, bullet heads turning to survey the Thames below.

"Eyes upwards!" she called.

She readied the revolver in both hands. Six sulphur sticks burned in metal sconces along the edge of the tent, sparking and spitting in the cold air of the gorge. With luck, the sulphur and the ammonia would ward off all but the most aggressive birds. Her gun would deal with the rest.

Albert… The woman had terrified him, of course, there was no doubt about it. Much of his story was evidently true. Just the sight of her had so unmanned him, he'd gone practically catatonic back there at the wharf. For a couple of minutes, he'd not been functioning at all. But then he'd woken up – and his power had come out.

His *power*.

What you could *do* with that, if you knew how to control it…

Scarlett chewed her gum methodically, thinking.

The raft spun on the rushing waters. The rocks ahead were floured with fragments of bleached bone. High over the tower, a stream of shapes rose, black and twirling, like twists of paper spat upwards by a bonfire. They went straight up, reached an invisible ceiling, spread out slowly, side to side, following the line of the gorge. Wings cracked like sailcloth; long necks flexed. Sunlight sparked on beak and claw.

"Here they come!" the old man cried.

Scarlett glanced aside at Albert, checking he was ready – and caught him looking at her. She could not read the expression on his face. It was bland, thoughtful, appraising, and something about it made her flush. She pushed the hair out of her face, gave him a stern look. "Concentrate!" she called. "Keep looking up!" It would be such a waste to have him eaten now.

Several of the black shapes descended, angled inwards on the raft. Scarlett saw red eyes, leathery necks. The birds reached the edge of the sulphur cloud and veered suddenly aside.

Scarlett rotated slowly, gun half raised. So far, so good.

"Five minutes!" the old man shouted. "In five minutes, we'll be through!"

Air moved. A shadow appeared over Scarlett's head. It spread rapidly out across the deck. She looked up, and for a second had a glimpse of a descending cloak of wings; two outflung legs, ribbed and white and muscular; a gaping, serrated beak… Long claws sliced towards her face. She fired the gun. The claws twisted past; the bird sheered off above the deck, collided with a crate and spun away across the gorge.

Scarlett looked around her. At the tiller, the old man steered with one hand; with the other he swung his ammonia plug on the end of the chain, looping it high and low to create a sphere of acrid smoke, about which two black forms ducked and wheeled. Albert was waving his stick frantically at another bird, which hovered above him, beak snapping, neck darting like an eel. Scarlett spun where she stood, hair out, coat out, firing as she went. The three birds died in mid-air, became feathered stones that tumbled into the water and disappeared.

"All right, Albert?" she said. He was staring at the end of his stick, which had a gouge clawed out of it. The sulphur grease was dripping like wax onto the deck.

"Yes!" He flashed her a big smile. "Aren't these spear-birds *interesting*? Do you see how long their beaks are? I wonder if the spurred serrations have evolved for them to catch fish in the river… I don't think humans are their usual food."

Only the fact that the next bird lunged at him head-on saved him from dying in the middle of his observation. He ducked at the last moment, and the beak snagged in his hair. Scarlett's gun roared; the bird pitched onto the deck and skidded towards her, leaving a bloody trail. Its rope neck thrashed; its beak clashed feebly. Scarlett kicked it over the edge of the raft.

"Albert, what's the matter with you?"

"Sorry. I was just thinking about the structure of their beaks."

"I know. And one of those beaks nearly had your face off."

"You're right, of course! I listen and obey! From now on, I shall concentrate with utmost vigilance!"

In fact, Albert's vigilance was no longer required. They were past the tower. On either side, the cliffs were receding sharply, the river's spate was lessening, and ahead of them a shaft of golden sunlight lay aslant the valley like a curtain between the hills. They emerged suddenly into its warmth and brightness. A small toothed spear-bird that had been hovering at the tent, trying to bite its way through the netting to get to Ettie, gave a harsh croak of frustration, beat its wings once and ascended. The raft drifted on. The other birds wheeled and cawed and began climbing the thermals back to their nestlings in the gorge.

The old man shut off the engine, so they floated with the current. There was a sudden startling quiet. Ahead of them, forested flatlands stretched away beneath the sun.

With the attack over, the occupants of the raft assessed their losses. Scarlett and the little girl were unharmed. Albert's head felt sore where some of his hairs had been yanked out. Only Joe had actually been wounded. He was bleeding profusely from one ear.

Scarlett got her medical kit from her rucksack, located cotton wool and antiseptic spray, and offered it to the old man.

He waved his hand. "I don't need any of that."

"Don't be a martyr. You've been bitten. This will help."

"It's just a nick."

"Your ear's hanging off. Do you want the child to run screaming from you? Shut up and get it fixed."

"Worse things happen every voyage. Quit fussing. It will dry. Now who wants breakfast? That fight has given me an appetite."

Breakfast on the raft *Clara* turned out to be black coffee and scrambled eggs, which Joe prepared on a griddle concealed beneath a section of board in the centre of the deck. It was surprisingly good. The little girl drank milk and, with a huge white moustache across her upper lip, tucked into her egg under the watchful eye of her grandfather. Everyone sat in silence, eating from battered metal dishes. There was a general state of numbed exhaustion.

Scarlett took the opportunity to study Joe and Ettie well. Close scrutiny did not improve her opinion of either of them. The child had very pale, straight hair, so fair it was almost translucent, like the wheat stalks left in the fields after harvesting. She had a round stomach, a large head, and supported herself on two splayed, pudgy legs. Her eyes were wide and black, and her cheeks red, suggesting a capacity for high emotion. The mouth was small and tightly drawn. It was a capricious mouth, thought Scarlett. In fact, the girl looked both thoroughly helpless and possessed of an iron will. This combination of neediness and determination did not appeal to her.

As for the old man, he did not display any of the meekness or caution to be expected of someone who had fallen in with a pair of desperate outlaws. For a poor, itinerant raft-dweller, he had a surprisingly proud bearing. His glittering eyes were never still, flitting from Scarlett to Albert and back again in a cool and calculating manner. Scarlett frowned. No question about it, he would have to be closely watched throughout the voyage.

At length Joe cast his dish aside. "Since we have a moment's rest, let us recap our situation. You are two felons, running away like cowardly dogs to escape the consequences of your crimes. I am being paid a large sum to help you do this. You want to be dropped off at one of the Great Ruins, at which point the rest of my money will be handed over. Correct?"

Scarlett frowned. "Not entirely. You missed the part where we are forced to cohabit on a listing wreck with a thistle-haired geriatric and a fat-thighed infant. Let's be precise here."

"I'm not quite sure about the 'cowardly dogs' bit, either," Albert said. "I actually have a positive quest, which is to seek the free peoples of the lagoon, where I might live a life of fulfilment, beyond the reach of repression and cruelty. As for Scarlett, she has her rather tangled business affairs to sort out, plus one or two secondary misunderstandings caused by her falling in with me. She's simply looking for a place to take stock and make appropriate arrangements, so she can return in due course to the bosom of her friends and comrades. Isn't that right, Scarlett?"

"In a manner of speaking."

The old man took a swig of coffee. "In short, you're both scarpering. Clear as day."

"Well, whatever we're doing," Scarlett said, "we need to move fast and avoid trouble. The Surviving Towns are no friends of ours, and word will spread about what happened in Lechlade. Pigeons will be flying far and wide. Can you get us to the lagoon quietly and safely? If not, we'll need to find alternative transport."

"Good luck with that." The old man picked at his teeth with a grubby finger.

"Have no fear, Scarlett!" Albert said. "Joe knows every inch of the Thames! He is a master of countless routes through the Oxford floodlands towards the lagoon. Secret ways, which few others know. Is that not so, Joe?"

The old man stared at him. "It is, though I don't know how *you* know it…" He shrugged. "Ettie and I travel the great river from the herring fisheries in the estuary to the fens of Cricklade. We sell our kippers in the Surviving Towns. It is our life. There is little more to say about it. However –" He reached into the inner pocket of his denim jacket – "it means I know the river like I know my own backside – intimately and well, every imperfection, every unexpected detail. Here is a colour diagram."

"Of the river?"

"Of *course* of the river. What else would it be?" He handed over a folded parchment. Scarlett saw that the paper was old and stained and much repaired, and glued into a leather binding. It concertinaed out to show almost the whole length of the Thames, running west to east, with the river neatly drawn in blue and black ink, and tiny red-walled buildings marking the Surviving Towns. There was Lechlade, sat on its river bend. There was Chalgrove, Reading, Marlow and the rest… The flood plain was a cat's cradle of interlinking streams and channels. Weirs, cataracts and other hazards were marked in green. The lands around were mountains and forests, with tiny beasts drawn in them, and also human-like figures, stick-thin, sitting on piles of bones. In the extreme east, the river broadened into the London Lagoon, where red-walled ruins rose from the shallows, and there were sketches of giant fish and water-monsters. Beyond that was the sea.

"Looks about right," she said. "Well, we should get on. We don't know who might be behind us." She saw a shadow cross Albert's face.

The old man's ear was troubling him. Before starting the engine, he retired to wash and bandage it. The small girl lolled on the edge of the deck, sticking her fingers in the water. Albert went to sit beside her. After a moment, Scarlett got out her prayer mat. She had not used it since Lechlade, since before the bank job. It had been too long, and she could feel the unworked tension coiling in her limbs.

Even the feel of the tattered cloth was enough to calm her a little. She unrolled it at the front of the raft, as far from the others as possible. The stained red and orange mat fitted perfectly on a bare patch of the decking. Scarlett sat cross-legged on it, took a piece of gum to aid her contemplation, and closed her eyes.

She knew it would be a hard one, that she would struggle to lose herself. She had much to think about, and several issues for her conscience to resolve. It didn't help that Albert almost immediately started a conversation with the old man, warning him loudly about what would happen to him or the child if they disturbed Scarlett's state of grace. Scarlett did her best to shut it all out. Her heart began to slow; the fierce tautness of her nature relaxed. She thought through the events of the past few days: the treachery of the Brothers of the Hand, the encounter with Shilling and the pale-haired woman... And Albert – always Albert. Albert at the centre of it all.

A sound broke in on her meditation, a distant humming, like a trapped and angry fly. Scarlett frowned, trying to concentrate...

There was so much she didn't yet understand about Albert's past or the people who were chasing him. Stonemoor, Doctor Calloway, the Faith Houses … it was all slightly out of focus. But the implications of his abilities were far-reaching. She had to investigate them, if she could. One way or another, the journey down the Thames gave her the chance of uncovering a little more.

The odd buzzing noise was still there. Scarlett opened her eyes – to find the old man standing not three feet away, a bloody bandana across his ear, staring down at her with bog-eyed intensity. In fact, he was multitasking, since he was also eating an apple and scratching himself in a private area. Scarlett cursed. Scrabbling for her gun, she sprang to her feet, almost tripping on the prayer mat in her haste. "Albert!" she cried. "Look at this! So much for my state of grace! You let him get right close to me!"

Albert Browne glanced up from the map, in which he was engrossed. "I think he was just interested in your meditations. I'm not surprised. I am myself."

"He might have had a weapon!"

"He had an apple."

"It doesn't matter what he had! You are *so* useless!" Scarlett gestured angrily. "And you – what do *you* want, old man?"

"Joe."

"What do you want, Joe?"

The old man took a bite and chewed it shruggingly. "I came to tell you that the birds are rising again."

"The birds?"

"The birds in the gorge."

Scarlett assimilated this. The sun shone on the river and the purple-brown mudflats and the forested wastes on either bank.

She looked back along the curl of the river to the spur of high ground in the west. Above the ruin, dark forms were circling against the sun. As they watched, first one bird, and then another, wheeled and plummeted out of sight.

"Something else is coming through the gorge," Joe said.

From somewhere out of sight, faintly carried on the still air, came the distant buzzing. A soft, persistent burr. An engine running.

"Yep. I reckon that's a motorboat," the old man said.

# 18

$A$ PUNCH ON THE NOSE, A KICK IN THE PANTS, BEING GRABBED BY his bony neck and hurled out into the river – Albert could see from Scarlett's thoughts how close the old man came to regretting the lackadaisical manner of his announcement. Outwardly, though, she controlled herself.

"Please start *our* engine, Joe," she said. "We have to go."

She came over to stand with Albert, who was gazing upriver towards the gorge. Nothing was visible behind the raft, but the thrumming sound told its own story. Far off, but not too far, something with a smooth-running motor was cutting through the river's brightness, water fountaining from its prow.

"Coming fast," Scarlett said.

"Do you think it's—"

"Yep." She glanced across at the old man, who was bending over the engine box, pulling vainly at the throttle with a frown on his face. "Do we have problems, Joe?"

"The engine's not come on."

"I can see that. Why?"

"It's not the oil. I did that last night. Everything lubricated.

Never done a better job."

"So it's not the oil. What else might it be?"

"The ignition cable is always giving me gyp." He peered into the box. "Yeah … the little bozo's come unstuck. Either of you have a tube of glue or bonding agent?"

"No."

"Didn't suppose it was the kind of thing that murderous brigands carry about. Course, if I'd asked for a disembowelling knife or a knuckle-duster, I'd have had more confidence." The old man tapped his fingers on the side of the box. "I need something sticky. OK, girl –" He held out his hand – "give me the gum you're chewing."

Scarlett took the gum from her mouth and passed it over. Albert stared back along the river. The birds were returning to their nests in the tower. The distance was too great for certainty, but there was something on the water now. A dot, suspended on the silver… It might almost have been a piece of grit hanging on his eyelash.

He knew who it was. She was coming. Terror spread like rust inside him.

Joe fixed the gum, reached for the throttle. This time, the engine started with a roar. The raft jerked; the little girl fell over. Albert nearly capsized into the river. Scarlett stayed perfectly balanced, arms folded, face calm, staring upriver towards the distant boat.

"Good," she said. "Now we'll see."

They sailed on, and the Thames shone milk-white with morning. The raft was surprisingly swift, skimming lightly across the surface. It seemed more than a match for the motorboat.

Almost at once the dot behind fell back and was lost to view. Albert waited for a long while, stomach knotted with anxiety, but it did not reappear. The raft's propeller throbbed confidently, turning the water to foam.

The river progressed in long, easy loops between forested hills. There were small villages tucked beneath them, each ringed by its iron or wooden stockade, and with nets strung across the rooftops to ward off the great toothed birds. Fishing boats idled in the Thames shallows, and people watched from the fields as the raft went by.

The old man worked the tiller. Scarlett sat on a crate in the sunshine, cleaning her gun. Ettie started playing a game, walking round and round the tent at the centre of the raft, patting each of the four poles in turn. There was no obvious reason for what she did, but her thoughts were identical to her actions, which suggested she was content enough. Albert felt his tension ease somewhat as he watched her. It took his mind off what pursued them.

Scarlett approached. The light shone on her hair, and her eyes sparked green. "Feeling worried?" she asked.

"A little, Scarlett, yes."

"Well, I've got to say this heap of junk's going better than I expected. It's at least as fast as whatever's behind us. We may actually outrun them…" She regarded him speculatively. "Course, if I could do what *you* do, I wouldn't be too fussed either way. I'd just sink the bastards when they got near. Or blow them up or something."

He shuddered. "I can't do that."

"You did something bigger last night."

"No. That was just one petrol drum. And it's worn me out.

I couldn't lift a finger today. Besides –" He shook his head in disgust – "even if I *was* strong, I can't always manage it. Sometimes in the tests I manage nothing, no matter how much she hurts me. Other times, the Fear comes – and that's worse."

"The Fear?"

"It's when I lose control. I call it that because it happens when I'm scared – and because I'm terrified of what it does. I get upset, Scarlett, and when I get upset..." His voice trailed off. He was back in the alley with the slavers. One moment with three people, the next alone. With an effort, he blinked the sunlight back into him. "You wouldn't want to see it," he said. "That's all."

Scarlett's eyes were on him. "So she tests you, does she, this Calloway?"

He thought of the chair, the wires, the blank, white-tiled room. "Yes..."

"Does she say why?"

"To cure me. To teach me control. I've got none, Doctor Calloway says. Not in the tests, not anywhere. I'm too dangerous and unpredictable. That's why they put the mind restraint on me."

"Well, you're not wearing the mind restraint now," Scarlett said, "and we seem to be knocking around all right, don't we?" She gave him a swift half-smile. "And if we can get to the floodlands, the old man says there are endless tributaries to hide in. So don't start fretting yet."

The raft chugged on. The river villages fell behind them. Woods rolled unbroken into the distance across countless rounded hills. They passed great ruins, rising above the forest like the vertebrae of giant beasts. Noon came; the sun tilted to the west. It shone brightly on the treetops, but the ground was black with pooling shadow. There had been no sight or sound of the pursuing boat – if such it was – for several hours.

The trees thickened; broad-trunked oaks of extreme age congregated on opposite banks, stretching out enormous branches that laced overhead to become a solid canopy. The river ran onwards through the emerald tunnel. The water was greenish, darkly dappled, glinting with sparks of sunlight. The air was warm and close, and Albert began to grow drowsy.

A somnolent atmosphere enveloped the raft. The old man remained at the helm, half dozing, his bloodied bandana askew across his forehead. Scarlett sat in the deckchair at the front, legs crossed, arms folded, hair over her eyes. Albert went to sit near Ettie at the awning. She was a busy little girl. Right now, she was rolling a wooden ball along the deck, trying to strike the coloured bricks. Albert found a yellow brick and held it out to her, which the child took after only the slightest hesitation. Presently she brought him another, handed it over with great ceremony and coquettishly danced away.

It pleased Albert to be with Ettie. He liked her company. She reminded him of some of the smaller inhabitants of Stonemoor, the little children he had seen wandering in the grounds of the house. It was different with Scarlett, he noticed. She didn't acknowledge the girl at all, seldom even looked at her. There was a stiffness in her response to the child that surprised him. She was normally so flexible.

All at once, he saw the old man walk past with his blunderbuss in his hand.

Joe reached Scarlett and nudged her awake. She was instantly alert. "What is it?"

"Up ahead."

Getting to his feet, Albert looked too. A wisp of grey smoke was rising among the trees, close to the riverbank on the left side, twirling and twisting in the noonday light. It was very thin and nebulous, hardly perceptible against the green. It didn't seem much to Albert, but Scarlett and the old man stood and watched it, side by side. Albert became aware of their stillness; of a new seriousness between them.

"What's the matter?" he asked. "What is going on? It's not … our enemies, surely? I thought we'd lost them."

Scarlett didn't answer him. She spoke to the old man. "You got other weapons?"

The old man pointed. "That box at the stern. A rifle."

Scarlett went to the box, threw the lid open, took out a long-muzzled gun, began doing competent things with cartridges. Joe hurried to Ettie, who was chasing her ball across the deck. With unexpected speed, he scooped her up, bundled her to the nearest crate, and to Albert's horrified amazement, thrust her inside. He shut the lid, oozing tension, and locked it. Ettie made no sound.

"What are you doing that for?" Albert asked. "You'll upset her!"

"Shut up," Scarlett said. She hurried past him with the rifle, went to stand with Joe. "You keeping the engine on?"

"I don't like to. But the current's so devilishly slow."

"Keep it on."

Joe went to the tiller, adjusted it so the raft moved away from the left-hand bank. The raft chugged onwards. Light played softly in the greenness overhead. Scarlett raised the rifle to her shoulder and stood on the left side of the raft, pointing it towards the forest.

The vast black trunks stretched into dimness like the columns of a subterranean hall. Thick dunes of red-brown leaves sloped out into the water. A faint smell of burning reached the raft, a peculiar sweet-sharp tang that made Albert wrinkle his nose. All at once he realized how silent the forest was beyond the throb of the engine, how utterly dead and still.

A minute passed. They drew level with the thin column of smoke. It was set back a little from the bank, and the source could not be seen. The old man was a low, hunched form at the tiller; Scarlett and her rifle might have been carved from stone.

Albert's heart was pounding, a fact he found rather peculiar. It was entirely due to the reaction of the others. He wanted to sieve Scarlett, understand her fears, but knew he needed to concentrate on what was around him. It was odd, though. He couldn't see that anything—

Scarlett's rifle made a sudden movement, a quick jerk sideways. Albert started; he turned his eyes in the same direction. Far off in the trees, where the light broke and became green shadow, two shapes were standing. They were human-sized, but very thin and of an almost luminous paleness. He could not see their faces, clothes or what they carried. They made no sound. Albert imagined they were watching the raft go by, but there was no evidence of this, as they did not move or react in any way. Nevertheless, Scarlett kept her sights locked on them, turning herself slowly as the raft passed on around the curve of the river. She didn't fire. The two white shapes became granular, were lost in dimness beyond the trees. Scarlett kept the rifle trained on the bank. She kept it there for twenty minutes, until the raft came out of the woods and the sunlight fell on them properly again. Then she lowered it with a sigh.

Joe revved the motor and went to let Ettie out of the crate. The raft sped on.

Albert found that his jumper was wet with sweat. He at last caught Scarlett's eye.

"The Tainted," she said. "Think yourself lucky. They must have eaten recently."

Not too long afterwards, with an almost shocking abruptness, the endless woods gave way to scrubland, and the scrubland to reed marshes and low green water-meadows. A sense of sweet relief was palpable on the raft. Albert shared it, though he did not fully comprehend the reason why.

The old man wiped his forehead with a yellow handkerchief. "Well, we've evaded disaster twice over today, which is more than enough for anyone." He nodded with grim appreciation at Scarlett, who was putting away the rifle. "I sense your competence in matters of violence. Where did you learn your skills?"

Scarlett shrugged. "I've been around."

"I can see that. Been around places of death and slaughter, and come out with a spring in your step. It's a sad state for one so young."

"Is it?" Scarlett's face showed no emotion, but Albert could feel the doors closing in her mind, as they always did whenever her past was evoked. "I'm alive, which is what counts," she said. "Alive – and free to make my own way in the world."

"Yes," Joe said, "and where will that way lead you? To yet more robberies, ever-greater wickedness, and a horrid, messy end…" He rubbed his hands together festively. "Still, enough of my predictions. The good news for now is we are nearing the flood plains. Once there, we can hole up among the reeds and rest. We will need to use the oars soon. You will find them clipped beneath the gunnels. Take them out and keep them ready."

Scarlett went to locate the oars, as cool, calm and efficient as she had been all day. Albert lagged behind her, looking back the way they'd come, conscious again of a pressure in his belly, an agitation weighing on him like a stone. He'd had the sensation since waking. In the forest it had dwindled; now it was gathering strength again. He stared along the river's emptiness, its curving mudflats... Nothing on the water. Just sunlight and floating branches and small white wading birds. He found it hard to look away.

The Thames entered the floodlands. There was evidence of human occupation again beside the river. Black cattle lay hunkered like gun-emplacements in the meadows, heads swivelling slowly as they passed. Now small settlements hugged the river bends – clusters of single-storeyed wooden houses standing above the mud on concrete supports.

Joe gave them their names as they went by: Witney, Eynsham, Yarnton... "The people trade mostly in wickerwork," he said. "In the ordinary way, if you want reed baskets, shrimp pots or amusingly endowed model donkeys they are good places to stop. But you are not ordinary travellers, are you? We must keep going."

As they passed the final village, the raft's motor began to make dyspeptic clicks and pops, and emitted occasional puffs of smoke. Scarlett and Albert looked at each other in alarm. It was noticeable that their speed was not as marked as before.

The old man shrugged. "The engine's overheating. It's not used to being in the service of fleeing desperadoes all the day.

And we are probably running short of petrol. For now, we have to slow our pace."

"If we must," Scarlett said. "We're almost at the reeds, so it probably doesn't matter."

Albert made a small sound, half-sigh, half-moan. "I think it *might*, you know," he said. "Look."

He pointed. Far back along the river: a flash, a bright white glimmer. It came again.

Sunlight on a windshield, maybe.

And a dot in the distance, growing.

"Scarlett..." Albert said.

She cursed, put a penny in her cuss-box. "I see it. Joe—"

The old man gunned the motor. "Don't hassle me. I'm doing what I can."

The raft sped up, then slowed again, the engine skittish now, sometimes revving valiantly, sometimes losing energy for no apparent reason. The dot became a smudge; the smudge became a boat, blunt-nosed and bullet-like, carving an arrow of spume and froth beneath it. Albert could not take his eyes off it.

"They're catching up," he said. "It's no good. They're catching up with us fast."

He could feel panic washing up inside his limbs. Beside him, Scarlett was calmly inspecting her revolver, checking the cartridges in her belt loops. Doing the things she did before the onset of bloodshed. She didn't say anything. She was chewing on a strand of hair. It was her only concession to nerves.

The raft rounded a bend, temporarily out of sight of the boat behind. Reed beds bristled on either side – thick as fox pelt, and veined with inlets of muddy water that wound into their depths.

Joe held course for another minute, perhaps two – then shut off the throttle. The engine pulsed, throbbed deeply, came almost to a standstill. He moved the tiller so the raft turned at ninety degrees and nosed towards the reed beds.

"Take up the oars!" he called. "No time to lose."

Albert took a long-handled oar; following Scarlett's lead, he stood at the front of the raft, keeping obstacles at bay. Nudging and negotiating, they approached a break in the reeds. Joe steered the raft in, away from the open current. He shut the engine off entirely. It was a quiet, green place. The feathered reed tops waved gently above their heads. Scarlett and Albert moved the oars, began to row them deeper in among the stems. They zigzagged slowly onwards. The open river was far behind and there was still no sign of the shore.

The old man rummaged at his shirt front and drew out an object on a silver chain. "Which of you's got the strongest lungs?"

"Need you ask?" Scarlett said. "Me."

"Then you can have this whistle. Its sound is too high-pitched for human ears, but it wards off blood-otters, river-snakes and other creatures that infest the Thames. It has saved my life a hundred times, and if you lose it I will seek appalling vengeance." The old man tossed the whistle across. "Start blowing. This is otter country. I've seen buck-otters in these waters big enough to swallow a girl like you whole."

For a minute or more, they eased deeper into the green dark. Scarlett blew repeatedly on the whistle, which made no audible sound.

At last Joe raised a hand. "Now we must be silent and wait."

Ettie was uneasy in the reeds. In her mind, the green curtain was alive with monstrous forms that threatened to reach out and seize her. She whimpered, and threatened to do more. Joe padded to a box and returned with a heel of bread. The child took it, snuffling, and stuffed it in her mouth.

They waited. The reeds hung still; the raft floated dim and silent in the shadows.

Along the sunlit waterway came the sound of a pulsing motor engine. It drew near, growing in intensity. Albert watched through the forest of reed stems. Most of the open water was blocked from view, but he could see a single patch of dappled sunlight, stretching almost to the other side of the river. The pressure inside him, the stone in his belly, grew greater. The sound was very loud now – loud, but disembodied, and the white-prowed boat that suddenly cut into view seemed to move independently of it. It flowed forwards smoothly and effortlessly and very fast, with a lip of clean, white water dancing along the curve of the hull. In seconds it had passed onwards and away, and thus Albert only had a moment to take in the stocky man in the bowler hat and long grey coat standing at the wheel. And Doctor Calloway, sitting stiff and pale and upright in the seat beside him.

She did not look; she did not notice them. Albert stood frozen, as helpless as if strapped back in his chair in the testing room at Stonemoor. The motorboat passed out of sight. The noise of the engine dwindled. A faint wash passed through the reed forest and struck the side of the raft, rocking it feebly up and down.

# 19

For Scarlett, reaching sanctuary in the reed beds was the culmination of a highly successful day. They had evaded their enemies, survived several open skirmishes, and progressed a fair way down the Thames. They had bypassed a close encounter with the Tainted, which was perhaps the greatest relief of all. The raft had proved manoeuvrable, the old man acceptably competent; even the child had bothered her less than she had feared. It couldn't really have gone much better. After the near-disaster at Lechlade, there was much to be thankful for.

It had been interesting to watch Albert too. It was true that he had not demonstrated any further startling powers, but the tenacity of the pursuit was yet more evidence of the value Shilling and the woman placed on him. Equally obvious was the utter terror he felt of Doctor Calloway. Five minutes later, with her long gone, he was still trembling like a jack-rabbit. Scarlett practically had to coerce him to take up an oar.

They poled the raft a little way on, until they reached a watery glade, where the reeds formed an unbroken wall around them. It was the perfect refuge to spend the night. The sky was a darkening dome; the raft floated in the centre of the circle. They were sealed off from the outside world as if in the belly of a whale.

The old man lowered a lump of masonry on the end of a chain; this would be their anchor. Soon he had smoked fish and sliced potatoes frying in a pan: the smell was so delicious it made Scarlett feel quite faint. She hung a lantern at the tent, where the child sat with her wooden bricks, then she went to where Albert sat, gazing at the dark.

"I meant to tell you," she said. "You did well today."

"Today?"

"The chase. The Tainted. The whole thing."

"Oh." He frowned. "I don't think I actually *did* anything."

"Exactly. You didn't fall in the river, or hit me with the oar, or squeal annoyingly at key moments... Basically you managed to avoid cocking things up."

A wan smile replaced the frown. "Thank you, Scarlett."

"And your Doctor Calloway has lost us now. We're safe."

"Really? I would like to believe that."

Scarlett looked across at the old man. "Joe! Our pursuers are ahead of us. How shall we avoid them tomorrow?"

Joe was squatting at the griddle, prodding at the food with a wooden spoon. "More than likely they will head to Chalgrove – that's the next main river town. At some stage, they'll realize they've missed you and lie in wait. Fortunately, here in the floodlands there are options. I suggest we go a different way."

"Aha, good. Which is?"

"The river splits into many channels among the reed islands. The southernmost passes the Didcot Barrens, which are sinister but uninhabited, and rejoins the main artery at Bladon Point, where there is a trading post. I have stopped there several times. A group of ten or twelve men occupy the fort. They are soldiers and traders; rough men, but honest in their way. They operate quays on both sides of the hill. We can get food and petrol there, and continue to the lagoon. We will have left your enemies far behind."

"You see?" Scarlett turned again to Albert. "Farewell and good riddance, Doctor Calloway. You can forget all about her now. Your destiny is yours again."

Something of his old optimism was returning to Albert's face. "I hope you are right," he said, "and that I will come at last to the Free Isles."

"Yes, where you can cuddle up with some other madmen on a barren, windswept beach." Scarlett felt a sudden sharp swell of annoyance at Albert's persistent naivety, his stubborn devotion to his plan. Really, it was such a *waste* of his talents… She gave a shrug of unconcern. "But it's your life," she added. "Do what you like with it."

From the griddle, the old man chuckled. "Wise words indeed, coming from a murderous bandit and ne'er-do-well! Listen to her closely, boy. And note the many patches on her coat and trousers, which show how competent her *own* life choices have been!"

Scarlett snorted, but didn't respond. Albert blinked in surprise. "I think you do Scarlett a disservice, Joe. She is a complex person. True, she is a killer, a wanderer and a thief. But have you not also seen her meditating on her sacred mat?"

The old man hooted. "What does that prove? Possessing a manky old mat means nothing! Does that make her holy? No. I've got fleas in my underpants that are more holy than this girl. That dirty tube doesn't change a thing. I bet she's brained people with it." He raised a tufted eyebrow and squinted at Scarlett. "I'm right, aren't I? You have."

Scarlett in fact dimly recalled a street fight in Swindon in which she had been forced to use the tube's strap as a garrotte. She stood, scowling. "Yep, and I'd be very happy to do it again in the next ten seconds, unless we have fewer insults and more cooking."

Still chuckling, the old man continued with his work, and in due course, the meal was eaten. As the smell had promised, it *was* delicious. Everyone was content. Joe and Ettie retreated beneath their blankets. Albert lay a short way off upon the deck; soon enough, he slept too.

Scarlett leaned back against a crate. Frogs called among the marshes. Overhead, an infinite mosaic of stars shone down. Presently an image from the past assailed her, as it sometimes did in the soft shallows of the night. It walked round and round the raft on little feet, never quite breaking free of the circling reeds, never coming out into the light. Scarlett sat motionless as the guilt scratched away at her insides. It was right to let it do so. This was its time.

Close by, there came a great soft watery sound, as of something large and deft easing itself into the shallows. Scarlett returned abruptly to the present. She felt ripples break against the side of the raft, and she reached out for her gun. The noise retreated. The stars shone. Presently her willpower faltered: Scarlett heard and saw nothing more.

In the blue light of dawn, with the mists thick upon the water, they steered the raft silently out of the reed beds, to once again reach the centre of the Thames. The motor was left switched off. They passed on among the low reed islands, and so came to a place where the river divided assertively into a number of separate streams.

"We take the right-most fork," Joe whispered. "The left is the route of honest folk. We take the path of outlaws and moral deviants. Ettie – shield your eyes!"

The little girl was playing peepo with Albert from behind the bed-clothes, uttering belly laughs at the extravagant faces that he pulled. She did not seem to care about the way.

After half an hour, with no sign of danger, and still with nothing but mists and reeds about them, they switched the engine on. Now Scarlett took up the tiller. The old man's wounded ear had swollen badly in the night, and he was showing signs of fever. He took a swig of antibiotic tincture from Scarlett's medical kit, and retired to his chair.

The river swept on; the day passed quietly. Scarlett and Albert took turns steering the raft. The motorboat of Doctor Calloway was not seen, and nor were any other vessels. The floodlands were sprawling and empty, the raft an improbable spot of colour floating in their midst.

In mid-afternoon, a range of low hills swung up from the south. The nearest hill was bare and arid, spotted with black glass, and criss-crossed with charcoal lines as if it had been blistered by lightning strikes long ago. As the raft passed the hill, it bucked and twisted on unseen currents, its beams rattling. Scarlett felt her teeth vibrating in her head. Then they were away and past, with reed beds resuming on the banks and the stream continuing smoothly.

"Did you feel that?" Albert said. "It was as if my heart was about to stop."

Scarlett's face was grey. She nodded. "It is a dead zone, left over from the Cataclysm. It is best to avoid such places. They aren't good for body or mind. Presumably this is the Didcot Barrens. We should reach the trading post soon, if the old man has told the truth."

The old man had. Less than an hour later, in the golden light of late afternoon, they saw before them a low and rocky bluff set back above the river. Another, thicker, braid of the Thames rounded the hill from the other side. The waters then converged and bent away to the east. Atop the bluff was a stockade, silhouetted rather gauntly against the purpling sky. There was one squared tower, windows where glass glinted, a number of birds circling above. The scene gave off a whiff of desolation: the modest nature of the fortification only served to emphasize the vast emptiness all around. Scarlett noted a green and yellow flag lapping on a pole high on the stockade. Otherwise there was no sign of life. Below the hill, reeds and scrub oaks fringed the riverbank, where a concrete jetty projected into the stream.

Scarlett moored the raft at the jetty. The old man was out cold beneath his blanket, as he had been all day. Albert and the child had started a hide-and-seek game around the crates, with much squeaking and hilarity. Scarlett took a wad of banknotes from her bag.

"All right, Albert. We're at Bladon Point. We need petrol, and food too."

He got up from behind a crate, pushing hair out of his face. "Are we going to rob it?"

"It's full of soldiers. We'll use honest money. Well, honest money that we nicked. Come on."

"What about Ettie? Joe's sick. I can't wake him. I should stay here with her."

"No. I need you to help carry stuff. She'll be all right."

Scarlett hopped out onto the jetty, the first time she had felt solid land in almost two days. Albert followed more slowly, his brow furrowed, glancing behind him. Ettie watched him go, blue eyes wide and serious. Her face broke into a broad smile. With surprising agility, the little girl clambered off the raft, tumbled onto the jetty, and got up to follow them.

Scarlett groaned. "Albert…"

Albert stopped, hands on hips. "Ettie, you *really* must go back."

The child grinned even more widely, and trotted towards him, arms outstretched.

A thought occurred to Scarlett. It was not impossible that messenger pigeons sent by the Faith Houses would have reached the fort by now.

"Oh, let her come," she said abruptly. "It might be good for us to have a kid. If word's reached here about the burning of the wharf, it won't have mentioned anything about a child, will it? She'll be cover for us. What harm does it do?"

Albert regarded the girl doubtfully. "I don't know. What will Joe say?"

"We'll be back before he wakes. Half an hour, tops. Look, she wants you to pick her up…"

"All right. I'll keep an eye on her." He swung Ettie up and nestled her against him.

The way plunged in among the scrub oaks, a pygmy species with fat splayed branches that arched low above their heads. The leaves were yellow and brown and there was a smell of wild garlic on the air. The child nuzzled into Albert's chest. She seemed to be enjoying the ride. "Think she *is* Joe's granddaughter?" Scarlett asked. "I mean, really?"

"Of course. Why not?"

"They just make an odd couple, that's all. She's a weird kid, anyway. Never talks. Never says anything."

"I suppose not. She's only little."

They continued upwards through the trees. At intervals they passed concrete platforms by the path, where piles of logs, sandbags, cement and other heavy supplies had been stacked. Everything was covered by a blanket of yellow leaves. Looking up between the branches, Scarlett could see the coloured flag flapping against the sky at the top of the tower. There was no one on the parapets that afternoon.

Ettie grew drowsy. By the time they neared the top of the hill, her eyes had closed. Scarlett gazed at Albert in wonder. "Wait, is she actually asleep? She is. I can't *believe* she's gone to sleep on you."

Albert patted the little curved back, but said nothing.

For a few minutes the path had been rising steeply in lazy zigzags between outcrops of black rock. Looking back, the ancient river showed grey and dark below the oaks. Now they came out onto a grassy bank with the angled concrete walls of the fort rising beyond. It was a windswept place. Close to, the fort was even smaller than Scarlett had thought, albeit well defended. No windows at all low down, a few gun slits higher up. The path ended at a metal door set in the wall.

Wood-cutting had recently taken place close to the path. There was a stack of worked logs, a mound of bark and lopped branches, a half-finished log resting on a trestle. A drift of white chippings had blown in a ragged oval halfway across the hill. An axe projected from the log. There was no one there.

"Are most trading posts this silent?" Albert asked. "It's not exactly bustling."

Scarlett had visited cemeteries with more live action. She stared up at the blank walls, listening to the silence. The birds that she had seen circling above the fort were gone. Away below them, beyond the ruff of trees, the flood plains stretched in deepening shades of blue and brown to merge with evening. It would be night soon.

"Perhaps the men are inside having dinner," she said, "or working down at the quays on the other side of the hill. This isn't the main door. It's probably rarely used…"

Even to Scarlett's own ear, her voice lacked conviction. Setting aside her doubts, she marched them to the gate and knocked smartly on the studded metal door.

"Right, Albert," she said, "our story is this: we are honest kipper traders and we need to buy supplies. Since I can frame coherent sentences, I'll do the talking. It's best you keep quiet, as usual."

They waited. "If anyone asks me," Albert said, "are we colleagues or family?"

Scarlett looked at her watch. She resumed staring at the door. "Whichever."

"Right. OK. I'll say family. So Ettie is our child?"

"Ack! I hope not! Just pray the subject will not come up." She rapped again. "Strange… It's a pity there is no bell."

"Why not try the door?"

"I suppose I could." She pushed at the cold iron, and the door swung smoothly inwards on oiled hinges. Scarlett and Albert hesitated, still half expecting a burly gatekeeper to stride out; when nothing happened and no one came, they stepped through.

The interior of the fort consisted of a square courtyard, open to the sky. The ground was of grey-blue concrete, and the walls were concrete too, roughly finished and purely functional. On three sides, arches led to ground-floor rooms set into the perimeter walls. There was another metal gate opposite, closed and barred. An external staircase rose to a first-floor walkway that ran beside the battlements. Here squatted three cannon like great black snapping toads, craning their mouths to the rivers below. On the fourth side was a building of two storeys, topped with a tower, where the flag of Bladon Point danced brightly in the dying sun. The highest reach of the tower was sliced with pink sunlight; everything else was flat and cold and dreary. In the centre of the courtyard stood a pump of dull black metal, with a concrete trough beneath. Under an awning was the skeleton of a half-built rowing boat. There were piles of rubber sheeting, folded tarpaulins and other items of vaguely nautical nature. But no people anywhere.

"Hello!" Scarlett called. The echoes reverberated in the empty space and were swallowed up by silence. The little girl stirred on Albert's neck. She opened her eyes and looked around.

"How many men did Joe say worked here?" Scarlett asked.

"At least ten."

She rubbed her chin in doubt. "Maybe they've gone down to the river…"

"We could take a look from the tower."

"I don't necessarily *want* to find them. I just want their supplies. But it's weird. Maybe it's been abandoned for some reason."

"Abandoned very recently," Albert said.

Scarlett became aware of a slow anxiety stealing over her, something to do with the desolation of the scene. She shook herself back into clarity and action. "Doesn't matter. We can take a quick look round. There'll be fuel and food here for certain." She set off towards the arches at a brisk pace. A wide one fitted with a pair of double doors seemed promising.

Albert did not follow immediately. He was wrestling with Ettie, who, having woken, wanted to get down. She stretched out her arms and legs and made herself long and fluid and boneless. Albert had trouble holding on to her. At last he set her to the floor.

"You can get down," Albert said severely, "but you need to stay close. Come with me."

The girl started to obey, but instantly noticed the water pump. Her mouth opened in an extravagant O of delight. She tottered across to it, stared into the trough, then began trying to move the great black lever.

Albert hesitated. "We need to keep an eye on her. Shouldn't leave a child near water."

Scarlett was at the double doors, pulling them open. "Albert, she spends her whole life on a raft with no safety rail. She can cope with a horse trough. Ah, *now* then. Come and look. *This* is what we want."

As she'd hoped, it was a storeroom for the fort. A gun slit high on the outer wall let in a ribbon of grainy light. In the haze she saw precisely what they'd been looking for: ranks of metal shelves, stuffed with hessian sacks and cardboard boxes, great stacks of firewood and coal. And, yes, there at the end – neatly stacked rows of plastic petrol canisters, evidently full.

Scarlett and Albert hurried to the shelves. To their vast satisfaction, the sacks and boxes contained an array of food-stuffs – dried fruits, oats, vegetables, tins of soup, racks of hanging sausages and cured meats. It was the work of a moment to collect a sackful; nevertheless, Scarlett found herself repeatedly looking over her shoulder at the open doors and out into the yard, where the child was dangling happily from the pump lever. No one else was there. The fort was empty. But her nerves were tight. The silence was unsettling.

Finally, she straightened. "That's enough," she said. "We can't take anything more. Think you can carry the sack and lead the kid? I'll take two fuel cans."

Albert too had been glancing back at Ettie and the courtyard. "All right, but I feel a bit awkward about this."

"About what?"

"Stealing. I don't feel happy about it. We should pay somebody."

"You stole from the bank happily enough."

"Yes, I know, but that was the *town*. And they were cruel to that poor horn-beak. This is all so tidily arranged. They take pride in it. It's important to whoever lives here, you can tell."

"Well, they've gone now, haven't they?" Scarlett frowned. "Look, we take the stuff. If someone comes, we pay them. If no one comes, we don't. OK? It's nice and simple…" She let her eyes rake the storeroom, wondering whether she should look for other useful things, but the silence of the place had got into her bones, and she had no heart for it. "Nice and simple…" she repeated. "Nothing to worry about at all."

Albert looked at her. "Why is your voice so hushed?"

"I don't know. Why is yours?"

"I don't know either. Shall we take the things and go?"

"Let's do that." She picked up the two canisters. Albert slung the sack over his shoulder, and they went out into the yard. "Where's Ettie?" Scarlett asked.

They gazed across the courtyard at the water pump, at all the doors and staircases. The little girl wasn't there.

"That's strange," Albert said. "She was here a second ago." He hurried to the water trough and looked in it. "It's all right – she's not in here."

"Good. Well, where is she, then?"

"I don't know. She must have gone exploring."

Scarlett let out a soft curse. She put a coin in her cuss-box. "What kind of tiny kid would *do* that, just wander off somewhere?"

"They all do it. It's the way children are."

"How do you *know* that? You've been locked up all your life… Bloody hell, Albert, you said you were going to keep an eye on her!"

"It's not just *my* job. Why is it my job? You're the one who made us bring her here."

"Never mind that. We need to find her. Is she on the battlements?"

"No."

"Then she'll have gone in through one of the arches."

They dumped the sack and canisters near the outer gate, and hurried across to the nearest arch. But it was just another storeroom, hung with waterproof coats, boots and boathooks. Tidy, well stocked … and utterly empty of a little girl.

The next door was locked, and the one after that proved to be a toilet. Two further arches were investigated without success. Ettie had vanished.

By now Albert was becoming agitated too. "Oh, what's Joe going to say about this? He's not going to like it! He's not going to be pleased with us if we've lost his granddaughter!"

"Shut up. Will you shut *up* about Joe?" Scarlett tried to speak calmly. "He'll never know about it, Albert, because we're going to find her. Aren't we?"

"Yes."

"So stay focused. She must be in there." She pointed to the only door they hadn't tried. It was on the west side of the courtyard, where the fort was double-storeyed, beneath the tower.

They jogged soundlessly across to the building. High on the tower, a few last fingers of sunlight touched the flag at the top of its pole, but these would soon be withdrawn. Soon the day would fade altogether at Bladon Point.

They reached the open door. Beyond was a large room. "I can't believe she got all this way over here," Scarlett said. "How can anyone with legs that short and fat move so fast? All right, she'll be just inside. Grab her and let's go."

But when they entered the room, it was desolate and still. A long wooden table stretched almost the entirety of its width, with chairs of cracked green leather standing all around. It was the dining hall of the men of the fort, and there were plates still upon it, with sandwiches half eaten, and mugs of cold congealing tea. Most of the chairs had been pushed back from the table, as if the occupants had got up and left at speed.

To the right of the room an open corridor stretched away into dimness. To the left was an arch to a kitchen, and a wooden staircase leading to the higher levels. No lights were on, though there were electric bulbs available in the ceiling. There was a faint hum, as of a working generator. Scarlett listened for the scuffles of a small person, or indeed the sound of *anybody*, but got nothing.

"Halloo! Ettie!" Albert shouted it at the top of his voice, making Scarlett jump.

She put her hand on his arm. "Don't shout so loud. I don't know why. Just don't."

"Well, we need to find her, Scarlett."

"I know we do." She went to the table, touched the curled tip of a sandwich, rough and dry like a lizard's snout. But not bone-hard and brittle, as she'd been hoping. Hours old, rather than days. She tapped her fingers lightly on the tabletop, thinking.

"Any of them eatable?" Albert asked. "She'll want food when we find her."

"She'll want a smack on the backside…" Scarlett was looking at the darkness. She felt a pressure building in her chest. More and more she wanted to be gone. But they had to find the girl.

Albert was gazing at her. "Are you all right?"

She knew he was looking at her thoughts – heaven knew what he was seeing – but this wasn't the time to challenge him. "Yes," she said. "I'm fine. We need to get this done fast. You check upstairs. I'll try the corridor. And, Albert – do it *quietly*."

He pattered away to the steps. Scarlett slipped into the corridor. Several doors opened off it, set into the thickness of the fort's wall. One was slightly ajar. Beyond was a blank, black space that smelled of ink and paper.

"Ettie?" Scarlett stepped inside. She flicked on the electric light, revealing a small square room, white-walled and carpeted, with filing cabinets, chaotic reams of paper piled on shelves, a desk and a chair. A framed etching of a market town on the desk. A hoop for ball games screwed to the wall, dark scuff marks on the paint around it. The office belonging to the bored administrator of the trading post, perhaps. No sign of Ettie. Scarlett turned to go.

Except… She knew that children sometimes hid themselves out of a misguided sense of fun. It was possible she was concealed behind the furniture, and indeed there *was* something small and roundish just visible beyond the nearside leg of the desk.

Scarlett took a step into the room to check. A single step – and stopped.

It wasn't Ettie. Nor was it a ball, or a bag, or a wastepaper basket, or any of the other things conceivably to be found in the office rooms of bored men in remote trading posts.

It was slightly at an angle, tilted rakishly against the desk leg, but turned towards her so that she saw the face.

She saw its expression of mild surprise.

She saw the pool of blood beneath it.

It was a human head.

# 20

JUST FOR A SECOND, SCARLETT REMEMBERED THE SEVERED rabbit's head lying in the grass beside the mere at Cheltenham, on a dawn morning almost a week before. Here too was the mess of blood, the eyes staring glassily upwards. But this was a man's head, with blue eyes and ruddy skin and a reddish-brown beard. Up top, a few strands of sandy receding hair. In a sad detail, given what else had been taken from him that day, you could see how he'd combed it forwards that morning to minimize his sense of loss. Scarlett stared at the strands of hair, locking her gaze on them randomly as her panic started, as her skin went cold and the sweat sprang out on her palms and inside her collar. She knew her body would begin shaking, and it did. Her pulse banged at her temple; it was like a tent-peg being hammered in. She waited for the initial violence of the attack to stop, keeping her breathing deep and steady, and all the time she didn't try to move. When she had control of herself, she took a slow step back. Very carefully she reached out for the switch, and turned the light of the office off. Then she backed out of the room altogether and gently closed the door.

She looked along the corridor.

Next thing she did, she took out her long knife.

"Ettie," she said softly.

No answer came. She imagined Albert banging about upstairs with all the gumption of a water-ox, shouting for the child. She imagined how loud he'd be, and the ease with which they'd find him… She bit her lip. This was not a good time to allow her imagination free play. She moved onwards quickly down the corridor, letting its silence flow around her. She did not think they were down there, and she did not think the girl was either, but she had to check. It took her less than a minute. In each room she kept the light off, spoke Ettie's name, waited, listened and withdrew.

She returned along the corridor to the dining hall. Now that she was looking for it, she could see the spots of blood in the dust of the concrete floor, where they'd carried the head. Why they'd carried that particular head out of the killing room and taken it to that particular office, she didn't have a clue. Why did they do anything? It could be some ancient ritual, could be they were afraid of his ghost, could be that it was just some mindless, crazy act, and there wasn't any goddamn reason at all. Truth was, if you thought too hard about anything the Tainted did, it drove you crazy too.

Back in the frozen dining hall, with its scattered chairs and the half-eaten sandwiches of the poor doomed men of the trading post, Scarlett made for the wooden staircase. As she did so, her eyes flickered to the open door and the courtyard's dusk, and just for a moment she imagined flitting away quietly down the hill under the oak trees, alone and free and never once looking back. And in that moment she was in the wrecked bus again, the instant before she'd discovered Albert, in the split second when she could have climbed out and gone her way, and spared herself a whole heap of trouble. That had been one of life's pivots, and here was another, and they were pretty much the same. In the bus there'd been one idiot to save; now there were two. That was the only difference. If she were honest, she didn't have any real choice either time.

She swore under her breath, but didn't touch her cuss-box. It was no time to fiddle about with coins. It would have made a noise.

Flowing like an untethered shadow, like a patch of liberated darkness, Scarlett climbed the stairs. At the first turn, she paused and craned her head around the corner. More steps. An angled ceiling. The stairwell was a tilted tube with the light draining towards her. She couldn't hear a sound.

Pressing close to the wall, she eased herself up the remaining steps. Not too slowly now. Resist the temptation of delay. Hesitation bred fearfulness; it was no good for the nerves. Even in a house of cannibals, it was best to keep moving, aim to get a brisk job done.

She reached the corridor above and stepped out onto it with her knife held ready. There was good news about the silence and bad news too, and they sort of balanced each other out. The good news, almost certainly, was that they were eating. It tended to distract them, keep them penned up in the killing room; they might be gorging themselves for hours. That gave her space to manoeuvre. The bad news was that they might be eating Albert and Ettie, and the longer she went without finding either, the more likely this would be.

There were doors to the left along the passage, and windows on the right that looked out onto the courtyard. The implacable dusk flowed across everything, thick, granular, heavy as syrup. It was getting hard to see, but Scarlett had no intention of switching on a light. She moved towards the first door – and now at last she heard something: a soft thud, up ahead.

She paused, listening…

The thud was not repeated. Scarlett pressed her teeth together. She stole forwards again and reached the doorway, which was wide open and very dark. It was also ostentatiously quiet; there was a quality to its silence that Scarlett did not like. She did not walk through, but stood at the entrance, peering inside. Just visible, at the margin of the grey light from the window behind her, she saw a wooden bedstead, a meagre mattress with a slough of crumpled linen hanging over it to reach the floor. It would be a good place to hide from bad things, if either Albert or Ettie had the wit to do this, which she doubted.

But she had to check.

Scarlett stepped into the room.

At once a shape broke clear of the shadows behind the door. It lunged at her back with vicious speed. Scarlett flinched downwards; she heard a whistling as something heavy whizzed above her head. Her knife arm was already jerking backwards, but she halted the stroke and instead spun around to grapple her opponent by the throat. He gave a high-pitched gargle and dropped the broom handle he was using as a weapon.

"Shut up, Albert," she hissed. "It's me!"

"Scarlett!" He was wide-eyed, his voice scarcely audible. "I thought you were—"

"Yes, I almost thought *you* were too. That's why I nearly cut you in half."

Albert stepped back, clutching at his throat. "How did you know it was me?"

"I had my back to you, I was a sitting duck and you had a massive cudgel. Yet still you managed to miss me. The clues were there. Have you found Ettie?"

He stared at her; she could see him shaking. "There's something terrible in this place, Scarlett…"

"I know. Speak quietly. Have you got Ettie?"

"I haven't got her."

"Have you any idea where she is?"

"She's down the end of the passage." The anguish in his voice was clear. "I was going to get her – then something came out of the next room. I ducked out of view, but – but I saw it… Oh, Scarlett – I saw its *thoughts*. It was so thin. It looked around and went back inside."

"Did it get Ettie?"

"No…" He gripped her arm. "It was so horribly *thin*. And it was holding, it was holding—" He swallowed, his body trembling.

"Try to calm down. Did it see you?"

He shook his head. It hadn't, of course. The fact he still *had* a head gave her the answer.

"Good. And where's Ettie? Somewhere beyond?"

"At the end of the passage. There's another room there. I saw her slip inside. At least I *think* it was her – it was just a tiny shadow. I hope she's hiding. But – but we'll need to go past that door…"

"Not 'we'." Scarlett prised herself clear of him. "I'll do it."

"I'll go with you. You'll need me."

"I really won't – not unless your talent's going to break out now." She gazed at him. "No? Then just wait here. And be ready to run like hell."

She moved away before he could reply, and before she could think too hard about what she was doing. The corridor ran the length of the side of the fort. It was not very long, but more than long enough in the circumstances. She could not see the end of it, but Scarlett wasn't interested in that yet.

Her eyes were fixed on the second entrance up ahead.

Closer and closer, step by step. There were dark markings on the wooden boards, glistening smudges and smears that curved towards the door. Scarlett edged nearer. Her knife felt damp in her hand.

Now she began to hear things.

The door in question was closed. There was no light from under it, but she could hear plenty of soft movement inside – faint thumps, and wet sounds of a feast being undertaken in the dark. There was a kind of low-level muttering too, a reverberation that was not quite laughter, nor a growl, nor a groan, nor anything approaching real speech, but which possessed, horribly, some of the qualities of all these things. It was of such an abhorrent nature that the hairs rose on the back of Scarlett's neck.

She walked past on soundless feet and a few moments later came to the chamber at the end of the passage, a social room perhaps, with armchairs and a billiard table, and a machine gun bolted to a stand beside a narrow window in the outer wall. Much good it had done the men of the fort. She wondered how the Tainted had got in.

The window faced to the west. A last horizontal spear of pink daylight angled through it, hit the side of one armchair, and also illuminated the little girl, who was curled up on the fringe of the light, very small and still, one cheek resting on her pudgy knees and her arms cradled tight round her legs.

"Hey, Ettie," Scarlett whispered. "Keep quiet now. You got to come with me."

As she started forwards, the child jerked away, shuffling on her bottom around the chair and back into the dark. Scarlett pressed her lips tight.

"I'll take you back to your granddaddy on the raft," she whispered. "But you got to come quiet now, you understand? There's some bad things close by."

Another flinch. You could see the cheeks wobbling, the round eyes welling, as if she was going to cry.

Her only hope lay in Ettie's instinct for self-preservation. She clearly *had* one: somehow she'd managed to avoid notice so far. Scarlett had to risk it. She bent in close with what she hoped was a reassuring, natural smile. The child was unconvinced. She took a sudden deep breath, evidently in preparation for a foghorn blast of outrage.

"Albert is here!" Scarlett hissed desperately. "He's waiting for you. Just down there!"

The kid's chest remained swelled. She neither breathed out nor erupted. Scarlett was frozen too.

She held out a hand. "*Please* come with me, sweetheart," she said.

Almost in the same motion, she had swept the child up and was moving back along the corridor, not trying to stifle her, hoping that by projecting calm and honest confidence she could keep her still. They reached the closed door, where the horrid champing sounds continued. Scarlett stepped over the stains on the floor. Her pace was rapid, but not as rapid as the thumping of her heart. The girl sat dormant on her arm.

She ducked into the first bedroom, where Albert was waiting close beside the bed. When he saw Ettie, he reached out to take her, but Scarlett was reluctant even to break stride.

"In a minute," she hissed. "Wait till we get out."

She made to move on. Ettie shook her head, lunged to get to Albert. As Scarlett struggled to avoid dropping her, the little girl gave a single squeal of fury.

Scarlett jammed her hand over the open mouth. She wrestled her other arm tight round Ettie and held her, wriggling, staring at Albert over her head.

They waited in the dimness of the room.

Nothing. Just silence.

Scarlett exhaled slowly. Albert's shoulders sagged. He smiled at her faintly.

There came the creak of an opening door.

Another moment of time passed, both very short and very long. Albert's face was stricken. He closed his eyes and held them closed. Scarlett went on staring at Albert over the head of the struggling girl, as if by simply doing so she could reverse the consequences of the child's fatal noise.

But the door did not close again.

Now there came a soft and rhythmic rattling, as something padded up the corridor.

Scarlett moved. She pointed at the bed. Mercifully, Albert understood. He dived beneath, wriggled his way in. It was good that he was thin, good that there was nothing already there. No sooner had his trainers vanished from sight than Scarlett was on her knees and passing the little girl in after him. She had to take her hand off the child's mouth; at once, Albert's hand replaced it.

The rattling noise drew closer. Scarlett darted low and inched her way in after Albert.

They lay alongside each other in the dirt and dust and dark, with the child pressed close between them. Scarlett was facing the open doorway. Strands of hair had fallen across her eyes, but she still had a good view of the passage – or the place where she knew the passage *was*, for there was almost no light beyond the frame of the door.

The source of the rattling appeared in the opening. Two feet moving – faint, grainy and very pale. They were so thin as to be little more than stacks of bone, hinged inside bags of dead-white skin. The toes were long; sharp, curved nails sprouted at their ends. The skin was horned and calloused. Two anklets of some white material bounced and trilled above the left heel, making a gentle click and clinking as the feet halted, turned towards the open room.

The feet became still. There was a sound of jaws and teeth going to work on something out of sight. Dark drips fell and splotted on the floor.

Scarlett breathed noiselessly through her open mouth. She could hear Albert's breathing beside her, coming fast and a lot louder than necessary.

How intelligent the thing was, you couldn't tell. Some people said they were more animal than human; others that they were a degraded subspecies; still others that they were human in every capacity, only driven mad by cannibalism and eerie vice. A true human would be curious enough to enter the room to investigate the noise; a true human would almost certainly look under the bed. A beast might use its superior senses – scent, hearing – to locate them without taking another step.

Scarlett hoped the abilities of the thing at the door fell somewhere between the two.

The feet did not move. She heard the sound of chewing; another dark blot of blood fell and splashed across the toes of the right foot.

Scarlett had her knife in her hand, but right now, wedged on her front like this, it was impossible for her to use it. She imagined the moment of discovery, the bed being torn away...

With a clink of bone bangles, the feet stepped into the room.

A low whistle sounded from up the corridor: a hollow, soulless summons. At once, the feet halted. They turned, retreated to the passage and padded out of sight.

Scarlett, Albert and Ettie lay quiet: Scarlett and Albert out of sheer terror, Ettie because she was compressed mercilessly between them. Perhaps Albert was frightened they had overdone it, and he might asphyxiate the child. He loosened his grip on her mouth slightly; at once the girl began wriggling, and uttered a tiny noise. Albert clamped his hand back.

The clinking noise receded up the corridor. Presently, they heard the door close.

Scarlett counted to three, slowly and silently, calming herself as best she could. Then she pushed herself out from under the bed. She bent to help the others, with the darkness of the passage billowing at her back. Extricating the little girl was not easy; in the end, Albert had to emerge first and it was only with his coaxing that Ettie was persuaded to shuffle out at all. Without words, he picked her up; Scarlett led them out of the room and down the stairs, not going too fast, not going too slow, and then they were picking their way through the dimness of the dining hall and out into the courtyard.

The first stars were shining above the battlements. The evening was clean and fresh – until that moment they had not realized how corrupt the air inside the rooms had been. They breathed deeper as they jogged across the concrete space. As they went, Scarlett inspected her revolver. She caught Albert's eye and they grinned at each other, watery with relief. The little girl was also happy. Snug against Albert's neck, she laughed to see the stars.

Perhaps she laughed too loud. Perhaps it was just that their luck had finally run out.

Seconds later, a screech came on the wind, high and full of hate; the echoes seized it, sent it bouncing between the walls to batter them as they ran.

Scarlett looked back. Something with thin white limbs was leaning from an upstairs window. The arms waved at them, extravagantly, madly, like someone recognizing a long-lost friend or lover. The screams redoubled. Answering howls came from the depths of the building.

They ran to the gate. The thing was scrabbling and straining at the window. Scarlett had the notion that it was going to drop forth like a spider, come scuttling after them across the yard. She had no idea if it could survive such a fall, and she did not want to find out. She stopped, stepped deliberately two paces back towards the building, raised her revolver in both hands and emptied it at the shape. It fluttered madly at the aperture, gyrating bone-lessly and screeching.

At the gate, Scarlett snatched up one of the fuel canisters. Not the sack. Food they could do without.

Under the arch, and out over the dim-lit grass of the hill-top. At first the path showed white and was easy to follow; then it plunged in among the trees, and was not. They threw themselves down it regardless. The little girl bounced and gur-gled with pleasure at Albert's every stumble. Behind them the baying of the Tainted momentarily became faint; now it grew loud again, and Scarlett knew they were spilling out after them through the gate.

Downhill beneath the oaks, along the endless zigzags of the path. As Scarlett's eyes grew used to the forest dusk, she dispensed with the twists and turns, cutting a precipitous route straight down. Thorns sliced at their legs; branches sought to decapitate them. There was a crashing noise above them, and a volley of eager whistles.

The ground levelled at the base of the hill; they broke out of the brush and could see the path again, away and to the right, winding to the river among the reeds. The howls behind them crescendoed as they gained it. They pelted along the track to the jetty.

And halted, doubled up and gasping.

The raft was gone.

Beyond the jetty: nothing but dark water. At the mooring post: a dangling rope end.

Albert gave a sob of dismay. "He's left us! He's sailed away!"

"Of course he hasn't." Scarlett craned her neck left, following the current of the river. "There! The old fool's done something right for once! He's already cast off. Come on!"

Just visible beyond the reeds, three or four metres out in the river, the raft was a grainy slab on the surface of the water. Joe could be seen at the pole, gesticulating, calling.

Scarlett jumped from the side of the jetty onto the shingle of mud and stones. Behind them, pale forms ran from the shadow of the woods. She pushed her way among the reeds to the water's edge. "Hurry up, Albert! We've got to swim to him."

"No!" It was a shout from the old man. "No!"

Albert waved desperately. "Joe! Come closer into shore! They are right behind us!"

"No time for that." Scarlett stepped into the water; black ripples spread silently into the dark. She hesitated. The old man was shaking his head, shouting something; he made frantic pointing gestures at his mouth.

"What does he mean?" Albert was almost crying, looking back. Swift white shapes were advancing along the path.

"Don't know. We've got to wade out to him." She took another step.

"No!" The old man set about a frantic screaming. He pointed at his chest, then mimicked the act of blowing. Faint on the wind, the words came: "My otter whistle! Blow it! Blow it!"

Was that movement beside them in the reeds? Wide-eyed, nostrils flaring, Scarlett snatched at her pocket, pulled out the silver whistle and jammed it in her mouth. She blew and blew again.

The reeds became still. On the raft the old man was dancing like a madman. "Now wade to me! Quick! If you hesitate, you are lost!"

Still blowing, Scarlett ploughed deeper into the water, pistol in one hand, the canister in the other. Albert followed on behind, Ettie cradled in his arms. Brown water pooled against their thighs. They plunged on, splashed across the shallows – and all at once were beyond their depth and floundering.

"Just keep blowing the whistle!" the old man called. "Blow it for your life!"

He had steered the raft towards them from the centre of the river. He stood at the pole, working hard to keep the raft level with the edge of the rushes, where the shore ran unimpeded into the river. Scarlett tossed the canister aboard; she pulled at Albert, helping him support the little girl so that her head was well above the surface. Beyond the reeds, up on the bank, thin white figures came clustering. Whooping and screaming, they bounded across the shingle, making for the clear space between the reeds, where they had a perfect view of the raft. Some splashed into the shallows, arms raised high. A spear sliced through the water close to Scarlett's head. She grappled Ettie close, shielding her with her body. Albert reached out, caught hold of the raft's side. The old man was there, stretching out his hand. In a flurry of ungainly movements, first Ettie, then Albert, and finally Scarlett were hoisted aboard. Albert bundled Ettie to the far side of the raft. She began to wail. A spear struck against the wood.

"*Now* you can stop blowing the whistle," the old man said. He stood at the pole, making slight adjustments to counter the force of the current.

Scarlett spat the whistle from her mouth. "Pole off! We are too close to shore! They will reach us!"

"You – fill the fuel tank. Boy – keep Ettie's head down. Do not let her look to shore."

A host of white shapes were splashing through the reeds, their skins almost luminous in the rising moonlight, their eyes black hollows, heads lolling, mouths agape.

Scarlett worked with feverish speed, unscrewing the fuel cap, tilting the petrol down. Still the old man waited, motionless, his hand upon the pole. He was faced towards the figures on the shore, but he wasn't watching them. He was watching the surface of the river.

The Tainted could see the raft was motionless. They thrust themselves forwards. A collective cry of triumph rose from many throats.

Darkness pooled beneath the water. It slid up, broke clear. A sleek brown head, long and tapered, and large as a man's torso, erupted in a shower of spray. It struck one of the figures and pulled it sideways into the reeds. There was a piercing scream, a great thrashing. The other pursuers halted – before they could act, a second vast brown mass had whipped among them, carving through the water, as sinuous as a snake. Teeth snapped, tore and shook. A white body was tossed skywards like a piece of rag and caught again. The margins of the river frothed red, and the raft bucked and swung on the surging water.

Only now did the old man use the pole, nudging them out into the current.

"What about the motor?" Scarlett said. "Shall I start the motor?"

No one answered her. Albert had shushed the child. He led her to the old man.

"Your granddaughter," Albert said.

The old man nodded. "Could you take hold of the pole for a moment?" He passed it across to Albert, ruffled the little girl's hair, then walked slowly across the deck to where Scarlett stood, alone and dripping. Then he slapped her hard on the side of the face. "That is for taking Ettie," he said.

He turned away. Scarlett stood there. She said nothing. The raft drifted below the black hill of Bladon Point and its fort of horrors. It reached the confluence with the northern stream of the Thames and, joining this, was carried with greater force eastwards into the deepening night.

# 21

For three days, they continued travelling down the Thames. The floodlands fell behind them; soon they reached the wide agricultural belt known as the Land of Three Borders, where Wessex touched Mercia and Anglia to the north. It was a populated region. The Frontier Wars were long over; ferry-boats organized by the Ancient Company of Watermen criss-crossed the widening Thames, linking important highways north and south. Workshops and small factories dotted the riverbanks, and the natural silence of Britain was interrupted by the sounds of hammers and pistons. Otters, wolves and foxes were hunted in this area, and the Tainted generally kept at bay.

It was Joe's contention that their shortcut through the Barrens had achieved its objective, and that the boat containing Doctor Calloway and Shilling was still somewhere in the floodlands. Nevertheless, word might have spread ahead of them, and they proceeded cautiously past a succession of prosperous towns – Reading, Henley and Marlow – where the spires and domes of the Faith Houses sparkled beneath the sky. By night, they slipped beneath the river walls, slicing quietly through the dancing lights reflected on the water. By day, they holed up at a distance. The old man taught Albert how to fish and cook food on the griddle; Scarlett spent time repairing weather damage to the raft. Ettie, who was none the worse for her visit to the fort, played with Albert, and sometimes even sat near Scarlett, watching her with big wide eyes.

Curiously, after the escape from Bladon Point, it was easier between them and Joe. Albert, who had his own ways of gathering information, perceived the root of it well enough. In the panic and terror of that final desperate effort, with the Tainted and the blood-otters closing in, he and Scarlett had protected Ettie and carried her to safety under the eyes of her grandfather. Outwardly, Joe remained as truculent as ever, but there was a shared understanding that had not been present before.

Other effects were less welcome for Albert. Even as someone with much experience of suppressing unpleasant memories, he found his encounter with the Tainted hard to shake. In particular, there was the figure he'd seen at the end of the passage in the trading post. A stick-thin creature, haggard and bloody-mouthed. A vision of hatred and raving hunger. A monstrosity, a parody of a human...

A girl, about his own age.

"Yeah, there are terrible things in this world," Scarlett said. It was the morning after their escape. Albert had been sitting between the crates, listening to the river's flow beneath the deck-boards and staring out at nothing. She handed him a cup fresh from the pot, and perched with hers on the crate beside him. "You got to drink your coffee, forget all about it. That's what I do."

He wasn't *trying* to look at her thoughts, right then. He'd even turned away. So he only got the barest glimpse of an open hillside, a row of men in uniform firing, a crowd of thin white shapes haring up the slopes… Running with holes blown through them, their insides trailing, intestines flapping like red flags…

He shut the image off. So much for *her* forgetting. He studied her face, the green eyes, the faint half-smile. Her hair was tied back, and there was a pinkish glow about her that suggested she might have even washed that day.

"You've seen them before," he said.

"I've seen them." She took a leisurely sip of coffee. "But I'm not going to talk about it, and if you try to sieve me, I'll boot you so far across the river you'll reach the other side."

"Fair enough," Albert said.

"Got to say, though," Scarlett went on, "I've been thinking about last night. Us hiding there, running for our lives. That would have been a prime moment for your … other talent to show, like it did at the wharf. The Fear, you called it, right? You said it happens when you're panicked and upset…"

He nodded. "Yes."

"Yes. And you can't still have been exhausted from the wharf…" The eyes were on him, the half-smile broadening. "So: last night. Why not? What happened?"

The misery and frustration that Albert always experienced whenever he thought about the Fear swelled again inside him. He stared into his cup, at the friendly, bitter twirls of steam. "I *did* feel it," he said, "up in that corridor, when I was on my own. There was a minute or two when I began to panic. I thought it would definitely kick in."

"But it didn't."

"No."

"Even though we were being chased by a pack of cannibals, who were going to catch us, kill us and eat us raw. It didn't 'kick in'." She grinned at him. "That's pretty bloody useless, Albert. What good is a lousy, half-baked power like that?"

Her goading stung him; he felt his cheeks flush. "I never said it *was* any good. You're the one who said it was amazing. I hate it. I can't control it, which makes Doctor Calloway angry. Sometimes I can't do it at all, and then she whips me with the flail. When I *do* max out, bad things happen, and that's no good either. You should think yourself lucky you've not seen it. That's why they like to hurt me. That's why they lock me away."

"'Max out'," Scarlett said musingly. "Like at the wharf?"

"*That* wasn't maxing out."

"Like on the bus, then?"

All of a sudden, Albert felt annoyed. It was one of Scarlett's imperfections that she insisted on dwelling on *his* past, while carefully ignoring her own. "Actually, I don't want to talk about it," he said. "Like with you and the Tainted. Maybe I'll end up booting *you* across the river."

She laughed, gave a lazy shrug. "They're just questions. But fine, if that's the way you want it. You know, you running off to these Free Isles of yours is all very well, but you can't run from yourself, Albert. You should consider opening up a little. Talk about your powers. Talk about Stonemoor. Think about it. Questions don't hurt anybody, after all."

She would have got up and sauntered away, but Albert was frowning. "Well, if *that's* how it is," he said, "maybe I've got a question for you too."

"Yeah?" She swallowed the rest of her coffee. "Go on, then."

"Last night … something I saw in you…" Caution almost stopped him, but his irritation drove him on. "It wasn't the first time, was it?" he said.

Her eyes narrowed. "I told you, I don't want to talk about the Tainted."

"I'm not talking about them." He looked at her, caught the hesitation in her face. "Losing a child," Albert said. "That had happened to you before."

Just for a moment, she didn't move. Then she smiled, patted him on the shoulder, pushed herself forwards off the crate. "I'll get you to the isles," she said. "Drop you off there. In the meantime, do me a favour and don't ever read my mind again. OK? Because I've still got that metal restraint thing in my bag and, believe me, I'd be quite happy to use it on you."

"Actually, you wouldn't," Albert said. But he muttered it into his coffee, and she'd already gone.

Beyond Marlow the character of the landscape changed again. The Thames began to broaden; on either side the woods and fields devolved to scrublands, then to wispy mudflats. Mercia was bypassed; to the north stretched the wastes of Anglia. They were moving beyond the kingdoms into the estuary on the edge of the lagoon. There were no more towns, only fishing villages on little islands, with low-slung terraced cottages arranged below the smokehouses and the endless metal racks where herring hung like giant pegs to dry. A hot wind blew out of the east, from the Burning Regions across the sea; the clouds were towering agglomerations of strange colours, yellows, oranges and browns.

The raft glided past it all – part of it, yet separate. Flotillas of white birds blocked the side channels, squalling and thrashing in the shallows. Bristle-coated hogs roamed the mudflats; the main channels were choked with lazy shoals of silver fish, packed so tight and deep it looked as if you could climb down them like the rungs of a ladder to the bottom. As ever, the wildness and desolation gave Albert a strange joy. Though Britain was a land of ruins, there was no place truly empty. The people had retreated, but the land was alive and teeming with vitality. The country was maimed and broken – but full of strange fecundity and strength.

There was a tidal pull beneath them: he could feel it quickening beneath the logs, hear it in the sound of the straining water. With the river's every turn, his eyes looked more avidly to the east. The isles were not far away.

Joe knew the estuary well, and had friends on many of the islands; on the fifth night out of Lechlade, he moored the raft on a crescent-shaped islet that supported only a handful of blackened buildings, and allowed them all ashore. That night they ate with three dark-haired families in the pungent, shadowy communal room below the smokehouse, its ceiling an arching vault of dangling fish. Ettie played with two other children; the old man spoke quietly with the parents. Scarlett and Albert sat near the door. No questions were asked of their purpose; they were welcomed soberly and without fuss. They ate well, drank malt beer. That night they slept under blankets on solid ground.

The following morning, they left at sunrise. The people of the house came out to see them go. Albert noticed Scarlett hanging back at the door; for a moment she slipped alone inside. When she emerged, she was reattaching the cuss-box to the string around her neck. It dangled differently, as if empty. She glanced across at Albert as she passed him, but he took care to look away.

The raft proceeded between the islands, heading as far as possible due east. The outer shores drew back, arched away steadily into the blue distance. Noon came. They were at the mouth of the lagoon.

Joe called Scarlett and Albert to where he sat at the tiller. "A few pole-fishermen venture further out to snare the biggest fish, but this is where all sane folk draw back. Ahead is open water and, eventually, the Great Ruins. In a life spent aboard this raft, I have always hugged the coastal islands, and I dislike the idea of risking the blank sea. Albert – is it still your intention to reach the Ruins?"

Albert's eyes shone. He was looking eagerly out to the horizon, where the sunlight broke through the bank of clouds. "If you mean the Free Isles, yes, it is!"

"Very well. Now, my friends tell me that odd craft have been seen these last two days, cruising past the fishing villages without stopping. Men in bowler hats among them."

"Faith House men," Scarlett said. "Calloway's still after us."

Joe nodded. "Luckily for us they went away to the north, following the coast. And that means –" He opened the motor fully; the raft jerked, sped out onto the open water – "we shall now leave them behind."

All afternoon they continued east. The shores receded, became low, grey ribbons, then hazy pencil lines that faded and were gone. The lagoon was entirely flat, a measureless expanse. Ettie seemed to find it oppressive; she retreated under the awning. Scarlett kept silent watch for giant fish, the rifle in her hands. Albert sat in the deckchair near the front of the raft, looking straight ahead. A bulb of excitement was growing steadily inside him. Once he thought he saw, far off, a group of impossibly tall, thin structures – faint grey lines that stapled sea to sky... He rose from the chair, held his hands above his eyes. The vision faded; he could no longer discern anything rising against the clouds.

The light began to fail, straining westwards like milk sucked between clenched teeth. The wind picked up; white crested waves struck against the raft, pitching it awkwardly sidelong.

"There's a rainstorm coming," Joe said. "We may be swamped or capsized or turned to matchwood. But the upside is, it'll keep the really large sharks away from the surface, so at least we won't be eaten."

Albert felt fretful and there was a dull ache in his head, probably due to anticipation. "What about the Free Isles?" he asked. "I thought we'd reach them today."

"In the morning, if we're in one piece. Help me get the tarpaulin ready."

It was a bad storm, one of the unnatural ones. The night fell early. Clouds like black rags moved in from the north. A squall struck the lagoon, fretting the surface and making the timbers of the raft sigh and groan. Joe pulled the awning wide on guy-ropes, and they sheltered there together, watching the rain cascade off the edges of the tarp and drain away through cracks between the logs. It was impossible to light a fire. Albert hung the lantern from the frame to see by. They ate smoked fish and rye bread. Joe produced a hip flask of whisky and passed it round. Ettie crept beneath the blanket, wedged between Scarlett and Albert, and presently went to sleep.

"So," Joe said, during a break between gusts, "we have reached the ends of the earth, and tomorrow I rid myself of you at last. This is our final night together and we should celebrate." He took a sip from his flask. "I guess being huddled miserably in each other's laps while the rain pisses down outside is as appropriate a way as any. Cheers!"

Albert was pulling the covers higher over Ettie. "It's *not* really the ends of the earth," he said. "There's a community close by that—"

"—will shelter you, no matter how unusual your talents," the old man said. "Yes, maybe. I know all about you, Albert, and your hopes for these 'Free Isles' of yours."

There was silence in the tent. Outside, the wind frenzied. Scarlett, who was wedged tightly between the little girl and the awning, adjusted herself to face Joe. "You've overheard us talking, then, during the trip?"

He regarded her darkly. "It's a small raft. I've heard more than conversations."

Scarlett cleared her throat. "Be that as it may... Does that mean you know about Albert's abilities? And it hasn't bothered you?"

"Why should it? I'm not some fat and pious shopkeeper cowering behind the walls of a Surviving Town. Albert carries out no eerie acts on board that I'm aware of. If I am prepared to sail with a swaggering bloodstained outlaw such as yourself, girl, why not travel with a quiet, considerate boy?"

Scarlett made no reply. Albert was somewhat taken aback himself. "Thank you, Joe," he said finally. "That is nice to hear.

And be assured you will be well rewarded for your kindness. Tomorrow you will be a rich man!"

"Yes, I suppose I will have your money..." The old man turned the flask slowly in his hands. "Albert, why do you think I want the proceeds of your crimes?"

"I assumed you were obsessed with banknotes like everybody else."

Joe sighed; with a bony finger he pointed at Ettie's tufted head poking out beneath the blanket. "Look at my granddaughter there. What do you see?"

"A dear sweet girl, full of chubby innocence, who brings delight to all around her."

"Yes, that's because you are an idiot. In fact, she is a capricious minx, guileful and bloody-minded, though I love her dearly nonetheless. She is also a dead child walking."

Albert's eyes were round. "'Dead'? Ettie? What a terrible thing to say!"

"And no more than the truth, if the Surviving Towns get hold of her. Has it not struck you that she is mute? She cannot speak! For the moment, this is irrelevant – she is three years old, and in my care. No one gives her a second glance when we moor up at the quays. But when she is seven, or seventeen, and *still* not talking – ah, then they will whip her into the wilderness for being defective – and that's if she is lucky. And I will not be there to guard her..." The old man's eyes grew filmy; with an angry motion, he drank again from his flask. "If I have money, I shall find somewhere safe for her to live... I have heard that the people of Wales and Cornwall are less harsh to their children. Perhaps I will travel there."

"There are always the Free Isles, close at hand," Albert ventured.

"I forget you have not *seen* the Free Isles yet. Well, one way or another, I will protect Ettie while there is life in my body. That's all there is to say."

Albert smiled; his heart was full. "When we first saw you, Joe, we assumed you to be feeble-minded and decrepit, teetering on the brink of the waiting grave, yet it is evident you possess the coarse vitality of many a younger man. Ettie is in safe hands!"

Joe drank from his flask. "How kind. Well, tomorrow is momentous indeed. You, Albert, will achieve your heart's desire. Admittedly this will probably involve starving to death on a desolate rock and being eaten by seagulls, but it is your dream, and you will embrace it nobly. Ettie and I will have our raft back again, room to stretch out of an evening, and funds to change our destiny." He turned his rangy neck. "And, Scarlett … what of you? I notice you're not saying anything. How will *you* mark this special day?"

It was true that Scarlett had been unusually quiet for most of the journey across the lagoon. In his excitement, Albert had been distracted; he reproved himself for not taking more notice of her. She was leaning against one of the four supports of the tent, head tilted to the canvas, her red hair running down it like rain.

"I will be happy for Albert if he finds sanctuary," she said. "Happy for you and Ettie. Me? I'll take an old road north, hitch a lift on one of the convoys. Head for Northumbria, maybe. I hear they have banks up there."

It gave Albert a pang to hear her talk like that, to know he would not be with her. They were so closely crammed in the tent, he could not easily view her thoughts. But he sensed her remoteness; in her mind she was already on her way. He remembered her as he'd first seen her on the bus – she'd been remote then also, eager to be gone. Yet, in between…

But everything had a beginning and an end.

"You're going to spread some carnage up north, are you?" Joe said. "Yeah, that figures. Tell me something, girl. I've met outlaws before, seen them hanging on the gibbets at Windsor docks. Most of them, they're outcasts for a reason: birthmarks, missing limbs, deformities of one sort or another. That's why the towns rejected them in the first place. But you – you hate them more than any, and I don't see any deviation in you."

"Oh, I got a deviation," Scarlett said. She tapped her chest; the sound was hollow beneath the howling of the storm. "It's in here. And it's reason enough for me to live the life I do. All the militiamen and Faith House operatives ever born won't make me throw my guns aside and go back to live in a town."

Joe waited, but she said nothing more. He shrugged. "I understand. Well, good luck to you. A life of solitude and violence isn't for everyone, and nor is dying in a hail of bullets, but I can see you know what you're doing. Do you want some more whisky?"

"No. I'm going to turn in. We've got a whole heap of excitements tomorrow."

With much soft grumbling and cursing, Scarlett shuffled into a prone position. One after the other, the old man and Albert lay back too. Albert looked up at the lantern swinging from the tent frame, felt the pull and strain on the raft timbers under him.

"Scarlett," he said.

"What?"

"Thank you for getting me here."

"Sure. Course, you're *not* here yet, strictly speaking, and tonight we'll probably get swallowed by a fish."

"I expect so."

"That would be just like our luck."

"Yes, wouldn't it? ...Scarlett?"

"What?"

"Oh, nothing. Should we turn the lantern out?"

There was a yawn beneath the blanket. "We're miles out. Who's to see?"

Time passed. The rain drove down on all four sides of the awning. They were in a black box with walls of wind and water. Wedged close as they were, Albert did not find it easy to go to sleep. The old man snored; the little girl wriggled. Next to him, by contrast, Scarlett lay still: almost *too* still – she might have been dead or made out of stone. As always, she slept in her boots and with her gun-belt on. Albert had to admit he found her proximity disconcerting. Maybe *that* was why he couldn't drift off. But no: his head felt funny – not quite right, whether because of Joe's whisky or the storm or some other reason he couldn't tell. Perhaps it was because of what was going to happen tomorrow. His parting from Scarlett. As their conversation had ebbed, it had left anxieties strewn behind it, scattered like pebbles in his mind.

But it was all right. He would not need her in the Free Isles. Things would be different there: welcoming, secure.

The downpour eased; the water walls receded and they were connected with the night again. Albert's ears rang with echoes of the barrage. The air was cold, and it was still raining, but he suddenly felt he must get up. His head hurt and he didn't know why. He rose, trying not to disturb Joe or Scarlett, shuffled his bottom forwards, ducked under the tarpaulin and out into the rain. He was soaked through in moments, but it didn't concern him. Taking care not to slip on the wet boards, he moved towards the edge of the platform, past crates and deckchairs, and looked out into the dark.

The lagoon was very black. The raft hung in a void. He looked where he guessed the Great Ruins were – and, far off, through the rain, saw a grouping of yellow lights low down, clustered like a pile of fallen stars.

Despite the cold and the wet and his pulsing head Albert Browne smiled to himself.

The Free Isles! He was almost there.

Soft boots pattered on deck-boards. Patches of darkness flowed forwards, drew near the lantern light, morphed into rushing forms. Albert's smile faded; he began to turn. Arms seized him, lifted him off his feet. There was a blow to the stomach, a ferocious compression to his chest, another around his neck. He heard a crackling of leather; felt bristles of beard hair harsh against his neck. A familiar odour doused him – the sweat of frightened men. It was the first time he'd smelled it since the bus.

He twisted his head violently side to side; he knew what they were about to try, that they were going to do it quick, before his power broke free inside him.

He had barely seconds.

The first go, the metal loop missed the crown of his head, and the side-barbs dug along his scalp, making him cry out. Good. The pain helped. The Fear erupted in his mind. He heard a man beside him shriek, heard the crack of breaking bones—

Then the band passed over his head.

No mistake the second time. They'd got him.

And now Albert himself screamed – and kept screaming. The pressure was still building uncontrollably, so that it felt his skull must burst. But the band was on, the force was bottled up, and there was nowhere for it to go.

# 22

THE GROWL OF WOLVES, THE SNAP OF TWIGS, THE SOFT CLICK OF a gun being cocked: in the course of her career, Scarlett had developed the habit of waking instantly whenever she heard certain noises in her vicinity. Unearthly screams were on the list too. So it was that she went from horizontal sleep to upright action in a heartbeat, and only the fact she collided with the awning and got her revolver caught in a guy-rope prevented it from being the perfect response to sudden danger. But she was still fast enough to dodge the man in the black coat who lunged at her outside the tent. She ducked low beneath his swinging arm, twisted, struck upwards with her gun butt to crack it hard against his jaw. As he staggered sideways, she turned from him, kicked backwards with the heel of her boot, extending her leg so the full force of it struck him in the chest. He toppled away over the edge of the raft, out of the sphere of light, and with a splash was gone. Scarlett turned her head—

—and found herself looking into the muzzle of a gun.

"Hey, sweetie," a voice said. "How's your hand?"

She straightened carefully, a strand of hair plastered to her lips.

The lantern light made a hole in the darkness; rain slanted across it, striking the side of her face. A young bearded man stood beside her, holding the handgun. Bright teeth, red trousers, long checked jacket; his green bowler was parked at an angle above one eye. Leaving aside the effects of the rain, he looked much the same as he had on the clifftop ten days earlier, when he'd put a knife through her palm.

She grinned at him. "My hand's getting stronger all the time. Put the gun down and I'll show you."

"Sorry." He gestured; Scarlett dropped her revolver to the deck. The young man kicked it over the side, then stepped backwards along the side of the awning, motioning for her to follow. As she did so, there was a commotion inside the tent. She heard Ettie squeal and old Joe give a cry of pain. Scarlett flinched, but she kept her expression blank. This was not the time to give anything away.

When she came out on the open deck, she saw another man bending at the starboard side. He had ropes in his hand that led out into the darkness, and was tying them to the gunnels. Scarlett was close to the lantern and could not see out onto the lagoon, but she knew they must have several boats there, having rowed up silently through the rain.

He was not the only person on the deck. A dead man lay on the spot where she often placed the prayer mat. His limbs jutted at strange angles; one eye glinted blackly like a piece of broken glass. Not far away two other bowler-hatted men were standing. They were rigid with terror and very much alive.

In front of them was a thin, still form.

"Albert?" Scarlett said.

She saw at once what they'd done to him. He had a metal circlet around his head, a heavy band jammed down just above the eyes. It was similar to the restraint she had in her rucksack, but thicker, and there were shark-tooth barbs along its edges, which projected inwards so they dug into Albert's skin – and would dig deeper still if he sought to remove it. Blood was already trickling down in several places at his temple. The band was fixed in place by a vertical metal rod that hung down the back of his neck and continued along his spine; his wrists, pulled behind him, had been clipped to this with two separate lengths of chain. Albert stood artificially upright, his head and body and hands bound together in this way, and with the rain and blood running down the side of his face. His eyes were wide open, staring past her into the dark. He didn't acknowledge her, or seem fully aware of anything about him. His lips moved, but she couldn't hear the words. What with the drumming of the rain it was impossible to know if he made any sound at all.

"Albert?" she said again. He gave no answer.

"He's gone." A soft voice spoke behind her. "It's OK, every-one. Relax. We've got him safe now."

At some level, she had known the business in Lechlade to be unfinished, that there would be a final resolution with Shilling. Nor did it surprise her that he was just as trim and fastidiously attired as ever. She could see a glimpse of bandages beneath the lapels of his coat, marking where one of her bullets had struck. But there was no sign of damage from the explosion at the wharf. No burns, no bruises. He'd chased them the length of the Thames without creasing his trousers or needing to adjust his cuffs. His neat round glasses hid his eyes. He had the same mild countenance as when talking with the Brothers, Pope and Lee; the same as when shooting them both dead. Right now, he carried an open umbrella, antique, ivory-handled, black as raven's wings, and there wasn't a spot of rain on his hat or coat.

With the gun in his other hand, he nudged Joe and Ettie forwards. Joe limped on stockinged feet; he seemed dazed, clasping his head. Ettie was sluggish too, still half asleep. The little girl disliked the chill of the night air. She turned, tried to scurry back to the safety of the tent. At once, Shilling raised a boot and kicked her tumbling to the deck.

Joe gave a cry. Scarlett's jaw clenched; with an effort, she controlled herself and didn't move. On the far side of the deck, Albert jerked forwards, straining at his bonds. The men beside him, bulky, bearded, each more than twice his weight, gave little jumps of agitation. Sweat glistened on their faces; their teeth glinted, the whites of their eyes shone wide.

"It's all right, boys," Shilling said. "He can't do anything. You did fine."

Joe was bending to his granddaughter, helping her upright, holding her by the hand. His gaze met Scarlett's. Her face remained emotionless, but she tried to convey a message in her stare. *Wait*.

"Got to say, girl, it's been quite a journey." Shilling passed Scarlett with brisk steps. "Really didn't think we'd meet again. But I'm awful glad we did." He nodded at the man who had just finished mooring up the boats – a small-boned, white-skinned person with a big bowler hat and nervous, darting eyes. "Guard these two, Paul. Keep the brat quiet. And, George –" this to Scarlett's bearded captor – "I don't need to tell you to keep a mighty close watch on *her*."

So saying, Shilling returned his gun to his belt, took out a snub-nosed tube. Moving his umbrella aside, he held the tube aloft. There was a dull thump, a burst of smoke; something rocketed into the sky and exploded soundlessly into stretching fingers of crimson flame. The raft and its occupants and the sea around were brightly illuminated, stained as if with blood.

"And now that's done," Shilling said. "She's coming." He tossed the flare-gun away. Stepping over the corpse, he walked to where Albert stood in the middle of the deck. Shilling brought his face close, contemplated him a moment. Then he reached up and patted his cheek twice. "You just sit tight in there, chum," he said. "There's a lady wants to see you."

Albert's eyes rolled in his head. His lips were moving. His body gave little jerks and twitches. Blood ran down the side of his cheek. His legs buckled; he almost fell.

Shilling turned away. "What a vile specimen. It's disgusting to see." He spun the stem of his umbrella between his fingers, so that a carousel of raindrops flew out across the deck. "It's a crime he should ever have been able to set foot near honest folk. He's a beast worse than any wolf, a monster in a floppy jumper and big shoes." He came to a halt by Scarlett. "But *he* doesn't know any different. He's just made wrong. You, far as I can tell, don't have that excuse. Yet you and these two beauties have been abetting him all this way."

"Not them," Scarlett said. She cast what she hoped was a contemptuous look over at the old man and the shivering child. "We hijacked this boat, forced them to carry us. Look at them. They're pathetic. They're nothing to Albert, nothing to me."

"That why you were all cosying up in the tent together?"

Shilling shook his head. "No. You've paid them. River rats like this will do almost anything for cash. Which reminds me." He signalled to one of the men beside Albert. "Matthew, be so good as to search around. Any bags or packs you find, put them in my boat. We don't want to leave anything of value, not where this raft's going."

Scarlett could see the relief in the man as he moved away from Albert; he practically skipped towards the tent. "It doesn't have to be like this," she said. "The money—"

"You think to negotiate with *me*, after what you've done?" Shilling pressed a hand beneath his coat. "One bullet to my shoulder, one right above my heart. If I wasn't wearing body armour, I'd have died back there in Lechlade. Thanks to you, it hurts to breathe."

"I could help fix *that* little problem," Scarlett said.

Shilling smiled. "I'd kill you myself now, but I have to wait for my employer. We'd spread out, looking for you, but she won't be far away."

The man standing beside Albert grunted. "I sure as hell hope not."

"I told you to relax! He's restrained, isn't he?" Shilling's own tension was obvious. He scowled across at Scarlett, spinning the umbrella again. "You know what really shocks me? You let Albert Browne strut around this raft without a band! Days of it! Past towns and villages, where innocent, law-abiding folk slept in their beds, not dreaming something so evil was an oar's length away. It's a miracle it hasn't been unleashed. Truly, you're out of your mind. And you wouldn't have lasted long, neither. Sooner or later, he *would* have killed you."

"Now we're going to do that for him," the young man beside Scarlett said. He laughed.

Scarlett didn't bother making a rejoinder. She was eyeing up her options. The red stain in the sky hung over them, its phosphorescent fingers bending on the wind, as if blindly clutching at the lagoon. There was light enough for her to see by, get the details fixed for when she made her move. Shilling and four others. There was no sign of the one she'd kicked over the side – perhaps she'd staved his ribs in – and the man on the deck was lifeless. Five men in total. All of them had guns. The young man at her side was good, and Shilling's skills she already knew.

Not easy.

One thing possibly to her advantage. It was a small area that they stood on, a rough square: everyone facing inwards as if on the margins of her mat. Gunplay would not be simple for any of them, without risking hitting their associates. There'd be hesitation for sure, and she'd be moving fast...

But no, it wouldn't wash. She could take two out, probably; three at most. Not all five. After that they would shoot her. They would have already shot the old man and the child. Albert, they were keeping alive for now – but he might be caught in the crossfire too.

No. They'd all die. It wasn't viable.

It wasn't viable on her own.

She looked at Albert.

She thought of the Lechlade wharf, going up in flames.

Her gaze dropped down to the dead man at his feet. Something had killed him very quickly. The guy hadn't had time to draw his gun, or the big knife in his belt.

She looked back at Albert again.

His eyes stared past her, out at nothing. No doubt about it. The restraint was doing something to him. It wasn't physical. The bound hands, the metal teeth digging into his forehead: they weren't the half of it. He was there and yet not there. The frightened men were constraining something *else* too.

From where she stood, she could just see the metal rod hanging down his back, connecting the circlet with the two lengths of chain that bound his hands. It wasn't a very thick rod. Scarlett looked at it, fixing its position in her mind.

The flare above them faded; the lantern hanging at the tent reasserted itself. It cast a dim pale glow over Scarlett, Albert, Joe and Ettie, and Shilling and his men. They stood like a convocation of ghosts, silent and sombre, in the middle of the open sea.

"Albert," Scarlett said. She spoke as slowly and clearly as she could. "I want you to stay absolutely still."

He gave no sign that he had heard. Shilling glanced at her, amused. "You're in luck there, girl. He can't do anything else."

Engines in the night. Far off she saw green headlights. Three boats approaching through the dark.

"Here she is," Shilling said. "Not long for any of you now."

Not long. Scarlett knew enough to realize that, short as the odds were now, they would become shorter still when the pale-haired woman stepped on board.

*It is death to go near her.*

Almost as if she shared Scarlett's thoughts, Ettie started to cry. Her grandfather instantly tried to shush her, sought to pick her up, but the little girl would not be comforted. She squealed, screamed, began thrashing in his grip.

"Ettie," Joe said. "Please…"

The man who had been charged to search the raft passed by with Scarlett's rucksack and prayer tube in his hand. "Doctor Calloway won't like this noise."

Shilling nodded. "Paul—"

"Give her a moment!" Joe cried. "She is only three! *Please*, Ettie…"

The noise redoubled. Everyone watched the little girl. Everyone except Scarlett, who was checking the distances, the angles between the men.

"Ettie…"

"Dear gods above us," Shilling exclaimed. "What a racket! Throw her off the side."

During her days wandering in Wessex, Scarlett had several times seen conjurers in fairs bring frogs' corpses to juddering life with the aid of a pair of electrodes and a vinegar battery. It was as if Joe had received a similar jolt. He gave a ragged cry; with sudden strength he snatched up his granddaughter and began retreating towards the side of the raft, where the rowing boats were. The small man followed; the man holding Scarlett's rucksack threw it out into the dark, and moved across to intercept them. Everyone's attention shifted.

It was exactly what Scarlett wanted and was waiting for.

Four actions, four movements.

She carried them out in as many seconds.

The first was a punch sideways into the throat of the bearded man beside her, so that his eyes bulged, his tongue protruded, his shiny grin burst open like a paper bag.

Better still, his grip loosened on his gun.

As his fingers relaxed, so she snatched it from him with her left hand, pulled the trigger, sent a single shot at a diagonal through the shoulder of the man beside Albert. That was her second action.

During the third, she rolled beneath a bullet fired by Shilling, landed beside the dead man on the floor, wrenched the long knife from his belt with her right hand, and kept on going.

Then she jumped up past the man clutching at his shoulder, and swung the knife round with all her strength at the back of Albert's neck. She had time, during this fourth action, to hope he had done what she asked and remained in precisely the same place.

He had. The very tip of the knife sliced clean through the metal rod, snapping it in two.

Scarlett's momentum carried her to the edge of the raft, almost over the top of the box that housed the engine. Next few moments, she was busy righting herself, swivelling, firing twice in the direction of Shilling's darting form, keeping him at a distance. She wasn't focused on Albert. She didn't see the broken rod fall away. She didn't see the ends of the chains come free. She didn't see Albert pull his hands clear and wrench the circlet off his head.

She *did* see what happened after that.

Shilling opened his mouth in warning. Then something struck him and the others head on.

His men were cast aside like skittles – they tumbled upwards and away, guns spinning, bowler hats whirling aloft. The small-boned man; the man with the wounded shoulder; the one who had injured Scarlett on the cliff; the one who had been trying to intercept Joe and the child – all of them were gone. They were tossed away like dolls, screaming, higher and higher into the dark.

Shilling himself cried out, doubling over as if he had been punched in the stomach, but he did not instantly career off into the air. He was driven several feet backwards along the deck, his coat outstretched behind him, his boot heels dragging on the wood. He collided with a pole at the corner of the tent awning. The pole cracked but held; he was momentarily wedged.

The lantern on the tent spun crazily, its light striping the raft. Albert stood alone in the centre of the deck. His head was bowed. Scarlett could not see his face.

She started forwards, but it was like walking into the mouth of a tempest. She called his name. He turned. His eyes were blank; she did not recognize him. She stumbled sideways, squinting into the gale. Where was Joe? Where was Ettie? From on high came shrieks that soared and swept like fireworks and, like fireworks, burst suddenly and went out.

Shilling's hat had vanished. He was crushed against the pole. He forced his gun up, snarling.

Albert raised a hand.

Shilling's spectacles bent; were pushed, cracking, back into his eyes. Shilling cried out. He fired the gun three times.

And the middle of the raft broke apart.

Deck-boards shattered. Crates moved across the deck, swung in vicious arcs with Albert at the centre. One slammed into Shilling, drove him backwards through the tent, tore both it and him away.

A scream of snapping wood; crates spiralled off, splashed into blackness. The raft splintered. Scarlett tried to call to Albert, but the deck was tilting; he went one way, she another. The world turned upside down. Water crashed upon her from above. There was air below, and she was falling into it. Something struck her head. Sheet lightning flashed across her eyes. She thought for an instant it was day again, that she was standing on a bright road, with someone waiting patiently for her there. Then the dark returned, and with it, wetness, pain and terror.

Scarlett's body went one way, her mind the other. Nothing filled the space between.

# IV
# THE ISLES

It was a small thing that finally convinced Albert he needed to escape. Not a beating, not a torture; not a turn of the dial, or a session with the flail. Not even the death or disappearance of another kid – the empty bed, the bundled clothes, the burial parties setting out while the rest of Stonemoor were having breakfast. He used to watch them from the cafeteria window as he queued up for his eggs: the warders in long overcoats pushing something in a barrow towards the sandy ground beyond the pines.

Not any of that. The pain grew dull with repetition. The beds were restocked. The eggs always tasted fine.

Just a small thing. A petal on the floor.

"Oh, *Albert*," Doctor Calloway said. "Well done."

A faint click came, as it always did at the end of the testing. What was she doing? Switching on the lights? Closing off the circuit? He never had the energy to care.

Perfume spiked his nostrils and awoke him from his trance. His body shook; his heart pounded. His bones felt brittle beneath his flesh. With his dripping head slumped against his chest,

Albert hadn't heard the footsteps of Doctor Calloway as she crossed over to his chair. He felt her fingers moving against the back of his head, working on the knot. The mask was removed; he had already squeezed his eyes tight against the neon brightness, but it blinded him nonetheless.

She unstrapped him, gave him the cup and let him drink. Objects swam into focus: the white tiles, the woman's dress as she moved to stand above him, the metal table with its range of items, halfway across the room. He caught the blonde halo of her hair, the shining metal crescent open in her hand. She always took time putting the mind restraint back on him. It was a way to emphasize how helpless he was: after the experiments, he had no strength left to do anything to her.

Unusually, she lingered, studying him.

"Well done?" he whispered.

"Look at the flower."

He obeyed her as he always did, though his eyes were raw in their sockets. It was strange to see the items on the table in their true solidity after staring at mental impressions so long. The lit candle had burned halfway down during his testing. The dish of rice, the pot of stones, the mouse, the bottle ... all sat as before. Today's flower was a Cheddar Pink, five-petalled, frail of stem, drooping like an invalid over the lip of its jar of water. It too was identical to the image he had fixed in his mind, except for a single petal now missing from the fringed corona that surrounded the purple-pink heart.

"Did I do it, then?" he asked.

"On the floor by my feet."

He turned his neck with care; during one of the stronger

electrical shocks, he'd spasmed so hard against the straps a line of skin was gone. But yes, there – down by her polished black shoes, a full twelve feet from the table: a fleck of purplish pink lying on the tiles. Albert stared at it, uncomprehending, then looked up at her. "That's ... quite a long way," he said.

"A *very* long way." In the cool light of the testing room, her skin glowed palely, neatly emphasizing her heart-shaped face, the wide cheekbones that tapered to the small and dimpled chin. "You removed the petal blindfolded," she said, "and carried it slowly across the room. You kept it at a constant height and speed, despite all the distractions I could throw at you. Such delicacy and precision! Such fine control, regardless of the pain! I have never witnessed a better performance, Albert Browne. I am impressed. Who knows – with help, you may yet achieve great things. It is a special day. And now it is time for lunch."

She smiled at him, a smile of startling directness and clarity that he had not seen from her before. And in that moment, bathed by the radiance of that smile, Albert for the first time knew true happiness, a sense of tearful gratitude that, despite the weakness of his nature, despite his inner deformity and moral wickedness, he had finally proved himself to her. He had completed the task without physical collapse and without the threat of maxing out. He done something that *impressed* Doctor Calloway. He had repaid her faith in him.

His surge of pride and pleasure was so strong that he also knew another thing even more clearly. If he stayed at Stonemoor so much as a day longer, he would be lost. He would stop struggling; he would stop resisting; he would never again look longingly out over the walls of his prison towards the world. He would become hers. He would lose his dreams of freedom and, like a slavish dog, pursue only her goodwill.

She moved out of sight around the chair to fix the band back on his head, treading on the petal as she did so. Albert's eyes dropped to the blot of pinkness crushed against the tiles.

"Thank you, Doctor Calloway," he said sincerely. "I think you're right. This is going to be a very special day."

# 23

THE RINGING OF THE BELL DID NOT ITSELF WAKE HER UP, BUT IT was a staircase leading back to the living world. She followed it slowly, ascending its long, steep ramp of sound for unknown minutes, up from deepest darkness and in and out of dreams, until black became grey, grey became white, and the whiteness split apart and she lay staring at the sky.

Small clouds were passing across it – slow, frothy plumes like sheep tails, floating on an immensity of blue. She knew it was the sky; yet, for all she could tell, she might have been above it, with the whole earth pressing on her back, and her looking down into a bottomless void.

She lay gazing straight ahead without moving, assembling her impressions carefully. She was on a hard surface of some kind. There was warmth on her face, but a breeze was blowing and she was otherwise cold. She had a dull ache in her hand and a sharp one in her head. A bell rang near by, a persistent clanging that was neither particularly pleasant nor harsh enough to act on. Occasionally she heard the flap of cloth. There was also the constant rustling of the sea. A fly passed in and out of her vision. For a long while she lay still without feeling the need to know anything more. Then thoughts dripped like syrup back into her brain. She remembered who she was. She remembered her own name.

Scarlett raised her head stiffly, looked down the length of her body. She lay on a smooth grey concrete slope, head lower, feet higher, amid a mess of pebbles, shells and rags of seaweed. Beyond her boots the slope continued on, pitted, whorled by waves, with great holes and fissures spread randomly. They looked big enough to swallow a girl. At an unknown distance, the concrete fractured into three enormous shards. One rose straight up to an implausible height. The other two jutted back outwards, bent like daffodil leaves, with overhangs of incalculable size and weight that might at any moment slam down to obliterate Scarlett as if she had never been. The realization gave her sudden vertigo, which instantly led to nausea; she turned on her side and vomited out a rush of sea-water. This made her feel much better.

With her head askew like that, she could see the blank, grey water of the lagoon stretching away in sunlight to meet the clouds at the horizon. A few feet away, a gentle froth-splash of waves struck against the slope and over a piece of washed-up planking. And now her syrup-thoughts flowed faster. She recalled the fight on the raft; she recalled Shilling, Joe and Ettie.

She recalled Albert.

Albert. The men flying impossibly into the air.

The raft breaking up, collapsing.

Albert at the centre of it all.

"Holy crap…" Scarlett said.

A cold feeling unrelated to her soaking clothes rose through her. It was the chill of desolation. She lifted numb fingers and felt mechanically for her cuss-box, but it had been torn away. Torn away like everything else she had. She closed her eyes, gathering her energy; then Scarlett raised herself again.

She got unsteadily to her feet, stumbling in the sand and shingle. Her movements felt like those of someone else. She was wet through, though the sun and wind had begun to dry her out. Her hair was sticky, her skin granular with salt. At last, she was upright. She took a deep breath and looked around.

And saw an immensely tall man standing right behind her.

Scarlett gave a scream, leaped back, scrabbling for her gun. But she had lost that too. She stumbled, stood at bay, eyes staring, hands raised.

The man nodded placidly at her. "Morning."

He was dressed in a coat and trousers of animal skin, the pelts lying over him in layers and folds like a carapace of furry scales. The base of his coat was flapping in the breeze. He had a conical fur hat, an ancient pair of rubber boots. In one hand he carried a metal pole with a steel hook welded to the end; in the other was a copper bell. He had a raw-boned face, an enormous nose and chin, and eyes that gleamed with definite, if unhurried, intelligence. Even standing slightly above him on the slope, the top of Scarlett's head reached only midway to his chest. He was extremely large.

It took Scarlett several seconds to gather her wits, force her heart rate down. During this time the man did nothing, just looked at her appraisingly.

At last she managed to speak. "How long have you been there?"

"A fair while." He spoke after some consideration. "I thought you were dead."

"What, even when I started moving? And vomiting and things?"

"Well, it's hard to tell with the stuff that washes up here," the man said. "You get corpses with a build-up of gas inside; they can hop and flap about the shoreline for hours as the wind leaks out. Best not get too close to *them*, I say, especially with a sharp stick… In short, I tend to let things play out now, see what happens."

"Jesus. Do you? I might have died. You should have done something."

"I *have* been doing something. I've been ringing the bell. Hold on. Better just ring it a bit more…"

The large man gave the bell in his hand a few industrious shakes, sending out an almighty clanging that echoed out over the water and off the concrete overhangs.

Scarlett's head hurt. "Stop doing that."

"Rules are, I've got to ring the alarm bell if there's an Unforeseen Event."

"What 'unforeseen event'? What are you talking about?"

"Oh, bless you, I forgot you were new round here. Yes, an Unforeseen Event might be any one of the following: (a) a dead whale; (b) a quantity of wood, coal or other combustible substance; (c) a sighting of a shark or kraken; (d) a piece of useable flotsam; or (e) an attack by enemy Archipelagans." The tall man sniffed, wiped his nose amid the voluminous folds of his furry sleeve. "You fall into category (d)."

"I'm a 'piece of useable flotsam'?"

"Better than being a dead whale, love." The man gave the bell one more shake and desisted.

"Christ. And who are you signalling to?"

"Bob, mainly, here at the Watch Station. Also the good folks on Bayswater Isle yonder. They'd want to know something's up."

He gestured behind him, and for the first time, Scarlett focused her attention on the wider vicinity. The mighty shard of shattered concrete on which they stood was an island in the lagoon. A few feet below her, it plunged at an angle into the surf. Waves washed against it gently; blooms of giant grey-brown mussels hugged the waterline, ringed like bracket fungus and large enough to step on. Below this, the ramp disappeared to unknown depths. But Scarlett's gaze was drawn away across the water to where another jagged island rose, this one much larger and of incredible height, black and stark against the early morning sun. Seabirds wheeled about its countless windows. Sunlight speared through cracks in its sides, which had been softened and rounded by centuries of sea storms. It was evidently inhabited. Ropes hung between its ledges, linking sections of the tower and looping away across the open water to subsidiary isles close by. A couple of ropes, thin as gossamer, spanned the gulf to the island she was on and disappeared high above, behind the overhanging slabs.

Looking towards the sun, Scarlett saw other towers silhouetted far off, some even taller than the one near by, others collapsed to form long low tumbled islands. The sea between them was flat, a yellow mirror; the isles were shadowed, almost black. It was a grandiose and melancholy scene.

The Great Ruins.

Scarlett had seen ancient towers in the Surviving Towns of Mercia and Wessex, some of them five or six storeys high and functioning, but they were nothing compared to this. On another occasion she might have continued to gaze at the isles with awe and wonder, but her eyes kept diverting to the blankness of the open sea.

No sign of the raft. Of course not. It was gone. Gone, with everyone aboard.

Albert. Ettie. Joe...

Her eyes felt hot. "I need a boat," she said.

"A boat?" The man regarded her doubtfully.

"You must have one. I'm a victim of a shipwreck. I need to go and search for my – for other survivors." A sudden thought struck her, speared her through. "Wait. Have you found ... anyone else washed up this morning?"

The man's brow corrugated. "I don't think so... Not here on North Shard, anyhow. We could ask Bob."

"Thanks." The pain inside her eased a little at the idea of action. "Let's do that now. And we'll talk about the boat too."

The tall man didn't answer; with his hooked staff he gestured towards the concrete cliffs behind her. Docile as he seemed, he wasn't trusting; he didn't want her following him. Well, that suited Scarlett. It meant she could stride ahead, waste no further time. She started up the slope, boots crunching on shells, scuffling through sand, keeping well clear of the yawning fissures, from which echoed the booming of the waves. She had no idea how many hours had passed since the disaster – six? Ten? She did not like to think about the implications. Yet the currents had swept *her* to safety on a plank. If Albert or Joe or even little Ettie had grasped a spar of wood, or reached one of the boats moored alongside the raft, it was *possible* they might have survived. Not likely. But possible.

She would find out for herself.

It didn't take long to reach the top of the slope, a dry and sheltered place in the lee of the overhangs. Here, where the concrete walls had split apart, there was a vertical tear in the cliff-face. A set of wooden steps led inside the hole, up into the dark.

Scarlett paused to allow the large man to catch up with her. His brow was still furrowed; evidently something was preying on his mind. Her taking a boat, perhaps? She needed to keep him happy at this stage. It struck her that she didn't know his name. Albert would have found out at once, of course. In fact, he'd have been so insanely friendly the guy would probably have ended up kicking him into the sea. But Scarlett had to admit he often got results. She arranged her face into what she hoped was a beaming smile.

"I'm Scarlett, by the way," she said. "What's your name?"

The large features softened with pleasure and surprise. "I am Clarence, Assistant Watchman on North Shard. It is kind of you to ask."

"Sure."

"But are you all right? Your face has spasmed strangely... Perhaps it is that trapped wind I was speaking of?"

"Yeah. Maybe." Scarlett discarded her smile and headed up the wooden steps.

The stairs wound for some distance into the interior of the structure, which was deeper than she'd suspected. They opened at last into a vast hollow space, a cave in the concrete, with flowers of rust caking the walls and iron stalactites dangling high above. One side of the space was open, with a slipway running down to the lagoon, and a parapet half filled with an assembly of cog wheels, chains and pulleys. From this issued several ropes that exited through the opening and arched away into the air towards the island across the water. A man-sized cylindrical basket sat on the centre of the parapet, connected to the thickest rope by four stout chains.

The rest of the room was sparsely but cosily furnished. There were threadbare rugs on the concrete floor, a table and chairs, two trestle beds, an ancient and rickety telescope pointing out to sea. A pile of clams lay on the table. A rack held a variety of rakes, hooks and nets, evidently intended for the retrieval of objects floating past the North Shard Watch Station.

Standing at the telescope was a very short man, barrel-chested, bow-legged, wearing fur trousers and a leather jerkin. Presumably this was Bob.

Of more interest to Scarlett than him or any of the furnishings was a small, round canvas boat moored at the base of the slipway. It was a coracle, scarcely big enough for two people, but complete with paddles and motor. Her eyes narrowed. Fine. It would do.

The short man turned from the telescope as they entered. His head was bald, his weather-beaten skin the colour of cold coffee. He looked straight past Scarlett and greeted his tall companion. "Heard the bell again, boy," he said. "What was it this time? A whale?"

"Just the same flotsam I told you of an hour ago. It's not dead."

"Not dead?"

"It's woken up. Here it is. Name of Scarlett."

"Hello," Scarlett said. "Are you Bob? So nice to meet you." She hesitated, cleared her throat, tried the smiling thing again. It was hard to know how Albert did this stuff. It was just so fake and awkward, far harder than just kneeing the bloke in the groin and heading off with the boat. At least that way was *honest*, with no flannel, no lies, no smarmy prevarication. "I need to use your coracle," she went on. "There's been a shipwreck near by. Some people have been lost. I need to look for them."

The man's face crinkled pleasantly. "Charmed, I'm sure. Bob Coral's the name. Chief Watchman. Would you like to sit down? We have fresh water for you, and raw clams."

"Thank you. Water, please."

A cup was filled from a tank at the back of the cave. Scarlett drained it gratefully; she had not realized how thirsty she was.

"There," Bob Coral said. "And what about a clam now?"

Clarence nodded. "They're good." He had flung himself onto a chair, set his pole beside him, and was picking open a pinkish shell with his long, curved fingernails.

"You are very kind. But I need to look for my associates. May I use the boat?"

"I am sad to hear about your shipwreck," the short man said. "Where did it occur?"

"Out there, somewhere. I guess to the west."

"Ah, yes. Sadly we cannot sail that way. In any case, your friends are doubtless dead."

Scarlett's jaw clenched. "We do not know that. Why can't we sail over there?"

The little man beckoned her onto the parapet. He pointed out beyond the nearby isle to the far horizon. "See yonder? That shapeless lump in the distance? That is Chelsea Atoll, home to our hated rivals, the Chelsea Islanders. Their waters stretch to the west. We do not fish there."

"I don't want to fish. I keep telling you. I want to look for my friends."

The bald man nodded calmly. "The Chelsea folk have all manner of vile habits. They eat foul, wriggling mud eels, for instance, while the noble rock clams that we revere are cast into the sea as unclean! Also, they do not wear seal-fur leggings like any chaste Archipelagan does – if you can believe it, on a clear day, through strong telescopes, you can see the women's ankles flashing provocatively in the sun. Good Johnny Fingers abhors them, and if our coracle went knowingly into their waters, he'd surely cast us all into the Fissure."

Scarlett's lips drew tight. "Johnny Fingers?"

"He is the fond and beneficent ruler of Bayswater Isle."

"I see…" Her gaze flicked to the rack of tools close by. There was a rake there she might use as a weapon; ah, yes, and a knife on the table. Bob Coral seemed to be unarmed. The big man, Clarence, was sucking complacently on a second clam. Very well. As she'd long suspected, politeness had its limitations. She prepared to move.

A bell rang on the parapet; some of the smaller cogs hummed and whirled. One of the ropes was humming, rattling in its supports. Bob Coral gave a skip of excitement. "Aha! We have a reply! About an hour ago I sent a message up to Bayswater that an odd piece of flotsam – namely a drowned, red-headed girl – had washed up on our shore. Johnny always likes to hear of anything unusual… We will hear his edict shortly."

A sparkle in the sky. Something shot down from the heavens, twisting, gleaming, coming from afar. It resolved itself into a large glass bottle, tied to the rope, which swung into the cave opening and was intercepted by Bob Coral's practised hand. He unstoppered the bottle, took out a piece of paper, and read it carefully, finger moving across the lines.

While he did so, Scarlett took the opportunity to edge towards the slipway.

"Well," Bob said. "That settles the matter. It is a message from Johnny Fingers himself! He requests your presence on Bayswater Isle! You *are* honoured."

"I thought you told him I was dead."

"Yes. Probably he wants your hair for one of his cushions. But he will be delighted to see you alive, and so charming and personable too... Are you sure you won't suck a quick clam before you hop into the basket?"

Each time Scarlett's eyes blinked shut, she saw limp bodies floating in the waves. She had no intention of wasting any more time with halfwits in furry rags. "Maybe another day. I must insist I search for my friends."

The little man regarded her blankly. "But Johnny Fingers wants to see you. You have no choice."

"The answer's no."

Bob Coral made a movement in her direction. Scarlett's nerves, already stretched to breaking point, jarred and twanged. She darted to the rack, snatched up the rake, menaced the short man with it, then turned and ran down the slipway towards the coracle.

"Clarence," Bob Coral said, "if you would?"

In the blinking of an eye, Clarence was out of his chair, his pole-hook in his hands. He leaned down the slipway, swung the pole with dextrous ease, grappled Scarlett by the collar of her coat and hoisted her, kicking and cursing, into the air. He swung her up and round, dumped her unceremoniously head first into the wicker basket, thwacking her bottom briskly with the pole to send her completely in. Scarlett crumpled face first into the base of the basket. There was a pungent smell of fish. As she sought to struggle upright, Clarence and Bob hauled on the pulley with a series of mighty tugs. The basket swung upwards off the ground and careered out of the opening in the wall.

Scarlett resurfaced, red-faced and breathless, blinking in the sunlight. She leaned over the edge of the basket, hoping to jump clear. Impossible: already she was sickeningly high. Far below, waves broke over slabs of tumbled concrete. Down in the mouth of the cave she could see the tall man hoisting on the pulley, the little man capering beside him.

"Away with her!" he cried. "Higher, higher! Johnny Fingers awaits!"

Scarlett leaned out to shake her fist and make abusive gestures; the movement further destabilized the swaying basket, which lurched and spun. She clutched at the chains for dear life.

"Don't wriggle!" the little man called. "You'll dislodge the basket from its hook!"

Scarlett at once became very still. Even so, the basket continued to swing wildly left and right, back and forth, with appalling freedom. The rope creaked and groaned. She did not glance up to study whatever feeble strapping held the chains in place. Tentatively turning to look ahead of her, she saw the ropes climbing ever higher through the bright, thin air with Bayswater Isle dim and hazy in the distance. Beyond, the sea was studded with other ruins. She hung in a shining void. Looking down was no better. Flecks of light glinted on the lagoon to mark the wave crests, and here and there the shadows of vast fish undulated in the depths.

Up went the basket. Groaning, gagging, Scarlett slumped to her knees. The incessant swaying and her bubbling nausea were bad enough, but it was nothing to the realization that now, truly, she had to give up hope of seeing Albert, old Joe and the little child again. It had probably been too late even when she woke on the concrete beach. Now, carried aloft to some other godforsaken island, with who knew how many inbred fools to deal with, there was no chance of her surveying the surrounding waters any time soon. No, it was too late. They were sunk and drowned.

Images assailed her. She saw Ettie toddling happily past her in a haze of nostalgic sunlight, dipping her fat legs in the water, or playing one of her stupid games. She thought of the girl crouched in the darkness of the fort, of Albert carrying her down the hill to safety... And all for what?

For her to be swallowed up in a tempest and lost.

Well, she had guessed right about Albert's talent – and she had been right to free him from his bonds. But his destruction of the raft had been a display of such awful and unimagined power! That was him "maxing out", there was no doubt about it. She understood now all his hints and dark evasions; she understood why he fled himself, why he'd been seeking sanctuary at the edge of everything. What terrible deeds must he have done in his life! She thought of the chaos and misfortunes that she had personally endured while in his company – the injuries, the near-death incidents, the almost-drownings; the loss of first one fortune, then another; the price on her head courtesy of the Brothers of the Hand; the insane journey across half of England... And now the loss of Joe and Ettie too.

Albert! Every single thing that had gone wrong these past ten days – *all* of it was due to him. Crumpled in the basket like a spider in a jar, Scarlett tried to stoke her indignation, but she could not feel the necessary anger. Instead she saw him as he'd been for most of their journey – grinning gawkily, tripping over, asking silly questions, playing with the child.

She saw him pressed beside her in the darkness of the fort, saw him smiling at her in the courtyard, saw him running with her down the hill.

She saw him wearing the cruel barbed circlet, the blood trickling down his face...

From the depths of her misery, Scarlett rolled her eyes at her own crass sentiment. It was all so stupid and pointless. "It doesn't matter, anyway," she said between cracked lips. "None of it does. The idiot's dead and gone."

How long it took the basket to make its journey to the other island, Scarlett couldn't tell. Only once did the forward motion pause – perhaps because Clarence was having another clam. The cessation was almost worse than endless movement. All sense of time disappeared. Scarlett hung in silence, listening to the creaks of the rope, the whispers of wind on the loose threads of the basket. A sudden terror arose in her that she would be abandoned in mid-air. There were people in Northumbria who raised their dead on poles, left them hanging for the birds to eat. Sometimes the remains dangled for years, freeze-dried by the elements, growing ever harder and more mummified... Perhaps this would be her fate too.

The basket jarred and pitched; the rope began to move once more.

She sensed a change.

The light above was dimming. Bracing herself against the sides of the basket, she manoeuvred to a kneeling position, then to a squat. She stuck her head cautiously above the rim.

The shock was almost total. Towering cliffs filled her vision – above, below, on either side. They stretched away; there was no end to them. Just ahead, the ropes ran into a great black aperture and disappeared. Scarlett scarcely had time to take in the lichen-covered concrete of the outer wall, the metal spurs projecting beneath like tusks, then she was in and swallowed by the dark.

# 24

SCARLETT WAS DEAD.

That was the truth of it. That was the knowledge that filled and flooded him. It blurred his every word and action, dulled his eyesight, taste and hearing. He was underwater with her; he was somewhere far away; he was imprisoned inside himself as if in a locked room. There was no escape. Stonemoor was nothing compared with this.

Scarlett was dead and he had killed her.

Albert had woken to his guilt and terror in a pretty chamber with seashells on the wall. There were a great many of them, arranged in decorative spirals across the whitewashed plaster. Bars of sunlight came through the shutters of the window, striping the shells and the wooden bed and the disarranged blanket over his bare legs. His clothes hung on a chair beside a door. Outside the window, seabirds squalled. Albert lay frozen, staring at the ceiling, skewered to the bed as surely as if he had a fence-post through his chest. He could not move. He knew what he had done, and that Scarlett was at the bottom of the sea.

That was the only clarity. Everything else was vague. Of the final moments on the raft, for instance, he had little recollection. It was a storm of splintering wood and rushing water, where light was engulfed by darkness, and violence done to the rightness of things. He was at its centre. There was no up, no down; he saw men in the air, boats sinking like rocks; heard the howling of an unnatural wind, the awful crack as the raft was pulled apart. And underlying it all, the terrible surge of pain and relief that came with the unleashing of his Fear.

He remembered the deck giving way beneath his feet and his abrupt submerging; remembered how the sudden shock and bitter cold instantly cancelled out his power. He remembered plunging deep into the appalling silence, with unseen bubbles fizzing around him. Then surfacing, and a moment's thrashing, gulping panic, before a hand took hold of the scruff of his jumper, slammed him against a boat hull, and somehow hauled him inside.

After that, fragments again: old Joe's curses, as he wrestled with the oars. The sound of Ettie crying. Being slumped in water against the inner ribs of a rowing boat, his body limp, his mind as brittle as an eggshell. Strangely and most marvellously, a pattern of yellow lights far off, rising like a beanstalk against the stars.

And later, still in darkness, passing under a broad black archway. No stars now, only the swirl of lanterns – and voices close at hand.

Vaguely, in reveries down the years, Albert had envisaged a glorious arrival at the Free Isles. It involved bright sunshine, cheering crowds and shimmering islands rising green and fair as his little sailing boat skipped across the harbour waves. In reality he was bundled out, more dead than alive, into a dripping concrete cavern; then half carried, half dragged up endless stairs in guttering lantern light. His consciousness guttered with it – he did not remember arriving in the room. But one certainty had somehow worked its way into his mind, and he awoke to it hours later, ringing like a bell.

*Scarlett had not been in the boat.*

Everything that followed for Albert was seen as if through a fog. He had dressed. He had looked out of the window at the sea. A kindly woman came, wearing furs and a necklace of coloured shells. She gave him warm water to wash the wounds in his forehead. She led him through many rooms, up steps and ladders, along metal gangways spanning crumbling floors with the lagoon glinting far below. Other men and women met them, all dressed in furs, with shells and sea-flowers in their hair. They greeted him gravely and asked his name. Dumb with sorrow, he'd scarcely been able to answer them. He was shown at last into a squared concrete hall, with apertures on all four sides, and the blue skies of the edge of the world showing through each one. In the centre of the room was a long table, set about with food and drink, and here sat Joe, with Ettie on his lap, eating a late breakfast.

Ettie squeaked with delight at Albert's appearance. The old man gave a cursory wave. "About time! Come and sit down." He gestured to a chair. "There's fish and clams and kelp-cakes, which the people of this ruin have provided us. They've gone down to their nets to bring in the morning catch, but they'll be back shortly."

Albert walked slowly across to them. The little girl was negotiating an enormous slab of dark-green cake. "Hey, Ettie," he said. He ruffled her mess of straw-blonde hair. He crossed to a chair opposite, sat down, took food without attention, and began to eat. His jaws moved mechanically. Joe said nothing. The events of the night hung over them like a slowly tipping stone.

"Scarlett McCain," the old man said suddenly. "I want you to know, I looked for her too."

Albert swallowed, nodded. "Thank you, Joe."

"Briefly."

"Yes."

"But it was dark and the sea was too rough, and I had Ettie to think of. We were lucky. When the raft came apart, just as we entered the water, one of the rowing boats of those wicked men drifted past. Part of the prow was smashed in. It was listing, but it floated. I had to get us to safety."

In the cool shade of the chamber, Joe seemed older and gaunter than usual. His skin gleamed with dull lustre, the bones showing sharp beneath the skin. His hands, as he passed Ettie pieces of crabmeat, were all knuckles, hinges, tendons.

Albert stirred in his chair. "Thank you, Joe," he said again. "I know you saved me."

"I did, didn't I? It was a decent effort, if I say so myself."

"Were there ... any other survivors?"

"No. The girl is gone. There is no sign of her. The murderers are all dead."

Gone... Tears stippled Albert's eyes. He looked past Joe towards the windows and the sea. At last, when he could speak again, he said: "What about the other boats that were approaching, when..."

"When things kicked off?" Joe shook his head. "Everything that was near us was destroyed, the boats wrecked, the people drowned. The citizens of the island say a lot of debris has washed

333

ashore. Bodies too. And parts of bodies…" He eyed Albert, took a bite of fish.

"Was a pale-haired woman among them?"

"I do not know."

Albert looked at his plate. He had no appetite for anything. "Is Ettie OK?" he asked.

"She is well."

"I'm sorry about your raft. Poor *Clara*."

"Yes."

"All your possessions."

"It is a grievous loss to me. *Clara* was a peerless vessel. Also she was my livelihood, my landscape, my home…" The old man sighed, ate a chunk of crab. "I shall try to comfort myself with the vast wealth that you shall shortly give me in payment for my services."

Albert's shoulders drooped. He did not break the old man's gaze. "I'm so, so sorry, Joe. But the money's gone. Scarlett's bag was on the raft. It's lost."

Joe stretched back in his seat with a cracking of arm joints, belched contentedly and scratched at his scalp. "Actually, it's not." He hoisted Ettie off his knee. "Hop down, there's a good girl… The bag wasn't on the raft, boy. If you remember, those murderers had our possessions put in one of their boats. And that happened to be the very boat that drifted past me. I have the rucksack in my room."

"Really? You have Scarlett's belongings?" The prickling in his eyes was back. Albert coughed, blinked it away. "Even her prayer mat too?"

"I have that noisome rag. I'll fetch everything for you, and perhaps we can officially make the payment. I have no reason to stay on this isle, and it is now your home." The old man rose stiffly. In passing Albert, he reached out a hand and patted his bony shoulder. "What's done is done," he said. "I saw how they attacked you. The carnage was no fault of yours. Scarlett did what she said she would do, and got you to this island. We have all remained faithful to each other. Whatever our losses, that is one hard fact that can never be taken away. Now: you need to eat and be strong. Take care, though. The kelp-cakes are good, the seaweed is tolerable, but there's something rather sinister about the clams."

He stumped away, his granddaughter pattering after him. Albert sat in his chair, alone. He took a piece of purple-green samphire, considered eating it, and put it carefully back upon his plate.

He looked around the room. The hall, with its open windows on all four sides, was for the most part a place of wonder. The sea shone far below; wire fences bolted to the ancient concrete pillars prevented people falling through the gaps. Spiked nets deterred the raucous seabirds wheeling in the sunshine beyond. Perhaps the smell of guano was a little stronger than he would have liked; perhaps the rust spreading across the pitted ceiling glistened a trifle too wetly. But what did it matter? The table was piled with food. Shilling and Doctor Calloway were dead. He was at the Free Isles. Everything was fine. Fine…

He stared out blankly towards the sea.

"And so another new citizen joins us! Welcome to Bayswater Isle!" A great voice echoed across the chamber. The cutlery tinkled, the clam shells rattled in their bowls. Beyond the windows, seabirds evacuated in their nests. Albert leaped up from his chair.

Standing in the doorway was a large and effusive gentleman wearing fur boots, patched jeans, a ruffled white shirt and an expansive fur cape that flapped behind him as he set off across the room. He was in the prime of life and knew it; a thatch of yellowed hair was swept back above twinkling blue eyes; ruddy cheeks glowed from behind an impressive blond beard. Trotting in his wake were a number of smaller, quieter men and women, whose smiles and winks and nods of welcome were instant, paler copies of those doled out, with swaggering geniality, by the bearded man. He reached the table, gave a florid bow.

"Welcome again, lad!" he said. "I hope you have recovered from your various ordeals. Be assured, you are among friends. We have heard of your desire to join our company, and we commend you for it. The Trustees of this fair isle extend their hospitality to you."

When he smiled, he was all beard and teeth; his eyes crinkled almost to nothing. Out of habit, Albert looked to sieve his thoughts, but there were no images showing above the sleek blond sweep of hair. It didn't surprise him. It would take days to recover from what had happened on the raft; he was tired.

"Thank you," Albert said slowly. "My name is Albert Browne. I have long dreamed of reaching such a place. I hear it is a sanctuary for all."

The big man nodded, glanced round at his companions. "You see, friends? Word of our isles spreads quietly across the kingdoms, and kindred souls percolate towards us. They leave the towns and the cruel edicts of the Faith Houses, and follow the roads. When the roads run out, they follow the river. When the river ends, they reach the estuary, and from the estuary there's nowhere to go but here. We are the last hope for the weak, the wounded, the unusual. And Bayswater Isle is the crowning glory of the whole archipelago. Isn't that right, my friends?"

There was a general chorus of whoops and clapping from the assembled throng. A woman in a dress of knitted seagrass, very tall and thin, said: "Bayswater is the only true Free Isle. You have done well to land here. Most of the rest are morally degenerate in one way or another. See there, away to the south? On Lambeth Rock they light beacons on their towers, strip off their clothes, and caper shamelessly round the flames. We know. We've watched them."

A girl nodded. "The Chelsea Islanders worship a giant octopus in an underwater cave."

"As for the lunatics of Wandsworth Isle..."

"How many islands *are* there?" Albert asked, once the hubbub had died down.

The bearded man grunted, lowered his bulk into a cushioned chair. "No one has ever counted. The lagoon is large. Some isles are merely slivers of concrete that scarcely rise above the waves. Even these have their hermits. Most of the other Archipelagans are of no account, but some occasionally make war on us. Have no fear – we guard ourselves vigilantly against attack! We at Bayswater are brave, resourceful and strong, thanks to our fine morals and excellent seafood diet. But what am I saying? *You* must eat! Children, attend!"

Albert sat once more. A host of quiet serving boys and girls, who had previously remained in the shadows, hurried forth with new plates of hot seaweed. They were a ragged group, some with notable birthmarks, one or two with missing limbs, all seemingly

337

of great cheeriness. Albert, who realized he *was* famished, began to eat; the big man watched him, smiling.

"I hear that cruel enemies sought to prevent your arrival here," the man said, "but they were capsized in a storm. That is lucky for them! If they had dared set foot on this rock, we would have whipped them into the sea and burned their boats to celebrate our victory. No one is allowed to threaten the folk of Bayswater, and you are now under our protection." He waved a hand benignly.

"It was not just my enemies that were lost," Albert said. "I had a companion too. She is pale-skinned, red-headed… I wonder if…"

"Ah." The man's heavy-lidded eyes grew melancholy. "I am sorry to say that I received report from one of our stations that the body of a red-haired girl had been washed ashore." He plumped his cushion soberly. "Now, now, this is not a place for tears. Let me cheer you by introducing myself. My name is Johnny Fingers; I am one of the Trustees of Bayswater. These kind folk behind me are some of our other luminaries. This is Ahmed, who tends the kelp and samphire fields; and this is Nanna, who guards the sea-doors; and this splendid gentleman, with the missing arm and generous girth, goes by the name of Selwyn Sands, and he is master of the ropes and winches. Zoe here marshals our defences ferociously against sea-raiders from Chelsea Atoll and Holborn Rock… But there is time enough for you to get to know us properly, Albert, in the long years ahead. Come, you need distraction! Let me show you the glories of this isle."

He rose with easy condescension, waved his entourage away. Albert stood on listless limbs and followed Johnny Fingers through the door. They passed down a flight of concrete steps and out into a dim and open space. In his earlier confusion and distress, Albert had hardly taken in the details of his surroundings. Now, with the sharp clarity of his grief, he saw that the whole island was indeed an edifice of ancient times, its interior a hollowed-out maze of stairs and interlinking floors.

A vast diagonal chasm ran through its centre, a split in the structure of the tower. Opening onto the internal cliffs thus created were an unknown number of halls and rooms at different levels, some lit by candles, others by coils of electric light. Many were dark and empty. Albert could see storerooms, bedchambers, workshops; in one, the citizens of the island worked on spinning wheels and looms; in another, clothes were being fabricated from seal furs. Pulleys jutted from the parapets, with ropes hanging like vines across the abyss; along these, baskets were being swiftly raised and lowered. The chasm dropped away out of sight. Albert looked down, saw only blackness, heard the sloop of water sloshing against rocks.

Johnny Fingers halted on a wooden bridge that spanned the gulf. "This is the Great Fissure – the beating heart of the isle. Over the other side is the central staircase. There are twenty-one flights above water level, and who knows how many below. The stairs descend into the dark, turn after turn. Girl called Misha, ten years back – she was a daredevil swimmer, could hold her breath three minutes straight. She dived five flights underwater with a lit flare, and saw hallways full of white fish, and the staircase still going down..." He smiled at Albert. "Of course, the easier way to explore it is just to jump off here."

Albert did not quite see the humour in the remark; it was a fearful drop. He looked bleakly out into the dusk. He could hear the hum of spinning wheels, the soft mutter of serious conversation. "It seems a busy place."

"Ah, we all must work! Quiet industriousness is the secret of our community! Each of us has our allotted place and function. In due time we must decide on a role for you."

"I would certainly wish to be useful. I have interests in many things."

"Yes, yes, and there are many options. Maybe you will be a weed-gatherer, diving in the kelp beds below the south wall of the isle. Or a nets-man or harpooner, who dangles upside down from ropes above the rapids and snares the savage swordfish as they pass. Perhaps you will be a painstaking artist, adroit with shells and mud, working on the endless murals with which we decorate our walls... But there is a lifetime of satisfaction to be had from learning any of these skills. We will allot you something at the next meeting of the Trustees. Come, let us go on."

The tour continued. Albert learned that most people lived in simply furnished rooms off the main stairs. There were many empty chambers; it was suggested he choose one for himself, visit the kelp hangers to get dried seaweed for his mattress, call in on the pottery workshop and ask for his personal cup and bowl. At dawn and dusk, everyone gathered for their communal meals. After supper, there were prayers and songs and dancing...

Albert began to lose interest. His sadness dragged at his attention. The big man's voice became monotonous, and the perpetual half-light of the interior preyed upon his nerves.

"And do you ever sail out on the lagoon?" he asked. "To visit other islands, or to fish?"

Johnny Fingers strode to a nearby window, cloaked by a shutter of old driftwood. He moved the shutter aside and gestured beyond.

"We rarely need to get in our boats at all," he said. "Observe!"

The window opened out onto a sheer cliff-face. Green-white seabirds rode the air currents and waters thwapped against the concrete many levels below. The sunlight was blinding after the interior of the isle. Not far off, two smaller concrete islands rose from the lagoon at angles – the decayed relics of other buildings. The channel between the two towers was deep and narrow; down this, the water of the lagoon was funnelled, white and frothed and churning. Ropes were strung over the water-race, with weighted nets dangling into the sea. Men with poles and harpoons hung from swaying ladders, and Albert could see a group of women hauling a bulging net up onto one of the plat-forms. A precarious series of wooden ramps linked this fishing ground with the main isle.

"The shoals pass through the rapids twice a day," Johnny Fingers said. "There are shellfish too, and fur from seals in season. We get all we need from there." He closed the shutter gently, locking the sunlight out. "You need not fear – you will probably never need to leave the isle again till the day you die. Ah, I see the concept moves you! Good. Well, the tour is done. Let us return to our friends."

Back at the hall, the food had been cleared away. The Trustees of the Isle were standing at the table, surveying an enormous rota that showed the allocated daily activities of everyone on the island. Johnny Fingers went to join them, with Albert lagging behind. His mood was flat. It wasn't exactly that he was *disappointed* by the Free Isle. Of course not! To be accepted, to fade quietly into society – it was what he had always dreamed of. And they were welcoming him with generosity. And yet, when he closed his eyes…

When he closed his eyes, he saw Scarlett. Scarlett as she'd been the day before: out on the open water, hair flying in the wind, swearing like a bargeman as she sailed towards the sun…

Well, the pain would fade in time. Meanwhile he was in his new home, and he had to make the best of it.

A thought occurred to him. He should establish the truth from the outset. He approached the bearded man once more. "Excuse me, Mr Fingers," he said. "I have heard that this is a sanctuary for people with … *all* kinds of difference. Physical ones and – and other kinds…" His voice trailed away. "I was just wondering if this was so."

The big man gave a fruity chuckle. He smiled at Albert so that his eyes became black slits. "Ah, that. I looked at you and wondered if it were so. You do not have any *outer* blemishes that might arouse the wrath of the Surviving Towns. Well, Albert Browne, be assured you are no longer on your own. Far from it! Several people here have peculiar talents – the towns would say *unnatural* ones."

"Oh." Albert's face brightened for the first time. "Oh, that *is* good news."

"Yes, Ahmed and Zoe can both make objects move a short distance. Zoe here has even been known to move a clam jar from one side of this table to another. Perhaps she'll show us one evening after prayers."

The tall, thin woman in the seagrass dress scowled. "Perhaps! I'm not a performing ape."

"Selwyn Sands here also claims to have levitated a pencil," Johnny Fingers said, "though personally I am unconvinced…" He winked and waved his hand. "Eerie powers, all, but we accept them, for where is the harm in any of it? And you, Albert —" He rested his large hand on Albert's shoulder — "what is your story? What talents have you?"

Albert looked away. Sudden bleakness enfolded him. "Oh, nothing much…"

"Really? You have come a long way, fleeing harsh prejudice, for 'nothing much'. Tell us, friend, so that your life with us can truly begin."

Albert hesitated; he opened his mouth—

At that moment, there was a knocking at a door on the far side of the room.

It was a brisk, assertive double-knock, neither loud nor soft. Everyone looked over at the door. It was made of dull grey metal and was welded into the wall; Albert had not yet seen it opened. Johnny Fingers frowned blankly. "Those are the western stairs."

"They are ruined and unused," the tall woman said. "Who could be out there?"

"No one. Everyone is at their work."

The knock came again. A large ring-handle midway up the door turned a little, rattled briefly, then hung still.

Johnny Fingers blinked in bemusement. "Someone is clearly on the stairs. Zoe, you are mistress of the keys, I think? Perhaps you would be so kind as to open the door."

"It is most irregular." The tall, thin woman's mouth was pinched and disapproving; she took a small antique pistol from one pocket in her dress, a bunch of keys from another. Selecting one, she strode across the hall.

As she reached the door, the knocking came again.

"All right, all right!" Zoe bent to the lock. She turned the key. Everyone watched her as she opened the door. From where Albert was standing, he couldn't see the staircase beyond. The woman's brows furrowed. "Odd..." she said. "There's no one..." She lifted the pistol, stepped forwards; the door swung almost shut behind her as she went on through.

"Odd indeed!" Johnny Fingers said. "Who would be roaming around outside?"

Sounds came from beyond the door. The first was a noise of sharp enquiry and alarm, almost at once cut off. The second was an unpleasant and indeterminate crack, followed by a frantic, boneless flapping. Last came a breathy, drawn-out rattle that died into a whisper.

Albert stood motionless. None of the Trustees of the Free Isle stirred.

There was a thump against the door. It swung open. Zoe's body tumbled back through it, landing with dull finality. She lay with dress disordered, her thin pale legs jack-knifed, head lolling to the side. She still had the unused pistol in her hand.

Albert made a soft hissing between his teeth.

Another woman walked through the door. She was small, fair-haired and weaponless. Her black shoes tapped a neat rhythm on the stone. She looked around the room and smiled.

"Hello, Albert," Doctor Calloway said.

# 25

SHE HADN'T CHANGED. ALBERT HAD RARELY SEEN HER OUTDOORS, let alone several hundred miles from Stonemoor, but she had not let her journey across England affect her in any way. She wore, as she always did, a black knee-length dress, shaped, elegant and sober, and the long black coat she used in her occasional strolls in the prison grounds. Her polished black shoes were the same too, as was the leather bag that hung on a strap across her shoulder. He knew that bag and what it would contain: a restraint, the pills, the flail, the goad.

He had never tried to guess her age. At Stonemoor that would have been an impertinence – and also meaningless, for she existed as Stonemoor itself existed, inseparable from its corridors and chains. Here, in the half-light of the chamber, he realized with a shock how slight she was, a neat, compact woman with bone-white skin. Her expectation of control began with her own body. A dark velvet band ran through her hair, pulling it back severely from her broad, smooth forehead. Her skin was wrinkle-free, her lips bright red; she moved briskly, taut with purpose and command.

Albert drew himself up. This was the end. He had never been able to evade her, never truly outguess her. And now, to prove it, she was here.

Doctor Calloway stepped past the woman she had killed. She came to a halt, lifted a hand. Through the door behind her came four armed men. Unlike their leader, they had the look of people who *had* just made their way across a lagoon and up several flights of ruined and abandoned stairs. Their tweed jackets and bowler hats were scuffed and marked with dirt and rust, and one of them was limping. But their revolvers seemed in good order, and they held them ready. They arranged themselves either side of Doctor Calloway in a rough half-circle, and waited for her word.

Nobody moved.

Faintly Albert recalled Johnny Fingers' brave prediction about the awful destiny that awaited any invaders on the isle. Without much hope, he glanced aside at him. As he had expected, the big man seemed to have diminished. His bluster was gone; his fur cape sagged on sloping shoulders; he made brief twitching motions with his hands. The rest of his company were like waxworks in a furnace, visibly dwindling where they stood. Albert turned away. He couldn't blame them. They had never before encountered someone with Doctor Calloway's ferocity of intent. And they were transfixed by the broken woman on the floor.

No help for it. He was alone.

He took a slow step forwards. "Go away," he said thickly. "You know what I'll do."

He had the satisfaction of seeing the men flinch back. Doctor Calloway, naturally, spoke just as if she were sitting at her desk. "I know what you've *already* done, Albert Browne. You spent your power last night on the lagoon, and now you're weak. You have nothing left this morning, or you would have already killed us all."

Well, it was nearly true. The physical sensations were present and correct: the speeding heart, the sweating palms; the way his innards had become a nest of snakes, swiftly coiling and uncoiling in his belly. The hallmarks of the Fear. But he could not access it. As she said, he had spent his terror and rage on Shilling, and there was no strength in him now.

But even *with* his strength, would he have killed them? He could feel his willpower shrivelling to see her there before him, and the old helplessness swelling in its place.

"I thought you'd drowned," he said.

"Me?" She looked at him with her soft black eyes.

"I thought your boat was sunk."

"Oh, it *was*." Doctor Calloway tucked a strand of flaxen hair behind her ear. "It was torn quite in two and my men were lost. But the prow floated, and I clung to it, and was driven by your home-made storm halfway across the lagoon. Fortunately, I had other teams out searching on the water. At daylight I made contact with one. And now, Albert Browne, I'm back for you."

Her voice was deeper than Scarlett's, quieter, and very calm and intimate. It made even the most elaborate threat feel like a whispered confidence. Already Albert sensed the familiar patterns reasserting themselves, his resistance draining, her habitual authority enfolding him... In the ordinary way of things he would fall silent now, shrink back into himself, and wait for her verdict – and whatever punishment she would choose.

Instead, he spoke. "I am a citizen of the Free Isles now," he said. "You have no jurisdiction over me, Doctor Calloway.

I will stay here. I promise I will never leave. I will do no further harm."

"No harm?" Her left eyebrow twitched in scorn and pity. "Who is in charge here?"

There was a silence. Albert pointed to Johnny Fingers. "He is."

The big man gave a start; he coughed, his eyes darting side to side. "Well, technically, of course, this community is a collective, in which even the meanest is equal to the rest, and we all exult in the same freedom. Generally, all important matters are put to a weekly vote of the Trustees, which—"

"If you're not in charge," Doctor Calloway said, "I'll kill you at the end of your sentence."

"—which I, being leader, naturally have the authority to overrule." He swallowed painfully. "Yes. It's me."

"Good. Your colleague, this ectomorph, this grotesquely long thin female lying dead here, sought to prevent us entering the room." The black eyes gazed at Johnny Fingers coolly. "I hope none of the rest of you are so unwelcoming?"

"Nope. Not at all. Please come in."

"Thank you. We have no wish to spend any further time than is necessary in your company. Do what we ask and we will leave you to scuttle back into the crevices of this rock like the other cockroaches. This boy – has he become a citizen of your isle?"

"Well…" Johnny Fingers hesitated. "He's had the tour…"

"He hasn't been given his cup and bowl yet," someone called. "It's never official till you get the cup and bowl."

Albert held up a hand. "Mr Fingers – you said I was under your protection."

348

Johnny Fingers rubbed at his beard. "It would perhaps help to clarify the situation if we knew who *you* are, who this lad is, and what harm he has caused…"

"I am a member of the High Council of the Faith Houses," Doctor Calloway said. "Perhaps you have heard of what we do?"

There was a general rustling of dismay. The big man's shoulders drooped still further. "We all know of the Council," he said in a bleak voice. "And the boy?"

"He is a murderer, an arsonist, a robber and a fugitive. Does that help?"

Albert felt all eyes upon him. "I deny that!" he shouted. "Well, most of it, anyhow. And could I point out that I am *not* the one who's just killed this lady on the floor?"

"That's true," Johnny Fingers muttered. "You are also not the one whose four gunmen are currently threatening us with death."

"Quite right," Doctor Calloway said. "The threat *I* pose is real, depend upon it. But it is nothing compared with this boy. You noticed the strange tempest last night? The storm within a storm? Albert created it, with his own unnatural powers. He did so to kill my men."

Albert looked left and right at the inhabitants of the isle. Their collective scrutiny raked across his mind.

"Unnatural powers…" a woman said.

"Yes, and *you* have them too!" Albert said. "At least, one of you can eerily lift a pencil. But, friends, consider – this was no crime. It was in self-defence! Look at the wounds on my forehead – those men attacked me! They were Faith House operatives. You yourselves have fled the harshness of their rule. You *know* their cruelty and their spite."

"What you do *not* know," Doctor Calloway said, "is that death follows Albert wherever he goes. Not long ago he destroyed the passengers on a public coach. Ordinary decent folk, braving the Wilds to travel on their daily business. Yet Albert killed them all."

Albert shook his head. "Only because your men attacked me on that bus! First they tried to knock me out, and then they tried to stab me! That was when my powers—"

"*Unnatural* powers…" someone whispered.

"—broke out," he said. "I couldn't help it – and it's not my fault."

It was no good. They were backing away from him, Johnny Fingers fastest and most nimble of all. There was a clear circle opening with Albert at the centre. He looked across it at the people of the isle. Weary as he was, the intensity of their thoughts broke through: he saw cloudy images forming against the concrete and rust of the ceiling. Images with a single focus. The details were different, but the gist was the same.

A misshapen beast stood in the centre of the hall, a shunned and friendless thing.

It was crouching, cornered, vile, not quite fully human.

Even here. This was how they saw him.

"He 'couldn't help it'," Doctor Calloway repeated. "At least *now* he tells the truth. His wickedness leaks from him like gas from the ground in the Burning Regions. He cannot control it. Within days, I promise you, he will begin his killing here."

There was a short silence.

"Well?" she said.

From afar, Johnny Fingers waved a peremptory hand. "We

deplore you and your methods, and we repudiate your murder of poor Zoe. We will sing sadly for her this evening when we drop her remains into the Fissure. But clearly this creature is not a citizen of Bayswater, and has no place among us. Kill him or take him, as you please. Do whatever you wish, then go, and let us return to the peace and tranquillity of our isle!"

There was a murmur of assent from the crowd. Albert knew that in their eyes *this* was his true crime: to have destroyed the sanctity of their retreat, to have brought death and danger knocking at their door. He felt their contempt beating against him. It was hard to focus – there was too much hatred. It was like the bus again, but this time he had no strength.

"You see, Albert?" Doctor Calloway said. "It's as I always told you. There isn't a place for you in the world. These people are *themselves* outsiders. They live with defects that would make any normal person's skin crawl. Yet they look down on you."

Yes, even here. She was doing what she'd always done, in her study, in the testing rooms, calmly carving away his self-regard. Just for a moment, something crumpled inside Albert. Truly he *was* a deformed, disgusting thing...

He pushed his hair out of his face. He straightened.

*Scarlett* wouldn't have had any truck with that nonsense. She'd not have stood there helpless, dumbly listening. She'd have resisted.

He did so too.

He looked the woman in the eye. "It doesn't have to be like this. You're lying to them, like you lied to me."

"Albert—"

"I *can* control it. If you leave me alone."

Her lips compressed, became a tight, thin line. "I don't think so. Where did you acquire *this* pretty notion?"

"A friend of mine."

"You mean the bank robber? How would *she* know? And where, for that matter, *is* she?"

The question came with sudden force. The black eyes darted to scan the room and fixed back on him at once. Doctor Calloway always had a crocodilian nose for weakness. She watched the involuntary alteration in his face. "Oh," she said. "I see. A casualty of your last loss of control. How very appropriate and sad."

With that, she pulled her brown shoulder bag round, unclipped its buckle. Albert stiffened. It had been part of the ritual since he was very young, too small to see over the desk. When the talking finished, Doctor Calloway would reach to her bag, put in her hand, bring out her selection. Then get up and walk to him. The goad, the flail, the strap... Many things had been brought out of that bag, and none of them did him any good.

She put her hand inside, withdrew it, held it out to him. A metal band, slim, golden, open at the clip. A mind restraint. "Take it," she said, "and put it on."

His heart wavered. He clenched his teeth together. He thought of the muscle that twitched in Scarlett's cheek whenever she was mad.

"No, Doctor Calloway. I'm not going to put it on."

An eyebrow lifted, a perfect crescent of disdain. "Are you being defiant, Albert Browne? Put it on and come with me."

"Come where? Back to Stonemoor? To be killed?"

It was the perfect reproduction of the smile she'd given him that last time in the testing room: clear and dazzling and cold.

"Oh, Albert. You know that's for me to decide."

He *did* know. He looked at the band of metal, at her slim fingers that held it, at the blue veins in the back of her hand. It would be easy enough to do. Stop worrying. Stop fighting. Just take it, slip it on, fix the clasp. There wouldn't even be any pain...

That would come later.

"No," he said.

"No?" The black eyes blinked slowly at him.

"I don't need the restraint. Not any more."

The smile was gone. "Think hard, Albert. Think of the terrible acts you have committed. The bus! The wharf! The raft! Think what happens when you disobey me and go out into the world! I have always warned you of it! Without the band, the violence rises inside you, and inevitably bursts out."

"That's not true. Scarlett said—"

"That girl was nothing. She was a nobody. An outlaw and a thief."

Albert looked out towards the window and the open sea. "Yes, I suppose she was. But everything was different with her."

"Well," Doctor Calloway said, "perhaps she gave you comfort. But she did not change your nature in any way. And now she is in the lagoon, being pulled apart by fish." She held out her hand again. "Forget her, Albert. Put the restraint *on*."

Albert gazed at her. He raised his fingers in a gesture he had seen Scarlett use. "Not a bloody chance."

"If you don't—"

"You'll kill me. Go ahead."

"No, if you *don't*," Doctor Calloway said, "I'll instruct my men to shoot one of these idiots beside you. And I'll keep repeating that order, islander by islander, one by one, until you do as I say."

A silence.

Then the noise in the hall erupted. Physically, the tumult was loud, but the *psychic* buffeting that Albert received, as the citizens of the Free Isle gave vent to their terror and consternation, was almost overwhelming. It was like being on the bus again. It was like being set about with cudgels. He grimaced, raised his arms about his head.

The woman nodded. "Painful, is it? Is it rattling in your skull? We can end that in a moment. Put it on."

He bared his teeth at her. Anger fizzed in his temples. If he only had his power now...

"No?" She signalled the Faith House operative standing to her right. "Well, then we're going to have to shoot the first person, I'm afraid. Not the leader. He's too obvious. And standing too far away. One of the quieter ones."

Albert gave a groan. He held out his hand. "All right! All right! I'll do it."

"Take the restraint, then. Come over here and get it." Doctor Calloway glanced aside at the man, who nodded and raised his gun. "On the count of three."

"No!" Albert cried. "I'll do it! Give me a moment—"

"No time to waste, Albert. One..."

He stumbled forwards, reaching.

"Two..."

He snatched at the metal band.

A shot rang out.

The noise in his head flared, stopped, started again.

Albert stared in horror at the woman. "But I was doing it. I was *doing* it…"

Her face was blank. "I didn't give the order. We didn't shoot."

The man to her right dropped his weapon. He fell to his knees, collapsed onto the floor. A harpoon shaft was sticking through his chest.

Albert stared at him. "Well, *someone* clearly did."

A cough from the side. The figure crouched on the window ledge across the hall was silhouetted against the brightness of the ocean and her face was hidden, but the light shone through her tangled mess of auburn hair.

"Yeah," Scarlett McCain said, and spat out a piece of gum. "I guess that'd be me."

# 26

JUST FOR A MOMENT, THERE WAS EQUILIBRIUM. ON THE ONE SIDE, three heavily armed men and an astonished pale-haired woman. On the other, a girl with a harpoon gun and the element of surprise. No sound, no movement. All the people in the room in perfect balance, frozen and poised.

Like all perfect things, it couldn't last. Scarlett reckoned she had maybe ten seconds before the balance tilted and everything went to hell.

She hopped off the sill, walked forwards, keeping the remaining barb of the harpoon gun fixed directly at Doctor Calloway's chest. The black eyes bored into hers; Scarlett heard a faint noise in her head, almost a ringing, like the air pressure had changed slightly. Then the woman's lips parted with a sigh of understanding.

"The bank robber. I'd *hoped* I'd meet you."

"And I'd hoped I'd meet you. But don't move anything other than that pointy jaw of yours, Doc, or I'll put a hole right through you. The same goes for your friends. Albert, you might want to pick up the gun that the dead guy's dropped. He won't be needing it again."

She was pleased to see him totter over and scoop up the weapon. No dumb questions, no breezy chit-chat. He was learning. She could see he was shocked at her arrival, his face blanched, his eyes showing white and wide. Otherwise he seemed in one piece. He backed away towards her. "Watch her hands," he said.

"I got it. Time to go, Albert. Unless you want to talk some more."

He was staring at the gun, holding it awkwardly, cradling it like it was a newborn child. "No," he said. "The talking's done."

"Then make for the stairs."

They backed towards the main doors at the far end of the hall, passing between the men and women of the isle. The heads of the Faith House agents swivelled, following their progress. Doctor Calloway hadn't stirred. Scarlett kept the harpoon gun levelled at her. With each new step, this was tougher to do – there were so many people. They were close enough that she could feel their clothes brushing against her jacket, sense their hostility brushing against her too. Out of the tail of her eye she saw Albert similarly weaving his way, giving odd little jerks and flinches as though he was being struck. But no one moved.

The only sound was the shuffling of Albert's trainers. A greater silence stretched like elastic across the room – its tension hummed in her ear.

Twenty seconds since she'd fired the shot. And still the equilibrium.

They were almost at the doors. Albert glanced over his shoulder to check where Scarlett was. She was drawing ahead of him.

She nodded reassurance.

And the elastic snapped.

With a sudden jerk, a big man with a blondish beard stretched out a hand and grabbed at Albert's shoulder. Albert gasped, struck out sideways with the gun. Scarlett turned her head a fraction. On the far side of the hall, the pale-haired woman gave a command. A shot rang out; a bullet scalded the air close to Scarlett's neck. She flinched aside, fired the harpoon the length of the hall. It tore through the side of the woman's coat, pulling her off her feet, pinning her to the wall behind. The inhabitants of the isle scattered. The Faith House operatives came alive, began firing indiscriminately.

Everything went to hell.

Scarlett tossed the harpoon gun away. Twenty-three seconds – thirteen better than expected. You couldn't really argue with it. She shoved aside a big woman who was trying to get to the stairs, and yanked at Albert's arm, pulling him clear of the bearded man's grip. She grappled him to her, ducked him down low. Bullets struck the concrete just above, scattering confetti splinters in their hair.

Out through the doors. Down steps, along a corridor, running through a random maze of rooms and passages – Scarlett pulling Albert by the hand.

They paused for breath at last, stood panting. It was a room where the weavers of the colony worked. There was no one there. Wooden looms, angular as giant crawling bats, stood hunched beneath the strip-lights. The one near by was strung with lank green fibres, which Scarlett suspected were something to do with kelp. She let go of Albert's hand.

He was smiling at her. It was his old grin and something more: the joy in it lit up the room.

"Hey, Albert," she said.

"Hello, Scarlett."

"You all right?"

"Yes. I'm so very glad to see you. I thought—"

"I know. Me too. Give me the gun."

It was lighter in her hands than she'd expected, and the mechanism was different from her revolver, but it took the same bullets. She pushed her hair out of her eyes, hefted it briefly, sussing the locks and cylinders, and all the while listening for the approach of the pursuit. The screams of the islanders diffused outwards through the tower. With all the echoes and the caterwauling, it was hard to tell if anybody was coming along behind.

Well, someone would be soon. She positioned herself in the doorway, the gun held ready, looking back down the corridor by which they'd entered. "I'm afraid this Free Isle business is a bust," she said. "You can't stay here."

"I know. That's all right. The people all hate me, anyway."

"Already? Even for you, that's working fast. And there's Calloway too. By the way – nice gesture you gave her there at the end."

"Thanks. I was pleased with it."

"You maybe don't need to use three fingers. Two or one is usually sufficient. But the feeling was spot on. So: do you know the quickest way down? There'll be boats below."

"We need to cross the Great Fissure by a bridge, find the main stairs... But, Scarlett, I'm *so* happy that you got here safely. And ... I'm sorry about what happened—"

"Forget it. Not now."

"But you were put to so much trouble."

He was looking intently at her, his eyes bright in the half-dark, doing his thing. The corners of Scarlett's mouth tightened but she didn't complain. In the circumstances it sure saved time. "Yeah," she said. "The basket ride I could have done without. And the near-drowning. The only good bit was the reception committee waiting when I got out of the basket at the top." She didn't say anything more.

There'd been six officious, smiling islanders standing there, all smugly determined to whisk her off to await the attentions of Johnny Fingers. The resulting discussion had been quick, decisive and extremely one-sided, and had released a lot of Scarlett's built-up tension. It had also got her a nice harpoon gun.

Albert had sieved the gist of it. He winced. "Was the part with the crank handle *strictly* necessary?"

"Rest assured, everybody I thumped deserved it. And they did me another favour. They told me you were alive."

"Yes, and the great news is that Joe and Ettie are here too! They—"

"Shh!" She raised a hand, listened. Yeah, noises in the corridor – boots on concrete, light and cautious, coming nearer. She frowned; it had taken her the best part of an hour to find her way to the hall from the winch room high above. She had seen the Fissure, but had no knowledge of the lower reaches, which meant she had to rely on Albert now. "We've got to go," she said. "Get us to the stairs."

They ran past the looms and out through a squared opening. Beyond was a dim-lit corridor, doors to storerooms, other empty chambers... A crack in one wall let in a shaft of daylight and they could hear seabirds crying outside. There was a smell of rust and sea salt, a tang of desolation. A dusty set of steps led upwards out of view.

Scarlett wrinkled her nose. She spun round, trotted backwards, watching the door behind. "This doesn't *feel* like the way to the main stairs."

Albert rubbed his chin. "We should have got to the Great Fissure by now. Maybe we went wrong at the start. Maybe we should have turned left when we came out of the hall…"

"Brilliant. Well, we can't go back."

"Can't we?"

A volley of gunshots tore the side of the doorway to shreds. Chunks of concrete dropped from the ceiling.

"No."

Scarlett returned fire. In the confined space, the sound was deafening. She stepped back, worrying at her numbed ear with the tip of a finger. Smoke filled the room. Albert was a phantom at the foot of the steps, hands on hips, staring up into the dark. "We could try these stairs…"

"Useless. We need to go down, not up."

Something came rolling along the floor of the corridor. It was a fizzing stick of gelignite. Scarlett abandoned her reservations. A step, a jump; she was next to Albert. They bundled up the staircase side by side.

Again, in the narrow confines of the concrete stairwell, the sound of the blast was magnified. It felt like they were in the middle of the explosion, instead of ten steps up. Heat funnelled past them, tugging at their clothes. Scarlett's hair gusted up and over her forehead, mimicking the flames. They reached a landing, made a full turn, continued upwards, heads ringing, eyes stinging with the heat. On the next landing the walls were decorated with half-finished murals of pretty coloured shells. The doors off were concreted up; the only option was to continue on.

Scarlett cursed. "This is no good. What's above us? Come on, Albert, you're the expert on this place."

He was wheezing, hands on knees. His hair hung down about his face. "Me? I've only been here five minutes. I found out where the toilets were, and that was about it."

A sound drifted upwards with the smoke from the level below. The voice of the pale-haired woman, raised in sharp command. Boots drummed on the stairs.

They hurried on. "How many men do you think she's got?" Scarlett asked.

"Three. You killed the other one."

"Yeah. I just hope there aren't any more. What about Calloway? She armed?"

"She doesn't use a gun."

Up the staircase to the next floor and the next. Some doors were barred against them; others gave onto dead ends. The boots drew steadily nearer; the men were a turn behind. Albert began to flag; he stumbled at a landing, fell to his knees. Scarlett pulled him bodily round the corner. Bullets raked the wall; fragments of shell splintered against their backs. They were on a landing. The stairs continued, but two doors led off, both slightly ajar, with rooms beyond. The door to the left had a key sticking out of the lock.

"I don't want to keep going up," Scarlett said. "Left or right?"

"I'll say 'left'. I've got a good feeling about it."

Scarlett kicked the door open, motioned him through. She pressed against the wall, the revolver trained on the stairs.

"How's it looking, Albert? Talk to me."

"Well—"

The tip of a bowler hat showed round the stairwell. Scarlett fired a single shot; the hat went spinning. She ducked back through the door, wrenching out the key. She slammed it, locked it, stepped away. Gunfire struck like hailstones against the other side of the wood.

Albert was standing in the middle of the room. Scarlett put the gun in her belt and went to join him.

She nodded slowly. "Yeah," she said. "Nice choice."

As a route of escape, the room had two main problems. The first was that there were no other doors out. The side walls were piled high with neat rows of baskets. Some baskets were empty, others filled with dried samphire and sea-cabbage, bottles of fish and pickled clams. All were fitted with links of chain.

The second problem was the wall at the end. It wasn't there. The room opened out directly onto the vast gulf of the central fissure. Hazy light angled across the empty space from the hole in the roof above, showing the dim outline of rooms and alcoves on the opposite side.

Scarlett walked to the edge. There were three tall frames bolted to the concrete, each fitted with wheels and crank handles, each with a rope dropping out into the void. She prodded at the largest.

"Bloody baskets again," she said.

The firing beyond the door became ragged, and now stopped altogether. In the silence you could hear the underlying noises of the tower: the creaks, booms and reverberations that marked its centuries-long death throes, as it succumbed to the impact of the waves.

"Looking at it positively," Albert said, "we *could* hold out here for a while. We've got plenty of supplies. See, there's pickled clams and everything."

"Nice idea, but they're probably fetching gelignite to blow apart the door."

Scarlett craned her head out over the edge. Far below them, the bridge they'd been aiming for was a thin and grainy strip across a well of darkness. A faint draught of air rose from the darkness, cooling her flushed cheeks. The tips of her hair, caught by a breeze, fluttered around her face. The ropes disappeared in a variety of directions. The central one was the steepest and went the furthest down.

She straightened, looked at Albert. There was a touch of that old serenity about him, the calmness he exuded, despite it all.

"My hopes aren't high," she said, "but if you could knock up a performance like last night, that would be peachy. Some kind of whirlwind, random explosions – anything violent, really. I'm not fussy."

His smile was rueful. "I can't, Scarlett."

"Surely you could send Calloway flying down the Fissure? She's only small."

He flinched. "Oh, I could never dare— No, it's no good, Scarlett. I expended too much energy on the raft. She knows it too. I'm nothing."

"She's not *that* confident about it, or else she'd have just got her men to grab you. Didn't you see how they all kept their distance?"

He considered this, then shook his head. "I can't, anyway. The energy's—"

"Gone. Yeah, I know. I'm not surprised after last night. What you did there..." Scarlett exhaled sharply. It wasn't the time. It was *never* the time. "OK, in which case bring me the biggest basket you can find. The one with the thickest chains."

*That* perked him up; he was pleased to change the subject. Scarlett watched him as he went about his task: doing it without apparent unease, happily rummaging among the stores. That serenity flowing off him, soothing and irritating her in equal measure. What *was* it about Albert? He seemed to live almost entirely in the present, able to cut himself off from the unpleasantness of the past, and the perils of even the most imminent future. Sure, it kept him in more or less constant danger of death, but it was not the least of his talents. Scarlett, on whom certain aspects of the past weighed heavily, found that she envied it greatly.

He picked out a basket, dragged it over to her. "Here we are."

"This the best you could get? It's practically a punnet." She inspected it grimly. The basket was lightweight, probably made of dried seaweed or something, maybe only two foot wide. The chains were not especially thick. They were linked at the top to a small wheeled harness that could be attached to a rope. She unclipped the harness quickly, tried to fix it to the rope that depended from the central pulley wheel. "Gods, I don't know how this thing locks in," she growled. "Where's this bit go?"

Albert was observing with polite interest. "It looks rather flimsy."

"Yeah. Tell me about it. This clip... Do you just loop it over and let it hang, or what?"

"Scarlett, I just heard a thud on the door. Low down."

"What kind of thud?"

"The ominous kind. And there was some scraping and whispering."

"Here comes the gelignite. No, it's no good; this'll have to do. Come here."

"Certainly, Scarlett."

"Step into the basket."

Only now did the implication hit him. He gazed at her. "You're not saying—"

"That's right, I'm not. Because we haven't time. Stand in it, opposite me. Hold the chains and brace. Just keep your head clear of the rope or it'll be sliced off on the way down."

"Ah, no... I don't think I can do this. Where does the rope lead?"

"Not a clue. That's part of the interest in all this. Take hold of me, come on."

"There's not enough room. Your boots are so big! I can barely get my feet in!"

"Just do it!"

He stood in the basket, grappled her about the waist. Scarlett gripped the chains. She stuck out a leg, shoved at the stonework. The basket scuffed a few inches closer to the edge. Below them was darkness, endless space. She heard a shout beyond the door. She pushed again. As the chains took the weight of the basket, the rope went suddenly taut. The base of the wheel-stay jerked. A bolt popped loose. Albert wailed. The basket jerked down and forwards, swung out above the Great Fissure – and halted.

Gritting her teeth, Scarlett gave a final frantic kick at the lip of stone.

The wheels began rolling down the rope.

The door blew into splinters. A fireball expanded into the room.

A red cloud passed out across the parapet, scorching the air, ballooning outwards over their heads.

They were already below it, falling.

# 27

WHETHER OR NOT THE FIRST PART OF THE DROP WAS *COMPLETELY* vertical, Scarlett couldn't tell. It was certainly as near as made no odds. She was too busy holding on to take a look, too busy hearing Albert scream directly in her ear, hearing the squealing of the wheels on the rope, feeling her stomach concertina inwards to become a flatbread halfway up her throat. Albert's hair was in her face; heat spat against her cheek. She knew that sparks were leaping from the harness as the wheels strained with the extra load, knew that the emptiness below was rising up to claim her...

All she could think about was clinging on to Albert and the chains.

There was a crash, a screech of tearing metal. Scarlett's body swung up and sideways, weightless and free...

A judder, an impact, a sudden reversal. Then nothing.

Her stomach looped the loop, fell back to join her.

She had stopped moving.

She blinked her eyes open. She was wedged at forty-five degrees against a mangled pulley mechanism in a room on the far side of the Great Fissure. The basket had half split; wisps of smoke rose from the harness. Albert was on top of her, his weight settling gently like a bony blanket. He was still yelling wetly in her ear.

Scarlett slapped her hand over his mouth. She waited, took it away. The yell resumed at precisely the same volume.

"Will you *stop* that?"

He stopped abruptly. "Am I dead?"

"Not yet. There's still that possibility if you deafen me again."

A few bullets whined and cracked against the walls above them. Scarlett rolled herself out from under Albert, took the revolver from her belt. She opened it, checked, reloaded it with the last of her cartridges. She stepped to the edge, glanced up along the curve of the rope. A distant layer of smoke hung out across the void at the level of the parapet they had left. Two men were standing in it, firing frantically down. Scarlett raised the gun, killed them with as many shots; one tumbled forwards into the Fissure, flashed past her and was gone. She stalked back to where Albert was still struggling to extricate himself from the wreckage of the pulley.

"What's with your trousers?"

"I don't know. I think it was the sheer velocity."

"Pull them up and let's find the boats. We've got a chance now. I've dealt with all the operatives, and we must be miles ahead of *her*."

In the event, they had dropped even further through the tower than Scarlett guessed. Four flights of stairs were all that were needed to reach the level of the sea.

They came out in a hall that felt more like a cavern. The original walls had long been lost behind a build-up of rust, algae and chemical deposits, giving them a soft organic quality. Strip-lights hung from the ceiling between ranks of white-brown stalactites. The inhabitants of the isle had fled, but the hall was filled with gutting tables and stacked baskets of fish.

To the left was a pair of open doors with sunshine spilling through them. Looking out, Scarlett saw a tapering bridge stretching away across the water of the lagoon.

"Do we take that?" she asked.

Albert paused. "I don't think so. That leads to their fishing grounds. It's a dead end."

"In that case, the boats must be moored —" Her voice trailed off — "over there…"

At the far side of the hall, the floor tipped downwards into shallow water. A pontoon supported by yellow floats led to two closed metal doors, set in a wall of welded iron that sliced the space in two. Beyond the wall Scarlett could hear the washing of the waves: presumably this was the boathouse of the island.

If so, they couldn't reach it. Doctor Calloway was standing at the doors.

One side of her black coat was hanging loose, with a jagged tear where the harpoon had struck. That was her only concession to recent events; otherwise she looked no different to before. The bag over the shoulder, the velvet band across her hair, the pale, cool face — all were present and correct. Her arms hung loosely at her side. She seemed entirely relaxed, and not at all out of breath.

Scarlett heard Albert give a soft, sad sigh. It was a valid response, but not the one she favoured. She raised the gun and shot the woman four times, head on. This time she wasn't distracted; this time she didn't have the islanders blocking the line of fire.

She didn't miss. But the bullets didn't hit Doctor Calloway either. They struck an invisible obstacle in front of her and ricocheted away.

Scarlett stood staring, dumbfounded, open-mouthed.

"It's no good," Albert said. His voice trailed off. "It's *never* any good..."

*It is death to go near her. She will laugh in your face as you spin and burn.*

Doctor Calloway's hands moved. Something struck Scarlett in the chest like a sledgehammer. The force was so strong it lifted her off her feet, sent her thrashing away across the hall. Pain coursed through her as she flew; her eyes saw only brightness. She was already losing consciousness before she collided with something hard, and landed on her back.

Pain. White light. Nothingness for an unknown time...

A touch. A presence. A small hand placed in hers.

Someone waiting in the light.

"Thomas?" she said.

She jerked awake. Her eyesight flowered. A chubby, straw-haired little girl was gazing down at her. She was looming very close, all breath and eyes and big pink cheeks, chewing methodically on a piece of bread and staring.

"Ettie?" Scarlett croaked. "Ettie..."

The hand was withdrawn; the child grinned stickily, stood up and stepped away, revealing her grandfather crouched beyond.

"Shake a leg," Joe said. "This isn't the time for a doze."

Scarlett blinked at him, struggled to rise. There was sharpness in her chest. Yes, the force of that blow: it had cracked a couple of ribs for sure. And all Calloway had done was—

"Might want to speed it up some," the old man remarked. "*Someone's* got to get after them, and it sure as hell isn't going to be me."

Getting unsteadily to her feet, Scarlett discovered she had been lying across the remnants of a table, amid a pile of shattered wood and fish. Joe and Ettie stood beside her. Otherwise, there was emptiness in the hall. A silence. The pontoon was deserted. The doors to the boathouse were as before. Not far off, her revolver lay shattered on the floor.

Scarlett looked towards the other exit, to its cone of sunlight. To the bridge.

Yes. Albert would want it to happen outside. He would have run that way.

"I happen to have your bag," Joe said. "Don't know if you've got anything usefully murderous tucked away in it? Bombs? Garrotting wire? I expect a girl like you has a bit of everything."

Scarlett rubbed the back of her neck. Her whole body ached; it felt like every bone had been jostled out of true. "You know, I think I'm just out of all those," she said. She glanced aside at the broken gun. "Anyway, I'm not sure they'd do much good." She looked at him, at the little girl. "Wait here," she said. "I won't be long."

She limped out of the door into an explosion of brightness and clean air. Ahead of her, a wooden footbridge stretched away above the lagoon towards two tilted concrete towers.

So, then: where was Albert?

There. At the far end of the bridge, a flight of steps wound round the side of the nearest tower. A tiny dark-haired form was stumbling up it, closely pursued by a swift-moving figure in black.

Scarlett cursed, hobbled out along the bridge, forcing herself to run.

The towers were tipped towards each other like a pair of drunken giants. Albert had been right: they were the fishing grounds for the people of the isle. As she approached, she could hear the water booming and roaring in the crack between the concrete cliffs. The sea there was a milk-white froth, a frenzy of rushing foam. Ragged nets arced like upturned rainbows into clouds of spray. Seabirds were thin flecks swooping through the mist.

The bridge finished at the stairs, and the stairs finished at the top of the tower. It was a dead end, as Albert had said. He would be trapped up there.

Scarlett scaled the steps three at a time.

The top was a broad expanse, rectangular and slightly tilted. A set of low railings, no more than waist height, had been fixed to the perimeter. On the one side were lobster baskets and racks with neatly hung nets drying in the sea winds. On the other, the railings terminated and there was a blank space facing the twin tower across the channel. A great number of ropes spanned the gulf, and there were winches and locking mechanisms fixing them in position.

Scarlett saw Albert. He had run right across to the gap in the railings at the far side. She could see him bending outwards, staring down into the water, looking at the drop.

He straightened, turned slowly around.

The woman was advancing towards him, taking neat little steps in her neat black shoes.

Scarlett opened her mouth, but no words came out. The effort of breathing sliced her lungs. Her bones felt raw. She began running across the top of the tower.

She was not yet halfway over when she saw the woman raise her hand. An invisible force enveloped Albert, plucked him upwards off the tower. His body arched, his chin rolled skywards, his trainers kicked frantically to and fro. He hung there a moment in mid-air, juddering, transfixed. The force shook him side to side, like a ragged stick being worried by a dog.

The force slowed. Albert hung still. The woman lowered her hand. He dropped to the ground again.

Doctor Calloway had halted a little distance from him. Glancing back, she saw Scarlett coming. A hand waved. Scarlett was struck sideways; she went rolling and tumbling across the tower. Coming to a halt, she paused, half stunned and breathless. The woman no longer regarded her. She had taken the mind restraint from her bag, and was watching Albert Browne get slowly to his feet.

"Alive or dead," Doctor Calloway said. "Either way, this is the end. You can come back, or I can kill you here. Two options. I'll give you ten seconds to choose."

It wasn't as if it was the first time Scarlett had seen Albert standing at a precipice. On the cliff above the river, he'd been detached, then terrified. This time, he just seemed calm and a little sad. He stood at the edge of the slab, upright and at ease, lit by the afternoon sun. He was half turned towards the woman. His black hair was flapping at his face. The sleeves of his baggy jumper were flapping frantically too, but other than that, he looked quite good.

His eyes met hers. All at once, her heart clenched.

"Well?" Doctor Calloway was holding out the band to him. "Which is it to be?"

Albert smiled. "There *is* one other option."

And threw himself over the edge.

# 28

For a few heartbeats, there was just the sunlight on the tower. The sunlight, the empty concrete, the roar of the waters rushing below. And two women gazing at something that was no longer there.

A seabird passed above, tilting against the westering sun. Its shadow ran along the stone between them. Doctor Calloway moved.

"Well," she said. "*That* was a waste. But perhaps, after all, it's for the best."

She opened the brown leather shoulder bag, stowed the circlet, clipped it neatly shut. Then she adjusted the bag's position, smoothing down her jacket where it had slightly rucked. She pushed a strand of hair behind one ear and turned to Scarlett.

"Now," she said. "There's you."

Scarlett had also moved. For her part, she'd stooped and picked up a piece of rusted railing that lay near the balustrade. The rails near by were broken, sagging in their sockets. She took a piece that was long enough to use as a club, straightened stiffly, stood there waiting.

Doctor Calloway walked towards Scarlett unhurriedly, the leather bag swinging at her side. The blackness of her dress gleamed like pelt. The cloth band kept her hair scraped back from her brow, where there was a single vertical line, suggesting mild annoyance. Her eyes did not blink. Her lips were drawn a little too tight, like the mouth of a string bag.

Scarlett stayed where she was, one hand loosely clasping the piece of railing. She wasn't under any illusions how she looked. Her face was haggard, her complexion greenish, her clothes ragged, stiff and salty. Her hair was crusted, and hung in matted cords. If she was no longer hobbling, it was probably because the limps in each leg cancelled each other out. Physically, she was failing. But her thoughts were ablaze with life.

The woman came to a halt. They regarded one another across the strip of concrete ground.

"A piece of pipe," Calloway said. "Is that the best you can do?"

Scarlett glanced at it. "I'm improvising. Credit me for perseverance, at least."

"Shilling said you were practically a child, but you're even younger than I expected. How old *are* you, Bank Robber? Eighteen?"

"In all honesty," Scarlett said, "I don't know. Does it matter?"

"Not in the slightest. As for your name ... Albert Browne *did* mention it, but in the heat of the moment..." Calloway gave the faintest shrug. "You're an outlaw. I expect you've got a pack of aliases, each as worthless as the rest."

Scarlett smiled, drew herself up. "I do, yeah. But my true name is Scarlett Josephine McCain. I'm wanted by the militias of twenty Surviving Towns. I've robbed banks across Wessex,

Mercia and Wales. I've crossed the Anglian Fens alone; I've dug to the seventh level of the Buried City. I've been a slave. I've been a Faith House Mentor, if only for a day, and that under false pretences. I've prospected for gold in the Menai Hills; I killed the outlaw Black Carl Nemaides and chopped off the head of his direfox too. In short, Doc, I've been around. And one other thing I've done: I've been the partner and travelling companion of Albert Browne for ten days now. And let me tell you something: I didn't bust a gut getting him out here, putting up with all his endless pratting about, just to have you kill him the moment he arrives. Hence this piece of broken piping. Do I make myself clear?"

The line on the forehead deepened, then the pale-haired woman smiled, showing a row of perfect teeth. "Delightful! How very quaint you are! Scarlett McCain, you say? Very good. And with so many bloodthirsty talents at such a young age! You must have *such* an extraordinary story." The smile broadened. "What a pity no one gives a damn."

"Albert did," Scarlett said.

The sensible black shoes moved a little closer. Scarlett felt the hairs stir on her arms. "I can believe *that*," Doctor Calloway said. "He was an impressionable little fool. Well, I don't know how much of that bluster was true. But on the last point you've got it back to front. *I* didn't kill him. If anyone did, it was *you*."

She lifted a hand. Air smacked against Scarlett's chin, jerking her head up, making her jaws click. She dropped the pipe and staggered back against the rusted railings, which collapsed under her. Fragments snapped and fell away. Scarlett scrabbled desperately at the ironwork, caught hold and stabilized herself, with her heels projecting over the lip of stone. Mists rose at her back, dampening her neck; the roaring of the sea-race pounded at her ears.

Calloway advanced. "My goodness. We *are* a long way up."

"Bit loud," Scarlett gasped. "We'll have to shout. We could always move away from the edge."

"Oh, but I think it's perfect," the woman said. "This is where the old Thames meets the ocean. Did you know that half the time the water in this lagoon is salt, and half the time it's fresh, and it changes twice daily with the motion of the tides? That's the suck and pull of it you're hearing, far below. You've travelled the length of the river, Miss McCain, and now you're at its end. And it's the last stop on your journey too."

Scarlett's feet scrabbled on the broken concrete. She could feel the vibrations of the doomed tower, the waves pounding at its base. Soon, not long now, it would collapse, topple against its twin on the other side. The channel would be gone, along with the islanders' source of fish. And one day afterwards the islanders would follow them, when Bayswater Isle, rising black behind Doctor Calloway like a broken tooth, itself subsided into the sea.

The woman had stopped a short distance away. "You poor, stupid ragged girl," she said. "What did you think you were getting into when you teamed up with Albert? Not this, surely. Not being hounded to the end of the world."

"I didn't *quite* anticipate it, no." Scarlett wiped a fleck of blood from her mouth. "Got to say, I'm impressed with your hypocrisy. You've got the same power as Albert." She flashed a wonky, weary grin. "You're another deviant. How's that square with working for the High Council of the Faith Houses?"

"It squares very well, because I use it for their good. Albert might have done the same."

"You read minds too?"

"In that sense, Albert was almost unique." She raised her fingers to the cloth band in her hair, moved it aside so Scarlett could see the metal circlet hidden underneath. "Iron acts as a barrier *in* as well as *out*," she said. "This was a precaution against his prying eye…" She let her hand fall. "No, telepathy was his talent. I have other abilities."

"Well, the way you deflected the bullets," Scarlett said, "was certainly pretty clever. And you've got a gift for moving stuff, like Albert had. You're also far more controlled than he was. But you know what I think? You're nothing *like* as strong as him, or you'd have zapped us at the wharf, or had a go just now, when we were upstairs."

The black eyes hardened. For an instant the hatred that lay beneath Doctor Calloway's prim complacency was exposed, like the bottom of a puddle hit by a falling stone. The surface closed. Cool amusement shimmered in her gaze. "Control is the key," she said. "I have it; Albert didn't, as you found out last night. I thought he was on the cusp of learning, but then he ran away. And now, thanks to you, it's too late…" She glanced out beyond the parapet, at the mists rising from the churning water. "Of course, you're right," she said. "I'm *not* as strong as Albert was, but I can still lift you out there, screaming, pleading, before letting you drop…" She moved nearer to Scarlett, who felt a soft, slow pressure building against her chest, fingering her cracked ribs, easing her gently towards the edge…

Scarlett gave a cry of pain. She had seconds left to keep the woman talking. "I know about Stonemoor!" she gasped.

The pressure lessened abruptly. "Well, *that* surprises me," Doctor Calloway said. "Albert didn't like to dwell on unpleasant truths. What did he tell you?"

"Enough. I know it's filled with poor drugged kids in chains."

Calloway laughed. "Hardly! Those 'poor drugged kids' are as dangerous as Albert was! I wonder, did he tell you how he left, how he broke out? What was his story? That we let him out on a day-pass, that he went on a little holiday?"

Scarlett seemed to recall that Albert had more or less said exactly that. "Not at all."

"So you didn't hear the details, then? We have high security at Stonemoor – the High Council insists upon it, for all our guests are perilous. There is a series of courtyards, linked by guard-posts. Albert forced a window at dawn, walked across the yards, one by one. At the first guard-post, we found four dead men; at the second, two. At the final gates, he met the warder Michael, his main carer, who was arriving for the day. There was an altercation, at the end of which the gates were blown out and Michael torn to pieces. His pockets had been rifled, his money taken… These were men with families, Miss McCain, men of long and dedicated service. Men who sacrificed everything to protect the kingdoms from your friend, Albert Browne."

Scarlett snorted. "What, you expect me to cry? Maybe it would've worked out better if you hadn't been torturing him for years. I heard about your 'experiments', Doc, and I can't for the life of me tell if you were trying to train him up or just hurt him for your pleasure." She grinned narrowly, showing her teeth. "I wonder if it wasn't perhaps a little bit of both?"

Doctor Calloway's face was as pale as the sky behind her, her mouth an aberrant twist of red. "You little fool – you have no idea what you're talking about! I gave him my time, my expertise, my protection! I always had hopes for the special ones. And Albert *was* special. But without discipline, without control, he was no better than a beast."

Scarlett tightened her grip on the railing in her right hand. It was loose; she could feel it – if you pulled at it, it would come away. "Yeah? But you know what *I* keep coming back to?" she said. "The hypocrisy of it all. Every Surviving Town across the kingdoms has its Faith House, clamping down on genetic variation. Any deviations, any abnormalities – bang, you're staked out in the woods for the wolves to eat. Yet it turns out the High Council's also got Stonemoor tucked away some place – a secret hospital, a laboratory where the *really* odd deformities end up. The fascinating ones. The ones that might be useful. The exceptions – like you."

"Stonemoor is essentially a prison," Doctor Calloway said. "That's its prime function."

"No, you want something from the inmates, or you'd just shoot them and have done. I've been thinking about that," Scarlett said. "All the time I was with Albert, I've been thinking. I saw the wanted poster you gave the operatives. Twenty thousand pounds alive, ten thousand dead. Double fee for bringing him back in one piece. I saw the sleeping pills the operatives on the bus tried to force on him. Even Shilling, who clearly feared and hated him, did his best to keep Albert alive... That was always your preferred option. What I still can't quite get a handle on is *why*."

She adjusted her grip on the railing. Calloway wasn't yet close enough to risk a swing, but it wasn't far off. Just keep going, keep on talking, draw the woman in...

But Doctor Calloway had stopped where she was. Only her eyes moved, studying Scarlett intently as she spoke, flicking side to side as if reading a book. Even after Scarlett finished, she continued her inspection, gazing, frowning... All at once, her expression cleared.

"You've met the anthropophagi," she said.

Scarlett glared at her. Her mind was blank. "Maybe. Whatever the hell that means."

"I mean the Tainted! The cannibals, the eaters of men! They leave an imprint on the face that never fades. They haunt you, don't they, Miss McCain? They watch you in the dark."

"No," Scarlett said. She looked away.

Calloway smiled. "Yes. So you'll know the danger they pose to us. You'll also have noticed they were like us once. And they're not so different now, which is the horror of them... And they are only the start. Tell me – you've been around; you've travelled the kingdoms, seen this, done that. But did you notice the rest of it? Did you see how the towns are dying, how the safe-lands shrink back as the wilderness presses in on every side? Did you see the monsters in the woods and rivers? The shadows in the forests? The unnatural forms passing beneath your raft? Did you see the black earth, the scoured landscapes, the red storms rolling inland from the east?"

Scarlett shrugged. "Most of the time I was basically trying to avoid being shot."

"*That* I can believe. But you understand, don't you, that the world is changing? Changing faster all the time. The seasons, the landscapes, the wildlife – since the Cataclysm, everything evolves at breakneck speed. And it evolves too fast! Humans change too, in grotesque ways. We deviate; we falter; we are born with deficiencies and weaknesses that threaten our survival. Our numbers fall. The Tainted get ever stronger; *their* numbers are increasing. One day, perhaps, our defences will fail, and they will overwhelm us. Already, with nightmares stirring all around us, we cower in our towns."

"You speak for yourself," Scarlett said. She altered her position slightly. The trouble with it was, any sharp movement and she could lose her balance and topple back over the edge. There wasn't any help for it, though. It was all she could do.

But she needed the woman to take another step.

"The towns are weak," Doctor Calloway went on. "The ruling families bicker; there is rivalry and feuding between them… It is only the High Council that provides the moral certainty and guidance that the kingdoms need. We have operatives; we have Mentors who offer a consoling variety of religions. But we do not yet have the knowledge and power necessary to unite the towns as they *should* be united – to halt these changes, stop our decline, defend ourselves against the chaos knocking at our door."

"And you think your experiments at Stonemoor will *give* you that knowledge and power?" Scarlett asked. "How's that, exactly?"

"Call it a side project," Calloway said. "A work in progress… We have plans, and Albert might have fitted into them very well. Which is why I made all this effort to fetch him back…" Her face hardened. "Only to have *you* kill him."

Scarlett's knuckles whitened on the loose railing. "So you keep saying. It wasn't *me* who made him jump off the edge."

"But it was. Albert was innocent and fearful. It was his first time in the wicked world. Without you, I'd have caught him soon enough – cowering, helpless, ready to come home. Instead, what happened? He fell in with a hayseed bank robber, who whisked him off across the kingdoms, gave him ideas, made him think he could truly follow his stupid dreams! He talked with your voice today, when I tried to reason with him. His last act was to look at you in hopeless adoration... No, Miss McCain," Doctor Calloway said, "I most certainly *do* blame you."

The woman took a step closer. The air shifted around Scarlett; she felt it preparing to lift her up, spin her away across the gulf.

There was a moment's silence.

"Not sure about the adoration bit," Scarlett said. "But you're right about the rest."

They smiled as one. Then two arms moved. Calloway's hand flashed up. Scarlett wrenched the railing free, swung it brutally so it connected with the outstretched fingers. A crack, a squeal from Calloway. Scarlett gave a cry of triumph, kept on spinning and lost her balance. For an instant she teetered at the edge of the tower, hands clutching desperately at nothing, then she toppled back and sideways and was gone.

She fell through air, through strands of ancient netting that broke and snapped and tore. Her boot caught in one loop; her arm snagged on another. Her fall was checked – once, then twice, each time resuming as rotten strands of rope gave way.

A sudden decisive jerk. Scarlett stopped, her leg snared fast in a coil of net, her arms and head dangling free. She swung suspended, upside down. The sea channel was a distant strip of flexing grey and white. She could feel the ropes giving, tearing... In moments, she would complete the fall.

Scarlett hung there, waiting, cradled by the roar of rushing water. Looking down into the mist and fury of the torrent far below, she saw scraps of flotsam passing: a plank, an oilcan, a branch with bright green leaves... All at once, her desperation dropped away. She felt calm, as if she were on the mat again.

Her mind cleared. Her perspective broadened. She thought of Clarence and Bob Coral on their island across the lagoon, watching for flotsam, trying to sieve the sea... She imagined the tidal waters of the Thames bringing new things in – planks, logs, ropes and plastic, bottles, bodies, scraps and fragments – carrying them into the country like a lung breathing in new air...

And, lying in the netting, upside down, Scarlett knew with certainty that the attempts of Calloway and the High Council were in vain. Change couldn't be stopped; it couldn't be controlled. Sure as the debris brought in on the ceaseless tides, it *would* go on unendingly, for better or for worse. Albert was gone, and now she would go too; but Britain and its inhabitants would continue to transform. Somehow, there was comfort in that knowledge. And whether her bones floated out into the cold grey sea lanes and were lost, or were washed inland to contribute to this perpetual seeding, it didn't matter any more.

She waited peaceably for the net to break.

When it didn't, her old cussedness stirred itself. With a series of wriggles, twists and wrenches, she fought herself into a horizontal position, cursing at the pain in her side. Wrestling her way upright, she hauled herself, hand over hand, up between the sagging ropes, struggling slowly back towards the top of the tower—

To find the woman waiting, with Scarlett's length of railing in one hand.

"A piece of pipe," Scarlett said. "Is that the best you can do?"

"You've broken my fingers, you little sow," Doctor Calloway said. "That's *another* thing to thank you for. With the pain, I can't concentrate to use my power. But, like you, I'm happy to improvise. So I'll just knock your brains in with this club."

She raised the railing.

Scarlett flinched back. The ropes entangled her; she couldn't move.

The blow fell. She closed her eyes.

As she had anticipated, the sound of the impact was sickeningly expressive, marking the high-speed contact of steel and bone. As she had *not* anticipated, it didn't hurt at all. She opened one eye, and then the other. Doctor Calloway still stood above her, the railing slack in her hand, and all the cold contempt in her face softening and transforming, as if she were being moved closer to a fire. The anger melted, the icy detachment fell away. The eyes widened, the mouth opened; it seemed to Scarlett that the woman was experiencing a revelation of some kind, perhaps of sorrow, remorse or some other secret emotion, and that if she'd had another few seconds, she might have expressed it to her.

She did not have those seconds. Doctor Calloway clutched her left hand to her chest, her eyes rolled, her head lolled up, then she toppled outwards, over Scarlett and away, brushing against her in her fall so that Scarlett almost plummeted with her into the abyss. The waves kept booming. One moment she was there;

the next she was gone, and nothing else in the universe changed.

Scarlett still clung to the broken netting, and there was still a figure with a piece of steel railing looking down at her.

The boy who had struck Doctor Calloway in the head with the other half of the piping bent close to the edge. He grasped Scarlett's hand and began to pull her up. He made a poor fist of it too, huffing and wheezing, his grip slipping, and with scarcely the strength to take her weight, so that she ended up having to do most of the work herself. Frankly, a dormouse would have done a better job. Scarlett might have pointed this out to him, or asked why it had taken him so long to get there; and there were a dozen other complaints that fleetingly crossed her mind. But she didn't express any of them.

"Thank you, Albert," was all she said.

# 29

THEY SAT ON THE LIP OF THE PLATFORM, LEGS DANGLING, looking towards the open sea. The sun declined behind them. Night was falling in the east; the Free Isles of the archipelago were pink-white shards glittering against a deep black sky.

Seabirds called; waves clashed between the towers. From the heights of Bayswater Isle came a faint, brief strain of music: a fiddle striking up a jaunty air. But between Albert and Scarlett was a battered silence. They watched their shadows moving steadily up the concrete wall of the tower beyond the channel.

The events and emotions of the previous hour had left Albert feeling almost as stretched and insubstantial as his shadow. In quick succession he had known joy, terror, despair, defiance and the shock of something coming to an end. He had thought Scarlett lost – she had appeared again, alive. He had thought Doctor Calloway drowned – she had returned too. If the chase up to the tower had exhausted him, his act of resistance on the edge had almost finished him off. His final wash of nervous energy had drained away, leaving him utterly spent. Somehow, he had survived. That was all he knew. And now—

"You can probably ditch the bar," Scarlett said.

It took him a moment to respond. Looking down at his lap, he was surprised to see the iron railing, gripped tightly in his hands.

"You think so...?" His fingers had locked in position; it actually hurt them to disengage.

"You bashed her skull in and knocked her into a raging sea. I should just about reckon she's dead this time."

"Dead..." he said.

"Yeah. Goodbye, Stonemoor." She lifted a stiff hand and scratched at her tangled hair.

Albert took a deep breath. Well, Scarlett knew about these things. He set the railing carefully on the stone beside him. It was hard to imagine Doctor Calloway not being there, hard to believe she wouldn't rise up from the abyss, clawing hands outstretched, to pursue him as a drenched and gory phantom... Something that had been a dark constant in his life was gone. The thought made him feel oddly disorientated, weightless and empty. It was like the sensation you got after illness, when a fever breaks and the body begins renewal.

Scarlett was feeling in her jacket pocket. "Do you want a piece of gum?"

"Thanks."

"Can't vouch for the quality. Mostly tastes of sweat and seawater. But..."

"I'm up for the challenge, Scarlett. I'll give it a try."

He unwrapped a strip, chewed speculatively. Waves crashed far below.

Goodbye, Stonemoor... It was true. There was nothing to pull him back there any more.

"Aren't you going to tell me, then?" Scarlett said.

"Tell you?" He blinked at her. "It *is* a bit salty, but I'm sure that's sea rather than—"

"Not the gum, you idiot. How you *did* it! Jumping off, I mean." She glared at him. "You gave me a bloody shock."

He looked at her. He still had the memory of something he'd caught in her face, the last moment before he'd leaped. It had flared beautifully around her as she'd met his gaze...

Despite her current frown, it lingered about her still.

"I'm so sorry, Scarlett," he said.

She brushed hair out of her eyes, shrugged her thin shoulders carelessly. "Oh, it was no big deal. But when she gave you that final choice, it was just – I thought you'd chosen the other thing."

Albert smiled at her. "I would never do that. What I *chose* was to drop onto a little parapet just below the edge. You can see it now if you stretch out and look down. See? I think they use it for attaching their nets, because there are hooks and fixings on it. It's not very wide. I nearly fell off, but I worked my way along, holding the hooks to steady me. I found a broken bit where I could climb up, then nipped over and got the iron bar. Then I did what I ought to have done years ago. With my own hands."

"Yeah. You did surprisingly well."

"It was point-blank range. She had her back to me."

"Precisely. The odds were stacked against you."

They sat there for a time. Whether it was the gum or the compliment, or the sunlight on his back, Albert felt a growing sense of contentment rising through his exhaustion.

"Well, we finished it," he said.

She nodded. "Yeah."

"We finished it together."

"Yep."

The distant fiddle started up again high in the tower. A drum joined in. Joyous shouts and whistles drifted down across the water.

Scarlett glanced stiffly back at Bayswater. "What are those fools doing?"

"They're probably dancing," Albert said. "Johnny Fingers was telling me they do an awful lot of that. After dinner each night, and to celebrate the dawn, the phases of the moon, their monthly cycles, the harvesting of the kelp fields... Every available opportunity, really."

"I expect being liberated from a bunch of violent invaders hits the spot as well," Scarlett said. "You could go and join them."

"No, thanks."

"Don't fancy some high-kicking?"

"Not just now."

She grinned at him. "Dancing berks aside, you've made it to the Free Isles, Albert. You got what you wanted. Doesn't have to be Bayswater and Johnny Fingers, after all." She pointed. "There they all are, look: you can pick out any one of them."

Albert gazed across at the horizon, at the other broken buildings scattered in the sea. As he did so, he thought of the boy with the quiff, of the stories he'd been told in that day room back in Stonemoor. Of the dreams that had sustained him all this time. Curiously, he found it a little harder to visualize the boy than he had before. And his old visions of the isles were dispersing too, like trails of ink in water...

"Yes," he said. "I *could* pick another island, I suppose."

"That stumpy mound over there looks populated," Scarlett said. "Doesn't look like it gets *completely* immersed at high tide… Or what about that one with the cluster of seaweed huts on the top?"

"Well…"

"I don't know what you're hesitating for. You've got it made. Calloway's dead. Her friends in the High Council won't ever find you, even if they tried looking, which they won't. You're fifty miles from the nearest Faith House. No slavers… No Tainted…" She glanced aside at him, grinning. "What's not to like for a boy who's running from the world? I'd say you're nicely sorted now."

Albert kicked his heels against the platform, staring out across the ocean. He sighed. "Well, that's the thing," he said. "The isles *are* safe…"

"Course they are."

"I mean apart from the sharks, obviously, and the falling ruins and the tsunamis. And the plague… Did I tell you there's a plague island called Camberwell out there to the east? And the lightning storms. And there's something you can get called Chelsea Clap that doesn't sound so good; but apart from all of that—"

"Apart from all that," Scarlett interrupted, "the Free Isles are about as safe and dully predictable as it's possible to get in the Seven Kingdoms! Say no more, Albert. You've got a nice little refuge here. Assuming you *want* to hide away."

*A nice little refuge…* Well, it was true enough. If he stayed in the isles, he'd be pretty much sheltered from everything.

Everything…

He looked across at Scarlett, who was humming lightly to herself. The last twenty-four hours had taken their toll on her, but under the bruises and the scratches, the stained and ragged clothes, and the stiffness of her movements, she was as alert and nonchalant as ever. A trace of evening light, showing round the edge of Bayswater Isle, hung about her slim, spare frame. Her hair was burnished red and gold. It reminded Albert of when he'd seen her properly the first time, beside the stream in the little valley, when she'd pulled him from the bus.

A pleasant pain fizzed through him. Suddenly he needed to speak.

"Thank you for coming back for me, Scarlett," he said. "To Bayswater, I mean. Rescuing me today. I know how hard it was for you. And I didn't deserve it. After what happened on the raft—"

"OK, stop right there!" She raised a hand; the bandage on it was black and torn. "Forget about last night. It wasn't your fault."

"But of course it was! I tore it apart!"

"We were attacked. You saved us. That's all there is to say."

"I wish that were so, but it isn't, Scarlett! It's as I've always told you. The Fear is in me always. I can't control it; I can't predict it. When it comes, I destroy everything – and people close to me will always suffer the worst of all."

It was one of Scarlett's louder snorts, rich, prolonged, contemptuously amused. "Baloney. Did you kill Joe, Ettie or me? No. Did you kill our enemies? Yes. Point proven. I think you *do* have control, Albert, just not in the way you want."

He hesitated. "You are very kind," he said at last. "But I am not sure it is the truth. I've been thinking, Scarlett – perhaps I should take myself away, even from here. I could swim to a distant rock, far to the east, where I can become a hermit, with no

394

friends but the local whelks and clams. The years will pass. There I shall sit, with bony legs akimbo, weathered naked as the stones, meditating on my loneliness and the cruelty of—"

"Albert."

"What?"

"Shut up."

"Really? I was trying to talk about my powers, like you said I should."

"No, you were talking about being naked and it's left me with an image I'll be taking to the grave. That's enough! Just forget it now. It's your power. For good or for bad, it's part of you. Just accept it and stop worrying."

He sat silent for a moment. "But I don't think I'll ever learn to—"

"Tough! I've got a bad temper myself! Probably I shoot more people than strictly necessary. Well, I have to live with it. It's the same with you. Buy a cuss-box. Get a prayer mat. Move on."

"But—"

"And don't call it 'the Fear', either. Sounds like something Calloway would name it. She's the one who was frightened. *You* don't have to be. Call it something else."

Albert opened his mouth to protest, and closed it again. "All right," he said. "I'll try."

"Good."

The light was withdrawing from the sea channel, and the walls below were black. Lanterns were coming on in the other Free Isles to the east. Scarlett stretched her thin arms and yawned. "I need to get back to the mainland," she said. "If I'm not careful, Joe will take the last boat. I think he's got my bag – which means he's got my prayer mat *and* all the remaining money. I'd better get moving before he pinches the lot."

"I told him he could take his fee," Albert said. He cleared his throat. "So ... what are your plans, Scarlett? You're heading north, I think you said."

She was rising now, moving slowly and stiffly, cursing softly under her breath. "Yep," she said. "Mercia, Northumbria, maybe. I'm going to stay clear of Wessex for a while, till the Brothers of the Hand forget about me. But don't fret – I've a few ideas to keep me busy."

Albert got to his feet too. Night rolled towards them across the sea. A pulsing glow on the horizon perhaps marked the Burning Regions far away. "These ideas," he said idly. "More bank vaults, I suppose?"

She was upright now, as straight and sure as ever, with her coat flapping and the wind playing at her hair. "Well, there has to be a bank or two – I need funds to buy weapons, all that stuff. But after that, there's something I want to look into. A Faith House in the old town of Warwick, meant to be the biggest and richest in Mercia. They say it's got vaults that stretch out for miles – all manner of treasures, fabled wealth, relics from antiquity, rooms stuffed with more gold and coins than Calloway's pals know what to do with... Yeah, I thought I might drop by, just take a look as I was passing..."

"Sounds interesting," Albert said.

"I think so."

"Dangerous too, of course."

"Very. I mean, that Lechlade bank we cracked together wouldn't compare."

"No. Though we did a good job on that, didn't we?"

"We did. And now I'll be on my own, and you'll be a happy kelp farmer, or whatever it is they do here. Did you see that they actually weave their clothes out of seaweed?" Scarlett said. "I'd have thought it would be slimy in all the wrong places, but they seem to enjoy it."

Albert turned to look back towards the darkening lands of Britain. The sky over England was striped in yellows and pinks. A few faint lights and fires marked out the favelas of the estuary. He imagined the Seven Kingdoms stretching out under the stars in all their beauty and their strangeness, their wildness and variety. Waiting to be explored by anyone who dared...

"Look at that sunset," he said. "It's so beautiful."

"Yeah," Scarlett said. "Nice. But aren't you looking the wrong way? Your Free Isles are over there."

"Oh, yes. That's right."

She straightened her jacket, smiled at him. "Well, I'm going to find a boat."

"I'll come with you," Albert said. "To the boathouse, I mean. Escort you. Make sure you find your way... Besides, I want to see Joe and Ettie."

"Yes." Scarlett McCain spoke as if it surprised her. "Me too."

He walked beside her across the platform, with night at their back and the strip of pink in the sky ahead of them dwindling to a thread. At the top of the steps, he paused.

"So what kind of dangers *are* you expecting at this sinister Faith House in Mercia?" he asked. "Just out of idle curiosity. A horn-beak again, you think? Wolves?"

"Well," Scarlett said, "there'll be beasts of some description, that's for sure. And the word is they've got all manner of nasty defences – snares, pits, concealed gas-traps... Oh, and flip-stones that drop you into vats of giant frogs, though I don't pay much credence to *that* story. I *do* know the Brothers tried to rob it once, and none of their teams ever came out again... But it's all just rumour. Obviously I can't be sure until I break in."

"Sounds risky," Albert said, "you going in blind."

"It is. Very."

"If only there was some other way."

"The Mentors at the Faith House know all the secrets, of course. But what am I going to do – read their minds?"

She grinned at him. He looked at her. For a long moment, in the last light of the day, they held each other's gaze. Then they went on. As they pattered down the steps, the pursuing darkness enfolded the tower, but a strip of candlelight danced at the end of the bridge, where an old man and a child were waiting.

JONATHAN STROUD wrote his first novel – *Buried Fire* – while working as an editor at Walker Books. He is the author of two internationally bestselling series: the award-winning Bartimaeus sequence, which has been published in thirty-six languages worldwide, and the critically acclaimed Lockwood & Co. His other novels include *The Leap*, *The Last Siege* and *Heroes of the Valley*. Jonathan lives in Hertfordshire with his wife and three children.

WWW.JONATHANSTROUD.COM

🐦 #SCARLETTANDBROWNE
@JONATHANASTROUD

📷 @JONATHAN.STROUD